Delphine

*Un homme doit savoir braver l'opinion,
une femme s'y soumettre.*

Mélanges, *de Madame Necker*

madame de staël

delphine

tome 1

des femmes

ISBN 2-7210-0215-5

© 1981, Editions Des femmes
2, rue de la Roquette
75011 Paris

Delphine, Héroïne du Féminisme

« *Corinne* est l'idéal de Madame de Staël ; *Delphine*
en est la réalité pendant sa jeunesse. »
                          Madame Necker de Saussure

*Delphine fut, dès sa parution en 1802, très mal
reçue. Passe encore en France : Bonaparte détestait
Madame de Staël, mais en Angleterre, en Suisse...*

*Le livre était vendu en masse, mais lu avec rage,
commenté avec fureur... Qu'est-ce qui pouvait donc
exaspérer à ce point ? La réponse est simple : c'est un
livre essentiellement féministe, désespéré et qui, ainsi
que l'a noté Maria Edgeworth, aurait pu s'appeler du
même nom que celui de Mary Woolstoncraft : « Du
malheur d'être femme »...*

*L'auteur, comme son personnage principal — Del-
phine —, s'y permet de sentir, de penser et surtout, de
parler... La conspiration du silence est brisée : les
femmes parlent... Non seulement la ravissante Delphine, mais toute une horde d'autres : les vieilles, les
infirmes, les réprouvées, les malcontentes... enfin
toutes celles à qui on espérait que la parole avait été
coupée une fois pour toutes, eh bien voilà que Madame
de Staël la leur rend, qu'avec son infatigable générosité,
elle raconte dans le détail l'histoire de chacune, la série
des chagrins, des humiliations et des injustices par
laquelle chacune est passée dans un monde où une
femme laide ou âgée n'ose pas même se montrer ; voilà
qu'elle n'hésite pas à placer en première place une
grande amitié féminine, voilà qu'elle met en scène des*

hommes amoureux beaucoup moins chevaleresques que la littérature ne l'avait fait supposer jusqu'alors, et voilà surtout qu'elle nous décrit Delphine elle-même, belle, riche, aimée, poussée au couvent et bientôt au suicide par la stupidité de l'ordre viril !

Tout cela était, certes, beaucoup plus grave au moment où l'Empire s'installait en France et le puritanisme en Angleterre que de dénigrer la religion catholique ou de faire l'éloge du divorce.

La révolution a eu lieu, mais une femme parle et le tollé est général...

Pour étayer cette perspective, je me reporterai à l'article de Fiévée, paru dans le Mercure de France le 1er janvier 1803 et commenté très opportunément par Simone Balayé dans les Cahiers Staëliens*.

Voici comment Delphine y est définie :

« Parler est pour elle le bonheur suprême, aussi répète-t-elle souvent qu'elle est brillante, qu'elle a été brillante, qu'elle sera brillante, ce qui signifie qu'elle parle bien, qu'elle a bien parlé et qu'elle parlera bien. Autrefois on appelait commères ces femmes insupportables qui veulent toujours dominer la conversation, mais depuis que nos mœurs se sont perfectionnées, on trouve bien qu'une femme se fasse orateur dans un salon, et plus elle manque aux bienséances de son sexe, plus on applaudit... »

La colère a eu le mérite de faire pointer la vérité : le crime, c'est la parole de la femme, mais le système viril connaît à cela un double remède : le premier consiste à évoquer un passé vertueux comme le faisait déjà dans son temps le vieux Caton, le deuxième à donner à la chose un nom péjoratif : commère... Il n'est pas mauvais à ce propos de comparer la définition du mot

---

* Simone Balayé — Un émissaire de Bonaparte, Fiévée critique de Madame de Staël et de *Delphine* — (Cahiers Staëliens, 1er et 2e semestre 1979), page 99.

commère avec celle du mot compère. Voici ce que donne Larousse :

« *Commère : femme curieuse, bavarde* »

« *Compère : toute personne qui en seconde une autre pour faire une supercherie.* »

Faut-il en conclure que parler soit chez la femme l'équivalent d'une supercherie ? De quelque chose qui n'est pas tout à fait honnête ? C'est ce que Fiévée pourrait nous laisser supposer... Mais que dire alors quand c'est l'une de ces femmes disgrâciées, infirme ou vieille qui s'exprime ? Comment Fiévée s'y prendra-t-il pour ajourner ces trouble-fête ?

« ... écoutez avec attention ces femmes malheureuses, vous apprendrez qu'elles ont à se plaindre de tout le monde, vous les entendrez soupirer à chaque instant leur profonde mélancolie ; leur cœur est de toutes parts blessé par l'ingratitude ; elle appellent à grands cris la paix, la paix qu'elle ne peuvent plus trouver que dans le tombeau vers lequel les conduit à pas trop lents la sombre douleur qui les mine ; regardez-les, grosses, grasses, fortes ; leur figure enluminée de trop de santé, n'offre aucune de ces traces que laissent toujours après elles les peines qui viennent du cœur... »

On voit que la fin de la phrase qualifie l'auteur. C'est en faisant passer Madame de Staël dans le camp de celles qu'on appellerait aujourd'hui les « amères » ou pire encore, que Fiévée croit se débarrasser des unes et surtout, de l'autre... Mais poursuivons : l'amitié exaltée de deux femmes a exaspéré Fiévée : « Delphine peint l'amitié comme une passion, ce qui la conduit tout naturellement à peindre l'amour comme une fureur... » Enfin, Delphine s'est permis de montrer deux hommes tels qu'ils peuvent se conduire en amour, de faire émerger cette portion d'eux doublement cachée par la comédie sociale et par le silence habituel des femmes, si bien que Fiévée conclut :

« Il n'y a qu'une femme dégradée qui puisse supporter *l'insolence et la violence d'un tel homme...* »

Bien entendu, si Léonce est odieux, c'est par la faute de Delphine, vous l'aviez deviné...

Il est juste de dire que Delphine *fut vaillamment défendue par deux critiques de poids : Guinguené et Constant, mais aucun des deux, et pour cause, n'a voulu voir que l'attaque portait principalement sur le caractère féministe du livre, si bien qu'on trouve chez Guinguené* * *une phrase digne de son antagoniste, Fiévée : « Une femme d'ailleurs qui joue ce rôle dans le monde quitte réellement celui que la nature et la société imposent également à son sexe ; quelque éclat que vous lui supposiez, elle ne paraît pas alors comme un astre brillant et doux qui éclaire, mais comme une comète qui tourbillonne et* dérange tout le système... ** »

On ne dit pas mieux : Madame de Staël dérange le système et c'est ce que ses défenseurs mêmes ne peuvent lui pardonner...

Benjamin Constant, qui pense certainement la même chose que Guinguené ainsi qu'en témoignera son journal en maints endroits, se contente d'écrire dans l'article qu'il a consacré à Delphine *** :

« *Nous ne connaissons point d'ouvrage de femme qui puisse lui être comparé...* »

Eh bien, si... Et il faudra parler ici de La Princesse de Clèves, *dont Madame de Staël écrit dans la préface de* Delphine : « *Madame de La Fayette est la première qui, dans* La Princesse de Clèves, *ait su réunir à la peinture de ces mœurs brillantes de la chevalerie, le langage touchant des affections passionnées* ». *N'est-ce pas là le projet même de* Delphine ? *Peindre les*

---

* Jeanne Carriat — Guinguené critique de *Delphine* — (Cahiers Staëliens, 1er et 2e semestre 1979), page 135.

** Souligné par nous.

*** Benjamin Constant — Recueil d'articles 1795-1817, p.p. Ephraïm Harpaz — Genève, Droz, 1978, page 59.

mœurs d'une époque et y joindre le langage de l'amour ?

Fiévée, de son côté, écrivait dans l'article que nous avons déjà cité :

« *Une femme passionnée n'est pas contre nature ; mais elle est contre la nature des femmes bien élevées ; aussi, dans tous les bons romans, ne trouve-t-on que des femmes tendres : la princesse de Clèves, Clarisse, Pamela, Virginie, l'Héloïse même de Rousseau, ne sont pas des femmes passionnées...* »

La princesse de Clèves meurt de sa passion, mais Fiévée, comme beaucoup d'autres, ne s'en est pas même aperçu...

On comprend que Madame de Staël ait voulu être plus explicite. C'est précisément ce qu'on lui reproche : il y avait peut-être moyen pour un lecteur superficiel d'ignorer la passion de la princesse, mais il n'y en a aucun d'ignorer celle de Delphine : elle en parle tout le temps... C'est ce qui fait trouver le livre « bavard », propos de « commère » : une héroïne, sans même attendre le truchement de son auteur, s'exprime, proteste, ce qui est le début de la révolte.

Il ne faudrait pourtant pas se tromper sur le sens de La Princesse de Clèves : si elle ne parle pas de ses chagrins, si elle ne demande conseil à personne, si elle prend toutes ses décisions dans le secret de sa conscience et si, par là, elle accomplit l'idéal masculin de la femme seule et silencieuse, elle a un auteur déjà profondément féministe qui se charge de la faire passer à la parole. Et c'est là la raison du célèbre aveu. La princesse avoue ses sentiments à son mari comme le lui ordonne un devoir théorique et que nulle autre n'observe, mais cette parole, aussi conforme à l'ordre soit-elle, suffit à déchaîner d'innombrables catastrophes par sa seule formulation. Le public du xviie siècle ne s'y est pas trompé : ce qui choque, ce n'est pas la passion, c'est son aveu.

11

Mais en 1802, le langage de la passion a changé : c'est celui de Rousseau, de Chateaubriand, et il faut une lectrice aussi avertie que Madame de Staël pour reconnaître dans La Princesse de Clèves l'œuvre pétrie de révolte avec laquelle elle établira dans Delphine une dialectique.

Certes, Madame de Staël s'inspirera aussi de son temps : Delphine sera un roman lyrique comme Werther, épistolaire comme La Nouvelle Héloïse, mais les thèmes de l'œuvre seront bien ceux de La Princesse de Clèves : l'héroïne, restée pure dans un amour défendu (pour employer la terminologie de l'époque), finit par se retirer au couvent et mourir de chagrin tandis qu'entrent en lice au cours du livre d'autres femmes, toutes blessées, toutes meurtries quelles que soient leur situation sociale ou leurs qualités personnelles.

Madame de Staël, comme Madame de La Fayette, insiste sur le fait que son héroïne est « différente des autres femmes », mais tandis que la princesse de Clèves se distingue par l'excès de sa vertu féminine, Delphine, elle, veut accéder à la vertu plus générale d'un être humain, elle veut se conduire selon un idéal moral et non pas selon cette moralité réservée aux femmes qui n'en est que la parodie. C'est ainsi qu'elle se compromet en recevant chez elle deux amants qui s'aiment et en hébergeant dans sa maison un homme menacé par les violences de la révolution.

Ne pas accepter les préjugés d'une société, c'est la juger. Voilà en quoi Delphine ne se « soumet pas », et c'est ce qu'elle ne cessera d'expier comme le laissait prévoir l'épigraphe du roman.

On notera pourtant que la démarche de la Princesse de Clèves était la même : avouer à son mari le sentiment qu'on éprouve pour un autre, c'est sortir de l'usage, et par là, le condamner. Si l'innocence de la princesse la met à l'abri de la censure sociale, son action provoque un grave désordre, comme si le manquement aux conventions de la part d'une femme fonctionnait à la manière d'un tabou enfreint, entraînant des conséquences automatiques sans rapport nécessaire avec une faute.

Si Madame de La Fayette « peint les mœurs brillantes de la chevalerie », Madame de Staël, se distinguant ainsi de la plupart des romancières de son époque, peint la vie de la société pendant la révolution, et, avec une originalité certaine, elle montre une aristocratie extrêmement distraite, peu touchée par les événements, incapable de les comprendre ou même de s'y intéresser, et conservant des mœurs parfaitement anachroniques : on continue à médire, à mépriser, à se battre en duel et à faire d'une aventure amoureuse un sujet de conversation brûlant et capital. Seul Monsieur de Lébensei qui représenterait à la fois Benjamin Constant et le marquis de Jaucourt, est vraiment conscient du changement social qui est en train de survenir. C'est le porte-parole de la pensée de l'auteur, l'avocat passionné de la liberté et du bonheur, tâche que Madame de Staël n'a pas osé confier à Delphine pour ne pas faire d'elle une intellectuelle qui lui soit comparable.

Car, si Delphine représente Madame de Staël, et si Léonce de Mondoville évoque Louis de Narbonne infiniment plus que l'Oswald de Corinne n'évoquera Don Pedro de Souza, il est intéressant d'examiner quelle différence Madame de Staël a marquée (et pourquoi) entre la fiction et la réalité.

Or, cette réalité, nous pouvons en prendre une idée assez exacte grâce aux Lettres à Narbonne qui ont été éditées en 1960*.

On y retrouve plusieurs réflexions qui apparaissent dans Delphine, et surtout, il est permis de se demander

* Lettres à Narbonne, p. p. Georges Solovieff — Paris, Gallimard 1960.

si ce n'est pas cette correspondance qui a donné à l'auteur l'idée de choisir la forme épistolaire, car enfin : on choisit pour s'exprimer parmi les formes de son temps celle qui correspond à une vérité intime, et cette phrase :

« J'ai rêvé apparemment ce que j'ai cru être pour vous, et il n'y a de vrai que mes lettres » (page 441) pourrait laisser penser que Madame de Staël a voulu donner corps dans Delphine *à ce rêve qu'elle n'a jamais pu réaliser : une passion qui dure malgré le temps, malgré les séparations et malgré surtout qu'on y soit vraie. Cette phrase : « Moi, je n'ai su qu'un secret : aimer, le dire, le prouver, en vivre, en mourir. Il vous fallait plus d'art, plus d'indifférence ; vous avez été trop sûr de moi, vous avez eu raison... » (lettre 129) donne la mesure de ses ambitions et celle de sa défaite.*

Donc, contrairement à celle de Narbonne léger, distrait, oublieux, la passion que Léonce de Mondoville porte à Delphine ne se démentira pas au cours du livre. Cependant, il est comme Narbonne un grand seigneur d'origine espagnole (l'Espagne n'est-elle pas le pays d'Europe le plus conservateur pour ce qui touche à la conduite des femmes ?), très conformiste, exigeant tout des autres et prêt à donner fort peu de soi. Du moins son excuse est-elle la passion, car, si Madame de Staël l'avait peint tel que Narbonne apparaît dans ses lettres, si elle avait montré clairement ce mélange d'indifférence, de formalisme et de mauvaise foi, elle perdait tout chance de conquérir un public où l'opinion était dictée par les hommes et d'ailleurs toute raison de plaider en faveur du divorce et du mariage d'amour.

De même, si elle avait fait de Delphine une intellectuelle, et surtout une femme « engagée » comme elle-même, capable de vivre ses sentiments jusqu'au bout, elle perdait ses possibilités déjà minces de la faire apprécier de ses lecteurs.

Alors que Benjamin Constant pouvait quelques années plus tard étaler, sans aucun dommage pour sa réputation d'homme et d'écrivain, toute la sécheresse de son cœur, il était impossible à Madame de Staël, pour toutes les raisons qu'on vient d'exposer, d'étaler toute la richesse du sien ; si bien que, ce qui, dans son œuvre, pourrait se comparer véritablement à Adolphe par la lucidité, le réalisme et le caractère universel de sa démarche amoureuse, ce n'est pas ses romans mais bien ses correspondances avec ses amants.

Enfin, si le contenu de Delphine est fascinant, le mode d'expression ne l'est pas moins. Sa langue est celle du raisonnement, celle que l'auteur croyait la plus propre à convaincre : à cette époque, la langue des hommes par définition. Quoiqu'elle insistât beaucoup sur sa faiblesse physique et son besoin de protection, Madame de Staël avait la conviction d'avoir un côté viril et cela l'enchantait ainsi qu'en témoigne ce récit : « Roederer a dit en plein lycée : « N'est-ce pas une erreur de la nature et de la loi que Monsieur de Staël soit ambassadeur et que Madame de Staël accouche ? » Cela m'a raccommodée (sic) avec la République... » Ayant donc acquis une connaissance et une culture supérieures à celles de la plupart des hommes de son temps, il semble qu'elle écarte de sa langue tout ce qui pourrait ramener à la nature ou même à la poésie. On pourrait, certes, en dire autant de Benjamin Constant, mais chez lui, ce langage s'accorde avec l'analyse intellectuelle froide, tandis que la chaleur de Madame de Staël, sa tendresse, son goût de l'impossible auraient peut-être trouvé un appui dans un rythme syntaxique moins strict ou un abandon plus grand à la métaphore, c'est seulement les improvisations et le dernier chant de Corinne qui donneront l'idée que Madame de Staël aurait pu écrire autrement qu'elle ne l'a fait. Mais Madame de Staël veut avant tout convaincre, et elle se persuade sans doute que, plus son style sera viril, mieux le message féminin sera traduit. C'est peut-être sentant cela confusément, que Fiévée, dans son fameux article, a trouvé à Delphine *l'apparence d'une traduction. Mais tous les efforts de Madame de Staël n'empêcheront pas que, malgré la logique de son écriture, Delphine ne soit traitée de folle...*

Si l'originalité de l'expression a peut-être été freinée, l'œuvre est pourtant truffée d'idées très modernes : par exemple, le double dénouement dont le fils de Madame de Staël prend la responsabilité mais qui n'aurait certainement pas été désavoué par l'auteur, annonce déjà les opéras de Michel Butor, tandis que le caractère cryptique des noms propres, retourne à Swift et à Rabelais... Ainsi Simone Balayé qui a bien voulu m'autoriser à parler de cette question dont nous avons discuté avant même que l'article qu'elle prépare sur ce sujet ne soit publié, observe que Lebensei *signifie en allemand que la vie soit, ce qui paraît tout à fait pertinent puisque ce personnage exprime les idées de l'avenir. Selon elle, également, le nom de* Vernon *évoquerait un élan (vers) auquel on se refuse (non). Enfin, le nom de* Léonce, Mondoville, *serait à rapprocher de celui d'Oswald dans* Corinne, *qui est* Nelvil, *et il s'ensuivrait que ces hommes représenteraient l'opinion, le monde et la ville. Poursuivant ce raisonnement, j'en conclurais que les héros seraient les émissaires de l'ordre social tandis que les héroïnes — Corinne et Delphine — incarneraient l'inspiration. En effet : s'il est communément admis que le prénom de Delphine a été choisi par reconnaissance pour Delphine de Custine qui, seule, était venue parler à Madame de Staël lors d'une réunion où chacun la fuyait car Bonaparte était présent et elle était en disgrâce, il est vrai aussi que ce prénom peut être*

DELPHINE

rapproché de Delphes, lieu où des femmes, les Pythies, rendaient des oracles (Baudelaire ne pense-t-il pas à cette étymologie lorsqu'il écrit dans Delphine et Hippolyte : « *Delphine secouant sa crinière tragique, et comme trépignant sur le trépied de fer,* »… ?) Corinne, de même, reprend le nom d'une poétesse de l'antiquité, et se voit à plusieurs reprises comparée à la Sibylle. L'intention est donc nette : d'un côté les hommes, symbole de l'ordre, de l'autre, les femmes, images de l'inspiration artistique et amoureuse. Il me reste à renvoyer celles qui voudraient parfaire leurs connaissances sur Delphine, *non seulement aux ouvrages que j'ai cités en cours de route, mais au chapitre consacré à* Delphine *dans le livre de Simone Balayé,* Madame de Staël, Lumières et Liberté, *paru chez Klincksieck en 1979.*

Nous espérons aussi du même auteur une édition savante qui comparera les trois manuscrits de Delphine.

Claudine Herrmann

PREMIÈRE PARTIE

LETTRE PREMIÈRE

Madame d'Albémar à Matilde de Vernon

Bellerive, ce 12 avril 1790.

Je serai trop heureuse, ma chère cousine, si je puis contribuer à votre mariage avec M. de Mondo-ville (1); les liens du sang qui nous unissent me donnent le droit de vous servir, et je le réclame avec instance. Si je mourais, vous succéderiez naturelle-ment à la moitié de ma fortune : me serait-il refusé de disposer d'une portion de mes biens pendant ma vie, comme les lois en disposeraient après ma mort? A vingt et un ans, convenez qu'il serait ridicule d'offrir mon héritage à vous qui en avez dix-huit! Je vous parle donc des droits de succession, seulement pour vous faire sentir que vous ne pouvez considérer le don de la terre d'Andelys comme un service embarrassant à recevoir, et dont votre délicatesse doive s'alarmer.

M. d'Albémar m'a comblée de tant de biens en mourant, que j'éprouverais le besoin d'y associer une personne de sa famille ; quand cette personne, ma compagne depuis trois ans, ne serait pas la fille de madame de Vernon (2), de la femme du monde dont l'esprit et les manières m'attachent et me captivent le plus. Vous savez que la sœur de mon mari, Louise d'Albémar, est mon amie intime ; elle a confirmé avec joie les dons que M. d'Albémar m'avait faits. Retirée dans un couvent à Montpellier, ses goûts sont plus que satisfaits par la fortune qu'elle possède ; je suis donc libre et parfaitement libre de vous assurer vingt mille livres de rente, et je le fais avec un sentiment de bonheur que vous ne voudrez pas me ravir.

En vous donnant la terre d'Andelys, il me restera encore cinquante mille livres de revenu ; j'ai presque honte d'avoir l'air de la générosité quand je ne dérange en rien les habitudes de ma vie. Ce sont ces habitudes qui rendent la fortune nécessaire : dès que l'on n'est pas obligé d'éloigner de soi les inférieurs qui se reposent de leur sort sur notre bienveillance, ou d'exciter la pitié des supérieurs par un changement remarquable dans sa manière d'exister, l'on est à l'abri de toutes les peines que peut faire éprouver la diminution de la fortune. D'ailleurs, je ne crois pas que je me fixe à Paris ; depuis près d'un an que j'y habite, je n'y ai pas formé une seule relation qui puisse me faire oublier les amis de mon enfance ; ces véritables amis sont gravés dans mon cœur avec des traits si chers et si sacrés, que toutes les nouvelles connaissances que je fais laissent à peine des traces à côté de ces profonds souvenirs. Je n'aime ici que votre mère : sans elle je ne serais point venue à Paris, et je n'aspire qu'à la ramener en Languedoc avec moi : j'ai pris, depuis que j'existe, l'habitude d'être aimée, et les louanges qu'on veut bien m'accorder ici laissent au fond de mon cœur un sentiment de froideur et d'indifférence qu'aucune jouissance de l'amour-propre n'a pu changer entièrement ; je crois donc que, malgré mon goût pour la société de Paris, je retirerai ma vie et mon cœur de ce tumulte, où l'on finit toujours par recevoir quelques blessures, qui vous font mal ensuite dans la retraite.

J'entre dans ces détails avec vous, ma chère cousine, pour que vous soyez bien convaincue que j'ai beaucoup plus de fortune qu'il n'en faut pour la vie que je veux mener. C'est à regret que je me condamne à rechercher tous les arguments imaginables pour vous faire accepter un don qui devrait s'offrir et se recevoir avec le même mouvement ; mais les différences de caractère et d'opinion qui peuvent exister entre nous m'ont fait craindre de rencontrer quelques obstacles aux projets que nous avons arrêtés votre mère et moi : j'ai donc voulu que vous sussiez tout ce qui peut vous tranquilliser sur un service auquel vous paraissiez attacher beaucoup trop d'importance ; il n'entraîne point avec lui une reconnaissance qui doive vous imposer de la gêne ; et si tout ce que je viens de vous dire ne suffit pas pour vous le prouver, je vous répéterai que mon amitié pour votre mère est si vive, si dévouée, qu'il vous suffirait d'être sa fille pour que je fisse pour vous, quand même je ne vous connaîtrais pas, tout ce qui est en mon pouvoir. Mais c'est assez parler de ce service ; autrement je ne vous en aurais pas entretenue si longtemps, si je n'avais aperçu que vous aviez une répugnance secrète pour la proposition que je vous faisais.

Il se peut aussi que vous soyez blessée des conditions que madame de Mondoville a mises à votre mariage avec son fils. N'oubliez pas cependant, ma chère Matilde, qu'elle ne vous a connue que pendant votre enfance, puisqu'elle n'a pas quitté l'Espagne depuis dix ans ; et songez surtout que son fils ne vous a jamais vue. Madame de Mondoville aime votre mère, et désire s'allier avec votre famille ; mais vous savez combien elle met d'importance à tout ce qui peut ajouter à la considération des siens ; elle veut que sa belle-fille ait de la fortune, comme un moyen d'établir une distance de plus entre son fils et les autres hommes. Elle a de la générosité et de l'élévation, mais aussi de la hauteur et de l'orgueil ; ses manières, dit-on, sont très simples et son caractère très arrogant. Née en Espagne, d'une famille attachée aux antiques mœurs de ce pays, elle a vécu longtemps en France avec son mari, et elle y a appris l'art de revêtir ses défauts de formes aimables qui subjuguent ceux qui l'entourent. Tout ce que l'on raconte de Léonce de Mondoville me persuade que vous serez parfaitement heureuse avec lui ; mais je crois que madame de Mondoville, malgré les inconvénients de son caractère, a beaucoup d'ascendant sur son fils. J'ai souvent remarqué que c'est par ses défauts que l'on gouverne ceux dont on est aimé : ils veulent les ménager, ils craignent de les irriter, ils finissent par s'y soumettre ; tandis que les qualités dont le principal avantage est de rendre la vie facile, sont souvent oubliées et ne donnent point de pouvoir sur les autres.

Ces diverses réflexions ne doivent en rien vous détourner du mariage le plus brillant et le plus avantageux ; mais elles ont pour but de vous faire sentir la nécessité de remplir toutes les conditions que demande ou que désire madame de Mondoville. Il ne faut pas que vous entriez dans une telle famille avec une infériorité quelconque ; il faut que madame de Mondoville soit convaincue qu'elle a fait pour son fils un mariage très convenable, afin que tous les égards que vous aurez pour elle la flattent davantage encore. Plus vous serez indépendante par votre fortune, plus il vous sera doux d'être asservie par vos sentiments et vos devoirs.

Oubliez donc, ma chère Matilde, les petites alter-
cations que nous avons eues quelquefois ensemble, et
réunissons nos cœurs par les affections que nous sont
communes, par l'attachement que nous ressentons
toutes les deux pour votre aimable mère.

LETTRE II

Réponse de Matilde de Vernon à madame d'Albémar

Paris, ce 14 avril 1790.

Puisque vous croyez, ma chère cousine, qu'il est de
votre délicatesse de faire jouir les parents de
M. d'Albémar d'une partie de la fortune qu'il vous a
laissée, je consens, avec l'autorisation de ma mère, à
la donation que vous me proposez, et je considère
avec raison cette conduite de votre part comme
satisfaisant à beaucoup plus que l'équité, et vous
donnant des droits à ma reconnaissance ; je m'engage
donc à tout ce que la religion et la vertu exigent d'une
personne qui a contracté, de son libre aveu, l'obligation qui me lie à vous.
    Ma mère désire que le service que vous me rendez
reste secret entre nous ; elle croit que la fierté de
madame de Mondoville pourrait être blessée en
apprenant que c'est par un bienfait que sa belle-fille
est dotée : je vous dis ce que pense ma mère, mais je
serai toujours prête à publier ce que vous faites pour
moi, si vous le désirez. Dût la publicité de vos
bienfaits m'humilier selon l'opinion du monde, elle

me relèverait à mes propres yeux : tel est l'esprit de la religion sainte que je professe.

Je sais que ce langage vous a paru quelquefois ridicule, et que, malgré la douceur de votre caractère, douceur à laquelle je rends justice, vous n'avez pu me cacher que vous ne partagiez pas mes opinions sur tout ce qui tient à l'observance de la religion catholique. Je m'en afflige pour vous, ma chère cousine, et plus vous resserrez par votre excellente conduite les liens qui nous attachent l'une à l'autre, plus je voudrais qu'il me fût possible de vous convaincre que vous prenez une mauvaise route, soit pour votre bonheur intérieur, soit pour votre considération dans le monde.

Vos opinions en tout genre sont singulièrement indépendantes : vous vous croyez, et avec raison, un esprit très remarquable ; cependant, qu'est-ce que cet esprit, ma cousine, pour diriger sagement, non seulement les hommes en général, mais les femmes en particulier ? Vous êtes charmante, on vous le répète sans cesse ; mais combien vos succès ne vous font-ils pas d'ennemis ! Vous êtes jeune, vous aurez sans doute le désir de vous remarier, pensez-vous qu'un homme sage puisse être empressé de s'unir à une personne qui voit tout par ses propres lumières, soumet sa conduite à ses propres idées, et dédaigne souvent les maximes reçues ? Je sais que vous avez une simplicité tout à fait aimable dans le caractère ; que vous ne cherchez point à dominer, que vous n'avez de hardiesse ni dans les manières, ni dans les discours ; mais, dans le fond, et vous en convenez vous-même, ce n'est point à la foi catholique, ce n'est point aux hommes respectables chargés de nous l'enseigner, que vous soumettez votre conduite, c'est à votre manière de sentir et de concevoir les idées religieuses.

Ma cousine, où en serions-nous, si toutes les

femmes prenaient ainsi pour guide ce qu'elles appel-
leraient leurs lumières ? Croyez-moi, ce n'est pas
seulement par les fidèles qu'une telle indépendance
est blâmée ; les hommes qui sont le plus affranchis
des vérités traitées de préjugés dans la langue
actuelle, veulent que leurs femmes ne se dégagent
d'aucun lien ; ils sont bien aises qu'elles soient
dévotes, et se croient plus sûrs ainsi qu'elles respecte-
ront et leurs devoirs et jusqu'aux moindres nuances
de ces devoirs.

Je ne fais rien pour l'opinion, vous le savez, j'ai de
bonne foi les sentiments religieux que je professe : si
mon caractère a quelquefois de la roideur, il a
toujours de la vérité ; mais si j'étais capable de
concevoir l'hypocrisie, je crois tellement essentiel
pour une femme de ménager en tout point l'opinion,
que je lui conseillerais de ne rien braver en aucun
genre, ni superstitions (pour me conformer à votre
langage), ni convenances, quelque puériles qu'elles
puissent être. Combien toutefois il vaut mieux
n'avoir point à penser aux suffrages du monde, et se
trouver disposée, par la religion même, à tous les
sacrifices que l'opinion peut exiger de nous !

Si vous pouviez consentir à voir l'évêque de L. qui,
malgré tous les maux que nous éprouvons depuis six
mois, est resté en France, je suis sûre qu'il prendrait
de l'ascendant sur vous. Mon zèle est peut-être
indiscret ; la religion ne nous oblige point à nous
mêler de la conduite des autres ; mais la reconnaissance que je vais vous devoir m'inspire un nouveau
désir de vous appeler au salut. Vous le dites vous-
même, vous n'êtes pas heureuse : c'est un avertissement du ciel. Pourquoi n'êtes-vous pas heureuse ?
Vous êtes jeune, riche, jolie ; vous avez un esprit
dont la supériorité et le charme ne sont pas contes-
tés ; vous êtes bonne et généreuse : savez-vous ce qui
vous afflige ? C'est l'incertitude de votre croyance ;

et, s'il faut tout vous dire, c'est que vous sentez aussi que cette indépendance d'opinion et de conduite, qui donne à votre conversation peut-être plus de grâce et de piquant, commence déjà à faire dire du mal de vous, et nuira sûrement tôt ou tard à votre existence dans le monde.

Ne prenez pas mal les avis que je vous donne ; ils tiennent, je vous l'atteste, à mon attachement pour vous : vous savez que je ne suis point jalouse, vous m'avez rendu plusieurs fois cette justice ; je ne prétends point aux succès du monde, je n'ai pas l'esprit qu'il faudrait pour les obtenir, et je me ferais scrupule de m'en occuper : je vous parle donc en conscience sans aucun autre motif que ceux qui doivent inspirer une âme chrétienne ; j'aurais fait pour vous bien plus que vous ne faites pour moi, si j'avais pu vous engager à sacrifier vos opinions particulières, pour vous soumettre aux décisions de l'Église.

Adieu, ma chère cousine : je ne vous plais pas, je ne dois pas vous plaire ; cependant vous êtes certaine, j'en suis sûre, que je ne manquerai jamais aux sentiments que vous méritez.

LETTRE III

Delphine à Matilde

J'ai bien de la peine à contenir, ma cousine, le sentiment que votre lettre me fait éprouver : je devrais ne pas y céder, puisque j'attends de vous une marque précieuse d'amitié ; mais il m'est impossible de ne pas m'expliquer une fois franchement avec vous ; je veux mettre un terme aux insinuations continuelles que vous me faites sur mes opinions et sur mes goûts : vous estimez la vérité, vous savez l'entendre ; j'espère donc que vous ne serez point blessée des expressions vives qui pourront m'échapper dans ma propre justification.

D'abord vous attribuez à la délicatesse le don que j'ai le bonheur de vous offrir, et c'est l'amitié seule qui en est la cause. S'il était vrai que je vous dusse de quelque manière une partie de ma fortune, parce que votre mère est parente de M. d'Albémar, j'aurais eu tort de la conserver jusqu'à présent ; la délicatesse est pour les âmes élevées un devoir plus impérieux encore que la justice, elles s'inquiètent bien plus des actions qui dépendent d'elle seule que de celles qui sont soumises à la puissance des lois : mais pouvez-vous ignorer quelle malheureuse prévention éloignait M. d'Albémar de votre mère ? C'est le seul sujet de discussion que nous ayons jamais eu ensemble ; cette prévention était telle, que j'ai eu beaucoup de peine à éviter l'engagement qu'il voulait me faire prendre de rompre entièrement avec elle : connaissant les dispositions de M. d'Albémar, comme je le fais, si je puis me permettre de disposer de sa fortune en votre faveur, c'est parce qu'il m'a ordonné de la considérer comme appartenant à moi seule.

Mais pourquoi donc éprouvez-vous le besoin de diminuer le faible mérite du service que je veux vous rendre ? Est-ce parce que vous êtes effrayée de tous les devoirs que vous croyez attachés à la reconnaissance ? Pourquoi mettez-vous tant d'importance à une action qui ne peut être conçue que comme l'expression de l'amitié que j'éprouve. Je n'ai qu'un but, je n'ai qu'un désir, c'est d'être aimée des personnes avec qui je vis ; il faut que vous vous sentiez tout à fait incapable de m'accorder ce que je demande, puisque vous craignez tant de me rien devoir : mais, encore une fois, soyez tranquille ;

votre mère peut tout pour mon bonheur ; son esprit
plein de grâce, sa douceur et sa gaieté répandent tant
de charmes sur ma vie ! Quelquefois l'inégalité, la
froideur de ses manières m'inquiètent ; je voudrais
qu'elle répondît sans cesse à la vivacité de mon
attachement pour elle. Ne suis-je donc pas trop
heureuse, si je trouve une occasion de lui inspirer un
sentiment de plus pour moi ! Ma cousine, je ne
cherche point à me faire valoir auprès de vous ; vous
ne me devez rien : je serai mille fois récompensée de
mon zèle pour vos intérêts, si votre mère me témoigne plus souvent cette amitié tendre qui calme et
remplit mon cœur.

Maintenant passons aux reproches ou aux conseils
que vous croyez nécessaire de m'adresser.

Je n'ai pas les mêmes opinions que vous : moi je ne
pense pas, je vous l'avoue, que ma considération en
souffre le moins du monde. Si je songeais à me
remarier, j'ose croire que mon corps est un assez
noble présent pour n'être pas dédaigné par celui qui
m'en paraîtrait digne. Vous avez cru, dites-vous,
démêler de la tristesse dans ma lettre, vous vous êtes
trompée ; je n'ai dans ce moment aucun sujet de
peine : mais le bonheur même des âmes sensibles
n'est jamais sans quelque mélange de mélancolie ; et
comment n'éprouverais-je pas cette disposition, moi
qui ai perdu dans M. d'Albémar un ami si bon et si
tendre ! Il n'a pris le nom de mon époux, lorsque
j'avais atteint ma seizième année, que pour m'assurer
sa fortune ; il mettait dans ses relations avec moi
autant de bonté protectrice et de galanterie délicate,
que son sentiment pour moi réunissait tout ce qu'il y
a d'aimable dans les affections d'un père et dans les
soins d'un jeune homme. M. d'Albémar, uniquement
occupé d'assurer le bonheur du reste de ma vie, dont
son âge ne lui permettait pas d'être le témoin,
m'avait inspiré cette confiance si douce à ressentir,

cette confiance qui remet, pour ainsi dire, à un autre la responsabilité de notre sort, et nous dispense de nous inquiéter de nous-mêmes. Je le regretterai toujours et les souvenirs de mon enfance et les premiers jours de ma jeunesse ne peuvent jamais cesser de m'attendrir : mais quel autre chagrin pourrais-je éprouver en ce moment ? Qu'ai-je à redouter du monde ? je n'y porte que des sentiments doux et bienveillants. Si j'avais été dépourvue de toute espèce d'agréments, peut-être n'aurais-je pu me défendre d'un peu d'aigreur contre les femmes assez heureuses pour plaire ; mais je n'entends retentir autour de moi que des paroles flatteuses : ma position me permet de rendre quelques services, et ne m'oblige jamais à en demander ; je n'ai que des rapports de choix avec les personnes qui m'entourent ; je ne recherche que celles que j'aime ; je ne dis aucun mal des autres : pourquoi donc voudrait-on affliger une créature aussi *inoffensive* que moi, et dont l'esprit, s'il est vrai que l'éducation que j'ai reçue m'ait donné cet avantage, dont l'esprit, dis-je, n'a d'autre mobile que le désir d'être agréable à ceux que je vois ?

Vous m'accusez de n'être pas aussi bonne catholique que vous, et de n'avoir pas assez de soumission pour les convenances arbitraires de la société. D'abord, loin de blâmer votre dévotion, ma chère cousine, n'en ai-je pas toujours parlé avec respect ? Je sais qu'elle est sincère, et quoiqu'elle n'ait pas entièrement adouci ce que vous avez peut-être de trop âpre dans le caractère, je crois qu'elle contribue à votre bonheur, et je ne me permettrai jamais de l'attaquer, ni par des raisonnements, ni par des plaisanteries ; mais j'ai reçu une éducation tout à fait différente de la vôtre. Mon respectable époux, en revenant de la guerre d'Amérique, s'était retiré dans la solitude, et s'y livrait à l'examen de toutes les

31

questions morales que la réflexion peut approfondir. Il croyait en Dieu, il espérait l'immortalité de l'âme ; et la vertu, fondée sur la bonté, était son culte envers l'Être suprême. Orpheline dès mon enfance, je n'ai compris des idées religieuses que ce que M. d'Albémar m'en a enseigné ; et comme il remplissait tous les devoirs de la justice et de la générosité, j'ai cru que ses principes devaient suffire à tous les cœurs.

M. d'Albémar connaissait peu de monde, je commence à le croire ; il n'examinait jamais dans les actions que leur rapport avec ce qui est bien en soi, et ne songeait point à l'impression que sa conduite pouvait produire sur les autres. Si c'est être philosophe que penser ainsi, je vous avoue que je pourrais me croire des droits à ce titre, car je suis absolument à cet égard de l'opinion de M. d'Albémar ; mais si vous entendiez par philosophie la plus légère indifférence pour les vertus pures et délicates de notre sexe ; si vous entendiez même par philosophie la force qui rend inaccessible aux peines de la vie, certes, je n'aurais mérité ni cette injure, ni cette louange ; et vous savez bien que je suis une femme, avec les qualités et les défauts que cette destinée faible et dépendante peut entraîner.

J'entre dans le monde avec un caractère bon et vrai, de l'esprit, de la jeunesse et de la fortune ; pourquoi ces dons de la Providence ne me rendraient-ils pas heureuse ? Pourquoi me tourmenterais-je des opinions que je n'ai pas, des convenances que j'ignore ? La morale et la religion du cœur ont servi d'appui à des hommes qui avaient à parcourir une carrière bien plus difficile que la mienne : ces guides me suffiront.

Quant à vous, ma chère cousine, souffrez que je vous le dise : vous aviez peut-être besoin d'une règle plus rigoureuse pour réprimer un caractère moins doux ; mais ne pouvons-nous donc nous aimer, malgré la différence de nos goûts et de nos opinions ? Vous savez combien je considère vos vertus ; ce sera pour moi un vif plaisir de contribuer à rendre votre destinée heureuse : mais laissez chacun en paix chercher au fond de son cœur le soutien qui convient le mieux à son caractère et à sa conscience. Imitez votre mère, qui n'a jamais de discussion avec vous, quoique vos idées diffèrent souvent des siennes. Nous aimons toutes deux un Être bienfaisant, vers lequel nos âmes s'élèvent ; c'est assez de ce rapport, c'est assez de ce lien qui réunit toutes les âmes sensibles dans une même pensée, la plus grande et la plus fraternelle de toutes.

Je retournerai dans deux jours à Paris ; nous ne parlerons plus du sujet de nos lettres ; et vous m'accorderez le bonheur de vous être utile, sans le troubler par des réflexions qui blessent toujours un peu, quelques efforts qu'on fasse sur soi-même pour ne pas s'en offenser. Je vous embrasse, ma chère cousine, et je vous assure qu'à la fin de ma lettre, je ne sens plus la moindre trace de la disposition pénible qui m'avait inspiré les premières lignes (3).

LETTRE IV

Delphine d'Albémar à madame de Vernon (4)

Bellerive, ce 16 avril 1790.

Ma chère tante, ma chère amie, pourquoi m'avez-vous mise en correspondance avec ma cousine sur un sujet qui ne devrait être traité qu'avec vous ? Vous savez que Matilde et moi nous ne nous convenons pas toujours, et je m'entends si bien avec vous ! Quand j'ai pu vous être utile, vous avez si noblement accepté le dévouement de mon cœur, vous l'avez récompensé par un sentiment qui me rend la vie si douce ! Ne voulez-vous donc plus que ce soit à vous, à vous seule que je m'adresse ?

Si cependant je vous avais déplu par ma réponse à Matilde, si vous ne me jugiez plus digne d'assurer le bonheur de votre fille ! Mais non, vous connaissez la vivacité de mes premiers mouvements ; vous me les pardonnez, vous qui conservez toujours sur vous-même cet empire qui sert au bonheur de vos amis plus encore qu'au vôtre. Je n'ai rien à redouter de votre caractère généreux et fier : il reçoit les services, comme il les rendrait, avec simplicité : cependant rassurez-moi avant que je vous revoie. Je sais bien que vous n'aimez pas à écrire ; mais il me faut un mot qui me dise que vous persistez dans la permission que vous m'avez accordée.

Je le répète encore, vous n'affligerez pas profondément votre amie ; je serais la première personne du monde à qui vous auriez fait de la peine. Si j'ai eu tort, c'est alors surtout que, prévoyant les reproches que je me ferais, vous ne voudrez pas que ce tort ait des suites amères. J'attends quelques lignes de vous, ma chère Sophie, avec une inquiétude que je n'avais point encore ressentie.

LETTRE V

Madame de Vernon à Delphine

Paris, ce 17 avril

Vous êtes des enfants, Matilde et vous ; ce n'est pas ainsi qu'il faut traiter des objets sérieux : nous en causerons ensemble : mais n'ayez jamais d'inquiétude, ma chère Delphine, quand ce que vous désirez dépend de moi.

LETTRE VI

Delphine à mademoiselle d'Albémar (5)

Paris, ce 10

Une légère altercation qui s'était élevée entre Matilde et moi, il y a quelques jours, m'avait assez inquiétée, ma chère sœur ; je vous envoie la copie de nos lettres, pour que vous en soyez juge. Mais combien je voudrais que vous fussiez près de moi ! Je cherche à me rappeler sans cesse ce que vous m'avez dit : il me semblait autrefois que votre excellent frère, dans nos entretiens, m'avait donné des règles de conduite qui devaient me guider dans toutes les situations de la vie ; et maintenant je suis troublée par les inquiétudes qui me sont personnelles, comme si les idées générales que j'ai conçues ne suffisaient point pour m'éclairer sur les circonstances particulières. Néanmoins ma destinée est simple, et je n'éprouve et je n'éprouverai jamais, j'espère, aucun sentiment qui puisse l'agiter.

Madame de Vernon que vous n'aimez pas, quoi qu'elle vous aime ; madame de Vernon est certainement la personne la plus spirituelle, la plus aimable, la plus éclairée dont je puisse me faire l'idée : cependant il m'est impossible de discuter avec elle jusqu'au fond de mes pensées et de mes sentiments. D'abord elle ne se plaît pas beaucoup dans les conversations prolongées ; mais ce qui surtout abrège les développements dans les entretiens avec elle, c'est que son esprit va toujours droit aux résultats, et semble dédaigner tout le reste. Ce n'est ni la moralité des actions, ni leur influence sur le bien-être de l'âme qu'elle a profondément étudiées, mais les conséquences et les effets de ces actions ; et, quoiqu'elle soit elle-même une personne douée des plus excellentes qualités, l'on dirait qu'elle compte pour tout le succès, et pour très-peu le principe de la conduite des hommes. Cette sorte d'esprit la rend un meilleur juge des événements de la vie que des peines secrètes ; il me reste donc toujours dans le cœur quelques sentiments que je ne lui ai pas exprimés, quelques sentiments que je retiens comme inutiles à lui dire, et dont j'éprouve pourtant la puissance en moi-même. Il n'existe aucune borne à ma confiance en elle ; mais, sans que j'y réfléchisse, je me trouve naturellement disposée à ne lui dire que ce qui peut l'intéresser : je renvoie toujours au lendemain pour lui parler des pensées qui m'occupent, mais qui n'ont point d'analogie avec sa manière de voir et de sentir : mon désir de lui plaire est mêlé d'une sorte d'inquiétude qui fixe mon attention sur les moyens de lui être agréable, et met dans mon amitié pour elle encore plus pour ainsi dire de coquetterie que de confiance.

Mon âme s'ouvrirait entièrement avec vous, ma chère Louise ; vous l'avez formée en me tenant lieu de mère ; vous avez toujours été mon amie ; je conserve pour vous cette douce confiance du premier âge de la vie, de cet âge où l'on croit avoir tout fait pour ceux qu'on aime, en leur montrant ses sentiments, et en leur développant ses pensées.

Dites-moi donc, ma chère sœur, quel est cet obstacle qui s'oppose à ce que vous quittiez votre couvent pour vous établir à Paris avec moi ? Vous m'avez fait un secret jusqu'à présent de vos motifs ;

supportez-vous l'idée qu'il existe un secret entre nous !

Je vous ai promis, en vous quittant, de vous écrire mon journal tous les soirs ; vous vouliez, disiez-vous, veiller sur mes impressions. Oui, vous serez mon ange tutélaire, vous conserverez dans mon âme les vertus que vous avez su m'inspirer ; mais ne serions-nous pas bien plus heureuses si nous étions réunies ? et nos lettres peuvent-elles jamais suppléer à nos entretiens ?

Après avoir reçu le billet de madame de Vernon, je partis le jour même pour l'aller voir ; je quittai Bellerive à cinq heures du soir, et je fus chez elle à huit. Elle était dans son cabinet avec sa fille ; à mon arrivée, elle fit signe à Matilde de s'éloigner : j'étais contente, et néanmoins embarrassée de me trouver seule avec elle : j'ai éprouvé souvent une sorte de gêne auprès de madame de Vernon, jusqu'à ce que la gaieté de son esprit m'ait fait oublier ce qu'il y a de réservé et de contenu dans ses manières : je ne sais si c'est un défaut en elle : mais ce défaut même sert à donner plus de prix aux témoignages de son affection.

« Eh bien, me dit-elle en souriant, Matilde a donc voulu vous convertir ? — Je ne puis vous dire, ma chère tante, lui répondis-je, combien sa lettre m'a fait de peine ; elle a provoqué ma réponse, et je m'en suis bientôt repentie : j'avais une frayeur mortelle de vous avoir déplu. — En vérité je l'ai à peine lue, reprit madame de Vernon ; j'y ai reconnu votre bon cœur, votre mauvaise tête, tout ce qui fait de vous une personne charmante ; je n'ai rien remarqué que cela. Quant au fond de l'affaire, l'homme chargé de dresser le contrat y insérera les conditions que vous voulez bien offrir ; mais il faut que vous permettiez qu'on mette dans l'article que c'est une donation faite en dédommagement de l'héritage de M. d'Albémar.

Si madame de Mondoville croyait que c'est par une simple générosité de votre part que ma fille est dotée, son orgueil en souffrirait tellement qu'elle romprait le mariage. » J'éprouvai, je l'avoue, une sorte de répugnance pour cette proposition, et je voulais la combattre ; mais madame de Vernon m'interrompit, et me dit : « Madame de Mondoville ne sait pas combien on peut être fière d'être comblée des bienfaits d'une amie telle que vous : vous m'avez déjà retirée une fois de l'abîme où m'avait jetée un négociant infidèle ; vous allez maintenant marier ma fille, le seul objet de mes sollicitudes, et il faut que je condamne ma reconnaissance au silence le plus absolu : tel est le caractère de madame de Mondoville. Si vous exigiez que le service que vous rendez fût connu, je serais forcée de le refuser, car il deviendrait inutile ; mais il vous suffit, n'est-il pas vrai, ma chère Delphine, du sentiment que j'éprouve ; de ce sentiment qui me permet de vous tout devoir, parce que mon cœur est certain de tout acquitter ? » Ces derniers mots furent prononcés avec cette grâce enchanteresse qui n'appartient qu'à madame de Vernon ; elle n'avait pas l'air de douter de mon consentement ; et lui en faire naître l'idée, c'était refroidir tous ses sentiments : elle s'y abandonne si rarement qu'on craint encore plus d'en troubler les témoignages. Les motifs de ma répugnance étaient bien purs ; mais j'avais une sorte de honte néanmoins d'insister pour que mon nom fût proclamé à côté du service que je rendrais ; et je fus irrésistiblement entraînée à céder aux désirs de madame de Vernon.

Je lui dis cependant : « J'ai quelque regret de me servir du nom de M. d'Albémar dans une circonstance si opposée à ses intentions ; mais, s'il était témoin du culte que vous rendez à ses vertus, s'il vous entendait parler de lui comme vous en parlez avec moi, peut-être... — Sans doute », interrompit madame de Vernon ; et ce mot finit la conversation sur ce sujet.

Un moment de silence s'ensuivit ; mais bientôt, reprenant sa grâce et sa gaieté naturelles, madame de Vernon dit : « A propos, dois-je vous envoyer M. l'évêque de L., pour vous confesser à lui, comme Matilde vous le propose ? — Je vous en conjure, lui répondis-je ; dites-moi donc, ma chère tante, pourquoi vous avez donné à Matilde une éducation presque superstitieuse, et qui a si peu de rapport avec l'étendue de votre esprit et l'indépendance de vos opinions ? » Elle redevint sérieuse un moment, et me dit : « Vous m'avez fait vingt fois cette question, je ne voulais pas y répondre ; mais je vous dois tous les secrets de mon cœur.

« Vous savez, continua-t-elle, tout ce que j'ai eu à souffrir de M. de Vernon, proche parent de votre mari ; il était impossible de lui moins ressembler : sa fortune et ma pauvreté furent les seuls motifs qui décidèrent notre mariage : j'en fus longtemps très malheureuse ; à la fin cependant, je parvins à m'aguerrir contre les défauts de M. de Vernon ; j'adoucis un peu sa rudesse : il existe une manière de prendre tous les caractères du monde, et les femmes doivent la trouver, si elles veulent vivre en paix sur cette terre où leur sort est entièrement dans la dépendance des hommes (6). Je n'avais pu néanmoins obtenir que ma fille me fût confiée, et son père la dirigeait seul ; il mourut qu'elle avait onze ans ; et pouvant alors m'occuper uniquement d'elle, je remarquai qu'elle avait dans son caractère une singulière âpreté, assez peu de sensibilité, et un esprit plus opiniâtre qu'étendu : je reconnus bientôt que mes leçons ne suffisaient pas pour corriger de tels défauts ; j'ai de l'indolence dans le caractère, inconvénient qui est le résultat naturel de l'habitude de la résignation ; j'ai peu d'autorité dans ma manière de m'exprimer, quoique ma décision intérieure soit très positive. Je mets d'ailleurs trop peu d'importance à la plupart des intérêts de la vie, pour avoir le sérieux nécessaire à l'enseignement. Je me jugeai comme je jugerais un autre ; vous savez que cela m'est facile ; et je résolus de confier à M. l'évêque de L. l'éducation de ma fille. Après y avoir bien réfléchi, je crus que la religion, et une religion positive, était le seul frein assez fort pour dompter le caractère de Matilde : ce caractère aurait pu contribuer utilement à l'avancement d'un homme ; il présentait l'idée d'une âme ferme et capable de servir d'appui ; mais les femmes devant toujours plier, ne peuvent trouver dans les défauts, et dans les qualités même d'un caractère fort, que des occasions de douleur. Mon projet a réussi : la religion, sans avoir entièrement changé le caractère de ma fille, lui a ôté ses inconvénients les plus graves ; et comme le sentiment du devoir se mêle à toutes ses résolutions, et presque à toutes ses paroles, on ne s'aperçoit plus des défauts qu'elle avait naturellement que par un peu de froideur et de sécheresse dans les relations de la vie, jamais par aucun tort réel. Son esprit est assez borné ; mais comme elle respecte tous les préjugés, et se soumet à toutes les convenances, elle ne sera jamais exposée aux critiques du monde : sa beauté, qui est parfaite, ne lui fera courir aucun risque, car ses principes sont d'une inébranlable austérité. Elle est disposée aux plus grands sacrifices ainsi qu'aux plus petits ; et la roideur de son caractère lui fait aimer la gêne comme un autre se plairait dans l'abandon (7). C'eût été bien dommage, ma chère Delphine, qu'une personne aussi aimable, aussi spirituelle que vous, se fût imposé un joug qui l'eût privée de mille charmes ; mais réfléchissez à ce qu'est ma fille, et vous verrez que le parti que j'ai pris était le seul qui pût la

DELPHINE

garantir de tous les malheurs que lui préparait sa triste conformité avec son père. Je ne parlerais à personne, ma chère Delphine, avec la confiance que je viens de vous témoigner ; mais je n'ai pas voulu que l'ardeur de votre cœur, celle qui veut assurer le bonheur de Matilde, ignorât plus longtemps les motifs qui m'ont déterminée dans la plus importante de mes résolutions, dans celle qui concerne l'éducation de ma fille.

— Vous ne pouvez jamais parler sans convaincre, ma chère tante, lui répondis-je ; mais vous-même cependant ne pouviez-vous pas guider votre fille ! Vos opinions ne sont-elles pas en tout conformes à celles que la raison... — Oh ! mes opinions, répondit-elle en souriant et m'interrompant, personne ne les connaît ; et comme elles n'influent point sur mes sentiments, ma chère Delphine, vous n'avez pas besoin de les savoir. » En achevant ces mots, elle se leva, me prit par la main, et me conduisit dans le salon où plusieurs personnes étaient déjà rassemblées.

Elle entra, et leur fit des excuses avec cette grâce inimitable que vous-même lui reconnaissez. Quoiqu'elle ait au moins quarante ans, elle paraît encore charmante, même au milieu des jeunes femmes ; sa pâleur, ses traits un peu abattus, rappellent la langueur de la maladie et non la décadence des années ; sa manière de se mettre toujours négligée est d'accord avec cette impression. On se dit qu'elle serait parfaitement jolie, si un jour elle se portait mieux, si elle voulait se parer comme les autres ; ce jour n'arrive jamais, mais on y croit, et c'est assez pour que l'imagination ajoute encore à l'effet naturel de ses agréments.

Dans un des coins de la chambre était madame du Marset. Vous ai-je dit que c'est une femme qui ne peut me supporter, quoique je n'aie jamais eu et ne veuille jamais avoir le moindre tort avec elle ? Elle a pris, dès mon arrivée, parti contre la bienveillance qu'on m'a témoignée, et l'a considérée comme un affront qui lui serait personnel. J'ai pendant quelque temps, essayé de l'adoucir ; mais quand j'ai vu qu'elle avait contracté aux yeux du monde l'engagement de me détester, et que ne pouvant se faire une existence par ses amis, elle espérait s'en faire une par ses haines, j'ai résolu de dédaigner ce qu'il y avait de réel dans son aversion pour moi. Elle prétend, ne sachant trop de quoi m'accuser, que j'aime et que j'approuve beaucoup trop la révolution de France. Je la laisse dire ; elle a cinquante ans et nulle bonté dans le caractère, c'est assez de chagrins pour lui permettre beaucoup d'humeur.

Derrière elle était M. de Fierville, son fidèle adorateur, malgré son âge avancé : il a plus d'esprit qu'elle et moins de caractère, ce qui fait qu'elle le domine entièrement : il se plaît quelquefois à causer avec moi ; mais comme, par complaisance pour madame du Marset, il me critique souvent quand je n'y suis pas, il fait sans cesse des réserves dans les compliments qu'il m'adresse, pour se mettre, s'il est possible, un peu d'accord avec lui-même. Je le laisse s'agiter dans ses petits remords, parce que je n'aime de lui que son esprit, et qu'il ne peut m'empêcher d'en jouir quand il me parle.

Au milieu de la société, Matilde ne songe pas un instant à s'amuser ; elle exerce toujours un devoir dans les actions les plus indifférentes de sa vie ; elle se place constamment à côté des personnes les moins aimables, arrange les parties, prépare le thé, sonne pour qu'on entretienne le feu ; enfin s'occupe d'un salon comme d'un ménage, sans donner un instant à l'entraînement de la conversation. On pourrait admirer ce besoin continuel de tout changer en devoir, s'il exigeait d'elle le sacrifice de ses goûts : mais elle se plaît réellement dans cette existence toute méthodique, et blâme au fond de son cœur ceux qui ne l'imitent pas.

Madame de Vernon aime beaucoup à jouer ; quoiqu'elle pût être très distinguée dans la conversation, elle l'évite : on dirait qu'elle n'aime à développer ni ce qu'elle sent, ni ce qu'elle pense. Ce goût du jeu, et trop de prodigalité dans sa dépense, sont les seuls défauts que je lui connaisse.

Elle choisit pour sa partie hier au soir madame du Marset et M. de Fierville ; je lui en fis quelques reproches tout bas, parce qu'elle m'avait dit plusieurs fois assez de mal de tous les deux. « La critique ou la louange, me répondit-elle, sont un amusement de l'esprit ; mais ménager les hommes est nécessaire pour vivre avec eux. — Estimer ou mépriser, repris-je avec chaleur, est un besoin de l'âme : c'est une leçon, c'est un exemple utile à donner. — Vous avez raison, me dit-elle avec précipitation, vous avez raison sous le rapport de la morale ; ce que je vous disais ne faisait allusion qu'aux intérêts du monde. » Elle me serra la main en s'éloignant, avec une expression parfaitement aimable.

Je restai à causer auprès de la cheminée avec plusieurs hommes dont la conversation, surtout dans ce moment, inspire le plus vif intérêt à tous les esprits capables de réflexion et d'enthousiasme. Je me reproche quelquefois de me livrer trop aux charmes de cette conversation si piquante : c'est peut-être blesser un peu les convenances que se mêler ainsi aux entretiens les plus importants : mais quand madame de Vernon et les dames de sa société sont établies au jeu, je me trouve presque seule avec Matilde qui ne dit pas un mot ; et l'empressement que me témoignent les hommes distingués m'entraîne à les écouter et à leur répondre (8).

Cependant, peut-être est-il vrai que je me livre

souvent avec trop de chaleur à l'esprit que je peux avoir ; je ne sais pas résister assez aux succès que j'obtiens en société, et qui doivent quelquefois déplaire aux autres femmes. Combien j'aurais besoin d'un guide ! Pourquoi suis-je seule ici ! Je finis cette lettre, ma chère sœur, en vous répétant ma prière ; venez près de moi, n'abandonnez pas votre Delphine dans un monde si nouveau pour elle ; il m'inspire une sorte de crainte vague que ne peut dissiper le plaisir même que j'y trouve.

LETTRE VII

Réponse de mademoiselle d'Albémar à Delphine

Montpellier, 25 avril 1790.

Ma chère Delphine, je suis fâchée que vous vous montriez si généreuse envers ces Vernon : mon frère aimait encore mieux la fille que la mère, quoique la mère ait beaucoup plus d'agréments que la fille ; il croyait madame de Vernon fausse jusqu'à la perfidie. Pardon, si je me sers de ces mots ; mais je ne sais pas comment dire leur équivalent, et je me confie en votre bonne amitié pour m'excuser. Mon frère pensait que madame de Vernon dans le fond du cœur n'aimait rien, ne croyait à rien, ne s'embarrassait de rien, et que sa seule idée était de réussir, elle et les siens, dans tous les intérêts dont se compose la vie du monde, la fortune et la considération. Je sais bien qu'elle a supporté avec une douceur exemplaire le plus odieux des maris, et qu'elle n'a point eu d'amants, quoiqu'elle fût bien jolie. Il n'y a jamais eu un mot à dire contre elle ; mais dussiez-vous me

trouver injuste, je vous avouerai que c'est précisément cette conduite régulière qui ne me paraît pas du
tout s'accorder avec la légèreté de ses principes et
l'insouciance de son caractère. Pourquoi s'est-elle
pliée à tous les devoirs, même à tous les calculs, elle
qui a l'air de n'attacher d'importance à aucun ?
Malgré les motifs qu'elle donne de l'éducation de sa
fille, ne faut-il pas avoir bien peu de sensibilité pour
ne pas former soi-même, et selon son propre caractère, la personne qu'on aime le plus, pour ne lui
donner rien de son âme, et se la rendre étrangère par
les opinions qui exercent le plus d'influence sur toute
notre manière d'être ?

Il se peut que j'aie tort de juger si défavorablement
une personne dont je ne connais aucune action
blâmable ; mais sa physionomie, tout agréable qu'elle
est, suffirait seule pour m'empêcher d'avoir la moindre confiance en elle. Je suis fermement convaincue
que les sentiments habituels de l'âme laissent une
trace très remarquable sur le visage : grâce à cet
avertissement de la nature, il n'y a point de dissimulation complète dans le monde. Je ne suis pas
défiante, vous le savez ; mais je regarde, et si l'on
peut me tromper sur les faits, je démêle assez bien les
caractères : c'est tout ce qu'il faut pour ne jamais mal
placer ses affections ; que m'importe ce qu'il peut
arriver de mes autres intérêts !

Pour vous, ma chère Delphine, vous vous laissez
entraîner par le charme de l'esprit, et je crains bien
que si vous livrez votre cœur à cette femme, elle ne le
fasse cruellement souffrir : rendez-lui service, je ne
suis pas difficile sur les qualités des personnes qu'on
peut obliger ; mais on confie à ceux qu'on aime ce
qu'il y a de plus délicat dans le bonheur, et moi seule,
ma chère Delphine, je vous aime assez pour ménager
toujours votre sensibilité vive et profonde. C'est pour
vous arracher à la séduction de cette femme que je

voudrais aller à Paris ; mais je ne m'en sens pas la force, il m'est absolument impossible de vaincre la répugnance que j'éprouve à sortir de ma solitude.

Il faut bien vous avouer le motif de cette répugnance, je consens à vous l'écrire ; mais je n'aurais jamais pu me résoudre à vous en parler, et je vous prie instamment de ne pas me répondre sur un sujet que je n'aime pas à traiter. Vous savez que j'ai l'extérieur du monde le moins agréable ; ma taille est contrefaite, et ma figure n'a point de grâce : je n'ai jamais voulu me marier quoique ma fortune attirât beaucoup de prétendants, j'ai vécu presque toujours seule, et je serais un mauvais guide pour moi-même et pour les autres au milieu des passions de la vie ; mais j'en sais assez pour avoir remarqué qu'une femme disgraciée par la nature est l'être le plus malheureux lorsqu'elle ne reste pas dans la retraite. La société est arrangée de manière que, pendant les vingt années de sa jeunesse, personne ne s'intéresse vivement à elle ; on l'humilie à chaque instant sans le vouloir et il n'est pas un seul des discours qui se tiennent devant elle, qui ne réveille dans son âme un sentiment douloureux.

J'aurais pu jouir, il est vrai, du bonheur d'avoir des enfants : mais que ne souffrirais-je pas si j'avais transmis à ma fille les désavantages de ma figure ! si je la voyais destinée comme moi à ne jamais connaître le bonheur suprême d'être le premier objet d'un homme sensible ! Je ne le confie qu'à vous, ma chère Delphine ; mais parce que je ne suis point faite pour inspirer de l'amour, il ne s'ensuit pas que mon cœur ne soit pas susceptible des affections les plus tendres. J'ai senti plus qu'au sortir de l'enfance, qu'avec ma figure il est ridicule d'aimer ; imaginez-vous de quels sentiments amers j'ai dû m'abreuver. Il était ridicule pour moi d'aimer, et jamais cependant la nature n'avait formé un cœur à qui ce bonheur fût plus nécessaire.

Un homme dont les défauts extérieurs seraient très marquants, pourrait encore conserver les espérances les plus propres à le rendre heureux (9). Plusieurs ont ennobli par des lauriers les disgrâces de la nature ; mais les femmes n'ont d'existence que par l'amour : l'histoire de leur vie commence et finit avec l'amour ; et comment pourraient-elles inspirer ce sentiment sans quelques agréments qui puissent plaire aux yeux ! La société fortifie à cet égard l'intention de la nature, au lieu d'en modifier les effets ; elle rejette de son sein la femme infortunée que l'amour et la maternité ne doivent point couronner. Que de peines dévorantes n'a-t-elle point à souffrir dans le secret de son cœur.

J'ai été romanesque, comme si je vous ressemblais, ma chère Delphine ; mais j'ai néanmoins trop de fierté pour ne pas cacher à tous les regards le malheureux contraste de ma destinée et de mon caractère. Comment suis-je donc parvenue à supporter le cours des années qui m'étaient échues ? Je me suis renfermée dans la retraite, rassemblant sur votre tête tous mes intérêts, tous mes vœux, tous mes sentiments ; je me disais que j'aurais été vous, si la nature m'eût accordé vos grâces et vos charmes ; et, secondant de toute mon âme l'inclination de mon frère, je l'ai conjuré de vous laisser la portion de son bien qu'il me destinait.

Qu'aurais-je fait de la richesse ? J'en ai ce qu'il faut pour rendre heureux ce qui m'entoure, pour soulager l'infortune autour de moi ; mais quel autre usage de l'argent pourrais-je imaginer qui n'eût ajouté au sentiment douloureux qui pèse sur mon âme ? Aurais-je embelli ma maison pour moi, mes jardins pour moi ? et jamais la reconnaissance d'un être chéri ne m'aurait récompensée de mes soins ! Aurais-je réuni beaucoup de monde, pour entendre plus souvent parler de ce que les autres possèdent et de ce qui me manque ? Aurais-je voulu courir le risque des propositions de mariage qu'on pouvait adresser à ma fortune ? et me serais-je condamnée à supporter tous les détours qu'aurait pris l'intérêt avide pour endormir ma vanité, et m'ôter jusqu'à l'estime de moi-même ?

Non, non, Delphine, ma sage résignation vaut bien mieux. Il ne me restait qu'un bonheur à espérer ; je l'ai goûté, je vous ai adoptée pour ma fille : j'avais manqué la vie, j'ai voulu vous donner tous les moyens d'en jouir. Je serais sans doute bien heureuse d'être près de vous, de vous voir, de vous entendre ; mais avec vous seraient les plaisirs et la société brillante qui doivent vous entourer. Mon cœur, qui n'a point aimé, est encore trop jeune pour ne pas souffrir de son isolement, quand tous les objets que je verrais m'en renouvelleraient la pensée.

Les peines d'imagination dépendent presque entièrement des circonstances qui nous les retracent ; elles s'effacent d'elles-mêmes, lorsque l'on ne voit ni n'entend rien qui en réveille le souvenir ; mais leur puissance devient terrible et profonde, quand l'esprit est forcé de combattre à chaque instant contre des impressions nouvelles. Il faut pouvoir détourner son attention d'une douleur importune, et s'en distraire avec adresse ; car il faut de l'adresse vis-à-vis de soi-même pour ne pas trop souffrir. Je ne connais guère les autres, ma chère Delphine, mais assez bien moi : c'est le fruit de la solitude. Je suis parvenue avec assez d'efforts à me faire une existence qui me préserve des chagrins vifs ; j'ai des occupations pour chaque heure, quoique rien ne remplisse mon existence entière ; j'unis les jours aux jours, et cela fait un an, puis deux, puis la vie. Je n'ose changer de place, agiter mon sort ni mon âme ; j'ai peur de perdre le résultat de mes réflexions, et de troubler mes habitudes qui me sont encore plus nécessaires, parce qu'elles me dispensent de réflexions même, et font passer le temps, sans que je m'en mêle.

Déjà cette lettre va déranger mon repos pour plusieurs jours ; il ne faut pas me faire parler de moi, il ne faut presque pas que j'y pense : je vis en vous ; laissez-moi vous suivre de mes vœux, vous aider de mes conseils, si j'en peux donner pour ce monde que j'ignore. Apprenez-moi successivement et régulièrement les événements qui vous intéressent, je croirai presque avoir vécu dans votre histoire ; je conserverai des souvenirs, je jouirai par vous des sentiments que je n'ai pu ni inspirer, ni connaître.

Savez-vous que je suis presque fâchée que vous ayez fait le mariage de Matilde avec Léonce de Mondoville ? J'entends dire qu'il est si beau, si aimable et si fier, qu'il me semblait digne de ma Delphine ; mais je l'espère, elle trouvera celui qui doit la rendre heureuse : alors seulement, je serai vraiment tranquille. Quelque distinguée que vous soyez, que feriez-vous sans appui ? vous exciteriez l'envie, et elle vous persécuterait. Votre esprit, quelque supérieur qu'il soit, ne peut rien pour sa propre défense ; la nature a voulu que tous les dons des femmes fussent destinés au bonheur des autres, et de peu d'usage pour elles-mêmes. Adieu, ma chère Delphine ; je vous remercie de conserver l'habitude de votre enfance et de m'écrire tous les soirs ce qui vous a occupée pendant le jour : nous lirons ensemble dans votre âme, et peut-être qu'à nous deux nous aurons assez de force pour assurer votre bonheur.

LETTRE VIII

Réponse de Delphine à mademoiselle d'Albémar

Paris, 1er mai.

Pourquoi m'avez-vous interdit de vous répondre, ma chère sœur, sur les motifs qui vous éloignent de Paris ? Votre lettre excite en moi tant de sentiments que j'aurais le besoin d'exprimer ! Ah ! j'irai bientôt vous rejoindre ; j'irai passer toutes mes années près de vous : croyez-moi, cette vie de jeunesse et d'amour est moins heureuse que vous ne pensez. Je suis uniquement occupée depuis quelques jours du sort d'une de mes amies, madame d'Ervins ; c'est sa beauté même et les sentiments qu'elle inspire qui sont la source de ses erreurs et de ses peines.

Vous savez que lorsque je vous quittai, il y a un an, je tombai dangereusement malade à Bordeaux ; madame d'Ervins, dont la terre était voisine de cette ville, était venue pendant l'absence de son mari y passer quelques jours ; elle apprit mon nom, elle sut mon état, et vint avec une ineffable bonté s'établir chez moi pour me soigner : elle me veilla pendant quinze jours, et je suis convaincue que je lui dois la vie. Sa présence calmait les agitations de mon sang, et quand je craignais de mourir, il me suffisait de regarder son aimable figure pour croire à de plus doux présages. Lorsque je commençai à me rétablir, je voulus connaître celle qui méritait déjà toute mon amitié ; j'appris que c'était une Italienne dont la famille habitait Avignon : on l'avait mariée à quatorze ans à M. d'Ervins, qui avait vingt-cinq ans de plus qu'elle, et la retenait depuis dix ans dans la plus triste terre du monde.

Thérèse d'Ervins est la beauté la plus séduisante que j'aie jamais rencontrée ; une expression à la fois naïve et passionnée donne à toute sa personne je ne sais quelle volupté d'amour et d'innocence singulièrement aimable. Elle n'a point reçu d'instruction, mais ses manières sont nobles et son langage est pur ; elle est dévote et superstitieuse comme les Italiennes, et n'a jamais réfléchi sérieusement sur la morale, quoiqu'elle se soit souvent occupée de la religion : mais elle est si parfaitement bonne et tendre, qu'elle n'aurait manqué à aucun devoir si elle avait eu pour époux un homme digne d'être aimé. Les qualités naturelles suffisent pour être honnête lorsque l'on est heureux ; mais quand le hasard et la société vous condamnent à lutter contre votre cœur, il faut des principes réfléchis pour se défendre de soi-même, et les caractères les plus aimables dans les relations habituelles de la vie sont les plus exposés quand la vertu se trouve en combat avec la sensibilité.

Le visage et les manières de Thérèse sont si jeunes qu'on a de la peine à croire qu'elle soit déjà la mère d'une fille de neuf ans ; elle ne s'en sépare jamais ; et la tendresse extrême qu'elle lui témoigne étonne cette pauvre petite, qui éprouve confusément le besoin de la protection plutôt que celui d'un sentiment passionné. Son âme enfantine est surprise des vives émotions qu'elle excite, une affection raisonnable et des conseils utiles la toucheraient peut-être davantage (10).

Madame d'Ervins a vécu très bien avec son mari pendant dix ans ; la solitude et le défaut d'instruction ont prolongé son enfance ; mais le monde était à craindre pour son repos, et je suis malheureusement la première cause du temps qu'elle a passé à Bordeaux et de l'occasion qui s'est offerte pour elle de connaître M. de Serbellane, c'est un Toscan, âgé de trente ans, qui avait quitté l'Italie depuis trois mois, attiré en France par la révolution. Ami de la liberté, il voulait se fixer dans le pays qui combattait pour elle ; il vint me voir parce qu'il existait d'anciennes relations entre sa famille et la mienne : je partis peu de jours après ; mais j'avais des raisons de craindre qu'il n'eût fait une impression profonde sur le cœur de Thérèse. Depuis six mois, elle m'a souvent écrit qu'elle souffrait, qu'elle était malheureuse, mais sans m'expliquer le sujet de ses peines. M. de Serbellane est arrivé à Paris depuis quelques jours ; il est venu me voir, et ne m'ayant point trouvée, il m'a envoyé une lettre de Thérèse qui contient son histoire.

M. de Serbellane a sauvé son mari et elle, un mois après mon départ, des dangers que leur avait fait courir la haine des paysans contre M. d'Ervins. Le courage, le sang-froid, la fermeté que M. de Serbellane a montrés dans cette circonstance ont touché jusqu'à l'orgueilleuse vanité de M. d'Ervins, il l'a prié de demeurer chez lui ; il y a passé dix mois, et Thérèse pendant ce temps n'a pu résister à l'amour qu'elle ressentait : les remords se sont bientôt emparés de son âme ; sans rien ôter à la violence de sa passion, ils multipliaient ses dangers, ils exposaient son secret. Son amour et les reproches qu'elle se faisait de cet amour compromettaient également sa destinée. M. de Serbellane a craint que M. d'Ervins ne s'aperçût du sentiment de sa femme, et que l'amour-propre même qui servait à l'aveugler ne portât sa fureur au comble, s'il découvrait jamais la vérité. Thérèse elle-même a désiré que son amant s'éloignât ; mais quand il a été parti, elle en a conçu une telle douleur, que d'un jour à l'autre il est à craindre qu'elle ne demande à son mari de la conduire à Paris.

Il faut que je vous fasse connaître M. de Serbellane pour que vous conceviez comment, avec beaucoup de raison et même assez de calme dans ses affections, il a pu inspirer à Thérèse un sentiment si vif. D'abord je crois, en général, qu'un homme d'un caractère froid se fait aimer facilement d'une âme passionnée ; il captive et soutient l'intérêt en vous faisant supposer un secret au-delà de ce qu'il exprime, et ce qui manque à son abandon peut, momentanément du moins, exciter davantage l'inquiétude et la sensibilité d'une femme : les liaisons ainsi fondées ne sont peut-être pas les plus heureuses, les plus durables, mais elles agitent davantage le cœur assez faible pour s'y livrer. Thérèse solitaire, exaltée et malheureuse, a été tellement entraînée par ses propres sentiments, qu'on ne peut accuser M. de Serbellane de l'avoir séduite. Il y a beaucoup de charme et de dignité dans sa contenance ; son visage a l'expression des habitants du Midi, et ses manières vous feraient croire qu'il est Anglais. Le contraste de sa figure animée avec son accent calme et sa conduite toujours mesurée, a quelque chose de très piquant. Son âme est forte et sérieuse. Son défaut, selon moi, c'est de ne jamais mettre complètement à l'aise ceux même qui lui sont chers ; il est tellement maître de lui, qu'on trouve toujours une sorte d'inégalité dans les rapports qu'on entretient avec un homme qui n'a jamais dit à la fin du jour un seul mot involontaire. Il ne faut attribuer cette réserve à aucun sentiment de dissimulation ou de défiance, mais à l'habitude constante de se dominer lui-même et d'observer les autres.

Un grand fonds de bonté, une disposition secrète à la mélancolie rassurent ceux qui l'aiment, et donnent le besoin de mériter son estime. Des mots fins et délicats font entrevoir son caractère ; il me semble qu'il comprend, qu'il partage même tout bas la sensibilité des autres, et que, dans le secret de son cœur, il répond à l'émotion qu'on lui exprime ; mais tout ce qu'il éprouve en ce genre vous apparaît comme derrière un nuage, et l'imagination des per-

sonnes vives n'est jamais, avec lui, ni totalement
découragée, ni entièrement satisfaite.

Un tel homme devait nécessairement prendre un
grand empire sur Thérèse ; mais son sort n'en est pas
plus heureux, car il se joint à toutes ses peines
l'inquiétude continuelle de se perdre même dans
l'estime de son amant. Tourmentée par les sentiments les plus opposés, par le remords d'avoir aimé,
par la crainte de n'être pas assez aimée, ses lettres
peignent une âme si agitée qu'on peut tout redouter
de ces combats plus forts que son esprit et sa raison.

Je rencontrai M. de Serbellane chez madame de
Vernon le soir du jour où j'avais reçu la lettre de
Thérèse ; je m'approchai de lui et je lui dis que je
souhaitais de lui parler ; il se leva pour me suivre dans
le jardin avec son expression de calme accoutumée.
Je lui appris, sans entrer dans aucun détail, que
j'avais su par madame d'Ervins tout ce qui l'intéressait, mais que je frémissais de son projet de venir à
Paris. « Il est impossible, continuai-je, avec le caractère que vous connaissez à Thérèse, que son sentiment pour vous ne soit pas bientôt découvert par les
observateurs oisifs et pénétrants de ce pays-ci. M
d'Ervins apprendra les torts de sa femme par de
perfides plaisanteries, et la blessure d'amour-propre
qu'il en recevra sera bien plus terrible. Écrivez donc
à madame d'Ervins ; c'est à vous à la détourner de
son dessein. — Madame, répondit M. de Serbellane,
si je lui écrivais de ne pas me rejoindre, elle ne
verrait dans cette conduite que le refroidissement de
ma tendresse pour elle, et la douleur que je lui
causerais serait la plus amère de toutes. Me convient-
il à moi qui suis coupable de l'avoir entraînée, de
prendre maintenant le langage de l'amitié pour la
diriger ? Je révolterais son âme, je la ferais souffir, et
ma conduite ne serait pas véritablement délicate, car
il n'y a de délicat que la parfaite bonté. — Mais, lui

dis-je alors, vous montrez cependant dans toutes les circonstances une raison si forte. — J'en ai quelquefois, interrompit M. de Serbellane, lorsqu'il ne s'agit que de moi ; mais je trouve une sorte de barbarie, dans la raison appliquée à la douleur d'un autre, et je ne m'en sers point dans une pareille situation. — Que ferez-vous cependant, lui dis-je, si madame d'Ervins vient dans ces lieux, si elle se perd, si son mari l'abandonne ? — Je souhaite, madame, me répondit M. de Serbellane, que Thérèse ne vienne point à Paris. Je consentirais au douloureux sacrifice de ne plus la revoir si son repos pouvait en dépendre ; mais si elle arrive ici et qu'elle se brouille avec son mari, je lui dévouerai ma vie ; et en supposant que les lois de France lui permettent le divorce, je l'épouserai. — Y pensez-vous ? m'écriai-je ; l'épouser ! elle qui est catholique, dévote ! — Je vous parle uniquement, reprit avec tranquillité M. de Serbellane, de ce que je suis prêt à faire pour elle si son bonheur l'exige ; mais il vaut mieux pour tous les deux que nos destinées restent dans l'ordre ; et j'espère que vous la déciderez à ne pas venir. — Me permettrez-vous de le dire, monsieur ? lui répondis-je ; il y a dans votre conversation un singulier mélange d'exaltation et de froideur. — Vous vous persuadez un peu légèrement, madame, répliqua M. de Serbellane, que j'ai de la froideur dans le caractère ; dès mon enfance la timidité et la fierté réunies m'ont donné l'habitude de réprimer les signes extérieurs de mon émotion. Sans vous occuper trop longtemps de moi, je vous dirai que j'ai fait, comme la plupart des jeunes gens de mon âge, beaucoup de fautes en entrant dans le monde ; que ces fautes, par une combinaison de circonstances, ont eu des suites funestes, et qu'il m'est resté, de toutes les peines que j'ai éprouvées, assez de calme dans mes propres impressions, mais un profond respect pour la destinée des personnes qui de quelque manière dépendent de moi. Les passions impétueuses ont toujours pour but notre satisfaction personnelle : ces passions sont très refroidies dans mon cœur ; mais je ne suis point blasé sur mes devoirs, et je n'ai rien de mieux à faire de moi que d'épargner de la douleur à ceux qui m'aiment, maintenant que je ne peux plus avoir ni goût vif, ni volonté forte qui ait pour objet mon propre bonheur. » En achevant ces mots, une expression de mélancolie se peignit sur le visage de M. de Serbellane ; j'éprouvai pour lui ce sentiment que fait naître en nous le malheur d'un homme distingué. Je lui pris moi-même la main comme à mon frère ; il comprit ce que j'éprouvais, il m'en sut gré ; mais son cœur se referma bientôt après ; je crus même entrevoir qu'il redoutait d'être entraîné à parler plus longtemps de lui, et je le suivis dans le salon, où il remontait de son propre mouvement. Depuis cette conversation je l'ai vu deux fois ; il a toujours évité de s'entretenir seul avec moi, et il y a dans ses manières une froideur qui rend impossible l'intimité : cependant il me regarde avec plus d'intérêt, s'adresse à moi dans la conversation générale, et je croirais qu'il veut m'indiquer que la personne à qui il a ouvert son cœur, même une seule fois, sera toujours pour lui un être à part. Mais hélas ! mon amie ne sera point heureuse, elle ne le sera point, et le remords et l'amour la déchireront en même temps. Que je bénis le ciel des principes de morale que vous m'avez inspirés, et peut-être même aussi des sentiments qu'on pourrait appeler romanesques, mais qui, donnant une haute idée de soi-même et de l'amour, préservent des séductions du monde comme trop au-dessous des chimères que l'on aurait pu redouter !

Je consacrerai ma vie, je l'espère, à m'occuper du sort de mes amis, et je ferai ma destinée de leur bonheur. Je prends un grand intérêt au mariage de

Matilde ; j'y trouverais plus de plaisir encore si elle répondait vivement à mon amitié ; mais toutes ses démarches sont calculées, toutes ses paroles préparées ; je prévois sa réponse, je m'attends à sa visite : quoiqu'il n'y ait point de fausseté dans son caractère, il y a si peu d'abandon, qu'on sait avec elle la vie d'avance, comme si l'avenir était déjà du passé.

Ma chère Louise, je vous le répète, je veux retourner vers vous, puisque vous ne voulez pas venir à Paris : comment pourrais-je renoncer aux douceurs parfaites de notre intimité ! Adieu.

LETTRE IX

Madame de Vernon à M. de Clarimin, à sa terre
près de Montpellier

Paris, ce 2 mai.

Toujours des inquiétudes, mon cher Clarimin, sur la dette que j'ai contractée avec vous ! Ne vous ai-je pas mandé plusieurs fois que les réclamations de madame de Mondoville sur la succession de M. de Vernon étaient arrangées par le mariage de son fils avec ma fille ? Je constitue en dot à Matilde la terre d'Andelys, de vingt mille livres de rente. C'est beaucoup plus que la fortune de son père ; je ne lui devrai donc aucun compte de sa tutelle. Je n'étais gênée que par ce compte et par les diverses sommes que je devais rembourser à madame de Mondoville sur la succession de M. de Vernon. Mais il sera convenu dans le contrat que ces dettes ne seront payées qu'après moi, et je me trouve ainsi dispensée de rendre à Matilde le bien de son père. Je puis donc vous garantir que vos soixante mille livres vous seront remises avant deux mois.

J'ajouterai, pour achever de vous rassurer, que je n'achète point la terre d'Andelys ; c'est madame d'Albémar qui la donne à ma fille. J'avais cru jusqu'à présent cette confidence superflue, et je vous demande un profond secret. Madame d'Albémar est très riche : je ne pense pas manquer de délicatesse en acceptant d'elle un don qui, tout considérable qu'il paraît, n'est pas un tiers de la fortune qu'elle tient de son mari. Cette fortune, vous le savez, devait nous revenir en grande partie. J'ai cru qu'il ne m'était pas interdit de profiter de la bienveillance de madame d'Albémar pour l'intérêt de ma fille et pour celui de mes créanciers ; mais il est pourtant inutile que ce détail soit connu.

Votre homme d'affaires vous a alarmé en vous donnant comme une nouvelle certaine que je voulais rembourser tout de suite à madame d'Albémar les quarante mille livres qu'elle m'a prêtées à Montpellier. Il n'en est rien, elle ne pense pas à me le demander. Vous m'écririez vingt lettres sur votre dette, avant que madame d'Albémar me dît un mot de la sienne. Ceci soit dit sans vous fâcher, mon cher Clarimin. L'on ne pense pas à vingt ans comme à quarante, et si l'oubli de soi-même est un agrément dans une jeune personne, l'appréciation de nos intérêts est une chose très naturelle à notre âge.

Madame d'Albémar, la plus jolie et la plus spirituelle femme qu'il y ait, ne s'imagine pas qu'elle doive soumettre sa conduite à aucun genre de calcul ; c'est ce qui fait qu'elle peut se nuire beaucoup à elle-même, jamais aux autres. Elle voit tout, elle devine tout quand il s'agit de considérer les hommes et les idées sous un point de vue général ; mais, dans ses affaires et ses affections, c'est une personne toute de premier mouvement, et ne se servant jamais de son esprit pour éclairer ses sentiments, de peur peut-être qu'il ne détruisît les illusions dont elle a besoin. Elle a reçu de son bizarre époux et d'une sœur contrefaite une éducation à la fois toute philosophique et toute romanesque ; mais que nous importe ? Elle n'en est que plus aimable ; les gens calmes aiment assez à rencontrer ces caractères exaltés qui leur offrent toujours quelque prise. Remettez-vous-en donc à moi, mon cher Clarimin ; laissez-moi terminer le mariage qui m'occupe, et qui m'est nécessaire pour satisfaire à vos justes prétentions ; et voyez dans cette lettre, la plus longue, je crois, que j'aie écrite de ma vie, mon désir de vous ôter toute crainte, et la confiance d'une ancienne et bien fidèle amitié.

LETTRE X

Delphine à mademoiselle d'Albémar

Paris, ce 3 mai.

J'ai passé hier, chez madame de Vernon, une soirée qui a singulièrement excité ma curiosité ; je ne sais si vous en recevrez la même impression que moi. L'ambassadeur d'Espagne présenta hier à ma tante un vieux duc espagnol, M. de Mendoce, qui allait remplir une place diplomatique en Allemagne : comme il venait de Madrid, et qu'il était parent de madame de Mondoville, madame de Vernon lui fit des questions très simples sur Léonce de Mondoville ; il parut d'abord extrêmement embarrassé dans ses réponses. L'ambassadeur d'Espagne s'approchant de lui comme il parlait, il dit à très haute voix que depuis six semaines il n'avait point vu M. de Mondoville, et qu'il n'était pas retourné chez sa mère. L'affectation qu'il mit à s'exprimer ainsi me donna de l'inquiétude ; et comme madame de Vernon la partageait, je cherchai tous les moyens d'en savoir davantage.

Je me mis à causer avec un Espagnol que j'avais déjà vu une ou deux fois, et que j'avais remarqué comme sprirituel, éclairé, mais un peu frondeur. Je lui demandai s'il connaissait le duc de Mendoce.

« Fort peu, répondit-il ; mais je sais seulement qu'il n'y a point d'homme dans toute la cour d'Espagne aussi pénétré de respect pour le pouvoir. C'est une véritable curiosité que de le voir saluer un ministre ; ses épaules se plient dès qu'il l'aperçoit avec une promptitude et une activité tout à fait amusantes ; et quand il se relève, il le regarde avec un air si obligeant, si affectueux, je dirais presque si attendri, que je ne doute pas qu'il n'ait vraiment aimé tous ceux qui ont eu du crédit à la cour d'Espagne depuis trente ans. Sa conversation n'est pas moins curieuse que ses démonstrations extérieures ; il commence des phrases, pour que le ministre les finisse ; il finit celles que le ministre a commencées, sur quelque sujet que le ministre parle, le duc de Mendoce l'accompagne d'un sourire gracieux, de petits mots approbateurs qui ressemblent à une basse continue, très monotone pour ceux qui écoutent, mais probablement agréable à celui qui en est l'objet. Quand il peut trouver l'occasion de reprocher au ministre le peu de soin qu'il prend de sa santé, les excès de travail qu'il se permet, il faut voir quelle énergie il met dans ces vérités dangereuses ; on croirait, au ton de sa voix, qu'il s'expose à tout pour satisfaire sa conscience ; et ce n'est qu'à la réflexion qu'on observe que, pour varier la flatterie fade, il essaye de la flatterie brusque sur laquelle on est moins blasé. Ce n'est pas un méchant homme ; il préfère ne pas faire du mal, et ne s'y décide que pour son intérêt. Il a, si l'on peut le dire, l'innocence de la bassesse ; il ne se doute pas qu'il y ait une autre morale, un autre honneur au monde que le succès auprès du pouvoir : il tient pour fou, je dirais presque pour malhonnête, quiconque ne se conduit pas comme lui. Si l'un de ses amis tombe dans la disgrâce, il cesse à l'instant tous ses rapports avec lui, sans aucune explication, comme une chose qui va de soi-même. Quand, par hasard, on lui demande s'il l'a vu, il répond : Vous sentez bien que dans les circonstances actuelles je n'ai pu... et s'interrompt en fronçant le sourcil, ce qui signifie toujours l'importance qu'il attache à la défaveur du maître. Mais si vous n'entendez pas cette mine, il prend un ton ferme, et vous dit les serviles motifs de sa conduite avec autant de confiance qu'en aurait un honnête homme en vous déclarant qu'il a cessé de voir un ami qu'il n'estimait plus. Il n'a pas de considération à la cour de Madrid ; cependant il obtient toujours des missions importantes : car les gens en place sont bien arrivés à se moquer des flatteurs, mais non pas à leur préférer les hommes courageux ; et les flatteurs parviennent à tout, non pas, comme autrefois, en réussissant à tromper, mais en faisant preuve de souplesse, ce qui convient toujours à l'autorité. »

Ce portrait que me confirmaient la physionomie et les manières de M. le duc de Mendoce, me rassura un peu sur l'embarras qu'il avait témoigné en parlant de M. de Mondoville ; mais je résolus cependant d'en savoir davantage, et après avoir remercié le spirituel Espagnol, j'allai me rejoindre à la société. Je retins le duc sous divers prétextes ; et quand l'ambassadeur d'Espagne fut parti, et qu'il ne resta presque plus personne, madame de Vernon et moi nous prîmes le duc à part, et je lui demandai formellement s'il ne savait rien de M. de Mondoville qui pût intéresser les amis de sa mère. Il regarda de tous les côtés pour s'assurer mieux encore que son ambassadeur n'y était plus, et me dit : « Je vais vous parler naturellement, madame, puisque vous vous intéressez à Léonce ; sa position est mauvaise, mais je ne la tiens pas pour désespérée, si l'on parvient à lui faire entendre raison : c'est un jeune homme de vingt-cinq ans, d'une figure charmante ; vous ne connaissez rien ici qui en approche ; spirituel, mais très mauvaise tête ; fou de ce qu'il appelle la réputation, l'opinion publique, et prêt à sacrifier pour cette opinion, ou pour son ombre même, les intérêts les plus importants de la vie. Voici ce qui est arrivé : Un des cousins de M. de Mondoville, très bon et très joli jeune homme, a fait sa cour, cet hiver, à mademoiselle de Sorane, la nièce de notre ministre actuel, Son Excellence M. le comte de Sorane. Il a su en très-peu de temps lui plaire et la séduire. Je dois vous avouer, puisque nous parlons ici confidentiellement, que mademoiselle de Sorane, âgée de vingt-cinq ans, et ayant perdu son père et sa mère de bonne heure, vivait depuis plusieurs années dans le monde avec trop de liberté ; l'on avait soupçonné sa conduite, soit à tort, soit justement ; mais enfin pour cette fois elle voulut se marier, et fit connaître clairement son intention à cet égard, et celle du ministre son oncle. Il n'y avait pas à hésiter ; Charles de Mondoville ne pouvait pas faire un meilleur mariage : fortune, crédit, naissance, tout y était, et je sais positivement que lui-même en jugeait ainsi. Mais Léonce, qui exerce dans sa famille une autorité qui ne convient pas à son âge, Léonce qu'ils consultent tous comme l'oracle de l'honneur, déclara qu'il trouvait indigne de son cousin d'épouser une femme qui avait eu une conduite méprisable ; et, ce qui est vraiment de la folie, il ajouta que c'était précisément parce qu'elle était la nièce d'un homme très puissant qu'il fallait se garder de l'épouser. « Mon cousin, disait-il, pourrait

faire un mauvais mariage, s'il était bien clair que
l'amour seul l'y entraînât ; mais dès que l'on peut
soupçonner qu'il y est forcé par une considération
d'intérêt ou de crainte, je ne le reverrai jamais s'il y
consent. » Le frère de mademoisellle de Sorane se
battit avec le parent de M. de Mondoville, et fut
grièvement blessé. Tout Madrid croyait qu'à sa
guérison le mariage se ferait : on répandait que le
ministre avait déclaré qu'il enverrait le régiment de
Charles de Mondoville dans les Indes occidentales,
s'il n'épousait pas mademoiselle de Sorane, qui était,
disait-on, singulièrement attachée à son futur époux ;
mais Léonce, par un entêtement que je m'abstiens de
qualifier, dédaigna la menace du ministre, chercha
toutes les occasions de faire savoir qu'il la bravait,
excita son cousin à rompre ouvertement avec la
famille de mademoiselle de Sorane, dit, à qui voulut
l'entendre, qu'il n'attendait que la guérison du frère
de mademoiselle de Sorane pour se battre avec lui,
s'il voulait bien lui donner la préférence sur son
cousin. Les deux familles se sont brouillées ; Charles
de Mondoville a reçu l'ordre de partir pour les Indes ;
mademoiselle de Sorane a été au désespoir, tout à
fait perdue de réputation ; et, pour comble de
malheur enfin, Léonce a tellement déplu au roi, qu'il
n'est plus retourné à la cour. Vous comprenez que
depuis ce temps je ne l'ai pas revu ; et comme je suis
parti d'Espagne avant que le frère de mademoiselle
de Sorane fût guéri, je ne sais pas les suites de cette
affaire, mais je crains bien qu'elles ne soient très-
sérieuses et qu'elles ne fassent beaucoup de tort à
Léonce. »

L'Espagnol que j'avais interrogé sur le caractère
du duc de Mendoce, s'approcha de nous dans ce
moment, et, entendant que l'on parlait de M. de
Mondoville, il dit : « Je le connais, et je sais tous les
détails de l'événement dont M. le duc vient de vous

parler ; permettez-moi d'y joindre quelques observations que je crois nécessaires. Léonce, il est vrai, s'est conduit dans cette circonstance avec beaucoup de hauteur ; mais on n'a pu s'empêcher de l'admirer, précisément par les motifs qui aggravent ses torts dans l'opinion de M. le duc. Le crédit de la famille de mademoiselle de Sorane était si grand, les menaces du ministre si publiques, et la conduite de mademoiselle de Sorane avait été si mauvaise, qu'il était impossible qu'on n'accusât pas de faiblesse celui qui l'épouserait. M. de Mondoville aurait peut-être dû laisser son cousin se décider seul : mais il l'a conseillé comme il aurait agi ; il s'est mis en avant autant qu'il lui a été possible, pour détourner le danger sur lui-même, et peut-être ne sera-t-il que trop prouvé dans la suite qu'il y est bien parvenu. Il a donné une partie de sa fortune à son cousin pour le dédommager d'aller aux Indes ; enfin, sa conduite a montré qu'aucun genre de sacrifice personnel ne lui coûtait quand il s'agissait de préserver de la moindre tache la réputation d'un homme qui portait son nom. Le caractère de M. de Mondoville réunit au plus haut degré la fierté, le courage, l'intrépidité, tout ce qui peut enfin inspirer du respect : les jeunes gens de son âge ont, sans qu'il le veuille, et presque malgré lui, une grande déférence pour ses conseils ; il y a dans son âme une force, une énergie, qui, tempérées par la bonté, inspirent pour lui la plus haute considération, et j'ai vu plusieurs fois qu'on se rangeait quand il passait, par un mouvement involontaire, dont ses amis riaient à la réflexion, mais qui les reprenait à leur insu, comme toutes les impressions naturelles. Il est vrai néanmoins que Léonce de Mondoville porte peut-être jusqu'à l'exagération le respect de l'opinion, et l'on pourrait désirer, pour son bonheur, qu'il sût s'en affranchir davantage ; mais dans la circonstance dont M. le duc vient de parler, sa conduite lui a valu l'estime générale, et je pense que tous ceux qui l'aiment doivent en être fiers. »

Le duc ne répliqua point au défenseur de Léonce : il ne lui était point utile de le combattre ; et les hommes qui prennent leur intérêt pour guide de toute leur vie ne mettent aucune chaleur ni aux opinions qu'ils soutiennent, ni à celles qu'on leur dispute : céder et se taire est tellement leur habitude, qu'ils la pratiquent avec leurs égaux pour s'y préparer avec leurs supérieurs (11).

Il résulta pour moi, de toute cette discussion, une grande curiosité de connaître le caractère de Léonce. Son précepteur et son meilleur ami, celui qui lui a tenu lieu de père depuis dix ans, M. Barton, doit être ici demain ; je croirai ce qu'il me dira de son élève. Mais n'est-ce pas déjà un trait honorable pour un jeune homme, que d'avoir conservé non seulement de l'estime, mais de l'attachement et de la confiance pour l'homme qui a dû nécessairement contrarier ses défauts et même ses goûts ? Tous les sentiments qui naissent de la reconnaissance ont un caractère religieux ; ils élèvent l'âme qui les éprouve. Ah ! combien je désire que madame de Vernon ait fait un bon choix ! Le charme de sa vie intérieure dépendra nécessairement de l'époux de sa fille : Matilde elle-même ne sera jamais ni très heureuse, ni très malheureuse ; il ne peut en être ainsi de madame de Vernon. Espérons que Léonce, si fier, si irritable, si généralement admiré, aura cette bonté sans laquelle il faut redouter une âme forte et un esprit supérieur, bien loin de désirer de s'en rapprocher.

LETTRE XI

Delphine à mademoiselle d'Albémar

Paris, ce 4 mai.

M. Barton est arrivé hier. En entrant dans le salon de madame de Vernon, j'ai deviné tout de suite que c'était lui. L'on jouait et l'on causait : il était seul au coin de la cheminée ; Matilde, de l'autre côté, ne se permettait pas de lui adresser une seule parole ; il paraissait embarrassé de sa contenance au milieu de tant de gens qui ne le connaissaient pas : la société de Paris est peut-être la société du monde où un étranger cause d'abord le plus de gêne ; on est accoutumé à se comprendre si rapidement ; à faire allusion à tant d'idées reçues, à tant d'usages ou de plaisanteries sous-entendues, que l'on craint d'être obligé de recourir à un commentaire pour chaque parole, dès qu'un homme nouveau est introduit dans le cercle. J'éprouvai de l'intérêt pour la situation embarrassante de M. Barton, et j'allai à lui sans hésiter : il me semble qu'on fait un bien réel à celui qu'on soulage des peines de ce genre, de quelque peu d'importance qu'elles soient en elles-mêmes.

M. Barton est un homme d'une physionomie respectable, vêtu de brun, coiffé sans poudre ; son extérieur est imposant ; on croit voir un Anglais ou un Américain, plutôt qu'un Français. N'avez-vous pas remarqué combien il est facile de reconnaître au premier coup d'œil le rang qu'un Français occupe dans le monde ? ses prétentions et ses inquiétudes le trahissent presque toujours, dès qu'il peut craindre d'être considéré comme inférieur (12), tandis que les Anglais et les Américains ont une dignité calme et habituelle, qui ne permet ni de les juger, ni de les classer légèrement. Je parlai d'abord à M. Barton de sujets indifférents ; il me répondit avec politesse, mais brièvement ; j'aperçus très vite qu'il n'avait point le désir de faire remarquer son esprit, et qu'on ne pouvait pas l'intéresser par son amour-propre : je cédai donc à l'envie que j'avais de l'interroger sur M. de Mondoville, et son visage prit alors une expression nouvelle : je vis bien que depuis long-temps il ne s'animait qu'à ce nom. Comme M. Barton me savait proche parente de Matilde, il se livra presque de lui-même à me parler sur tous les détails qui concernaient Léonce ; il m'apprit qu'il avait passé son enfance alternativement en Espagne, la patrie de sa mère, et en France, celle de son père ; qu'il parlait également bien les deux langues, et s'exprimait toujours avec grâce et facilité. Je compris, dans la conversation, que madame de Mondoville avait dans les manières une hauteur très pénible à supporter, et que Léonce, adoucissant par une bonté attentive et délicate ce qui pouvait blesser son précepteur, lui avait inspiré autant d'affection que d'enthousiasme. J'essayai de faire parler M. Barton sur ce qui nous avait été dit par le duc de Mendoce ; il évita de me répondre : je crus remarquer cependant qu'il était vrai qu'à travers toutes les rares qualités de Léonce, on pouvait lui reprocher trop de véhémence dans le caractère, et surtout une crainte du blâme, portée si loin, qu'il ne lui suffisait pas de son propre témoi-gnage pour être heureux et tranquille ; mais je le devinai plutôt que M. Barton ne me le dit. Il s'abandonnait à louer l'esprit et l'âme de M. Mondo-ville avec une conviction tout à fait persuasive ; je me plus presque tout le soir à causer avec lui. Sa simplicité me faisait remarquer dans les grâces un peu recherchées du cercle le plus brillant de Paris, une sorte de ridicule qui ne m'avait point encore frappée. On s'habitue à ces grâces qui s'accordent assez bien avec l'élégance des grandes sociétés ; mais quand un caractère naturel se trouve au milieu d'elles, il fait ressortir, par le contraste, les plus légères nuances d'affectation.

Je causai presque tout le soir avec M. Barton ; il parlait de M. de Mondoville avec tant de chaleur et d'intérêt, que j'étais captivée par le plaisir même que je lui faisais en l'écoutant ; d'ailleurs, un homme simple et vrai parlant du sentiment qui l'a occupé toute sa vie, excite toujours l'attention d'une âme capable de l'entendre.

M. de Serbellane et M. de Fierville vinrent cependant auprès de moi me reprocher de n'être pas, selon ma coutume, ce qu'ils appellent *brillante :* je m'impatientai contre eux de leurs persécutions, et je m'en délivrai en rentrant chez moi de bonne heure .

Que la destinée de ma cousine sera belle, ma chère Louise, si Léonce est tel que M. Barton me l'a peint ! Elle ne souffrira pas même du seul défaut qu'il soit possible de lui supposer, et que peut-être on exagère beaucoup. Matilde ne hasarde rien ; elle ne s'expose jamais au blâme ; elle conviendra donc parfaitement à Léonce : moi, je ne saurais pas... Mais ce n'est pas de moi qu'il s'agit, c'est de Matilde : elle sera bien plus heureuse que je ne puis jamais l'être. Adieu, ma chère Louise, je vous quitte ; j'éprouve ce soir un sentiment vague de tristesse que le jour dissipera sans doute. Encore une fois, adieu.

DELPHINE

LETTRE XII

Delphine à mademoiselle d'Albémar

Paris, ce 8 mai.

Je suis mécontente de moi, ma chère Louise, et pour me punir, je me condamne à vous faire le récit d'un mouvement blâmable que j'ai à me reprocher. Il a été si passager que je pourrais me le nier à moi-même ; mais, pour conserver son cœur dans toute sa pureté, il ne faut pas repousser l'examen de soi, il faut triompher de la répugnance qu'on éprouve à s'avouer les mauvais sentiments qui se cachent long-temps au fond de notre cœur avant d'en usurper l'empire.

Depuis quelques jours M. Barton me parlait sans cesse de Léonce ; il me racontait des traits de sa vie qui le caractérisent comme la plus noble des créatures. Il m'avait une fois montré un portrait de lui, que Matilde avait refusé de voir, avec une exagération de pruderie qui n'était en vérité que ridicule ; et ce portrait, je l'avoue, m'avait frappée. Enfin M. Barton, se plaisant tous les jours plus avec moi, me laissa entrevoir, avant-hier, à la fin de notre conversation, qu'il ne croyait pas le caractère de Matilde propre à rendre Léonce heureux, et que j'étais la seule femme qui lui eût paru digne de son élève. De quelques détours qu'il enveloppât cette insinuation, je l'entendis très vite ; elle m'émut profondément ; je quittai M. Barton l'instant même, et je revins chez moi inquiète de l'impression que j'en avais reçue. Il me suffit cependant d'un moment de réflexion pour rejeter loin de moi des sentiments confus, que je devais bannir dès que j'avais pu les reconnaître. Je résolus de ne plus m'entretenir en particulier avec

DELPHINE

M. Barton, et je crus que cette décision avait fait
entièrement disparaître l'image qui m'occupait. Mais
hier, au moment où j'arrivai chez madame de Vernon, M. Barton s'approcha de moi, et me dit : « Je
viens de recevoir une lettre de M. de Mondoville, qui
m'annonce son départ d'Espagne ; ayez la bonté de la
lire. » En achevant ces mots, il me tendit cette lettre.
Quel prétexte pour la refuser ? D'ailleurs ma curiosité précéda ma réflexion ; mes yeux tombèrent sur
les premières lignes de la lettre, et il me fut impossible de ne pas l'achever. En effet, ma chère Louise,
jamais on n'a réuni dans un style si simple tant de
charmes différents ! de la noblesse et de la bonté, des
expressions toujours naturelles, mais qui toutes
appartenaient à une affection vraie, et à une idée
originale ; aucune de ces phrases usées qui ne peignent rien que le vide de l'âme ; de la mesure sans
froideur, une confiance sérieuse, telle qu'elle peut
exister entre un jeune homme et son instituteur ;
mille nuances qui semblent de peu de valeur, et qui
caractérisent cependant les habitudes de la vie
entière, et cette élévation de sentiments, la première
des qualités, celle qui agit comme par magie sur les
âmes de la même nature. Cette lettre était terminée
par une phrase douce et mélancolique sur l'avenir qui
l'attendait, sur ce mariage décidé sans qu'il eût
jamais vu Matilde : la volonté de sa mère, disait-il,
avait pu seule le contraindre à s'y résigner. Je relus ce
peu de mots plusieurs fois. Je crois que M. Barton le
remarqua, car il me dit : « Madame, croyez-vous que
la froideur de mademoiselle de Vernon puisse rendre
heureux un homme d'une sensibilité si véritable ? »
Je ne sais ce que j'allais lui répondre, lorsque M. de
Serbellane, se donnant à peine le temps de saluer
madame de Vernon, me pria d'aller avec lui dans le
jardin. Il y a tant de réserve et de calme dans les
manières habituelles de M. de Serbellane, que je fus

troublée par cet empressement inusité, comme s'il
devait annoncer un événement extraordinaire ; et
craignant quelque malheur pour Thérèse, je suivis son
ami en quittant précipitamment M. Barton. » Elle
arrive dans huit jours, me dit M. de Serbellane ; vous
n'avez plus le temps de lui écrire, il faut s'occuper
uniquement d'écarter d'elle, s'il est possible, les
dangers de cette démarche. — Ah ! mon Dieu, que
m'apprenez-vous ? lui répondis-je. Comment ! vous
n'avez pu réussir... — J'en ai peut-être trop fait,
interrompit-il, car je crois entrevoir que l'inquiétude
qu'elle éprouve sur mes sentiments est la principale
cause de ce voyage. Je la rassurerai sur cette inquiétude, ajouta-t-il, car je lui suis dévoué pour ma vie ;
mais quand vous verrez M. d'Ervins, vous comprendrez combien je dois être effrayé. Le despotisme et la
violence de son caractère me font tout craindre pour
Thérèse, s'il découvre ses sentiments ; et quoiqu'il ait
peu d'esprit, son amour-propre est toujours si
éveillé, que dans beaucoup de circonstances il peut
lui tenir lieu de finesse et de sagacité. » M. de
Serbellane continua cette conversation pendant quelque temps, et j'y mettais un intérêt si vif qu'elle se
prolongea sans que j'y songeasse ; enfin je la terminai
en recommandant Thérèse à la protection de M. de
Serbellane. « Oui, lui dis-je, je ne craindrai point de
demander à celui même qui l'a entraînée, de devenir
son guide et son frère dans cette situation difficile.
Thérèse est plus passionnée que vous, elle vous aime
plus que vous ne l'aimez ; c'est donc à vous à la
diriger : celui des deux qui ne peut vivre sans l'autre
est l'être soumis et dominé. Thérèse n'a point ici de
parents ni d'amis, veillez sur elle en défenseur
généreux et tendre ; réparez vos torts par ces vertus
du cœur qui naissent toutes de la bonté. » Je
m'animai en parlant ainsi, et je posai ma main sur le
bras de M. de Serbellane ; il la prit et l'approcha de

ses lèvres avec un sentiment dont Thérèse seule était l'objet. M. Barton, dans ce moment, entrait dans l'allée où nous étions; en nous apercevant, il retourna très promptement sur ses pas, comme pour nous laisser libres; je compris dans l'instant son idée, et je l'atteignis avant qu'il fût rentré dans le salon. « Pourquoi vous éloignez-vous de nous? lui dis-je avec assez de vivacité. — Par discrétion, madame; par discrétion, me répéta-t-il d'une manière un peu affectée. — Je le vois, repris-je, vous croyez que j'aime M. de Serbellane. » Concevez-vous, ma chère Louise, que j'aie manqué de mesure au point de parler ainsi à un homme que je connaissais à peine? Mais j'avais eu trop d'émotion depuis une heure, et j'étais si agitée que mon trouble même me faisait parler sans avoir le temps de réfléchir à ce que je disais. « Je ne crois rien, madame, me répondit M. Barton; de quel droit... — Ah! que je déteste ces tournures, lui dis-je, avec une personne de mon caractère! — Mais permettez-moi, madame, de vous faire observer, interrompit M. Barton, que je n'ai pas l'honneur de vous connaître depuis longtemps. — C'est vrai, lui dis-je; cependant il me semble qu'il est bien facile de me juger en peu de moments; mais, je vous le répète, je n'aime point M. de Serbellane, je ne l'aime point; s'il en était autrement, je vous dirais (13). — Vous auriez tort, me répondit M. Barton; je n'ai pas encore mérité cette confiance. »

Toujours plus déconcertée par sa raison, et cependant toujours plus inquiète de l'opinion qu'il pouvait prendre de mes sentiments pour M. de Serbellane, une vivacité que je puis concevoir, que je ne puis me pardonner, me fit dire à M. Barton : « Ce n'est pas de moi, je vous jure, que M. de Serbellane est occupé. » Je n'achevai pas cette phrase tout insignifiante qu'elle était, je ne l'achevai pas, ma sœur, je vous l'atteste; elle ne pouvait rien apprendre ni rien indiquer à M. Barton : néanmoins je fus saisie d'un remords véritable au premier mot qui m'échappa ; je cherchai l'occasion de me retirer ; et réfléchissant sur moi-même, je fus indignée du motif coupable qui m'avait causé tant d'émotion.

Je craignais, je ne puis me le cacher, je craignais que M. Barton ne dît à Léonce que mes affections étaient engagées ; je voulais donc que Léonce pût me préférer à ma cousine : c'est moi qui fais ce mariage ; c'est moi qui suis liée par un sentiment presque aussi fort que la reconnaissance, par les services que j'ai rendus, les remerciements que j'en ai recueillis, la récompense que j'en ai goûtée ; mon amie se flatte du bonheur de sa fille, elle croit me le devoir, et ce serait moi qui songerais à le lui ravir ? Quel motif m'inspire cette pensée ? un penchant de pure imagination pour un homme que je n'ai jamais vu, qui peut-être me déplairait si je le connnaissais ! Que serait-ce donc si je l'aimais ! Et néanmoins les sentiments de délicatesse les plus impérieux ne devraient-ils pas imposer silence même à un attachement véritable ? Ne pensez pas cependant, ma chère Louise, autant de mal de moi que ce récit le mérite : n'avez-vous pas éprouvé vous-même qu'il existe quelquefois en nous des mouvements passagers les plus contraires à notre nature ? C'est pour expliquer ces contradictions du cœur humain qu'on s'est servi de cette expression : *Ce sont des pensées du démon.* Les bons sentiments prennent leur source au fond de notre cœur ; les mauvais nous semblent venir de quelque influence étrangère, qui trouble l'ordre et l'ensemble de nos réflexions et de notre caractère. Je vous demande de fortifier mon cœur par vos conseils : la voix qui nous guida dans notre enfance se confond pour nous avec la voix du ciel.

LETTRE XIII

*Réponse de mademoiselle d'Albémar à
Delphine*

Montpellier, ce 14 mai.

Non, ma chère enfant, je ne vous aurais point
trouvée coupable de vous livrer à quelque intérêt
pour Léonce, et s'il avait été digne de vous, s'il vous
avait aimée, je n'aurais pas trop conçu pourquoi vous
auriez sacrifié votre bonheur, non à la reconnaissance que vous devez, mais à celle que vous avez
méritée. Quoi qu'il en soit, hélas ! il n'est plus temps
de faire ces réflexions : il n'est que trop vraisemblable qu'en ce moment ce malheureux jeune homme
n'existe plus pour personne ! J'ai la triste mission de
vous envoyer cette lettre. Il faut la montrer à
M. Barton, et prévenir madame de Vernon et sa fille
de la perte de leurs plus brillantes espérances. C'est
le seul moment où j'ai éprouvé quelques bons
sentiments pour madame de Vernon ; mais il n'est
pas nécessaire de me joindre à tout ce que vous lui
témoignerez. Celle qui est aimée de vous, ma chère
Delphine, ne manque jamais des consolations les
plus tendres ; et c'est vous que je plains quand vos
amis sont malheureux.

Je ne doute pas que ce ne soit l'indigne frère de
mademoiselle de Sorane qui doive être accusé de
ce crime abominable.

« Bayonne, le 10 mai 1790.

« Comme vous êtes parente de madame de Vernon, mademoiselle, vous avez sans doute son adresse

à Paris, et vous ferez parvenir à un M. Barton, qui doit être chez elle à présent, la nouvelle du triste accident arrivé à son élève, qui n'a voulu dire qu'un seul mot, c'est qu'il désirait voir son instituteur, actuellement à Paris chez madame de Vernon. Ce pauvre M. Léonce de Mondoville m'était recommandé par un négociant de Madrid, et je l'attendais hier au soir; mais je ne croyais pas qu'on me l'apportât dans ce triste état.

« En traversant les Pyrénées, il a fait quelques pas à pied, laissant passer sa voiture devant lui avec son domestique ; à la nuit tombante il a reçu deux coups de poignard près du cœur, par deux hommes qu'il connaît, à ce que j'ai pu comprendre d'après quelques mots qu'il a prononcés, mais qu'il n'a jamais voulu nommer. Son domestique ne le voyant point venir, est retourné sur ses pas, et l'a trouvé sans connaissance au milieu du chemin de la forêt : on a appelé des paysans, et avec leur secours il a été apporté chez moi sans reprendre ses sens : on le croyait mort. Cependant depuis une heure il a parlé, comme je l'ai dit, pour demander que son instituteur vînt en toute hâte auprès de lui, et qu'on se gardât bien d'informer sa mère de son état.

« Le juge s'est transporté chez moi pour écrire sa déposition sur les assassins. Il a refusé de rien répondre, ce qui me paraît vraiment trop beau : mais, du reste, il est impossible d'être plus intéressant ; et c'est avec une vraie douleur, mademoiselle, que je me vois forcé de vous apprendre que les médecins ont déclaré ses blessures mortelles. Il est si beau, si jeune, si bon, que cela fait pleurer tout le monde ; et ma pauvre famille en particulier s'en désole vivement. Ne perdez pas de temps, je vous prie, mademoiselle, pour faire venir son instituteur. Il arrivera trop tard ; mais enfin il nous dira ce que nous avons à faire.

DELPHINE

« J'ai l'honneur d'être, avec respect, mademoiselle, votre très humble et très obéissant serviteur.
« Télin, *négociant à Bayonne.* »

LETTRE XIV

Delphine à mademoiselle d'Albémar

Ce 19 mai.

Ah! ma chère sœur! quelle nouvelle vous m'apprenez! Je suis dans une angoisse inexprimable,
craignant de perdre une minute pour avertir M. Barton, et frémissant de la douleur que je suis condamnée à lui causer. Il faut aussi prévenir madame de
Vernon et Matilde. Combien je sens vivement leurs
peines! Ma pauvre Sophie! le fils de son amie!
l'époux de sa fille! Et Matilde! Ah! que je me
reproche d'avoir blâmé l'excès de sa dévotion! elle
ne sera peut-être jamais heureuse. Si elle avait livré
son cœur à l'espérance d'être aimée, que deviendrait-
elle à présent? Néanmoins, elle ne l'a jamais vu.
Mais moi aussi, je ne l'ai jamais vu, et les larmes
m'oppressent, et la force me manque pour remplir
mon triste devoir! Allons, je m'y soumets, je sors;
adieu. Ce soir je vous rendrai compte de cette cruelle
journée.

Minuit.

M. Barton est parti depuis une heure, ma chère
Louise. Excellent homme, qu'il est malheureux! Ah!
que les peines de l'âge avancé portent un caractère
déchirant! Hélas! la vieillesse elle-même est une
douleur habituelle, dont l'amertume aigrit tous les
chagrins que l'on éprouve.

— J'ai été chez madame de Vernon à six heures ; j'ai fait demander M. Barton à sa porte : il est venu à l'instant même avec un air d'empressement et de gaieté qui m'a fait bien mal : rien n'est plus touchant que l'ignorance d'un malheur déjà arrrivé, et le calme qui se peint sur un visage qu'un seul mot va bouleverser. M. Barton monta dans ma voiture, et je donnai l'ordre de nous conduire loin de Paris : j'avais imaginé plusieurs moyens de lui annoncer cet affreux événement ; mais il remarqua bientôt l'altération de mes traits, et me demanda avec sensibilité s'il m'était arrivé quelque malheur. L'intérêt même qu'il prenait à moi l'éloignait entièrement de l'idée que la peine dont il s'agissait pût le concerner. J'hésitais encore sur ce que je lui dirais ; mais enfin je pensai qu'il n'y avait point de préparation possible pour une telle douleur, et je lui remis la fatale lettre.

« Lisez, lui dis-je, avec courage, avec résignation, et sans oublier les amis qui vous restent, que votre malheur attache à vous pour jamais. » A peine cet excellent homme eut-il vu le nom de Léonce qu'il pâlit ; il lut cette lettre deux fois, comme s'il ne pouvait la croire. Enfin, il la laissa tomber, couvrit son visage de ses deux mains, et pleura amèrement sans dire un seul mot. Je versais des larmes à côté de lui, effrayée de son silence, attendant que ses premières paroles m'indiquassent dans quel sens il cherchait des consolations. Je demandais au ciel la voix qui peut adoucir les blessures du cœur. « O Léonce ! s'écria-t-il enfin, gloire de ma vie, seul intérêt d'un homme sans carrière, sans nom, sans destinée, était-ce à moi de vous survivre ? Que fait ce vieux sang dans mes veines, quand le vôtre a coulé ? Quelle fin de vie m'est réservée ! Ah ! madame, me dit-il vous êtes jeune, belle, vous avez pitié d'un vieillard ; mais vous ne pouvez pas vous faire une idée des dernières douleurs d'une existence sans avenir, sans espoir !

Vous ne le connaissiez pas, mon ami, mon noble ami, que des monstres ont assassiné. Pourquoi ne veut-il pas les nommer ? Je les connais, je les ferai connaître ; ils ne vivront point après avoir fait périr ce que le ciel avait formé de meilleur. » Alors il se rappelait les traits les plus aimables de l'enfance et de la jeunesse de son élève : ce n'était plus le beau, le fier, le spirituel Léonce qu'il me peignait ; il ne se retraçait plus les grâces et les talents qui devaient plaire dans le monde ; il ne parlait que des qualités touchantes dont le souvenir s'unit, avec tant d'amertume, à l'idée d'une séparation éternelle.

J'étais agitée par une incertitude cruelle. Devais-je, en rappelant à M. Barton que Léonce le demandait auprès de lui, fixer son imagination sur la possibilité de le revoir encore, et de contribuer peut-être à le guérir ? M. Barton ne m'avait pas dit un seul mot qui indiquât cette pensée ; la craignait-il ? redoutait-il une seconde douleur après un nouvel espoir ? Ma chère Louise, avec quel tremblement l'on parle à un homme vraiment malheureux ! Comme on a peur de ne pas deviner ce qu'il faut lui dire, et de toucher maladroitement aux peines d'un cœur déchiré !

Enfin, je dis à M. Barton qu'il devait partir, et que peut-être il pouvait encore se flatter de retrouver Léonce : ce dernier mot, dont j'attendais tant d'effet, n'en produisit aucun ; il m'entendit tout de suite, mais sans se livrer à l'espoir que je lui offrais. A l'âge de M. Barton, le cœur n'est point mobile, les impressions ne se renouvellent pas vite, et le même sentiment oppresse sans aucun intervalle de soulagement.

Néanmoins, depuis cet instant, il ne parla plus que de son départ : il me demanda de retourner chez madame de Vernon ; j'en donnai l'ordre. Je convins avec lui qu'il partirait le soir même avec ma voiture, et que l'un de mes domestiques, plus jeune que le sien, courrait devant lui pour hâter son voyage. Il était un peu ranimé par l'occupation de ces détails : tant qu'il reste une action à faire pour l'être qui nous intéresse, les forces se soutiennent et le cœur ne succombe pas. Nous arrivâmes enfin chez ma tante : en songeant à la peine qu'elle allait éprouver, j'étais saisie moi-même de la plus vive émotion. Je laissai M. Barton entrer seul chez Madame de Vernon, et je restai quelques minutes dans le salon pour reprendre mes sens : enfin, domptant cette faiblesse qui m'empêchait de consoler mon amie, j'entrai chez elle ; je la trouvai plus calme que je ne l'espérais. M. Barton gardait le silence, Matilde se contenait avec quelque effort. Madame de Vernon vint à moi, et m'embrassa : je voulus m'approcher de Matilde ; je la vis rougir et pâlir ; elle me serra la main amicalement, mais elle sortit de la chambre à l'instant même, se faisant un scrupule, je crois, d'éprouver ou de montrer aucune émotion vive.

Madame de Vernon me dit alors : « Imaginez que dans ce moment même je viens de recevoir une lettre de madame de Mondoville pour m'apprendre son consentement au mariage, d'après les nouvelles propositions que je lui avais faites ! Elle m'annonce en même temps le départ de son fils. » Je serrai une seconde fois madame de Vernon dans mes bras. « Enfin, me dit-elle avec le courage qui lui est propre, occupons-nous de hâter le départ de M. Barton, et soumettons-nous aux événements. — Il n'y a rien à faire pour mon voyage, dit M. Barton, avec un accent qui exprimait, je crois, une humeur un peu injuste sur le calme apparent de madame de Vernon ; madame d'Albémar a bien voulu pourvoir à tout, et je pars. — C'est très bien, répliqua madame de Vernon, qui s'aperçut du mécontentement de M. Barton ; et s'adressant à moi, elle me dit comme à demi-voix : — Quel zèle et quelle affection il témoi-

gne à son élève ! » Vous avez remarqué quelquefois
que madame de Vernon avait l'habitude de louer
ainsi, comme par distraction et en parlant à un tiers :
mais le malheureux Barton n'y donna pas la moindre
attention ; il était bien loin de penser à l'impression
que sa douleur pourrait produire sur les autres. S'il
lui était resté quelque présence d'esprit, c'eût été
pour la cacher et non pour s'en parer.

Absorbé dans son inquiétude, il sortit sans dire un
mot à madame de Vernon ; je le suivis pour le
conduire chez moi ; où il devait trouver tout ce qui lui
était nécessaire pour sa route. Lorsque nous fûmes
en voiture, il dit en se parlant à lui-même : « Mon
cher Léonce, vos seuls amis, c'est votre malheureux
instituteur ; c'est aussi votre pauvre mère. » Et se
retournant vers moi : « Oui, s'écria-t-il, j'irai nuit et
jour pour le rejoindre ; peut-être me dira-t-il encore
un dernier adieu, et je resterai près de sa tombe pour
soigner ses derniers restes, et mériter ainsi d'être
enseveli près de lui. » En disant ces mots, cet
infortuné vieillard se livrait à un nouvel accès de
désespoir. « Madame, me dit-il alors, devant vous je
pleure ; tout à l'heure j'étais calme : votre bonté ne
repoussera pas cette triste preuve de confiance ; j'en
suis sûr, vous ne la repousserez pas. »

Nous arrivâmes chez moi ; je pris toutes les précautions que je pus imaginer pour que le voyage de
M. Barton fût le plus commode et le plus rapide
possible ; il fut touché de ces soins, et, prêt à monter
en voiture, il me dit : « Madame, s'il vient en mon
absence quelques lettres de Bayonne, je n'ose pas
dire de Léonce, enfin aussi de Léonce même, ouvrez-
les ; vous verrez ce qu'il faut faire d'après ces lettres,
et vous me l'écrirez à Bordeaux. — N'est-ce pas
madame de Vernon, lui dis-je, qui devrait... — Non,
me répondit-il ; madame, permettez-moi de vous
répéter que je veux que ce soit vous. Hélas ! dans ce

dernier moment, lorsqu'il n'est que trop probable que jamais je ne vous reverrai, qu'il me soit permis de vous dire une idée, peut-être insensée, que j'avais conçu pour mon malheureux élève. Je ne trouvais point que mademoiselle de Vernon pût lui convenir, et j'osais remarquer en vous tout ce qui s'accordait le mieux avec son esprit et son âme. » J'allais lui répondre, mais il me serra la main avec une affection paternelle : cette affection me rappelle M. d'Albémar, et jamais je ne l'ai retrouvée sans émotion. Il me dit alors : « Ne vous offensez pas, madame, de cette hardiesse d'un vieillard qui chérit Léonce comme son fils, et que vos bontés ont profondément touché. Hélas ! ces douces chimères sont remplacées par la mort ! la mort ! ah Dieu ! » Il se précipita hors de ma chambre, et se jeta au fond de la voiture, dans un accablement qui redoubla ma pitié.

Restée seule, je pus me livrer enfin à la douleur que moi aussi j'éprouvais : je n'avais dû m'occuper que des peines des autres ; mais celle que je ressentais n'était pas moins vive, quoique la destinée de ce malheureux jeune homme fût étrangère à la mienne. Ma tante et ma cousine le regrettent pour elles, pour le bonheur qu'il devait leur procurer ; moi, que le sort séparait irrévocablement de lui, je pleure une âme si belle, un être si libéralement doué, périssant ainsi dans les premières années de sa vie. Oui, s'il meurt, je lui voue-rai un culte dans mon cœur ; je croirai l'avoir aimé, l'avoir perdu, et je serai fidèle au souvenir que je garderai de lui : ce sera un sentiment doux, l'objet d'une mélancolie sans amertume. Je demanderai son portrait à M. Barton, et toujours je conserverai cette image comme celle d'un héros de roman dont le modèle n'existe plus. Déjà, depuis quelque temps, je perdais l'espoir de rencontrer celui qui posséderait toutes les affections de mon cœur ;

j'en suis sûre maintenant, et cette certitude est tout ce qu'il faut pour vieillir en paix.

Mais peut-être que Léonce vivra ; s'il vit, il sera l'époux de Matilde, et plus de chimères alors ; mais aussi plus de regrets. Adieu, ma chère Louise ; il est possible que dans peu je me réunisse à vous pour toujours.

LETTRE XV

Delphine à mademoiselle d'Albémar

Paris, ce 22 mai.

J'ai trouvé ce soir plus de charmes que jamais dans l'entretien de madame de Vernon, et cependant, pour la première fois, mon cœur lui a fait un véritable reproche. Quand je vous parle d'elle avec tant de franchise, ma chère Louise, je vous donne la plus grande marque possible de confiance ; n'en concluez, je vous prie, rien de défavorable à mon amie. Je puis me tromper sur un tort que mille motifs doivent excuser ; mais j'ai sûrement raison, quand je crois que les qualités les plus intimes de l'âme peuvent seules inspirer cette délicatesse parfaite dans les discours et dans les moindres paroles, qui rend la conversation de madame de Vernon si séduisante.

J'avais été douloureusement émue tout le jour ; l'image de Léonce me poursuivait, je n'avais pu fermer l'œil sans le voir sanglant, blessé, prêt à mourir. Je me le représentais sous les traits les plus touchants, et ce tableau m'arrachait sans cesse des larmes. J'allai vers huit heures du soir chez madame de Vernon ; Matilde avait passé tout le jour à l'église, et s'était couchée en revenant, sans avoir témoigné le moindre désir de s'entretenir avec sa mère ; je trouvai donc Sophie seule et assez triste ; je l'étais bien plus encore. Nous nous assîmes sur un banc de son jardin, d'abord sans parler ; mais bientôt elle s'anima, et me fit passer une heure dans une situation d'âme beaucoup meilleure que je ne pouvais m'y attendre. La douceur, et, pour ainsi dire, la mollesse même de sa conversation, ont je ne sais quelle grâce qui suspendit ma peine. Elle suivait mes impressions pour les adoucir, elle ne combattait aucun de mes sentiments, mais elle savait les modifier à mon insu ; j'étais moins triste sans en savoir la cause ; mais enfin auprès d'elle je l'étais moins.

Je dirigeai notre conversation sur ces grandes pensées vers lesquelles la mélancolie nous ramène invinciblement : l'incertitude de la destinée humaine, l'ambition de nos désirs, l'amertume de nos regrets, l'effroi de la mort, la fatigue de la vie, tout ce vague du cœur, enfin, dans lequel les âmes sensibles aiment tant à s'égarer, fut l'objet de notre entretien. Elle se plaisait à m'entendre, et m'excitant à parler, elle mêlait des mots précis et justes à mes discours, et soutenait et ranimait mes pensées toutes les fois que j'en avais besoin. Lorsque j'arrivai chez elle, j'étais abattue et mécontente de mes sentiments sans vouloir me l'avouer. Je crois qu'elle devina tout ce qui m'occupait, car elle me dit exactement ce que j'avais besoin d'entendre. Elle me releva par degrés dans ma propre estime ; j'étais mieux avec moi-même, et je ne m'apercevais qu'à la réflexion, que c'était elle qui modifiait ainsi mes pensées les plus secrètes. Enfin, j'éprouvais au fond de l'âme un grand soulagement, et je sentais bien en même temps qu'en m'éloignant de Sophie le chagrin et l'inquiétude me ressaisiraient de nouveau.

Je m'écriai donc dans une sorte d'enthousiasme :

« Ah ! mon amie, ne me quittez pas, passons de longues heures à causer ensemble ; je serai si mal quand vous ne me parlerez plus ! »

Comme je prononçais ces mots, un domestique entra, et dit à madame de Vernon que M. de Fierville demandait à la voir, quoiqu'on lui eût déclaré à sa porte qu'elle ne recevait personne. « Refusez-le, je vous en conjure, ma chère Sophie, dis-je avec instance. — Savez-vous, interrompit madame de Vernon, si le neveu de madame du Marset a gagné ou perdu ce grand procès dont dépendait toute sa fortune ? — Mon Dieu ! interrompis-je, on m'a dit hier qu'il l'avait gagné ; ainsi, vous n'avez point à consoler M. de Fierville des chagrins de son amie ; refusez-le. — Il faut que je le voie, dit alors madame de Vernon. » Et elle fit signe à son domestique de le faire monter. Je me sentis blessée, je l'avoue, et ma physionomie l'exprima. Madame de Vernon s'en aperçut, et me dit : « Ce n'est pas pour moi, c'est pour ma fille......... — Quoi ! m'écriai-je assez vivement, vous songez déjà à remplacer Léonce ? Pauvre jeune homme ! vous n'êtes pas longtemps regretté par l'amie de votre mère. » Je me reprochai ces paroles à l'instant même, car madame de Vernon rougit en les entendant ; et comme elle me laissait partir sans essayer de me retenir, je restai, quelques minutes après l'arrivée de M. de Fierville, la main appuyée sur la clef de la porte du salon, et tardant à l'ouvrir. Madame de Vernon enfin le remarqua ; elle vint à moi, et sans me faire aucun reproche, elle insista beaucoup sur le prix qu'elle mettait à l'union de sa fille avec Léonce, sur toutes les circonstances qui lui rendaient ce mariage mille fois préférable à tout autre : elle reprit par degré sa grâce accoutumée, et je partis après l'avoir embrassée ; mais je conservai cependant quelques nuages de ce qui venait de se passer.

Concevez-vous ma folie, ma chère Louise ? Ce qui m'a blessée peut-être si vivement, c'est un témoignage d'indifférence pour Léonce ! Pourquoi vouloir que madame de Vernon le regrette profondément, qu'elle ne cherche point un autre époux pour sa fille ? elle ne l'a jamais vu : cependant n'est-il pas vrai, ma chère Louise, que c'est se consoler trop tôt de la perte d'un jeune homme si distingué ? Ah ! s'il était possible qu'on le sauvât ! ce serait Matilde qui goûterait le bonheur d'en être aimée ; elle n'aurait pas souffert de son danger ; il renaîtrait pour elle : le calme de son imagination et de son âme la préserve des peines les plus amères de la vie. Louise, votre Delphine ne lui ressemble pas.

LETTRE XVI

Mademoiselle d'Albémar à Delphine

Montpellier, 20 mai 1790.

Je me hâte de vous dire, ma chère Delphine, que M. de Mondoville est mieux ; un chirurgien habile l'a soigné avec beaucoup de bonheur, et lorsque la perte de son sang a été arrêtée, il s'est trouvé très vite hors de tout danger. Il aurait déjà repris sa route si l'on ne craignait que sa blessure ne se rouvrît en voyageant. Il a écrit à M. Barton une lettre que Télin m'a adressée, pour vous prier de la faire parvenir sûrement ; je vous l'envoie.

Il faut que Léonce ait quelque chose de bien aimable, pour que ce vieux négociant de Bayonne, Télin, qui de sa vie n'a pensé qu'aux moyens de gagner de l'argent, écrive des lettres toutes remplies d'éloges sur les qualités généreuses de M. de Mondoville ; en vérité, je crois qu'il a fait de Télin une mauvaise tête ! Sérieusement, c'est un rare mérite que celui qui est vivement senti même par les hommes vulgaires, et je crois toujours plus aux qualités qui produisent de l'effet sur tout le monde, qu'à ces supériorités mystérieuses qui ne sont reconnues que par des adeptes.

Chère Delphine, il est très vraisemblable à présent que vous allez voir M. de Mondoville ; votre imagination est singulièrement préparée à recevoir une grande impression par sa présence : défendez-vous de cette disposition, je vous en conjure, et rendez à votre esprit toute l'indépendance dont il a besoin pour bien juger.

LETTRE XVII

Delphine à mademoiselle d'Albémar

Paris, 25 mai.

La lettre de Léonce que vous m'envoyez, ma chère sœur, est extrêmement remarquable : comme M. Barton m'avait demandé de l'ouvrir, je l'ai lue : depuis deux heures qu'elle est entre mes mains, elle a fait naître en moi une foule de pensées qui m'étaient nouvelles. Je vous ferai part de mes réflexions une autre fois ; le seul mot que je sois pressée de vous dire, c'est que la lecture de cette lettre a tout à fait calmé les idées qui me troublaient, et que je n'ai plus à craindre le mauvais mouvement qui me faisait envier le sort de ma cousine.

DELPHINE

LETTRE XVIII*

Léonce à M. Barton

Bayonne, 17 mai 1790.

Je crains, mon cher ami, que vous ne soyez déjà
parti sur la nouvelle de mon accident, et lorsque vous
aurez su que j'avais témoigné le désir de vous voir.
J'aurais dû vous épargner la fatigue d'un tel voyage ;
mais vous pardonnerez à votre élève le besoin qu'il
avait de vous dire adieu au moment de mourir. Si
vous êtes encore à Paris, attendez-moi ; je serai en
état de voyager sous peu de jours. On me défend de
parler de peur que mes blessures à la poitrine ne se
rouvrent ; j'ai du temps au moins pour vous écrire
tout ce qui tient à l'événement dont vous seul devez
connaître le secret.

Je sais quel est le furieux qui a voulu m'assassiner
et qui m'a attaqué, ayant pour second son domestique, sans me laisser aucun moyen de me défendre. Il
m'a dit avec fureur, en me poignardant : *Je venge ma
sœur déshonorée.* J'aurais nommé l'auteur de cette
action infâme, si les motifs qui l'ont irrité contre moi
ne méritaient une sorte d'indulgence : vous les savez,
ces motifs, et vous devinez mon assassin.

Mon cousin, en se soumettant à mes conseils, les a
suivis néanmoins de la manière du monde la plus
faible et la plus inconséquente ; il m'a prouvé qu'il ne
faut jamais faire agir un homme dans un sens
différent de son caractère. La nature place des
remèdes à côté de tous les maux : l'homme faible ne

* *Cette lettre est celle que mademoiselle d'Albémar a fait parvenir
à Delphine.*

hasarde rien ; l'homme fort soutient tout ce qu'il avance : mais l'homme faible, conseillé par l'homme fort, marche, pour ainsi dire, par saccades, entreprend plus qu'il ne peut, se donne des défis à lui-même, exagère ce qu'il ne sait pas imiter, et tombe dans les fautes les plus disparates : il réunit les inconvénients des caractères opposés, au lieu de concilier avec art leurs divers avantages.

Charles de Mondoville a laissé pénétrer à la famille de mademoiselle de Sorane qu'il suivait mes avis presque malgré lui ; c'est ainsi qu'il a dirigé sur moi toute leur haine. M. de Sorane a été obligé de faire faire un très mauvais mariage à sa sœur, pour étouffer le plus promptement possible l'éclat de son aventure : la crainte de ce même éclat l'a empêché de se battre avec moi ; il a regardé l'assassinat comme une vengeance plus obscure et plus certaine, et il avait imaginé sans doute que si j'étais tué dans les montagnes des Pyrénées, on attribuerait ma mort à des voleurs français ou espagnols, qui sont en assez grand nombre sur les frontières des deux pays.

Si je ne savais pas que M. De Sorane a été réellement très malheureux de la honte de sa sœur, s'il n'avait pas raison de m'accuser de la résistance de mon cousin à ses désirs, je livrerais son crime à la justice des lois. Mais, m'étant vu forcé, par un concours funeste de circonstances, à sacrifier la réputation de mademoiselle de Sorane à l'honneur de ma famille, j'ai cru devoir taire le nom d'un homme qui n'était devenu mon assassin que pour venger sa sœur. Sa haine contre moi était naturelle. Le mal que je lui avais fait tenait peut-être à un défaut de mon caractère : vous m'avez souvent dit que l'opinion avait trop d'empire sur moi. S'il est vrai que M. de Sorane ait réellement à se plaindre de ma conduite, je lui dois le secret sur un crime que j'ai provoqué : je le lui ai gardé ; il vous sera sacré comme à moi-même.

Mais je le prévois, mon cher Barton, tremblant encore du danger que j'ai couru, vous aurez une aimable colère contre votre élève, pour avoir exposé si légèrement cette vie dont vous et ma mère daignez avoir besoin. Cette pensée m'est venue, non sans quelques regrets, lorsque je me croyais près de mourir. Peut-être aurais-je pu laisser mon parent à lui-même, quoiqu'il fût de mon sang, quoiqu'il portât mon nom ; mais, je vous le demande, à vous qui avez bien plus de modération que moi dans votre manière de juger, et qui n'attachez pas autant d'importance à ce qu'on peut dire dans le monde : si je m'étais trouvé dans la même situation que Charles de Mondoville, n'auriez-vous pas été le premier à me détourner d'épouser une femme généralement mésestimée, quand même je l'aurais aimée ?

Pendant les jours que je viens de passer entre la vie et la mort, j'ai réfléchi beaucoup à ce que vous m'avez constamment dit sur la nécessité de ne soumettre sa conduite qu'au témoignage de sa conscience et de sa raison. Vous êtes chrétien et philosophe tout à la fois ; vous vous confiez en Dieu, et vous comptez pour rien les injustices des hommes. J'ai peu de disposition, vous le savez, à aucun genre de croyance religieuse, et moins encore à la patience et à la résignation que la foi, dit-on, doit nous inspirer. Quoique j'aie reçu, grâce à vous, une éducation éclairée, cependant une sorte d'instinct militaire, des préjugés, si vous le voulez, mais les préjugés de mes aïeux, ceux qui conviennent si parfaitement à la fierté et à l'impétuosité de mon âme, sont les mobiles les plus puissants de toutes les actions de ma vie. Mon front se couvre de sueur quand je me figure un instant, que même à cent lieues de moi, un homme quelconque pourrait se permettre de prononcer mon nom ou celui des miens avec peu d'égards, et que je ne serais pas là pour m'en venger. La plupart des hommes, dites-vous, ne méritent pas qu'on attache le moindre prix à leurs discours. Leur haine peut n'être rien, mais leur insulte est toujours quelque chose ; ils s'égalent à vous ; ils font plus, ils se croient vos supérieurs quand ils vous calomnient : faut-il leur laisser goûter en paix cet insolent plaisir ?

Avez-vous d'ailleurs réfléchi sur la rapidité avec laquelle un homme peut se déconsidérer sans retour ? S'il est indifférent aux premiers mots qu'on hasarde sur lui, si sa délicatesse supporte le plus léger nuage, quel sentiment l'avertira que c'en est trop ? D'abord de faux bruits circuleront, et ils s'établiront bientôt après comme vrais dans la tête de ceux qui ne le connaissent pas ; alors il s'en irritera, mais trop tard. Quand il se hâterait de chercher vingt occasions de duel, des traits de courage désordonnés rétabliront-ils la réputation de son caractère ? Tous ces efforts, tous ces mouvements présentent l'idée de l'agitation, et l'on ne respecte point celui qui s'agite : le calme seul est imposant. On ne peut reconquérir en un jour ce qui est l'ouvrage du temps, et néanmoins la colère ne vous permettant pas le repos, vous rend incapable de trouver ou d'attendre le remède à votre malheur. Je ne sais ce qui peut nous être réservé dans un autre monde ; mais l'enfer de celui-ci pour un homme qui a de la fierté, c'est d'avoir à supporter la moindre altération de cette intacte renommée d'honneur et de délicatesse, le premier trésor de la vie.

J'ai cessé de combattre en moi ces sentiments, je les ai reconnus pour invincibles ; toutefois, s'ils pouvaient jamais se trouver en opposition avec la véritable morale, j'en triompherais, du moins je le crois, et c'est à vos leçons, mon cher maître, que je dois cet espoir : mais, dans toutes les résolutions qui ne regardent que moi seul, j'aurais tort de vouloir lutter contre un défaut que je ne puis braver qu'en sacrifiant tout mon bonheur. Il vaut mieux exposer mille fois sa vie que de faire souffrir son caractère.

J'ose croire que je ne rends pas malheureux ce qui m'entoure ; pourquoi donc voudrais-je me tourmenter par des efforts peut-être inutiles, et sûrement très douloureux ? La considération que je veux obtenir dans le monde ne doit-elle pas servir à honorer tout ce qui m'aime ? Un homme n'est-il pas le protecteur de sa mère, de sa sœur, et surtout de sa femme ? Ne faut-il pas qu'il donne à la compagne de sa vie l'exemple de ce respect pour l'opinion qu'il doit à son tour exiger d'elle ? Savez-vous pourquoi, jusqu'à présent, je me suis défendu contre l'amour, quoique je sentisse bien avec quelle violence il pourrait s'emparer de moi ? c'est que j'ai craint d'aimer une femme qui ne fût point d'accord avec moi sur l'importance que j'attache à l'opinion, et dont le charme m'entraînât, quoique sa manière de penser me fît souffrir. J'ai peur d'être déchiré par deux puissances égales, un cœur sensible et passionné, un caractère fier et irritable.

Ma mère a peut-être raison, mon cher Barton, en me faisant épouser une personne qui n'exercera pas un grand empire sur moi, mais dont la conduite est dirigée par les principes les plus sévères. Cependant, hélas ! je vais donc, à vingt-cinq ans, renoncer pour toujours à l'espoir de m'unir à la femme que j'aimerais, à celle qui comblerait le vide de mon cœur par toutes les délices d'une affection mutuelle ! Non, la vie n'est pas cet enchantement que mon imagination a rêvé quelquefois ; elle offre mille peines inévitables, mille périls à redouter, pour sa réputation, pour son repos, mille ennemis qui vous attendent : il faut marcher fermement et sévèrement dans cette triste route, et se garantir du blâme en renonçant au bonheur.

Après avoir lu cette lettre, serez-vous content de

moi, mon cher maître ? Songez cependant avec quelque plaisir que votre élève n'a pas une pensée secrète pour vous, et que vos conseils lui seront toujours nécessaires.

LETTRE XIX

Delphine à mademoiselle d'Albémar

Ce 27 mai.

J'ai relu plusieurs fois la lettre où Léonce peint son propre caractère avec la vérité la plus parfaite ; vous n'avez pas conclu, je l'espère, de quelques lignes que je vous écrivis dans le premier moment, que mon estime pour M. de Mondoville fût le moins du monde altérée ? Non, assurément, rien de pareil n'est vrai ; sa lettre à M. Barton indique, au contraire, des qualités rares et une grande supériorité d'esprit : mais ce qui m'a frappée comme une lumière subite, c'est l'étonnant contraste de nos caractères.

Il soumet les actions les plus importantes de sa vie à l'opinion ; moi, je pourrais à peine consentir à ce qu'elle influât sur ma décision dans les plus petites circonstances. Les idées religieuses ne sont rien pour lui ; cela doit être ainsi, puisque l'honneur du monde est tout. Quant à moi, vous le savez, grâce à l'heureuse éducation que vous et votre frère m'avez donnée, c'est de mon Dieu et de mon propre cœur que je fais dépendre ma conduite. Loin de chercher les suffrages du plus grand nombre, par les ménagements nécessaires pour se les concilier, je serais presque tentée de croire que l'approbation des hommes flétrit un peu ce qu'il y a de plus pur dans la vertu, et que le plaisir qu'on pourrait prendre à cette approbation finirait par gâter les mouvements simples et irréfléchis d'une bonne nature.

Sans doute, à travers l'irritabilité de Léonce sur tout ce qui tient à l'opinion, il est impossible de ne pas reconnaître en lui une âme vraiment sensible ; néanmoins ne regrettez plus, ma sœur, ses engagements avec Matilde ; réjouissez-vous au contraire de ce qu'il ne sera jamais rien pour moi : les oppositions qui existent dans nos manières d'être sont précisément celles qui rendraient profondément malheureux deux êtres qui s'aimeraient, sans les détacher l'un de l'autre.

Il me serait impossible, quelle que fût ma résolution à cet égard, de veiller assez sur toutes mes actions pour qu'elles ne prêtassent point aux fausses interprétations de la société ; et que ne souffrirais-je pas, si celui que j'aimerais ne supportait pas sans douleur le mal que l'on pourrait dire de moi ; si j'étais obligée de redouter les jugements des indifférents, à cause de leur influence sur l'objet qui me serait cher, de craindre toutes les calomnies parce qu'il souffrirait de toutes, et de me courber devant l'opinion, parce que j'aimerais un homme qui serait son premier esclave !

Non, Léonce, ma chère Louise, ne convient pas à votre Delphine. Ah ! combien les sentiments de votre généreux frère, mon noble protecteur, répondaient mieux à mon cœur ! il me répétait souvent qu'une âme bien née n'avait qu'un seul principe à observer dans le monde, faire toujours du bien aux autres et jamais de mal. Qu'importent à celle qui croit à la protection de l'Être suprême et vit en sa présence, à celle qui possède un caractère élevé, et jouit en elle-même du sentiment de la vertu, que lui importent, me disait M. d'Albémar, les discours des hommes ? elle obtient leur estime tôt ou tard, car c'est de la vérité que l'opinion publique relève en dernier ressort ; mais il faut savoir mépriser toutes les agitations passagères que la calomnie, la sottise et l'envie excitent contre les êtres distingués. Il ajoutait, j'en conviens, que cette indépendance, cette philosophie de principes convenait peut-être mieux encore à un homme qu'à une femme ; mais il croyait aussi que les femmes, étant bien plus exposées que les hommes à se voir mal jugées, il fallait d'avance fortifier leur âme contre ce malheur. La crainte de l'opinion rend tant de femmes dissimulées, que pour ne point exposer la sincérité de mon caractère, M. d'Albémar travaillait de tout son pouvoir à m'affranchir de ce joug. Il y a réussi ; je ne redoute rien sur la terre que le reproche juste de mon cœur, ou le reproche injuste de mes amis : mais que l'opinion publique me recherche ou m'abandonne, elle ne pourra jamais rien sur ces jouissances de l'âme et de la pensée qui m'occupent et m'absorbent tout entière. Je porte en moi-même un espoir consolateur, qui se renouvellera toujours, tant que je pourrai regarder le ciel, et sentir mon cœur battre pour la véritable gloire et la parfaite bonté.

Ce bonheur ou ce calme dont je jouis, que deviendraient-ils néanmoins, si, par un renversement bizarre, c'était moi, faible femme, moi dont la destinée réclame un soutien, qui savais mépriser l'opinion des hommes, tandis que l'être fort, celui qui doit me guider, celui qui doit me servir d'appui, aurait horreur du moindre blâme (14) ? Vainement je tâcherais de me conformer à tous ses désirs ; en adoptant une conduite qui ne me serait point naturelle, je n'éviterais pas d'y commettre des fautes, et notre vie, bientôt troublée, aurait peut-être un jour une funeste fin.

Non, je ne veux point aimer Léonce ; quand il serait libre, je ne le voudrais point. J'ai eu besoin de me le répéter, de relire sa lettre, de détruire par de longues réflexions l'impression que m'avait faite le danger qu'il vient de courir ; mais j'y suis parvenue : mon âme s'est affermie, et je puis le revoir maintenant avec le plus grand calme et la plus ferme résolution de ne considérer désormais en lui que l'époux de Matilde.

LETTRE XX

Delphine à mademoiselle d'Albémar

Ce 31 mai.

Que vous disais-je dans ma dernière lettre, ma chère Louise ? il me semble que je vais le démentir. Je l'ai vu, Léonce. Ah ! je n'ai plus aucun souvenir de ce que je pensais contre lui : comment pourrais-je mettre tant d'importance à ce que j'appelais ses défauts ? Pourquoi le juger sur une lettre ? L'expression de son visage le fait bien mieux connaître.

J'avais reçu hier une lettre de M. Barton, qui m'annonçait qu'il avait rencontré M. de Mondoville à Bordeaux, et qu'ils revenaient ensemble : j'allai chez madame de Vernon pour lui porter ces bonnes nouvelles. J'avais l'esprit tout à fait libre ; la lettre de Léonce avait changé mes idées sur lui : je ne sais pas pourquoi elle avait produit cette impression ; en y pensant bien aujourd'hui, je trouve que c'était absurde ; mais enfin Léonce n'était plus pour moi que le mari de Matilde, le gendre de mon amie, et j'entretins pendant deux heures madame de Vernon de tout ce qui pouvait avoir rapport à ce mariage, avec un sentiment d'intérêt qui lui fit beaucoup de plaisir. Elle ne s'était pas doutée, je crois, des pensées qui m'avaient troublée pendant quelques jours : mais la conversation ne s'était point prolongée sur Léonce, parce que je la laissais tomber involontairement ; tandis qu'hier, par je ne sais quelle sécurité, à la veille même du danger, j'étais inépuisable sur les motifs qui devaient attacher madame de Vernon à ses projets pour sa fille. Je ne conçois pas encore d'où me venait ce bizarre mouvement ; je voulais prendre, je crois, des engagements avec moi-même, car cette vivacité ne pouvait pas être naturelle : elle plut à madame de Vernon, qui me pressa vivement de passer le lendemain le jour entier avec elle.

Après dîner l'on annonça tout à coup M. Barton : sa figure me parut triste ; je craignis quelque événement funeste, et je l'interrogeai avec crainte. « M. de Mondoville, nous dit-il, est arrivé hier avec moi ; mais en chemin sa blessure s'est rouverte, et je crains que le sang qu'il a perdu ne mette en danger sa vie : il est dans un état de faiblesse et d'abattement qui m'inquiète extrêmement ; il a repris la fièvre depuis huit jours, et il est maintenant hors d'état non seulement de sortir, mais même de se tenir debout. Il voudrait, dit M. Barton en se retournant vers madame de Vernon, vous remettre des lettres de sa mère ; il prend la liberté de vous demander de venir le voir : il n'ose se flatter que mademoiselle de Vernon consente à vous accompagner ; cependant il me semble qu'à présent que les articles sont signés par madame de Mondoville, il n'y aurait point d'inconvenance... » Matilde interrompit M. Barton, et lui dit en se levant, d'un ton de voix assez sec : « Je n'irai point, monsieur ; je suis décidée à n'y point aller. »

Madame de Vernon n'essaye jamais de lutter contre les volontés de sa fille si positivement exprimées ; elle a dans le caractère une sorte de douceur, et même d'indolence, qui lui fait craindre toute espèce de discussion ; ce n'est jamais par un moyen de force, de quelque nature qu'il soit, qu'elle veut atteindre à son but. Sans répondre donc à Matilde, elle s'adressa à moi, et me dit : « Ma chère Delphine, ce sera vous qui m'accompagnerez, n'est-ce pas ? nous irons avec M. Barton chez Léonce. » Je m'en défendis d'abord, quoique par un mouvement assez inexplicable j'éprouvasse tant d'humeur du refus de Matilde, qu'il m'était doux d'opposer mon empressement à sa pruderie. Madame de Vernon insista : elle s'inquiétait de la sorte de timidité dont elle est quelquefois susceptible avec une personne nouvelle ; elle craignait ces premiers mouvements dans lesquels Léonce pouvait se livrer à l'attendrissement. J'ai toujours vu madame de Vernon redouter tout ce qui oblige à des témoignages extérieurs, lors même que son sentiment est véritable. On l'accuse de fausseté, et c'est cependant une personne tout à fait incapable d'affectation. Une réunion si singulière est-elle possible ? je ne le crois pas.

Lorsque enfin je ne pus douter que madame de Vernon ne désirât vivement que j'allasse avec elle, j'y consentis. Cependant quand nous fûmes en voiture, je me rappelai la lettre de Léonce à M. Barton, et il me vint dans l'esprit qu'un homme si délicat sur tout ce qui tient aux convenances, trouverait peut-être un peu léger qu'une femme de mon âge vînt le voir ainsi chez lui sans le connaître. Cette pensée me blessa et changea tellement ma disposition, que je montai l'escalier de Léonce avec assez d'humeur ; mais au moment où nous entrâmes dans sa chambre, lorsque je le vis étendu sur un canapé, pâle, pouvant à peine soulever sa tête pour me saluer, et néanmoins semblable en cet état à la plus noble, à la plus touchante image de la mélancolie et de la douleur, j'éprouvai à l'instant une émotion très vive.

97

La pitié me saisit en même temps que l'attrait :
tous les sentiments de mon âme me parlaient à la fois
pour ce malheureux jeune homme. Sa taille élégante
avait du charme, malgré l'extrême faiblesse qui ne lui
permettait pas de se soutenir. Il n'y avait pas un trait
de son visage qui, dans son abattement même, n'eût
une expression séduisante. Je restai quelques instants
debout, derrière M. Barton et madame de Vernon.
Léonce adressa quelques remercîments aimables à
ma tante avec un son de voix doux, et cependant
encore assez ferme ; sa manière d'accentuer donnait
aux paroles les plus simples une expression nouvelle ;
mais à chaque mot qu'il disait, sa pâleur semblait
augmenter, et, par un mouvement involontaire, je
retenais ma respiration quand il parlait, comme si
j'avais pu soulager et diminuer ainsi ses efforts.

Nous nous assîmes ; il me vit alors. « Est-ce
mademoiselle de Vernon ? dit-il à ma tante. — Non,
répondit madame de Vernon : elle n'ose point
encore venir vous voir ; c'est ma nièce, madame
d'Albémar. — Madame d'Albémar ! reprit Léonce
assez vivement, celle qui a bien voulu prêter sa
voiture à M. Barton pour venir me chercher ; celle
qui a daigné s'intéresser à mon sort avant de me
connaître ! Je suis bien honteux, répéta-t-il en
tâchant d'élever la voix, je suis bien honteux d'être si
mal en état de lui témoigner ma reconnaissance ! »
J'allais lui répondre, lorsqu'en finissant ces mots sa
tête retomba sur sa main ; je fis un mouvement pour
me lever et lui porter du secours ; mais rougissant
aussitôt de mon dessein, je me rassis, et je gardai le
silence. Léonce se tut aussi pendant quelques minutes. Tant de douceur et de sensibilité se peignit alors
sur son visage, que j'oubliai entièrement l'opinion
que j'avais eue de lui, et qui pouvait garantir mon
cœur. Mon attendrissement devenait à chaque instant plus difficile à cacher. Les yeux et les paupières

noires de Léonce accablé par son mal se baissaient
malgré lui ; mais quand il parvenait à soulever son
regard et qu'il le dirigeait sur moi, il me semblait qu'il
fallait répondre à ce regard ; qu'il sollicitait l'intérêt,
qu'il expliquait sa pensée ; et je me sentais émue,
comme s'il m'avait longtemps parlé.

N'ayez pas honte pour moi, ma Louise, de cette
impression subite et profonde ; c'est la pitié qui la
produisait, j'en suis sûre : votre Delphine ne serait
pas ainsi, dès la première vue, accessible à l'amour ;
c'était la douleur, la toute-puissante douleur qui
réveillait en moi le plus fort, le plus rapide, le plus
irrésistible des sentiments du cœur, la sympathie.

Léonce s'aperçut, je crois, de l'intérêt que je
prenais à sa situation ; quoique je n'eusse pas parlé,
c'est moi qu'il rassura. « Ce n'est rien, dit-il,
madame ; la fatigue de la route a rouvert ma blessure, mais elle est maintenant refermée, et dans
quelques jours je serai mieux. » Je voulus essayer de
lui répondre ; mais je craignis qu'en parlant ma voix
ne fût trop altérée, et j'interrompis ma phrase sans la
finir. Madame de Vernon lui demanda des nouvelles
de madame de Mondoville, lui dit quelques mots
aimables sur l'impatience qu'elle avait de le voir. Il
répondit à tout d'un ton abattu, mais avec grâce.
Madame de Vernon, craignant de le fatiguer, se leva,
lui prit la main affectueusement, et donna le bras à
M. Barton pour sortir.

Je m'avançai après elle, voulant enfin prendre sur
moi d'exprimer mon intérêt à M. de Mondoville. Il se
leva pour me remercier avant que je pusse l'en
empêcher, et voulut faire quelques pas pour me
reconduire ; mais un étourdissement très effrayant le
saisit tout à coup ; il cherchait à s'appuyer pour ne
pas tomber : je lui offris mon bras involontairement,
et sa tête se pencha sur mon épaule ; je crus qu'il
allait expirer. Ah ! ma Louise, qui n'aurait pas été

DELPHINE

troublé dans un tel moment ! Je perdis toute idée de
moi-même et des autres ; je m'écriai : « Ma tante,
venez à son secours : regardez-le ; il va mourir. » Et
mon visage fut couvert de larmes. M. Barton se
retourna précipitamment, soutint Léonce dans ses
bras, et le reconduisit jusqu'au sofa. Léonce revint à
lui ; il ouvrit les yeux avant que j'eusse essuyé mes
pleurs ; et les regards les plus reconnaissants m'apprirent qu'il avait remarqué mon émotion.

Je m'éloignai alors, et madame de Vernon me
suivit : il faisait nuit quand nous revînmes ; elle ne
put, je crois, s'apercevoir de la peine que j'avais à me
remettre, et d'ailleurs n'était-il pas naturel que je
fusse inquiète de l'état où j'avais vu Léonce ? J'appris
à la porte de madame de Vernon que M. de Serbellane était venu me demander deux fois, et je me
servis de ce prétexte pour rentrer chez moi : je m'y
suis renfermée pour vous écrire.

Après ce récit, ma chère Louise, vous tremblerez
pour mon bonheur : cependant n'oubliez pas combien la pitié a eu de part à mon émotion. L'intérêt
qu'inspire la souffrance trompe une âme sensible : il
peut arriver de croire qu'on aime, lorsque seulement
on plaint. Cependant je n'accompagnerai plus
madame de Vernon chez M. de Mondoville ; il
connaîtra bientôt Matilde, il sera frappé de sa
beauté, et je pourrai le voir alors avec les sentiments
que me commandent la délicatesse et la raison.

Mon amie, ma chère Louise, je suis déjà plus
calme ; mais c'est un malheur que de l'avoir vu ainsi
entouré de tout le prestige du danger et de la
souffrance. Pourquoi le mari de Matilde ne s'est-il
pas d'abord offert à moi au milieu de toutes les
prospérités qui l'attendent ? Qu'avait-il à faire de ma
pitié ?

LETTRE XXI

Léonce à M. Barton

Ce 1er juin.

Ma mère me mande, mon cher Barton, qu'elle vous écrit pour vous charger de quelques affaires à Mondoville, qu'il faut terminer, dit-elle, avant mon mariage. Je voudrais bien que vous ne partissiez pas encore pour cette terre. C'est à votre réveil que vous avez coutume de régler vos projets. Mon domestique vous portera cette lettre, demain à huit heures, dans votre nouveau logement ; vous ne me direz donc pas que vos arrangements étaient pris pour partir, et que vous ne pouvez plus y rien changer. Dans quelques jours je pourrai sortir, et l'on me montrera enfin mademoiselle de Vernon. Peut-on regarder un mariage comme décidé, quand on n'a jamais vu celle qu'on doit épouser ? Ah ! que vous aviez raison de me parler de madame d'Albémar comme de la plus charmante personne du monde ! Vous m'avez vanté le charme de son entretien, la noblesse et la bonté de son caractère ; mais vous n'auriez pu me peindre la grâce enchanteresse de sa figure, cette taille svelte, souple, élégante ; ces cheveux blonds, qui couvrent à moitié des yeux si doux, et en même temps si animés ; cette physionomie mobile, et cet air d'abandon plus pur, plus modeste, plus innocent encore qu'une réserve austère (15). J'étais entre la mort et la vie, quand je l'entendis crier : *Ah ! ma tante, venez, venez ; il va mourir.* Je crus, pendant un moment, avoir déjà passé dans un autre monde, et que c'était la voix des anges qui réveillait mon âme au bonheur des immortels.

Quand j'ouvris les yeux, Delphine ne s'attendait point à mes regards, et tout son visage exprimait encore une compassion céleste : elle s'éloigna ; mais je n'oublierai jamais sa physionomie dans cet instant. O pitié ! douce pitié ! s'il suffit de ton émotion pour la rendre si belle, que serait-elle donc si l'amour répandait son charme sur ses traits ? Oui, mon ami, chacune des grâces de cette figure est le signe aimable d'une qualité de l'âme. Sa taille qui se balance et se plie mollement quand elle marche, comme si ses pas avaient besoin d'appui ; ses regards qui peignent une intelligence supérieure, et cependant un caractère timide ; tout exprime en elle ce rare contraste que vous m'aviez vous-même indiqué, lorsque, dans notre voyage, vous me disiez qu'elle réunissait un esprit très indépendant à un cœur dévoué, et facilement asservi quand elle aime. C'est ainsi que vous m'expliquiez son amitié presque soumise pour madame de Vernon. N'allez pas vous reprocher, mon cher Barton, l'impression que madame d'Albémar m'a faite : je n'ai rien appris de vous, ce sont ses regards qui m'ont tout dit.

Ne croyez pas, cependant, que je me livre sans réflexion à l'attrait qu'elle m'inspire ; je sais quels sont mes devoirs envers ma mère : je n'ai point encore examiné la force des engagements qu'elle a pris avec madame de Vernon, jusqu'à quel point ils me lient ; mais je ne vous cache point que depuis que j'ai vu madame d'Albémar, il me serait odieux de me prononcer que je ne suis plus libre : il se peut que je ne le sois plus, mais laissez-moi le temps d'en juger moi-même. Mon cher maître, si, de la manière la plus indirecte, je crois l'honneur de ma mère intéressé à mon mariage avec mademoiselle de Vernon, il sera fait, vous n'en doutez pas. Pourquoi craindriez-vous donc de m'aider à gagner du temps ? Adieu, je vous attends ce matin, mais je suis bien aise de vous avoir écrit tout ce que contient cette lettre ; vous le savez à présent, et il m'en aurait coûté de vous le dire.

LETTRE XXII

Delphine à mademoiselle d'Albémar

Ce 3 juin.

Léonce est beaucoup mieux : il sortira bientôt ; je ne l'ai pas revu. Madame de Vernon est retournée seule chez lui ; je ne l'aurais pas suivie, mais elle ne me l'a pas proposé. Je n'ai pas non plus aperçu M. Barton ; il a quitté Léonce pour ses affaires, qui sont sans doute les affaires du mariage. Quand je reverrai M. de Mondoville, ce sera peut-être pour signer son contrat comme parente de son épouse. Ma Louise, Léonce m'est apparu comme un songe, et le reste de ma vie n'en sera point changé. Qui pense à l'impression qu'il m'a faite ? ni lui, ni personne. Allons, il ne faut plus vous en entretenir.

J'ai été d'ailleurs vivement occupée par l'arrivée de Thérèse. M. de Serbellane est venu ce matin chez moi pour me l'annoncer : il était abattu ; et malgré l'habitude qu'il a prise de contenir toutes ses impressions, ses yeux se remplissaient quelquefois de larmes : il me conjura de venir voir madame d'Ervins. « Hélas ! me disait-il, elle se perdra ! son âme est agitée par l'amour et le remords, avec une telle violence, qu'elle peut se trahir à chaque instant devant son mari, devant l'homme le plus irritable et le plus emporté. Si elle voulait le fuir avec moi, il y aurait quelque chose de raisonnable dans son exaltation même ; mais, par une funeste bizarrerie, la religion la domine autant que l'amour, et son âme faible et passionnée s'expose à tous les dangers des sentiments les plus opposés. Elle peut aujourd'hui même avouer sa faute à son mari, et demain s'empoisonner, s'il nous sépare. Malheureuse et touchante personne ! pourquoi l'ai-je connue ! — Je vais la voir, lui dis-je ; ses soins me sauvèrent la vie, ne pourrais-je donc rien pour son bonheur ? » J'arrivai chez madame d'Ervins ; la pauvre petite se jeta dans mes bras en pleurant. Je n'avais pas encore vu son mari, et son extérieur confirma l'opinion qu'on m'avait donnée de lui. Il me reçut avec politesse, mais avec une importance qui me faisait sentir, non le prix qu'il attachait à moi, mais celui qu'il mettait à lui-même. Il m'offrit à déjeuner, et notre conversation fut contrainte et gênée, comme elle doit toujours l'être avec un homme qui n'a de sentiments vrais sur rien, et dont l'esprit ne s'exerce qu'à la défense de son amour-propre (16). Il me parla continuellement de lui, sans remarquer le moins du monde si mon intérêt répondait à la vivacité du sien. Quand il se croyait prêt à dire un mot spirituel, ses petits yeux brillaient à l'avance d'une joie qu'il ne pouvait réprimer ; il me regardait après avoir parlé, pour juger si j'avais su l'entendre, et lorsque son émotion d'amour-propre était calmée, il reprenait un air imposant, par égard pour son propre caractère ; passant tour à tour des intérêts de son esprit à ceux de sa considération, et secrètement inquiet d'avoir été trop badin pour un homme sérieux, et trop sérieux pour un homme aimable.

Après une heure consacrée au déjeuner, il se leva, et m'expliqua lentement comment des affaires indispensables, que la bonté de son cœur lui avait suscitées, des visites chez quelques ministres qu'il ne pouvait retarder sans craindre de les offenser grièvement, l'obligeaient à me quitter. Je vis qu'il me regardait avec bienveillance, pour adoucir la peine

que je devais ressentir de son absence : j'aurais eu
envie de le tranquilliser sur le chagrin qu'il me
supposait ; mais ne voulant pas déplaire au mari de
mon amie, je lui fis la révérence avec l'air sérieux
qu'il désirait, et son dernier salut me prouva qu'il en
était content.

Restée seule avec Thérèse, je réunis tout ce que la
raison et l'amitié peuvent inspirer pour lui faire
goûter de sages conseils ; mais ses larmes, ses regrets,
ses résolutions combattues et démenties sans cesse,
me firent éprouver une profonde pitié. Elle n'a point
reçu cette éducation cultivée qui porte à réfléchir sur
soi-même ; on l'a jetée dans la vie avec une religion
superstitieuse et une âme ardente ; elle n'a lu, je
crois, que des romans et la Vie des Saints (17) ; elle
ne connaît que des martyrs d'amour et de dévotion ;
et l'on ne sait comment l'arracher à son amant, sans
la livrer à des excès insensés de pénitence. La crainte
de cesser de voir M. de Serbellane est la seule pensée
qui puisse la contenir ; si on l'obligeait à se séparer de
lui, elle avouerait tout à son mari : elle a beaucoup
d'esprit naturel, mais il ne lui sert qu'à trouver des
raisons pour justifier son caractère ; elle aime sa fille,
mais sans pouvoir s'occuper de son éducation. Cette
pauvre enfant, en voyant pleurer sa mère tout le
jour, est dans un état d'attendrissement continuel qui
nuit à ses forces morales et physiques ; et M. d'Ervins
ne se doute de rien au milieu de toutes ces scènes.
Quand il surprend sa femme et sa fille en larmes, il
leur demande pardon de les avoir trop peu vues,
d'être resté trop longtemps dans son cabinet, ou chez
ses amis ; et il leur promet de ne plus s'éloigner à
l'avenir. Cet aveuglement pourrait durer dans la
retraite ; mais à Paris, il se rencontre tant de gens qui
ont envie d'humilier un sot, ou d'irriter un méchant
homme !

J'ai peint à Thérèse quelle serait sa situation, si

M. d'Ervins faisait tomber sur elle sa colère et son despotisme ; que deviendrait-elle sans parents, sans fortune, sans appui ? Elle me répond alors, que son dessein est de s'enfermer dans un couvent pour le reste de sa vie ; et si je lui dis qu'il vaudrait peut-être mieux que M. de Serbellane allât passer quelque temps en Portugal auprès d'un de ses parents, comme c'était son projet en quittant l'Italie, elle tombe à cette idée dans un désespoir qui me fait frémir. Ah ! Louise, quelles douleurs que celles de l'amour ! Pauvre Thérèse ! en l'écoutant, mon âme n'était point uniquement occupée d'elle ; je pensais à Léonce, à ce que j'aurais pu souffrir. De quel secours me serait un esprit plus éclairé que celui de Thérèse ? La passion fait tourner toutes nos forces contre nous-mêmes. Mais écartons ces pensées : c'est de ma malheureuse amie que je dois m'occuper. Le ciel en récompense se chargera peut-être de mon sort.

M. d'Ervins rentra, et M. de Serbellane vint quelques moments après. Thérèse nous retint. Je vis avec plaisir pendant le reste de la journée que M. de Serbellane n'avait point cherché à se lier avec M. d'Ervins : plus il était facile de captiver un tel homme en flattant sa vanité, plus je sus gré à l'ami de Thérèse de n'être pas devenu celui de son époux. Il est des situations qui peuvent condamner à cacher les sentiments qu'on éprouve, mais il n'y a que l'avilissement du caractère qui rende capable de feindre ceux que l'on n'a pas.

Mon estime pour M. de Serbellane s'accrut donc encore par sa froideur avec M. d'Ervins. Il m'intéressait aussi par le soin qu'il mettait à veiller continuellement sur les imprudences de Thérèse. Elle rougissait et pâlissait tour à tour quand on prononçait le nom du Portugal ; M. de Serbellane détournait à l'instant la conversation, et protégeait Thérèse, sans néanmoins la blesser en se montrant indifférent à son

amour. Je fus cruellement effrayée de l'état où je la
voyais ; je la pris à part avant de la quitter, et je lui fis
remarquer la délicatesse de la conduite de son ami et
l'inconséquence de la sienne. « Je le sais, me répondit-elle, c'est le meilleur et le plus généreux des
hommes. Je lui suis bien à charge sans doute ; je
ferais mieux de délivrer de moi ceux qui m'aiment,
d'aller me jeter aux pieds de M. d'Ervins et de lui
tout avouer. » En prononçant ces paroles, ses
regards se troublaient ; je craignis qu'elle ne voulût
accomplir ce dessein à l'heure même ; je la serrai
dans mes bras, et je lui demandai la promesse de s'en
remettre entièrement à moi.

« Écoutez, me dit-elle, je suis poursuivie par une
crainte qui est, je crois, la principale cause de
l'égarement où vous me voyez : je me persuade qu'il
se croira obligé de partir sans m'en avertir, ou que
mon mari me séparera de lui tout à coup, avant que
j'aie pu lui dire adieu. Si vous obtenez de M. de
Serbellane le serment qu'il ne s'en ira jamais sans
m'en avoir prévenue, et si vous me donnez votre
parole de me prêter votre secours pour le voir une
heure seulement, une heure, quoi qu'il arrive, avant
de le quitter pour toujours, alors je serai plus
tranquille ; je ne croirai pas, chaque fois qu'il me
parlera, que ce sont les derniers mots que j'entendrai
jamais de lui ; je ne serai pas sans cesse agitée par
tout ce que je voudrais lui dire encore ; je serai
calme. — Eh bien, lui répondis-je avec chaleur, à
l'instant même vous allez être satisfaite. » M. d'Ervins parlait à un homme qui l'écoutait avec la plus
grande condescendance, il ne pensait point à nous :
j'appelai M. de Serbellane ; il promit solennellement
ce que désirait Thérèse : je l'assurai moi-même aussi
que je lui ferais avoir de quelque manière un dernier
entretien avec M. de Serbellane, si jamais M. d'Ervins lui défendait de le revoir. En donnant cette

promesse, je ne sais quelle crainte me troubla ; mais avant de connaître Léonce, je n'aurais pas seulement pensé qu'un tel engagement pouvait un jour me compromettre. Je m'applaudis cependant de l'avoir pris, en voyant à quel point il avait raffermi le cœur de Thérèse ; elle m'entendit parler avec résignation des circonstances qui pourraient obliger M. de Serbellane à s'éloigner, et quand je la quittai, elle me parut tranquille.

Je n'allai point le soir chez madame de Vernon ; il ne m'était pas permis de lui confier le secret de Thérèse, je ne pouvais lui parler de Léonce, et comment éloigner d'une conversation intime les idées qui nous dominent ? C'est causer avec son amie comme avec les indifférents, chercher des sujets de conversation au lieu de s'abandonner à ce qui nous occupe, et se garder, pour ainsi dire, des pensées et des sentiments dont l'âme est remplie. Il vaut mieux alors ne pas se voir.

Pour vous, ma Louise, à qui je ne veux rien taire, je n'éprouve jamais la moindre gêne en vous écrivant ; je m'examine avec vous, je vous prends pour juge de mon cœur, et ma conscience elle-même ne me dit rien que je vous laisse ignorer.

LETTRE XXIII

Delphine à mademoiselle d'Albémar

Ce 5 juin.

Je l'ai revu, ma sœur, je l'ai revu : non ce n'est plus l'impression de la pitié, c'est l'estime, l'attrait, tous les sentiments qui auraient assuré le bonheur de ma vie. Ah ! qu'ai-je fait ! Par quels liens d'amitié, de

DELPHINE

confiance, me suis-je enchaînée ! Mais lui, que pense-t-il ? que veut-il ? car enfin, pourrait-on le contraindre, s'il n'aimait pas ma cousine, si... De quels vains sophismes je cherche à m'appuyer ! ne serait-ce pas pour moi qu'il romprait ce mariage ? J'aurais eu l'air de l'assurer par mes dons, et je le ferais manquer par ce qu'on appellerait ma séduction. Je suis plus riche que Matilde, on pourrait croire que j'ai abusé de cet avantage ; enfin, surtout, je blesserais le cœur de madame de Vernon : elle m'accuserait de manquer à la délicatesse, elle dont l'estime m'est si nécessaire ! Mais à quoi servent tous ces raisonnements ? Léonce m'aime-t-il ? Léonce se dégagerait-il jamais de la promesse donnée par sa mère ? Vous allez juger à quels signes fugitifs j'ai cru deviner son affection. Ah ! journée trop heureuse, la première et la dernière peut-être de cette vie d'enchantement, que la merveilleuse puissance d'un sentiment m'a fait connaître pendant quelques heures !

On annonça M. de Mondoville hier chez madame de Vernon ; il était moins pâle que la première fois que je l'avais vu, mais sa figure conservait toujours le charme touchant qui m'avait si vivement attendrie, et le retour de ses forces rendait plus remarquable ce qu'il y a de noble et de sérieux dans l'expression de ses traits. Il me salua la première, et je me sentis fière de cette marque d'intérêt, comme si les moindres signes de sa faveur marquaient à chaque personne son rang dans la vie. Madame de Vernon le présenta à Matilde, elle rougit : je la trouvai bien belle ; cependant, Louise, j'en suis sûre, lorsque Léonce, après l'avoir très froidement observée, se tourna vers moi, ses regards avaient seulement alors toute leur sensibilité naturelle. M. Barton s'était assis à côté de moi sur la terrasse du jardin, Léonce vint se placer près de lui ; madame de Vernon lui proposa de passer la soirée chez elle, il y consentit.

J'éprouvai tout à coup dans ce moment une tranquillité délicieuse ; il y avait trois heures devant moi pendant lesquelles j'étais certaine de le voir ; sa santé ne me causait plus d'inquiétude, et je n'étais troublée que par un sentiment trop vif de bonheur. Je causais longtemps avec lui, devant lui, pour lui ; le plaisir que je trouvais à cet entretien m'était entièrement nouveau. Je n'avais considéré la conversation jusqu'à présent que comme une manière de montrer ce que je pouvais avoir d'étendue ou de finesse dans les idées, mais je cherchais avec Léonce des sujets qui tinssent de plus près aux affections de l'âme : nous parlâmes des romans, nous parcourûmes successivement le petit nombre de ceux qui ont pénétré jusqu'aux plus secrètes douleurs des caractères sensibles. J'éprouvais une émotion intérieure qui animait tous mes discours ; mon cœur n'a pas cessé de battre un seul instant, lors même que notre discussion devenait purement littéraire : mon esprit avait conservé de l'aisance et de la facilité ; mais je sentais mon âme agitée, comme dans les circonstances les plus importantes de la vie, et je ne pouvais le soir me persuader qu'il ne s'était passé autour de moi aucun événement extraordinaire.

Chaque mot de Léonce ajoutait à mon estime, à mon admiration pour lui : sa manière de parler était concise, mais énergique ; et quand il se servait même d'expressions pleines de force et d'éloquence, on croyait entrevoir qu'il ne disait qu'à demi sa pensée, et que dans le fond de son cœur restaient encore des richesses de sentiment et de passion qu'il se refusait à prodiguer. Avec quelle promptitude il m'entendait ! avec quel intérêt il daignait m'écouter ! Non, je ne me fais pas l'idée d'une plus douce situation : la pensée excitée par les mouvements de l'âme, les succès de l'amour-propre changés en jouissances du cœur, oh ! quels heureux moments ! et la vie en serait dépouillée !

Je m'aperçus cependant que Matilde, par ses gestes et sa physionomie, témoignait assez d'humeur. Madame de Vernon, qui se plaît ordinairement à causer avec moi, parlait à son voisin sans avoir l'air de s'intéresser à notre conversation ; enfin elle prit le bras de madame du Marset, et lui dit assez haut pour que je l'entendisse : « Ne voulez-vous pas jouer, madame ? ce qu'on dit est trop beau pour nous. » Je rougis extrêmement à ces mots, je me levai pour déclarer que je voulais être aussi de la partie ; Léonce m'en fit des reproches par ses regards. M. Barton vint vers moi, et me dit avec une bienveillance qui me toucha : « Je croirais presque vous avoir entendue pour la première fois aujourd'hui, madame ; jamais le charme de votre conversation ne m'avait tant frappé. » Ah ! qu'il m'était doux d'être louée en présence de Léonce ! Il soupira, et s'appuya sur la chaise que je venais de quitter. M. Barton lui dit à demi-voix : « Ne voulez-vous pas vous approcher de mademoiselle de Vernon ? — De grâce, laissez-moi ici », répondit Léonce. Ces mots, je les ai entendus, Louise, et leur accent surtout ne peut être oublié.

Quand la partie fut arrangée, Léonce, resté presque seul avec Matilde, vint lui parler ; mais la conversation me parut froide et embarrassée. Je ne savais ce que je faisais au jeu ; madame du Marset en prenait beaucoup d'humeur ; madame de Vernon excusait mes fautes avec une bonté charmante : sa grâce fut parfaite pendant cette partie, et j'en fus si touchée, que je ne me rapprochai plus de Léonce ; il me semblait que la douceur de madame de Vernon l'exigeait de moi. Elle voulut me retenir pour causer seule avec elle ; je m'y refusai ; je ne veux pas lui cacher ce que j'éprouve : qu'elle le devine, j'y consens, je le souhaite, peut-être ; mais je ne puis me résoudre à lui en parler la première. Ne serait-ce pas indiquer le sacrifice que je désire ? Je m'en sentirais plus à l'aise avec elle, si c'était moi qui lui dusse de la reconnaissance ; alors je lui avouerais ma folie, je m'en remettrais à sa générosité ; mais ce que je crains avant tout, c'est d'abuser un instant du service que j'ai pu lui rendre.

Ma sœur, consultez votre délicatesse naturelle, non votre injuste prévention contre madame de Vernon, et dites-moi ce que je devrais faire, s'il m'aimait, s'il se croyait libre. Hélas ! ce conseil sera peut-être bien inutile ; peut-être redouté-je des combats qu'il m'épargnera !

LETTRE XXIV

Léonce à M. Barton, à Mondoville

Paris, ce 6 juin.

Vous êtes parti pour Mondoville par condescendance pour une seconde lettre de ma mère ; je vous prie, mon cher Barton, d'y rester quelque temps. Je me servirai de ce prétexte pour retarder toute explication avec madame de Vernon sur mon mariage, et je pourrai écrire à ma mère, et peut-être trouver quelques moyens de me délivrer de sa promesse. Mon cher maître, vous le sentez vous-même, j'en suis sûr, quoique vous vous soyez refusé à me l'avouer ; j'ai connu madame d'Albémar, je ne peux jamais aimer Matilde.

Pensez-vous que l'impression de la journée d'hier puisse s'effacer de mon cœur ? Sans doute elle est belle, Matilde ; vous me l'avez dit, je le crois ; mais ai-je pu seulement la regarder ? Je voyais, j'écoutais une femme comme il n'en exista jamais. C'est un être inspiré, que Delphine ! L'avez-vous remarquée, lorsqu'elle s'adressait à moi ? J'étais assis à quelques pas d'elle dans le jardin : sa voix s'animait, ses yeux ravissants regardaient le ciel comme pour le prendre à témoin de ses nobles pensées ; ses bras charmants se plaçaient naturellement de la manière la plus agréable et la plus élégante. Le vent ramenait souvent ses cheveux blonds sur son visage ; elle les écartait avec une grâce, une négligence, qui donnaient à chacun de ses mouvements une séduction nouvelle. Croyez-vous, mon cher Barton, qu'elle parlât avec plus d'intérêt à cause de moi ? Vous m'avez dit que vous ne l'aviez jamais trouvée si aimable : aurait-elle voulu me plaire ? Cependant elle m'a quitté si brusquement ! mais c'était dans la crainte d'affliger madame de Vernon. Oh ! sans doute nos âmes s'entendraient si j'étais libre, si je pouvais m'exprimer de toute la force de mon émotion et de ma pensée ! Mais il faudra se réprimer longtemps encore, et saura-t-elle me deviner à travers tant de contraintes ? elle dont tout le charme est dans l'abandon, croira-t-elle aux sentiments contenus ? saura-t-elle que le cœur qui les renferme en est dévoré ?

Je n'imaginais pas qu'il fût possible, mon cher Barton, qu'une seule personne réunît tant de grâces variées, tant de grâces qui sembleraient devoir appartenir aux manières d'être les plus différentes. Des expressions toujours choisies, et un mouvement toujours naturel, de la gaieté dans l'esprit, et de la mélancolie dans les sentiments, de l'exaltation et de la simplicité, de l'entraînement et de l'énergie ! mélange adorable de génie et de candeur, de douceur et de force ! possédant au même degré tout ce qui peut inspirer de l'admiration aux penseurs les plus

profonds, tout ce qui doit mettre à l'aise les plus
ordinaires, s'ils ont de la bonté, s'ils aiment à
retrouver cette qualité touchante, sous les formes les
plus faciles et les plus nobles, les plus séduisantes et
les plus naïves.

Delphine anime la conversation en mettant de
l'intérêt à ce qu'elle dit, de l'intérêt à ce qu'elle
entend ; nulle prétention, nulle contrainte : elle cherche à plaire, mais elle ne veut y réussir qu'en
développant ses qualités naturelles. Toutes les femmes que j'ai connues s'arrangeaient plus ou moins
pour faire effet sur les autres ; Delphine, elle seule,
est tout à la fois assez fière et assez simple, pour se
croire d'autant plus aimable, qu'elle se livre davantage à montrer ce qu'elle éprouve.

Avec quel enthousiasme elle parle de la vertu ! Elle
l'aime comme la première beauté de la nature
morale ; elle respire ce qui est bien, comme un air
pur, comme le seul dans lequel son âme généreuse
puisse vivre. Si l'étendue de son esprit lui donne de
l'indépendance, son caractère a besoin d'appui ; elle
a dans le regard quelque chose de sensible et de
tremblant, qui semble invoquer un secours contre les
peines de la vie ; et son âme n'est pas faite pour
résister seule aux orages du sort. O mon ami ! qu'il
sera heureux celui qu'elle choisira pour protéger sa
destinée, qu'elle élèvera jusqu'à elle, et qui la
défendra de la méchanceté des hommes !

Vous le voyez, ce n'est point une impression légère
que j'ai reçue : j'ai observé Delphine, je l'ai jugée, je
la connais ; je ne suis plus libre. Je veux écrire à ma
mère : promettez-moi seulement, mon cher Barton,
de faire naître des incidents qui vous retiennent un
mois à Mondoville.

P.-S. Je reçois à l'instant une lettre d'Espagne, qui
m'est assez pénible : ma mère me mande que
madame du Marset, qui lui écrit souvent, comme

vous le savez, l'a prévenue que mademoiselle de
Vernon avait une cousine très spirituelle, mais singulièrement philosophe dans ses principes et dans sa
conduite, enthousiaste des idées politiques actuelles,
etc., et dont la société ne vaut rien pour moi. Ma
mère me recommande de ne point me lier avec
madame d'Albémar ; c'est une prévention absurde
que je parviendrai sûrement à détruire. Cependant je
suis indigné contre madame du Marset, et je saisirai
la première occasion de le lui faire sentir.

LETTRE XXV

Delphine à mademoiselle d'Albémar

Ce 10 juin.

Il m'a parlé, ma chère, avec intérêt, avec intimité !
Mon Dieu, combien je m'en suis sentie honorée !
Écoutez-moi, ce jour contient plus d'un événement
qui peut hâter la décision de mon sort.

J'avais dîné chez madame de Vernon avec madame
du Marset et son inséparable ami, M. de Fierville : je
ne sais par quel hasard, à l'heure même où Léonce a
coutume de venir chez madame de Vernon, elle mit
la conversation sur les événements politiques.
Madame du Marset se déchaîna contre ce qu'il y a de
noble et de grand dans l'amour de la liberté, comme
elle aurait pu le faire en parlant des malheurs que les
révolutions entraînent : je la laissai dire pendant
assez longtemps ; mais quelques plaisanteries de
M. de Fierville contre un Anglais qui combattait les
absurdités de madame du Marset, m'impatientèrent.
M. de Fierville vient toujours au secours de la

déraison de son amie, en tournant en ridicule le
sérieux que l'on peut mettre à quelque sujet que ce
soit ; et il effraye ceux qui ne sont pas bien sûrs de
leur esprit, en leur faisant entendre que quiconque
n'est pas un moqueur est nécessairement un pédant.
J'eus envie de secourir l'Anglais, nouvellement
arrivé en France, que cette ruse intimidait, et j'entrai
malgré moi dans la discussion.

Madame du Marset a retenu quelques phrases
d'injures contre Rousseau, qu'on lui fait débiter
quand on veut ; madame de Vernon la provoqua, je
lui répondis assez dédaigneusement. Madame du
Marset, piquée, se retourna vers madame de Vernon, et lui dit : « Au reste, madame, quoi qu'en dise
madame votre nièce, ce n'est pas une opinion si
ridicule que la mienne ; madame de Mondoville, à
qui j'écrivais encore hier sur tout ce qui se passe en
France, est entièrement de mon avis. » En apprenant
que madame du Marset écrivait à madame de Mondoville, l'idée me vint à l'instant qu'elle lui parlait
peut-être de moi, qu'elle lui manderait peut-être la
conversation même que nous venions d'avoir, et
qu'elle me peindrait comme une insensée à madame
de Mondoville, qui est singulièrement exagérée dans
sa haine contre la révolution de France. J'éprouvai
un tel saisissement par cette réflexion, qu'il me fut
impossible de prononcer un mot de plus.

Madame du Marset me dit, avec ce rire qui
caractérise tous les amours-propres dont la prétention est de feindre une assurance qu'ils n'ont pas :
« Eh bien, madame, vous ne répondez rien ? Aurais-
je raison, par hasard ? aurais-je réduit votre grand
esprit au silence ? » On annonça Léonce : quels
vœux je faisais pour que cette fatale conversation ne
recommençât pas ! Mais madame de Vernon, impitoyablement, appelle M. de Mondoville, et lui dit :
« Est-il vrai que madame votre mère déteste Rous-

seau ? Madame d'Albémar, qui est très enthousiaste
et de ses écrits et de ses idées politiques, les soutient
contre madame du Marset, qui s'appuie du sentiment
de madame votre mère. »

Je tremblais pendant ce discours, et j'attendais
sans respirer la réponse de Léonce. Au nom de
madame du Marset, il se retourna vers elle : je ne
voyais pas son visage ; mais il y avait dans l'attitude
de sa tête quelque chose de méprisant pour madame
du Marset, qui d'abord me rassura. Madame du
Marset, qui avait en face d'elle le regard de Léonce,
en fut sans doute troublée ; car elle articula faiblement ces mots : « Oui, monsieur ; madame votre
mère est absolument de mon opinion ; elle me l'a
écrit plusieurs fois. — Je ne sais, madame, lui dit
Léonce avec un son de voix que je ne lui connaissais
pas, mais qui me pénétra de respect et de crainte ; je
ne sais ce que vous écrit ma mère, mais je voudrais
ignorer ce que vous lui répondez.

— Laissons tout cela, dit assez vivement madame
de Vernon, et allons nous promener dans mon
jardin. »

Je désirais extrêmement avoir l'explication des
paroles de Léonce ; j'espérais avec délices que sa
colère venait de son intérêt pour moi, mais j'avais
besoin qu'il me le dît lui-même. Je restai naturellement de quelques pas en arrière dans la promenade ;
je crus remarquer un moment d'hésitation dans
Léonce : cependant il prit une feuille sur le même
arbre où j'en cueillais une, et je commençai alors la
conversation.

« Ne vous dois-je pas quelques remerciements, lui
dis-je, pour le secours que vous m'avez accordé ? —
Je vous défendrai toujours avec bonheur, madame,
me répondit-il, quand même je me permettrais de ne
pas vous approuver. — Et quel tort avais-je donc ? lui
dis-je avec assez d'émotion. — Pourquoi, belle

Delphine ! reprit-il, pourquoi soutenez-vous des opinions qui réveillent tant de passions haineuses, et contre lesquelles, peut-être avec raison, les personnes de votre classe ont un si grand éloignement ? »
Pour la première fois, ma chère Louise, je me rappelai cette lettre à M. Barton, que j'avais entièrement oubliée depuis que je voyais Léonce : l'accent de sa voix, l'expression de sa figure, la retracèrent à ma mémoire ; et je répondis avec plus de froideur que je ne l'aurais fait peut-être sans ce souvenir.
« Monsieur, lui dis-je, il ne convient point à une femme de prendre parti dans les débats politiques ; sa destinée la met à l'abri de tous les dangers qu'ils entraînent, et ses actions ne peuvent jamais donner de l'importance ni de la dignité à ses paroles ; mais si vous voulez connaître ce que je pense, je ne craindrai point de vous dire que, de tous les sentiments, l'amour de la liberté me paraît le plus digne d'un caractère généreux. — Vous ne m'avez pas compris, répondit Léonce avec un regard plus doux, et qui n'était pas sans quelque mélange de tristesse ; je n'ai pas entendu discuter avec vous des opinions sur lesquelles le caractère de ma mère, et, si vous le voulez, les préjugés et les mœurs du pays où j'ai été élevé, ne me permettent pas d'hésiter ; je désirerais seulement savoir s'il est vrai que vous vous livriez souvent à témoigner votre sentiment à ce sujet, et si nul intérêt ne pourrait vous en détourner. Ces questions sont bien indiscrètes et bien inconvenables, mais je vous crois cette intelligence supérieure qui pénètre jusqu'à l'intention, de quelques nuages qu'elle soit enveloppée : vous devez donc me pardonner. »
Ces derniers mots attirèrent toute ma confiance ; et, me laissant aller à ce mouvement, je lui dis avec assez de chaleur : « Je vous atteste, monsieur, que je n'ai jamais pris à ces opinions d'autre part que celle

qui résulte de la conversation ; elle promène l'esprit sur tous les sujets, celui-là revient plus souvent maintenant, et j'ai quelquefois cédé à l'intérêt qu'il inspire ; mais si j'avais eu des amis qui attachassent le moindre prix à mon silence, ils l'auraient bien facilement obtenu. Comment une femme peut-elle être fortement dominée par des intérêts qui ne tiennent pas aux affections du cœur ou qui n'y ramènent pas de quelque manière ? Si mon frère, mon époux, mon ami, mon père jouaient un rôle dans les affaires publiques, alors toute mon âme pourrait s'y livrer ; mais des combinaisons qui sont pour moi purement abstraites, me persuadent sans m'entraîner ; je suis libre, tristement libre de ma destinée : je n'ai plus de liens, personne n'exige rien de moi ; mes opinions n'influent sur le sort de personne ; mes paroles ont suivi mes pensées : il m'eût été plus doux de les taire, si, par ce léger sacrifice, j'avais pu faire quelque plaisir à quelqu'un (18). — Quoi ! me dit-il avec un charme inexprimable, si vous aviez un ami qui désirât vous rapprocher de sa mère, qui craignît tout ce qui pourrait s'opposer à ce désir, vous céderiez à ses conseils ? — Oui, lui répondis-je, l'amitié vaut bien plus qu'une telle condescendance. »

Il prit ma main, et après l'avoir portée à ses lèvres, avant de la quitter il la pressa sur son cœur. Ah ! ce mouvement me parut le plus doux, le plus tendre de tous ; ce n'était point le simple hommage de la galanterie ; Léonce n'aurait point pressé ma main sur son noble cœur, s'il n'avait pas voulu l'engager pour témoin de ses affections. Nous nous quittâmes tous les deux alors, comme d'un commun accord ; je voulais conserver dans mon âme l'impression qu'elle venait d'éprouver, et je craignais un mot de plus, même de lui.

Nous gardâmes l'un et l'autre le silence pendant le reste de la soirée. Madame de Vernon me retint lorsque tout le monde fut parti ; je crus qu'elle allait m'interroger. Quoique j'eusse voulu retarder de quelques jours encore l'aveu que je ne pouvais taire, j'étais décidée à ne lui point cacher les sentiments qui m'agitaient ; mais elle parut ou les ignorer, ou vouloir en repousser la confidence ; peut-être se servant d'un moyen plus cruel et plus délicat, croyait-elle enchaîner mon cœur par la sécurité même qu'elle me montrait. Elle s'applaudit du choix de Léonce pour sa fille, et m'associant à tout ce qu'elle disait, elle répéta plusieurs fois ces mots : « Nous avons assuré son bonheur ; nous avons... » Ah ! quel *nous*, dans ma situation ! Elle me rappela plusieurs fois que c'était à moi seule qu'elle devait l'établissement de sa fille ; elle me retraça tous les services que je lui avais rendus dans d'autres temps ; et revenant à parler de Matilde, elle m'entretint des défauts de son caractère avec plus de confiance que jamais.

« Je le sais, me dit-elle, quoique sa beauté soit remarquable, jamais elle ne pourrait lutter avec avantage contre une femme qui chercherait à plaire ; elle ne s'apercevrait seulement pas des efforts qu'on ferait pour lui enlever celui qu'elle aimerait, et surtout elle ne saurait point le retenir. Si vous n'aviez point assuré son sort par de généreux sacrifices, personne ne l'aurait épousée par inclination ; elle ne devait pas se flatter de se marier jamais à un homme de la fortune et de l'éclat de Léonce. — Pourquoi, lui dis-je, un autre n'aurait-il pas réuni des avantages à peu près semblables ? Ce neveu de M. de Fierville auquel vous aviez pensé... — Je ne connaissais pas Léonce alors, interrompit-elle ; comment une mère pourrait-elle comparer ces deux hommes, lorsqu'il s'agit du bonheur de sa fille ? D'ailleurs le neveu de M. de Fierville a perdu son procès qu'il avait d'abord gagné ; il n'a plus rien ; la succession de M. de Vernon doit une somme très forte à madame de

Mondoville, et comme je ne puis la payer sans ce mariage, je serais ruinée s'il manquait : ne cherchez point à diminuer, ma chère, le service que vous me rendez ; il est immense, et tout le bonheur de ma vie en dépend. »

Je me jetai dans les bras de madame de Vernon ; j'allais parler, mais elle m'interrompit précipitamment, pour me dire que son homme d'affaires lui avait apporté, le matin, l'acte de donation de la terre d'Andelys, parfaitement rédigé comme nous en étions convenues, et qu'elle me priait de le signer, pour que tout fût en règle avant de dresser le contrat de Léonce et de Matilde. A ce mot, je sentis mon sang se glacer ; mais un mouvement presque aussi rapide succédant au premier, j'eus honte d'avouer mon secret à madame de Vernon, dans le moment même où j'allais m'engager au don que j'avais promis, et je craignis de m'exposer ainsi à ce qu'il fût refusé.

Je me levai donc pour la suivre dans son cabinet : en passant devant une glace, je fus frappée de ma pâleur, et je m'arrêtai quelques instants ; mais enfin je triomphai de moi ; je pris la plume et je signai avec une grande promptitude, car j'avais extrêmement peur de me trahir ; et malgré tous mes efforts, je ne conçois pas encore comment madame de Vernon ne s'est pas aperçue de mon trouble. Je sortis presqu'à l'instant même ; je voulais être seule pour penser à ce que j'avais fait ; madame de Vernon ne me retint pas, et ne prononça pas un seul mot d'inquiétude sur mon agitation.

Rentrée chez moi, je tremblais, j'éprouvais une terreur secrète, comme si j'avais mis une barrière insurmontable entre Léonce et moi : je réfléchis cependant que la terre que je venais d'assigner à Matilde servirait également à faciliter un autre mariage, si l'on pouvait l'amener à y consentir. Un

autre mariage ! Ah ! puis-je me dissimuler que rien au
monde ne consolera jamais personne de la perte de
Léonce ! Quel art madame de Vernon n'a-t-elle pas
employé pour entourer mon cœur par ces liens de
délicatesse et de sensibilité qui vous saisissent de
partout ! Combien elle serait étonnée si je ne répon-
dais pas à sa confiance ! elle a l'air de repousser bien
loin d'elle cette crainte. Ah ! si du moins elle voulait
me soupçonner ! Mais rien, rien ne peut l'y engager ;
il faudra lui parler, il le faudra, j'y suis résolue ;
dussé-je tout sacrifier, elle ne doit pas ignorer ce qu'il
m'en coûte ! Mais ce premier mot qui dira tout, que
de douleur j'éprouverai pour le prononcer !

LETTRE XXVI

Delphine à mademoiselle d'Albémar

Ce 20 juin.

Vous êtes bien dangereuse pour moi, ma chère
Louise ; je vous conjure de me fortifier dans mes
cruels combats, et vous m'écrivez une lettre dans
laquelle vous rassemblez tous les motifs que mon
cœur pourrait me suggérer pour me livrer aux
sentiments que j'éprouve. Vous voulez me persuader
que Matilde ne sera point malheureuse de la perte de
Léonce ; vous me rappelez que madame de Vernon
était disposée à s'occuper d'un autre choix, lorsque la
vie de Léonce était en danger ; vous prétendez que
j'ai fait assez pour mon amie, en lui prêtant une fois
quarante mille livres, et en assurant, par mes dons, la
fortune de sa fille : mais vous n'aimez pas madame
de Vernon ; mais vous ne sentez pas combien l'affection que je lui ai témoignée, le goût vif que j'ai

toujours eu pour son esprit et pour son caractère, me rendraient douloureux ce qui pourrait lui déplaire. Je l'aime depuis l'âge de quinze ans, je lui dois les moments les plus agréables de ma vie ; tout ce qui tient à elle ébranle fortement mon âme : je me suis accoutumée à croire que son bonheur importait plus que le mien ; il me semblait que mon âme orageuse n'était destinée qu'à souffrir ; mais je me flattais du moins que je préserverais de toutes les peines l'être doux et paisible qui se confiait à mon amitié. Je vais perdre six années d'affections et de souvenirs, pour ce sentiment nouveau qui peut-être sera brisé par le caractère de Léonce ; je crains déjà même que vous n'en soyez convaincue par ce que je vais vous dire.

Thérèse était hier plus tourmentée que jamais : on a commencé à mettre dans la tête de M. d'Ervins que les opinions politiques de M. de Serbellane étaient très dangereuses, et qu'il ne convenait pas à un défenseur de la cour de voir souvent un tel homme. Il le reçoit donc beaucoup plus froidement, et ne l'invite presque plus : Thérèse en est au désespoir, et voulait m'engager à avoir chez moi tous les jours M. de Serbellane avec elle ; je m'y suis refusée ; je ne puis protéger une liaison contraire à ses devoirs : je lui donnerai tous les soins qui peuvent consoler son cœur, mais si les circonstances la ramènent dans la route de la morale, je ne repousserai point le secours que la Providence lui donne. Elle a écouté mon refus avec douceur, en me rappelant seulement la promesse que je lui avais faite, si M. de Serbellane était obligé de partir : je l'ai confirmée, cette promesse ; j'avais quelque embarras de m'être montrée si sévère ; hélas ! en ai-je encore le droit ? Thérèse se livra bientôt après à me peindre tous les sentiments de douleur qui l'agitaient : elle ne savait pas combien elle me faisait mal ; je lui disais à voix basse quelques mots de calme et de raison, mais j'étais prête à me jeter dans ses bras, à confondre ma douleur avec la sienne, à me livrer avec elle à l'expression du sentiment dont je voulais la défendre ; je me retins cependant, je le devais ; il faut que je la soutienne encore de ma main assurée.

Cet après-midi, M. de Serbellane est venu me voir ; il m'a parlé de Thérèse et ce n'est jamais sans attendrissement que je retrouve en lui le touchant mélange d'une protection fraternelle et de la délicatesse de l'amour. Il avait encore quelques détails essentiels à me dire ; l'heure me pressait pour me rendre au concert que donnait madame de Vernon ; il me proposa de m'accompagner : il m'est arrivé plusieurs fois de faire des visites avec M. de Serbellane. Vous savez que je ne consens point à me gêner pour ces prétendues convenances de société auxquelles on s'astreint si facilement, quand on a véritablement intérêt à dissimuler sa conduite ; mais il me vint dans l'esprit que je pourrais déplaire à Léonce, en arrivant avec un jeune homme, et j'hésitais à répondre. M. de Serbellane le remarqua, et me dit : « Estce que vous ne voulez pas que j'aille avec vous ? » J'étais honteuse de mon embarras ; je ne savais que faire de cette apparence de pruderie qui convient si mal à un caractère naturel ; et ne pouvant ni dire la vérité, ni me résoudre à me laisser soupçonner d'affectation, j'acceptai la main que m'offrait M. de Serbellane, et nous partîmes ensemble.

J'espérais que Léonce ne serait point encore chez madame de Vernon ; il y était déjà : je reconnus en entrant sa voiture dans la cour ; un des amis de M. de Serbellane le retint sur l'escalier : je le précédai d'un demi-quart d'heure, et je croyais avoir évité ce que je redoutais ; mais au moment où M. de Serbellane entra, madame de Vernon, je ne sais par quel hasard, lui demanda tout haut si nous n'étions pas venus ensemble ; il répondit fort simplement que oui. A ce mot Léonce tressaillit, il regarda tour à tour M. de Serbellane et moi, avec l'expression la plus amère, et je ne sus pendant un moment si je n'avais pas tout à craindre. M. de Serbellane remarqua, j'en suis sûre, la colère de Léonce ; mais voulant me ménager, il s'assit négligemment à côté d'une femme dont il ne cessa pas d'avoir l'air fort occupé.

Léonce alla se placer à l'extrémité de la salle, et me regarda d'abord avec un air de dédain : j'étais profondément irritée ; et ce mouvement se serait soutenu, si, tout à coup, une pâleur mortelle couvrant son visage, ne m'avait rappelé l'état où il était, quand je le vis pour la première fois. Le souvenir d'une impression si profonde l'emporta bientôt malgré moi sur mon ressentiment. Léonce s'aperçut que je le regardais, il détourna la tête, et parut faire un effort sur lui-même pour se relever et reprendre à la vie.

Matilde chanta bien, mais froidement ; Léonce ne l'applaudit point ; le concert continua sans qu'il eût l'air de l'entendre, et sans que l'expression sévère et sombre de son visage s'adoucît un instant. J'étais accablée de tristesse. Votre lettre, je l'avoue, avait un peu affaibli l'idée que je me faisais des obstacles qui me séparaient de Léonce : j'étais arrivée avec cette douce pensée, et Léonce, en me présentant tous les inconvénients de son caractère, semblait élever de nouvelles barrières entre nous. Peut-être était-il jaloux, peut-être blâmait-il, de toute la hauteur de ses préjugés à cet égard, une conduite qu'il trouvait légère ; l'un et l'autre pouvait être vrai, je ne savais comment parvenir à m'expliquer avec lui.

Le concert fini, tout le monde se leva ; j'essayai deux fois de parler à ceux qui étaient près de Léonce ; deux fois il quitta la conversation dont je m'étais mêlée, et s'éloigna pour m'éviter. Mon indignation m'avait reprise, et je me préparais à partir, lorsque madame de Vernon dit à quelques femmes qui restaient, qu'elle les invitait au bal qu'elle donnerait à sa fille jeudi prochain, pour la convalescence de M. de Mondoville. Jugez de l'effet que produisirent sur moi ces derniers mots ; je crus que c'était la fête de la noce ; que Léonce s'était expliqué positivement ; que le jour était fixé : je fus obligée de m'appuyer sur une chaise, et je me sentis prête à m'évanouir. Léonce me regarda fixement, et levant les yeux tout à coup avec une sorte de transport, il s'avança au milieu du cercle, et prononça ces paroles avec l'accent le plus vif et le plus distinct : « On s'étonnerait, je pense, dit-il, de la bonté que madame de Vernon me témoigne, si l'on ne savait pas que ma mère est son intime amie, et qu'à ce titre elle veut bien s'intéresser à moi. » Quand ces mots furent achevés, je respirai, je le compris ; tout fut réparé. Madame de Vernon dit alors en souriant avec sa grâce et sa présence d'esprit accoutumées : « Puisque M. de Mondoville ne veut pas de mon intérêt pour lui-même, je dirai qu'il le doit tout entier à sa mère ; mais je persiste dans l'invitation du bal. »

La société se dispersa ; il ne resta pour le souper que quelques personnes. Le neveu de madame du Marset, qui a une assez jolie voix, me demanda de chanter avec Matilde et lui ce trio de Didon que votre frère aimait tant : je refusais ; Léonce dit un mot, j'acceptai. Matilde se mit au piano avec assez de complaisance : elle a pris plus de douceur dans les manières depuis qu'elle voit Léonce, sans qu'il y ait d'ailleurs en elle aucun autre changement. On me chargea du rôle de Didon ; Léonce s'assit presque en face de nous, s'appuyant sur le piano : je pouvais à peine articuler les premiers sons ; mais en regardant Léonce, je crus voir que son visage avait repris son expression naturelle, et toutes mes forces se ranimèrent, lorsque je vins à ces paroles sur une mélodie si touchante :

> Tu sais si mon cœur est sensible ;
> Épargne-le, s'il est possible :
> Veux-tu m'accabler de douleur ?

La beauté de cet air, l'ébranlement de mon cœur, donnèrent, je le crois, à mon accent toute l'émotion, toute la vérité de la situation même. Léonce, mon cher Léonce, laissa tomber sa tête sur le piano : j'entendais sa respiration agitée, et quelquefois il relevait, pour me regarder, son visage baigné de larmes. Jamais, jamais je ne me suis sentie tellement au-dessus de moi-même ; je decouvrais dans la musique, dans la poésie, des charmes, une puissance qui m'étaient inconnus : il me semblait que l'enchantement des beaux-arts s'emparait pour la première fois de mon être, et j'éprouvais un enthousiasme, une élévation d'âme dont l'amour était la première cause, mais qui était plus pure encore que l'amour même.

L'air fini, Léonce, hors de lui-même, descendit dans le jardin pour cacher son trouble. Il y resta longtemps, je m'en inquiétais ; personne ne parlait de lui ; je n'osais pas commencer ; il me semblait que prononcer son nom c'était me trahir. Heureusement il prit au neveu de madame du Marset l'envie de nous faire remarquer ses connaissances en astronomie ; il s'avança vers la terrasse pour nous démontrer les étoiles, et je le suivis avec bien du zèle. Léonce revint, il me saisit la main sans être aperçu, et me dit avec une émotion profonde :

« Non, vous n'aimez pas M. de Serbellane, ce n'est pas pour lui que vous avez chanté, ce n'est pas lui que vous avez regardé. — Non, sans doute, m'écriai-je, j'en atteste le ciel et mon cœur ! » Madame de Vernon nous interrompit aussitôt ; je ne sus pas si elle avait entendu ce que je disais, mais j'étais résolue à lui tout avouer ; je ne craignais plus rien.

On rentra dans le salon ; Léonce était d'une gaieté extraordinaire ; jamais je ne lui avais vu tant de liberté d'esprit ; il était impossible de ne pas reconnaître en lui la joie d'un homme échappé à une grande peine. Sa disposition devint la mienne ; nous inventâmes mille jeux, nous avions l'un et l'autre un sentiment intérieur de contentement qui avait besoin de se répandre. Il me fit indirectement quelques épigrammes aimables sur ce qu'il appelait ma philosophie, l'indépendance de ma conduite, mon mépris pour les usages de la société ; mais il était heureux, mais il s'établissait entre nous cette douce familiarité, la preuve la plus intime des affections de l'âme ; il me sembla que nous nous étions expliqués, que tous les obstacles étaient levés, tous les serments prononcés ; et cependant je ne connaissais rien de ses projets, nous n'avions pas encore eu un quart d'heure de conversation ensemble ; mais j'étais sûre qu'il m'aimait, et rien alors dans le monde ne me paraissait incertain.

Je m'approchai de madame de Vernon, et je lui demandai le soir même une heure d'entretien ; elle me refusa en se disant malade : je proposai le lendemain, elle me pria de renvoyer après le bal ce que je pouvais avoir à lui dire ; elle m'assura que jusqu'à ce jour elle n'aurait pas un moment de libre. Je m'y soumis, quoiqu'il me fût aisé d'apercevoir qu'elle cherchait des prétextes pour éloigner cette conversation. Soit qu'elle en devine ou non le sujet, ma résolution est prise, je lui parlerai ; quand elle saura tout, quand je lui aurai offert de quitter Paris, d'aller m'enfermer dans une retraite pour le reste de mes jours, afin d'y conserver sans crime le souvenir de Léonce, elle prononcera sur mon sort, je l'en ferai l'arbitre ; et quel que soit le parti qu'elle prenne, je n'aurai plus du moins à rougir devant elle. Ma chère Louise, je goûte quelque calme depuis que je n'hésite plus sur la conduite que je dois suivre.

LETTRE XXVII

Léonce à M. Barton

Paris, ce 29 juin.

Mon sort est décidé, mon cher maître, jamais un autre objet que Delphine n'aura d'empire sur mon cœur : hier au bal, hier elle s'est presque compromise pour moi. Ah ! que je la remercie de m'avoir donné des devoirs envers elle ! je n'ai plus de doutes, plus d'incertitudes ; il ne s'agit plus que d'exécuter ma résolution, et je ne vous consulte que sur les moyens d'y parvenir.

Je serai le 4 juillet à Mondoville ; nous concerterons ensemble ce qu'il faut écrire à ma mère ; madame de Vernon ne m'a pas encore dit un mot du mariage projeté ; à mon retour de Mondoville, je lui parlerai le premier : c'est une femme d'esprit, elle est amie de Delphine ; dès qu'elle sera bien assurée de ma résolution, elle la servira. Je ne craignais que la force des engagements contractés ; ma mère a évité de me répondre sur ce sujet ; il faut qu'elle n'y croie pas son honneur intéressé ; elle n'aurait pas tardé d'un jour à me donner un ordre impérieux, si elle avait cru sa délicatesse compromise par ma désobéissance. Elle n'insiste dans ses lettres que sur les prétendus défauts de madame d'Albémar : on lui a persuadé qu'elle était légère, imprudente ; qu'elle compromettait sans cesse sa réputation, et ne manquait pas une occasion d'exprimer les opinions les plus contraires à celles qu'on doit chérir et respecter (19). C'est à vous, mon cher Barton, de faire connaître madame d'Albémar à ma mère ; elle vous croira plus que moi.

Sans doute Delphine se fie trop à ses qualités naturelles, et ne s'occupe pas assez de l'impression que sa conduite peut produire sur les autres. Elle a besoin de diriger son esprit vers la connaissance du monde, et de se garantir de son indifférence pour cette opinion publique sur laquelle les hommes médiocres ont au moins autant d'influence que les hommes supérieurs. Il est possible que nous ayons des défauts entièrement opposés ; eh bien, à présent je crois que notre bonheur et nos vertus s'accroîtront par cette différence même ; elle soumettra, j'en suis sûr, ses actions à mes désirs, et sa manière de penser affranchira peut-être la mienne : elle calmera du moins cette ardente susceptibilité qui m'a déjà fait beaucoup souffrir. Mon ami, tout est bien, tout est bien, si je suis son époux.

Hier enfin... Mais comment vous raconter ce jour ! c'est replonger une âme dans le trouble qui l'égare. Quel sentiment que l'amour ! quelle autre vie dans la vie (20) ! Il y a dans mon cœur des souvenirs, des pensées si vives de bonheur, que je jouis d'exister chaque fois que je respire. Ah ! que mon ennemi m'aurait fait de mal en me tuant ! Ma blessure m'inquiète à présent : il m'arrive de craindre qu'elle ne se rouvre ; des mouvements si passionnés m'agitent, que j'éprouve, le croiriez-vous, la peur de mourir avant demain, avant une heure, avant l'instant où je dois la revoir.

Ne pensez pas cependant que je vous exprime l'amour d'un jeune homme, l'amour qu'un sage ami devrait blâmer. Quoique vous vous soyez imposé de ne point contrarier les vues de ma mère, vous désirez qu'elle préfère madame d'Albémar à Matilde. Oui, mon cher maître, votre raison est d'accord avec le choix de votre élève ; ne vous en défendez pas. Ah ! si vous saviez combien vous m'en êtes plus cher !

J'avais reçu, avant d'aller au bal de madame de Vernon, une réponse de vous sur M. de Serbellane. Vous conveniez que c'était l'homme que madame d'Albémar vous avait toujours paru distinguer le plus ; et quoique vous cherchassiez à calmer mon inquiétude, votre lettre l'avait ranimée. J'arrivai donc au bal de madame de Vernon avec une disposition assez triste ; Matilde s'était parée d'un habit à l'espagnole, qui relevait singulièrement la beauté de sa taille et de sa figure : elle ne m'a jamais témoigné de préférence, mais je crus voir une intention aimable pour moi dans le choix de cet habit : je voulus lui parler, et je m'assis près d'elle, après l'avoir engagée à se rapprocher de la porte d'entrée vers laquelle je retournais sans cesse la tête. J'étais si vivement ému par l'impatience de voir arriver Delphine, que je ne pouvais pas même suivre, avec Matilde, cette conversation de bal si facile à conduire (21).

Tout à coup je sentis un air embaumé ; je reconnus le parfum des fleurs que Delphine a coutume de porter, et je tressaillis : elle entra sans me voir : je n'allai pas à l'instant vers elle ; je goûtai d'abord le plaisir de la savoir dans le même lieu que moi. Je ménageai avec volupté les délices de la plus heureuse journée de ma vie : je laissai Delphine faire le tour du bal avant de m'approcher d'elle ; je remarquai seulement qu'elle cherchait quelqu'un encore, quoique tout le monde se fût empressé de l'entourer. Elle était vêtue d'une simple robe blanche, et ses beaux cheveux étaient rattachés ensemble sans aucun ornement, mais avec une grâce et une variété tout à fait inimitables. Ah ! qu'en la regardant j'étais ingrat pour la parure de Matilde ; c'était celle de Delphine qu'il fallait choisir. Que me font les souvenirs de l'Espagne ? Je ne me rappelle rien, que depuis le jour où j'ai vu madame d'Albémar.

Elle me reconnut dans l'embrasure d'une fenêtre, où j'avais été me placer pour la regarder. Elle eut un mouvement de joie que je ne perdis point ; bientôt après elle aperçut Matilde, et son costume la frappa tellement, qu'elle resta debout devant elle, rêveuse, distraite et sans lui parler. Une jeune et jolie Italienne, qu'on nomme madame d'Ervins, aborda Delphine et la pria de la suivre dans le salon à côté. Delphine hésitait, et j'en suis sûr, pour me parler ; cependant madame d'Ervins eut l'air affligée de sa résistance, et Delphine n'hésita plus.

Cet entretien avec madame d'Ervins fut assez long, et je le souffrais impatiemment, lorsque Delphine revint à moi, et me dit : « Il est peut-être bien ridicule de vous rendre compte de mes actions sans savoir si vous vous y intéressez ; enfin, dussiez-vous trouver cette démarche imprudente, vous penserez de mon caractère ce que vous en pensez peut-être déjà, mais vous ne concevrez pas du moins sur moi des soupçons injustes. Un intérêt, qu'il m'est interdit de vous confier, me force à causer quelques instants seule avec M. de Serbellane : cet intérêt est le plus étranger du monde à mes affections personnelles ; je connaîtrais bien mal Léonce, s'il pouvait se méprendre à l'accent de la vérité, et si je n'étais pas sûre de le convaincre, quand j'atteste son estime pour moi, de la sincérité de mes paroles. » La dignité et la simplicité de ce discours me firent une impression profonde. Ah ! Delphine ! quelle serait votre perfidie, si vous faisiez servir au mensonge tant de charmes qui ne semblent créés que pour rendre plus aimables encore les premiers mouvements, les affections involontaires, pour réunir enfin dans une même femme les grâces élégantes du monde à toute la simplicité des sentiments naturels !

DELPHINE

Quand la conversation de madame d'Albémar avec M. de Serbellane fut terminée, elle revint dans le bal ; et M. d'Orsan, ce neveu de madame du Marset qui a toujours besoin d'occuper de ses talents, parce qu'ils lui tiennent lieu d'esprit, pria Delphine de danser une polonaise qu'un Russe leur avait apprise à tous les deux, et dont on était très curieux dans le bal. Delphine fut comme forcée de céder à son importunité, mais il y avait quelque chose de bien aimable dans les regards qu'elle m'adressa ; elle se plaignait à moi de l'ennui que lui causait M. d'Orsan : notre intelligence s'était établie d'elle-même ; son sourire m'associait à ses observations doucement malicieuses.

Les hommes et les femmes montèrent sur les bancs pour voir danser Delphine (22) ; je sentis mon cœur battre avec une grande violence quand tous les yeux se tournèrent sur elle : je souffrais de l'accord même de toutes ces pensées avec la mienne ; j'eusse été plus heureux si je l'avais regardée seul.

Jamais la grâce et la beauté n'ont produit sur une assemblée nombreuse un effet plus extraordinaire ; cette danse étrangère a un charme dont rien de ce que nous avons vu ne peut donner l'idée : c'est un mélange d'indolence et de vivacité, de mélancolie et de gaieté tout à fait asiatique. Quelquefois, quand l'air devenait plus doux, Delphine marchait quelques pas la tête penchée, les bras croisés, comme si quelques souvenirs, quelques regrets étaient venus se mêler soudain à tout l'éclat d'une fête ; mais bientôt, reprenant la danse vive et légère, elle s'entourait d'un châle indien (23), qui, dessinant sa taille, et retombant avec ses longs cheveux, faisait de toute sa personne un tableau ravissant.

Cette danse expressive et, pour ainsi dire, inspirée, exerce sur l'imagination un grand pouvoir ; elle vous retrace les idées et les sensations poétiques que, sous le ciel de l'Orient, les plus beaux vers peuvent à peine décrire.

Quand Delphine eut cessé de danser, de si vifs applaudissements se firent entendre, qu'on put croire pour un moment tous les hommes amoureux et toutes les femmes subjuguées.

Quoique je sois encore faible et qu'on m'ait défendu tout exercice qui pourrait enflammer le sang, je ne sus pas résister au désir de danser une anglaise avec Delphine ; il s'en formait une de toute la longueur de la galerie ; je demandai à madame d'Albémar de la descendre avec moi. « Le pouvez-vous, me répondit-elle, sans risquer de vous faire mal ? — Ne craignez rien pour moi, répondis-je, je tiendrai votre main. » La danse commença, et plusieurs fois mes bras serrèrent cette taille souple et légère qui enchantait mes regards : une fois, en tournant avec Delphine, je sentis son cœur battre sous ma main : ce cœur, que toutes les puissances divines ont doué, s'animait-il pour moi d'une émotion plus tendre ?

J'étais si heureux, si transporté, que je voulus recommencer encore une fois la même contredanse. La musique était ravissante ; deux harpes mélodieuses accompagnaient les instruments à vent, et jouaient un air à la fois vif et sensible : la danse de Delphine prenait par degrés un caractère plus animé, ses regards s'attachaient sur moi avec plus d'expression ; quand les figures de la danse nous ramenaient l'un vers l'autre, il me semblait que ses bras s'ouvraient presque involontairement pour me rappeler, et que, malgré sa légèreté parfaite, elle se plaisait souvent à s'appuyer sur moi. Les délices dont je m'enivrais me firent oublier que ma blessure n'était pas parfaitement guérie : comme nous étions arrivés au dernier couple qui terminait le rang, j'éprouvai tout à coup un sentiment de faiblesse qui faisait fléchir mes genoux ; j'attirai Delphine, par un dernier effort, encore plus près de moi, et je lui dis à voix basse : « Delphine, Delphine ! si je mourais ainsi, me trouveriez-vous à plaindre ? — Mon Dieu ! interrompit-elle d'une voix émue, mon Dieu ! qu'avez-vous ? » L'altération de mon visage la frappa : nous étions arrivés à la fin de la danse ; je m'appuyai contre la cheminée, et je portai, sans y penser, la main sur ma blessure, qui me faisait beaucoup souffrir. Delphine ne fut plus maîtresse de son trouble, et s'y livra tellement, qu'à travers ma faiblesse je vis que tous les regards se fixaient sur elle : la crainte de la compromettre me redonna des forces, et je voulus passer dans la chambre voisine de celle où l'on dansait. Il y avait quelques pas à faire : Delphine, n'observant que l'état où j'étais, traversa toute la salle sans saluer personne, me suivit, et, me voyant chanceler en marchant, s'approcha de moi pour me soutenir : j'eus beau lui répéter que j'allais mieux, qu'en respirant l'air je serais guéri ; elle ne songeait qu'à mon danger, et laissa voir à tout le monde l'excès de sa peine et la vivacité de son intérêt.

O Delphine ! dans ce moment, comme au pied de l'autel, j'ai juré d'être ton époux : j'ai reçu ta foi, j'ai reçu le dépôt de ton innocente destinée, lorsqu'un nuage s'est élevé sur ta réputation, à cause de moi !

Quand je fus près d'une fenêtre, je me remis entièrement ; alors Delphine, se rappelant ce qui venait de se passer, me dit les larmes aux yeux : « Je viens d'avoir la conduite du monde la plus extraordinaire (24) ; votre imprudence, en persistant à danser, a mis mon cœur à cette cruelle épreuve. Léonce, Léonce, aviez-vous besoin de me faire souffrir pour me deviner ? — Pourriez-vous me soupçonner, lui dis-je, d'exposer volontairement aux regards des autres ce que j'ose à peine recueillir avec respect, avec amour, dans mon cœur ? Mais si vous redoutez le blâme de la société, je saurai bientôt... — Le blâme de la société, interrompit-elle avec une expression d'insouciance singulièrement piquante, je ne le crains pas ; mais mon secret sera connu avant que je l'aie confié à l'amitié, et vous ne savez pas combien cette conduite me rend coupable ! » Elle allait continuer, lorsque nous entendîmes du bruit dans le salon, et le nom de madame d'Ervins plusieurs fois répété. Delphine me quitta précipitamment, pour demander la cause de l'agitation de la société. « Madame d'Ervins, lui répondit M. de Fierville, vient de tomber sans connaissance, et on l'emporte dans sa voiture, par ordre de M. d'Ervins ; il ne veut pas qu'elle reçoive des secours ailleurs que chez elle. »

A peine Delphine eut-elle entendu ces dernières paroles, qu'elle s'élança sur l'escalier, atteignit M. d'Ervins, monta dans sa voiture sans rien lui dire, et partit à l'instant même : c'est tout ce que je pus apercevoir. Le mouvement rapide d'une bonté passionnée l'entraînait. Elle me laissa seul au milieu de cette fête, que je ne reconnaissais plus. Je cherchais en vain les plaisirs qui se confondaient dans mon âme avec l'amour ; mais j'étais pénétré de cette émotion tendre, et néanmoins sérieuse, qui remplit le cœur d'un honnête homme, lorsqu'il a donné sa vie, lorsqu'il s'est chargé du bonheur de celle d'un autre.

Je ne sais si j'abuse de votre amitié en vous confiant les sentiments que j'éprouve ; mais pourquoi la gravité de votre âge et de votre caractère me défendrait-elle de vous peindre ce pur amour qui me guide dans le choix de la compagne de ma vie ? Mon cher maître ! ils vous seront doux les récits du bonheur de votre élève ; s'ils vous rappellent votre jeunesse, ce sera sans amertume, car tous vos souvenirs tiennent à la même pensée ; ils se rattachent tous à la vertu.

J'attendrai, pour m'expliquer entièrement avec madame d'Albémar, que j'aie reçu la réponse de ma mère. Dans quelques jours je serai près de vous à Mondoville, puisque vous y avez besoin de moi. Je veux que nous écrivions ensemble à ma mère, de ce lieu même où elle a passé les premières années de son mariage et de mon enfance ; ces souvenirs la disposeront à m'être favorable.

LETTRE XXVIII

Madame de Vernon à M. de Clarimin

Paris, ce 30 juin 1790.

On vous a mandé que M. de Mondoville était très occupé de madame d'Albémar, et qu'il paraissait la préférer à ma fille ; vous en avez conclu que le mariage que j'ai projeté n'aurait pas lieu. Vous devriez avoir cependant un peu plus de confiance dans l'esprit que vous me connaissez. Je suis témoin de tout ce qui se passe ; Léonce et Delphine n'ont pas un seul mouvement que je n'aperçoive, et vous imaginez que je ne saurai pas prévenir à temps cette liaison qui renverserait tous mes projets de bonheur et de fortune !

J'ai fait quelquefois usage de mon adresse pour de très légers intérêts ; aujourd'hui c'est mon devoir de protéger ma fille, et je n'y réussirais pas ! Vous me dites que madame d'Albémar me cache son affection pour Léonce. Mon Dieu ! je vous assure que j'aurai sa confiance quand je le voudrai ; je ne suis occupée qu'à une chose, c'est à l'éviter ; car elle m'engagerait, et il me plaît de rester libre.

Les caractères de Léonce et de Delphine ne se conviennent point ; Léonce est orgueilleux comme un Espagnol, épris de la considération presque autant que de Delphine, aimable, très aimable ; mais il faut les séparer pour leur intérêt à tous les deux (25). L'occasion s'en présentera ; il ne faut que du temps, et je défie bien Léonce et Delphine de presser les événements que j'ai résolu de ralentir. Personne ne sait mieux que moi faire usage de l'indolence : elle me sert à déjouer naturellement l'activité des autres (26). Je veux le mariage de Léonce et de Matilde. Je ne me suis pas donné la peine de vouloir quatre fois en ma vie ; mais quand j'ai tant fait que de prendre cette fatigue, rien ne me détourne de mon but, et je l'atteins ; comptez-y.

Je vous remercie de l'intérêt que vous me témoignez ; mais quand il y va du sort de ma fille, de ma ruine ou de mon aisance, de tout enfin pour moi, pensez-vous que je puisse rien négliger ? Je me garde bien cependant d'agir dans un grand intérêt, avec plus de vivacité que dans un petit ; car ce qui arrange tout, c'est la patience et le secret. Adieu donc, mon cher Clarimin ; comme j'espère vous voir à Paris dans peu de temps, je vous y invite pour les noces de ma fille.

LETTRE XXIX

Delphine à mademoiselle d'Albémar

Ce 2 juillet.

Thérèse est perdue, ma chère Louise, et je ne sais à quel parti m'arrêter pour adoucir sa cruelle situation. J'entrevoyais quelque espoir pour mon bonheur, il y a deux jours, à la fête de madame de Vernon ; Léonce et moi, nous nous étions presque expliqués ; mais depuis le malheur arrivé à Thérèse, je suis tellement émue, que j'ai laissé passer deux soirées sans oser aller chez madame de Vernon. Léonce aurait remarqué ma tristesse, et je n'aurais pu lui en avouer la cause ; s'il est un devoir sacré pour moi, c'est celui de garder inviolablement le secret de mon amie ; et comment ne pas se laisser pénétrer par ce qu'on aime ? Je ne sais donc rien de Léonce, et madame d'Ervins occupe seule tous mes moments.

Madame du Marset, cette cruelle ennemie de tous les sentiments qu'elle ne peut plus inspirer ni ressentir, a connu M. d'Ervins à Paris il y a quinze ans, avant qu'il eût épousé Thérèse. Avant-hier au bal, madame du Marset, placée à côté de lui, n'a cessé de lui parler bas, pendant que Thérèse dansait avec M. de Serbellane. Je ne crois point que madame du Marset ait été capable d'exciter positivement les soupçons de M. d'Ervins ; les caractères les plus méchants ne veulent pas s'avouer qu'ils le sont, et se réservent toujours quelques moyens d'excuses vis-à-vis des autres et d'eux-mêmes ; mais j'ai cru reconnaître, par quelques mots échappés à la fureur de M. d'Ervins, que madame du Marset, en apprenant que M. de Serbellane avait passé six mois dans son château avec sa femme, s'était moquée du rôle ridicule qu'il devait avoir joué en tiers avec ces deux jeunes gens, et, de tous les mots qu'elle pouvait choisir, le plus perfide était celui de *ridicule* ; depuis, M. d'Ervins l'a répété sans cesse dans sa fureur, et quand elle s'apaisait, il lui suffisait de se le prononcer à lui-même pour qu'elle recommençât plus violente que jamais.

Je passai devant M. d'Ervins, quelques moments après sa conversation avec madame du Marset, et je fus frappée de son air sérieux ; comme je ne connais rien en lui de profond que son amour-propre, je ne doutai pas qu'il ne fût offensé de quelque manière. Thérèse me fit part des mêmes observations, et cependant, soit, comme elle me l'a dit depuis, qu'un sentiment funeste l'agitât, soit que cette fête, nouvelle pour elle, l'étourdît, et lui ôtât le pouvoir de réfléchir, son occupation de M. de Serbellane n'était que trop remarquable pour des regards attentifs. M. d'Ervins affecta de s'éloigner d'elle ; mais j'aperçus clairement qu'il ne la perdait pas de vue : j'en avertis M. de Serbellane ; je comptais sur sa prudence : en effet, il évita constamment de parler à Thérèse. Si je n'avais pas quitté madame d'Ervins alors, peut-être aurais-je calmé le trouble où la jetait l'apparente froideur de M. de Serbellane : elle en savait la cause, et cependant elle ne pouvait en supporter la vue. Entièrement occupée de Léonce, le reste de la soirée j'oubliai madame d'Ervins : c'est à cette faute, hélas ! qu'est peut-être due son infortune.

Je parlais encore à Léonce, lorsque j'appris subitement qu'on emportait madame d'Ervins sans connaissance ; je courus après son mari qui la suivait, je montai dans sa voiture presque malgré lui, et je pris dans mes bras la pauvre Thérèse, qui était tombée dans un évanouissement si profond, qu'elle ne donnait plus un signe de vie. « Grand Dieu ! dis-je à M. d'Ervins, qui l'a mise en cet état ? — Sa conscience, madame, me répondit-il ; sa conscience ! » Et il me raconta alors ce qui s'était passé, avec un tremblement de colère dans lequel il n'entrait pas un seul sentiment de pitié pour cette charmante figure mourant devant ses yeux.

Placé derrière une porte au moment où sa femme passait d'une chambre à l'autre, il l'avait entendue faire à M. de Serbellane des reproches dont l'expression supposait une liaison intime : il s'était avancé alors, et prenant la main de sa femme, il lui avait dit à voix basse, mais avec fureur : « Regardez-le, ce perfide étranger ; regardez-le, car jamais vous ne le reverrez. » A ces mots, Thérèse était tombée comme morte à ses pieds ; M. d'Ervins était fier de la douleur qu'il lui avait causée ; son orgueil ne se reposait que sur cette cruelle jouissance.

Quand nous arrivâmes à la maison de madame d'Ervins, sa fille Isore, la voyant rapporter dans cet état, jetait des cris pitoyables, auxquels M. d'Ervins ne daignait pas faire la moindre attention. On posa Thérèse sur son lit, revêtue, comme elle l'était encore, de guirlandes de fleurs et de toutes les parures du bal ; elle avait l'air d'avoir été frappée de la foudre au milieu d'une fête.

Mes soins la rappelèrent à la vie ; mais elle était dans un délire qui trahissait à chaque instant son secret. Je voulais que M. d'Ervins me laissât seule avec elle ; mais loin qu'il y consentît, il s'approcha de moi pour me dire que ma voiture était arrivée, et que dans ce moment il désirait d'entretenir sa femme sans témoins. « Au nom de votre fille, lui dis-je, M. d'Ervins, ménagez Thérèse ; n'oubliez pas dix ans de bonheur ; n'oubliez pas... — Je sais, madame, interrompit-il, ce que je me dois à moi-même : croyez que j'aurai toujours présente à l'esprit ma dignité personnelle. — Et n'aurez-vous pas, repris-je, n'aurez-vous pas présent à l'esprit le danger de Thérèse ? — Ce qui est convenable doit être accompli, répondit-il, quoi qu'il en coûte ; elle a l'honneur de porter mon nom, je verrai ce qu'exigent à ce titre et son devoir et le mien. » Je quittai cet homme odieux, cet homme incapable de rien voir dans la nature que lui seul, et dans lui-même que son orgueil. Je retournai encore une fois vers l'infortunée Thérèse ; je l'embrassai en lui jurant l'amitié la plus tendre, et lui recommandant la prudence et le courage ; elle ne me répondit à demi-voix que ces seuls mots : « Faites que je le revoie. » Je partis le cœur déchiré.

En rentrant chez moi vers deux heures du matin, je trouvai M. de Serbellane qui m'attendait : combien je fus touchée de sa douleur ! ces caractères habituellement froids sortent quelquefois d'eux-mêmes, et produisent alors une impression ineffaçable. Il se faisait une violence infinie pour contenir sa fureur contre M. d'Ervins ; cependant il lui échappa une fois de dire : « Qu'il ne me fasse pas craindre pour sa femme ; qu'il ne la menace pas d'indignes traitements ; car alors je trouverai qu'il vaut mieux se battre avec lui, le tuer, et délivrer Thérèse ; et si jamais j'arrivais à trouver ce parti le plus raisonnable, ah ! que je le prendrais avec joie ! » Je le calmai en lui disant que je reverrais le lendemain Thérèse, et que je lui raconterais fidèlement dans quelle situation je la trouverais. Nous nous quittâmes après qu'il m'eut promis de ne prendre aucun parti sans m'avoir revue.

Aujourd'hui je n'ai pu être reçue chez Thérèse qu'à huit heures du soir ; j'y ai été dix fois inutilement ; son mari la tenait enfermée : son état m'a plus effrayée encore que la veille. Ah ! mon Dieu, quelle destinée ! M. d'Ervins ne l'avait pas quittée un seul instant, ni la nuit ni le jour ; il l'avait accablée des reproches les plus outrageants ; il avait obtenu d'elle tous les aveux qui l'accusaient, en la menaçant toujours, si elle le trompait, d'interroger lui-même M. de Serbellane. Enfin il avait fini par lui déclarer qu'il exigeait que M. de Serbellane quittât la France dans vingt-quatre heures. « Je ne m'informe pas, lui dit-il, des moyens que vous prendrez pour l'obtenir de lui ; vous pouvez lui écrire une lettre que je ne verrai pas : mais si après-demain, à dix heures du soir, il est encore à Paris, j'irai le trouver, et nous nous expliquerons ensemble : aussi bien je penche

beaucoup pour ce dernier moyen ; et il ne peut être
évité que s'il me donne une satisfaction éclatante, en
s'éloignant au premier signe de ma volonté. »

Thérèse avait tout promis ; mais ce qui l'occupait
peut-être le plus, c'était la parole que je lui avais
donnée il y a quinze jours, d'assurer ses derniers
adieux ; son imagination était moins frappée de la
crainte d'un duel entre son amant et son mari, que de
l'idée qu'elle ne reverrait plus M. de Serbellane ; elle
s'est jetée à mes pieds pour me conjurer de détourner
d'elle une telle douleur. Ces mots terribles que
M. d'Ervins a prononcés au bal, ces mots : *Vous ne le*
verrez plus, retentissent toujours dans son cœur : en
les répétant, elle est dans un tel état, qu'il semble
qu'avec ces seules paroles on pourrait lui donner la
mort : elle dit que si ce sort jeté sur elle ne
s'accomplit pas, si elle revoit encore une fois M. de
Serbellane, elle sera sûre que leur séparation ne doit
point être éternelle, elle aura la force de supporter
son départ ; mais que si ce dernier adieu n'est pas
accordé, elle ne peut répondre d'y survivre. J'ai
voulu détourner son attention ; mais elle me répétait
toujours : « Le verrai-je ? lui dirai-je encore
adieu ? » Et mon silence la plongeait dans un tel
désespoir, que j'ai fini par lui promettre que je
consentirais à tout ce que voudrait M. de Serbellane !
« Eh bien, dit-elle alors, je suis tranquille, car je lui
ai écrit des prières irrésistibles. »

Vous trouverez peut-être, ma chère Louise, vous
qui êtes un ange de bonté, que je ne devais pas
hésiter à satisfaire Thérèse, surtout après l'engagement que j'avais pris antérieurement avec elle. Faut-
il vous avouer le sentiment qui me faisait craindre de
consentir à ce qu'elle désirait ? Si Léonce apprend
par quelque hasard que j'ai réuni chez moi une
femme mariée avec son amant, malgré la défense
expresse de son époux, m'approuvera-t-il ? Léonce,

Léonce ! est-il donc devenu ma conscience, et ne suis-je donc plus capable de juger par moi-même ce que la générosité et la pitié peuvent exiger de moi ?

En sortant de chez Thérèse, j'allai chez madame de Vernon ; Léonce en était parti ; il m'avait cherchée chez moi, et s'était plaint, à ce que m'a dit Matilde fort naturellement, du temps que je passais chez M. d'Ervins. M. de Fierville me fit alors quelques plaisanteries sur l'emploi de mes heures. Ces plaisanteries me firent tout à coup comprendre qu'il avait vu sortir M. de Serbellane, à trois heures du matin, de chez moi, le jour du bal. J'en éprouvai une douleur insensée ; je ne voyais aucun moyen de me justifier de cette accusation ; je frémissais de l'idée que Léonce aurait pu l'entendre. M. de Serbellane arriva dans ce moment, il venait de chez moi ; il me le dit. M. de Fierville sourit encore : ce sourire me parut celui de la malice infernale ; mais, au lieu de m'exciter à me défendre, il me glaça d'effroi, et je reçus M. de Serbellane avec une froideur inouïe. Il en fut tellement étonné, qu'il ne pouvait y croire, et son regard semblait me dire : Mais où êtes-vous ? mais que vous est-il arrivé ? Sa surprise me rendit à moi-même. Non, Léonce, me répétai-je tout bas, vous pouvez tout sur moi ; mais je ne vous sacrifierai pas la bonté, la généreuse bonté, le culte de toute ma vie. Je me décidai alors à prendre M. de Serbellane à part, et lui rendant compte en peu de mots de ce qui s'était passé, je lui dis qu'une lettre de Thérèse l'attendait chez lui, et il partit pour la lire.

Après cet acte de courage et d'honnêteté, car c'était moi que je sacrifiais, je voulus tenter de ramener M. de Fierville ; je me demandai pourquoi je ne pourrais pas me servir de mon esprit pour écarter des soupçons injustes : mais M. de Fierville était calme, et j'étais émue ; mais toutes mes paroles se ressentaient de mon trouble, tandis qu'il acérait de sang-froid toutes les siennes. J'essayai d'être gaie pour montrer combien j'attachais peu de prix à ce qu'il croyait important; mes plaisanteries étaient contraintes, et l'aisance la plus parfaite rendait les siennes piquantes. Je revins au sérieux, espérant parvenir de quelque manière à le convaincre; mais il repoussait par l'ironie l'intérêt trop vif que je ne pouvais cacher. Jamais je n'ai mieux éprouvé qu'il est de certains hommes sur lesquels glissent, pour ainsi dire, les discours et les sentiments les plus propres à faire impression; ils sont occupés à se défendre de la vérité par le persiflage; et comme leur triomphe est de ne pas vous entendre, c'est en vain que vous vous efforcez d'être compris.

Je souffrais beaucoup cependant de mon embarrassante situation, lorsque madame de Vernon vint me délivrer; elle fit quelques plaisanteries à M. de Fierville, qui valaient mieux que les siennes, et l'emmena dans l'embrasure de la fenêtre, en me disant tout bas qu'elle allait le détromper sur tout ce qui m'inquiétait, si je la laissais seule avec lui. Je ne puis vous dire, ma chère Louise, combien je fus touchée de cette action, de ce secours accordé dans une véritable détresse. Je serrai la main de madame de Vernon, les larmes aux yeux, et je me promis de la voir demain, pour ne plus conserver un secret qui me pèse; vous saurez donc demain, ma Louise, ce qu'il doit arriver de moi.

DELPHINE

LETTRE XXX

Delphine à mademoiselle d'Albémar

Ce 4 juillet.

J'ai passé un jour très agité, ma chère Louise, quoique je n'aie pu parvenir encore à parler à madame de Vernon. Il a eu des moments doux, ce jour, mais il m'a laissé de cruelles inquiétudes. En m'éveillant, j'écrivis à madame de Vernon pour lui demander de me recevoir seule, à l'heure de son déjeuner ; et, sans lui dire précisément le sujet dont je voulais lui parler, il me semble que je l'indiquais assez clairement. Elle fit attendre mon domestique deux heures, et me le renvoya enfin avec un billet, dans lequel elle s'excusait de ne pas pouvoir accepter mon offre, et finissait par ces mots remarquables : *Au reste, ma chère Delphine, je lis dans votre cœur aussi bien que vous-même ; mais je ne crois pas que ce soit encore le moment de nous parler.*

J'ai réfléchi longtemps sur cette phrase, et je ne la comprends pas bien encore. Pourquoi veut-elle éviter cet entretien ? Elle m'a dit elle-même, il y a deux jours, qu'elle n'avait point eu, jusqu'à présent, de conversation avec Léonce, relativement au projet du mariage ; aurait-elle deviné mon sentiment pour lui ? Serait-elle assez généreuse, assez sensible pour vouloir rompre cet hymen à cause de moi, et sans m'en parler ? Combien j'aurais à rougir d'une si noble conduite ! Qu'aurais-je fait pour mériter un si grand sacrifice ? Mais si elle en avait l'idée, comment exposerait-elle Matilde à voir tous les jours Léonce ? Enfin, dans ce doute insupportable, je résolus d'aller chez elle, et de la forcer à m'écouter.

146

Qu'avais-je à lui dire cependant ? que j'aimais Léonce, que je voulais m'opposer au bonheur de sa fille, traverser les projets que nous avions formés ensemble ! Ah ! ma Louise, vous donnez trop d'encouragement à ma faiblesse ; au moins je ne me livrerai point à l'espérance avant que madame de Vernon m'ait entendue, ait décidé de mon sort.

M. de Serbellane arriva chez moi comme j'allais sortir : le changement de son visage me fit de la peine ; je vis bien qu'il souffrait cruellement. « J'ai lu sa lettre, me dit-il ; elle m'a fait mal : j'avais espéré que ma vie ne serait funeste à personne, et voilà que j'ai perdu la destinée de la plus sensible des femmes. Voyons enfin, me dit-il en reprenant de l'empire sur lui-même, voyons ce qu'il reste à faire. Quoiqu'il me soit très pénible d'avoir l'air de céder, en partant, à la volonté de M. d'Ervins, j'y consens, puisque Thérèse le désire ; je ne crains pas que personne imagine que c'est ma vie que j'ai ménagée. Vous, madame, ajouta-t-il, que j'ai connue par tant de preuves d'une angélique bonté, il faut que vous m'en donniez une dernière ; il faut que vous receviez, après-demain, dans la soirée, Thérèse et moi chez vous. Je partirai ce matin ostensiblement : M. d'Ervins se croira sûr que je suis en route pour le Portugal ; quelques affaires l'appellent à Saint-Germain, et pendant qu'il y sera, Thérèse viendra chez vous en secret. Je sais que la demande que je vous fais serait refusée par une femme commune, accordée sans réflexion par une femme légère ; je l'obtiendrai de votre sensibilité. Je n'ai peut-être pas toujours partagé l'impétuosité des sentiments de Thérèse ; mais aujourd'hui cet adieu m'est aussi nécessaire qu'à elle : ces derniers événements ont produit sur mon caractère une impression dont je ne le croyais pas susceptible ; je veux que Thérèse entende ce que j'ai à lui dire sur sa situation. »

M. de Serbellane s'arrêta, étonné de mon silence ; ce qui s'était passé hier avec M. de Fierville me donnait encore plus de répugnance pour une nouvelle démarche : la calomnie ou la médisance peuvent me perdre auprès de Léonce. Je n'osais pas cependant refuser M. de Serbellane : quel motif lui donner ? J'aurais rougi de prétexter un scrupule de morale, quand ce n'était pas la véritable cause de mon incertitude : honte éternelle à qui pourrait vouloir usurper un sentiment d'estime !

Je ne sais si M. de Serbellane s'aperçut de mes combats, mais, me prenant la main, il me dit avec ce calme qui donne toujours l'idée d'une raison supérieure : « Vous l'avez promis à Thérèse ; j'en suis témoin, elle y a compté ; tromperez-vous sa confiance ? serez-vous insensible à son désespoir ? — Non, lui répondis-je, quoi qu'il puisse arriver, je ne lui causerai pas une telle douleur ; employez cette entrevue à calmer son esprit, à la ramener aux devoirs que sa destinée lui impose, et s'il en résulte pour moi quelque grand malheur, du moins je n'aurai jamais été dure envers un autre, j'aurai droit à la pitié. — Généreuse amie, s'écria M. de Serbellane, vous serez heureuse dans vos sentiments ; je les ai devinés, j'ose les approuver, et tous les vœux de mon âme sont pour votre félicité. Je mettrai tant de prudence et de secret dans cette entrevue, que je vous promets d'en écarter tous les inconvénients. Je ferai servir ces dernières heures à fortifier la raison de Thérèse, et dans votre maison il ne sera prononcé que des paroles dignes de vous ; la nuit suivante je pars, je quitte peut-être pour jamais la femme qui m'a le plus aimé, et vous, madame, et vous dont le caractère est si noble, si sensible et si vrai. » C'était la première fois que M. de Serbellane m'exprimait vivement son estime : j'en fus émue. Cet homme a l'art de toucher par ses moindres paroles ; le courage qu'il avait su m'inspirer me soutint quelques moments ; mais à peine fut-il parti, que je fus saisie d'un profond sentiment de tristesse, en pensant à tous les hasards de l'engagement que je venais de prendre.

Si j'avais pu consulter Léonce, ne m'aurait-il pas désapprouvée ? il ne voudrait pas au moins, j'en suis sûre, que sa femme se permît une conduite aussi faible. Ah ! pourquoi n'ai-je pas dès à présent la conduite qu'il exigerait de sa femme ! Cependant ma promesse n'était-elle pas donnée ? pouvais-je supporter d'être la cause volontaire de la douleur la plus déchirante ? Non, mais que ce jour n'est-il passé !

Je suivis mon projet d'aller chez madame de Vernon, quoique je fusse bien peu capable de lui parler, dans la distraction où me jetait le consentement que M. de Serbellane avait obtenu de moi. Je trouvai Léonce avec madame de Vernon : il venait prendre congé d'elle, avant d'aller passer quelques jours à Mondoville ; il se plaignit de ne m'avoir pas vue, mais avec des mots si doux sur mon dévouement à l'amitié, que je dus espérer qu'il m'en aimait davantage. Il soutint la conversation avec un esprit très libre ; il me parut, en l'observant, que son parti était pris ; jusqu'alors il avait eu l'air entraîné, mais non résolu ; j'espérai beaucoup pour moi de son calme : s'il m'avait sacrifiée, il aurait été impossible qu'il me regardât d'un air serein.

Madame de Vernon allait aux Tuileries faire sa cour à la reine ; elle me pria de l'accompagner. Léonce dit qu'il irait aussi ; je rentrai chez moi pour m'habiller, et un quart d'heure après, Léonce et madame de Vernon vinrent me chercher.

Nous attendions la reine dans le salon qui précède sa chambre, avec quarante femmes les plus remarquables de Paris : madame de R. arriva : c'est une personne très inconséquente, et qui s'est perdue de réputation par des torts réels et par une inconcevable légèreté. Je l'ai vue trois ou quatre fois chez sa tante madame d'Artenas ; j'ai toujours évité avec soin toute liaison avec elle, mais j'ai eu l'occasion de remarquer dans ses discours un fonds de douceur et de bonté : je ne sais comment elle eut l'imprudence de paraître sans sa tante aux Tuileries, elle qui doit si bien savoir qu'aucune femme ne veut lui parler en public. Au moment où elle entra dans le salon, mesdames de Sainte-Albe et de Tésin, qui se plaisent assez dans les exécutions sévères, et satisfont volontiers, sous le prétexte de la vertu, leur arrogance naturelle ; mesdames de Sainte-Albe et de Tésin quittèrent la place où elles étaient assises, du même côté que madame de R. ; à l'instant toutes les autres femmes se levèrent, par bon air ou par timidité, et vinrent rejoindre à l'autre extrémité de la chambre madame de Vernon, madame du Marset et moi. Tous les hommes bientôt suivirent cet exemple, car ils veulent, en séduisant les femmes, conserver le droit de les en punir.

Madame de R. restait seule l'objet de tous les regards, voyant le cercle se reculer à chaque pas qu'elle faisait pour s'en approcher, et ne pouvant cacher sa confusion. Le moment allait arriver où la reine nous ferait entrer, ou sortirait pour nous recevoir : je prévis que la scène deviendrait alors encore plus cruelle. Les yeux de madame de R. se remplissaient de larmes ; elle nous regardait toutes, comme pour implorer le secours d'une de nous : je ne pouvais pas résister à ce malheur : la crainte de déplaire à Léonce, cette crainte toujours présente me retenait encore ; mais un dernier regard jeté sur madame de R. m'attendrit tellement, que, par un mouvement complètement involontaire, je traversai la salle, et j'allai m'asseoir à côté d'elle. Oui, me disais-je alors, puisque encore une fois les convenances de la société sont en opposition avec la véritable volonté de l'âme, qu'encore une fois elles soient sacrifiées (27).

Madame de R. me reçut comme si je lui avais rendu la vie ; en effet, c'est la vie que le soulagement de ces douleurs que la société peut imposer quand elle exerce sans pitié toute sa puissance. A peine eus-je parlé à madame de R. que je ne pus m'empêcher de regarder Léonce : je vis de l'embarras sur sa physionomie, mais point de mécontentement. Il me sembla que ses yeux parcouraient l'assemblée avec inquiétude, pour juger de l'impression que je produisais ; mais que la sienne était douce !

Madame de Vernon ne cessa point de causer avec M. de Fierville, et n'eut pas l'air d'apercevoir ce qui se passait ; je soutins assez bien jusqu'à la fin ce qu'il pouvait y avoir d'un peu gênant dans le rôle que je m'étais imposé. En sortant de l'appartement de la reine, madame de R. me dit, avec une émotion qui me récompensa mille fois de mon sacrifice : « Généreuse Delphine ! vous m'avez donné la seule leçon qui pût faire impression sur moi ! Vous m'avez fait aimer la vertu, son courage et son ascendant. Vous apprendrez dans quelques années, qu'à compter de ce jour je ne serai plus la même. Il me faudra longtemps avant de me croire digne de vous voir ; mais c'est le but que je me proposerai, c'est l'espoir qui me soutiendra. » Je lui pris la main à ces derniers mots, et je la serrai affectueusement. Un sourire amer de madame du Marset, un regard de M. de Fierville m'annoncèrent leur désapprobation ; ils parlaient tous les deux à Léonce, et je crus voir qu'il était péniblement affecté de ce qu'il entendait : je cherchai des yeux madame de Vernon ; elle était encore chez la reine. Pendant ce moment d'incertitude, Léonce m'aborda, et me demanda avec assez de sérieux la permission de me voir seule chez moi, dès qu'il aurait reconduit madame de Vernon. J'y consentis par un signe de tête ; j'étais trop émue pour parler.

Je retournai chez moi ; j'essayai de lire en attendant l'arrivée de Léonce. Mais lorsque trois heures furent sonnées, je me persuadai que madame de Vernon l'avait retenu, qu'il s'était expliqué avec elle, qu'elle avait intéressé sa délicatesse à tenir les engagements de sa mère, et qu'il allait m'écrire pour s'excuser de venir me voir. Un domestique entra pendant que je faisais ces réflexions ; il portait un billet à la main, et je ne doutai pas que ce billet ne fût l'excuse de Léonce. Je le pris sans rien voir ; un nuage couvrait mes yeux : mais quand j'aperçus la signature de Thérèse, j'éprouvai une joie bien vive ; elle me demandait de venir le soir chez elle : je répondis que j'irais avec un empressement extrême : je crois que j'étais reconnaissante envers Thérèse, de ce que c'était elle qui m'avait écrit.

Je me rassis avec plus de calme ; mais peu de temps après mon inquiétude recommença ; j'avais appris depuis une heure à distinguer parfaitement tous les bruits de voiture : je reconnaissais à l'instant celles qui venaient du côté de la maison de madame de Vernon. Quand elles approchaient, je retenais ma respiration pour mieux entendre, et quand elles avaient passé ma porte, je tombais dans le plus pénible abattement. Enfin, une s'arrête, on frappe, on ouvre, et j'aperçois le carrosse bleu de Léonce qui m'était si bien connu. Je fus bien honteuse alors de l'état dans lequel j'avais été ; il me semblait que Léonce pouvait le deviner, et je me hâtai de reprendre un livre, et de me préparer à recevoir comme une visite, avec les formes accoutumées de la société, celui que j'attendais avec un battement de cœur qui soulevait ma robe sur mon sein.

Léonce enfin parut ; l'air en devint plus léger et

plus pur. Il commença par me dire que madame de Vernon l'avait retenu avec une insistance singulière, sans lui parler d'aucun sujet intéressant, mais le rappelant sans cesse pour le charger des commissions les plus indifférentes. « Elle doit, lui dis-je, en faisant effort sur moi-même, chercher tous les moyens de vous captiver ; vous ne pouvez en être surpris. — Ce n'est pas elle, reprit Léonce avec une expression assez triste, qui peut influer sur mon sort, vous seule exercez cet empire ; je ne sais pas si vous vous en servirez pour mon bonheur. » Ce doute m'étonna ; je gardai le silence ; il continua : « Si j'avais eu la gloire de vous intéresser, ne penseriez-vous pas aux prétextes que vous donnez à la méchanceté... oublieriez-vous le caractère de ma mère, et les obstacles... » Il s'arrêta, et appuya sa tête sur sa main. « Que me reprochez-vous, Léonce ? lui dis-je ; je veux l'entendre avant de me justifier. — Votre liaison intime avec madame de R. ; madame d'Albémar devait-elle choisir une telle amie ? — Je la voyais pour la troisième fois, répondis-je, depuis que je suis à Paris ; je n'ai jamais été chez elle, elle n'est jamais venue chez moi. — Quoi ! s'écria Léonce, et madame du Marset a osé me dire... — Vous l'avez écoutée ; c'est vous qui êtes bien plus coupable.

« Ce n'est pas tout encore, ajoutai-je ; ne m'avez-vous pas désapprouvée d'avoir été me placer à côté d'elle ? — Non, répondit Léonce, je souffrais, mais je ne vous blâmais pas. — Vous souffriez, repris-je avec assez de chaleur, quand je me livrais à un sentiment généreux ; ah ! Léonce, c'était du malheur de cette infortunée qu'il fallait s'affliger, et non de l'heureuse occasion qui me permettait de la secourir. Sans doute madame de R. a dégradé sa vie ; mais pouvons-nous savoir toutes les circonstances qui l'ont perdue ? a-t-elle eu pour époux un protecteur, ou un homme indigne d'être aimé ? ses parents ont-ils soigné son

éducation ? le premier objet de son choix a-t-il
ménagé sa destinée ? n'a-t-il pas flétri dans son cœur
toute espérance d'amour, tout sentiment de délicatesse ? Ah ! de combien de manières le sort des
femmes dépend des hommes (28) ! D'ailleurs, je ne
me vanterai point d'avoir pensé ce matin à la
conduite de madame de R., ni à l'indulgence qu'elle
peut mériter ; j'ai été entraînée vers elle par un
mouvement de pitié tout à fait irréfléchi. Je n'étais
point son juge, et il fallait être plus que son juge pour
se refuser à la soulager d'un grand supplice, l'humiliation publique. Ces mêmes femmes qui l'ont outra-
gée, pensez-vous que si elles l'eussent rencontrée
seule à la campagne, elles se fussent éloignées d'elle ?
Non, elles lui auraient parlé ; leur indignation vertueuse, se trouvant sans témoins, ne se serait point
réveillée. Que de petitesses vaniteuses et de cruautés
froides dans cette ostentation de vertus, dans ce
sacrifice d'une victime humaine, non à la morale,
mais à l'orgueil ! Écoutez-moi, Léonce, lui dis-je avec
enthousiasme, je vous aime ; vous le savez, je ne
chercherais point à vous le cacher quand même vous
l'ignoreriez encore ; loin de moi toutes les ruses du
cœur, même les plus innocentes : mais, je l'espère, je
ne sacrifierai pas à cette affection toute-puissante les
qualités que je dois aux chers amis qui ont élevé mon
enfance : je braverai le plus grand des dangers pour
moi, la crainte de vous déplaire, oui, je le braverai,
quand il s'agira de porter quelque consolation à un
être malheureux. »

Longtemps avant d'avoir fini de parler, j'avais vu
sur le visage de Léonce que j'avais triomphé de
toutes ses dispositions sévères ; mais il se plaisait à
m'entendre, et je continuais, encouragée par ses
regards. « Delphine, me dit-il en me prenant la main,
céleste Delphine, il n'est plus temps de vous résister.
Qu'importe si nos caractères et nos opinions s'accor-

dent en tout, il n'y a pas dans l'univers une autre femme de la même nature que vous ! aucune n'a dans les traits cette empreinte divine que le ciel y a gravée, pour qu'on ne pût jamais vous comparer à personne ; cette âme, cette voix, ce regard se sont emparés de mon être ; je ne sais quel sera mon sort avec vous, mais sans vous il n'y a plus sur la terre pour moi que des couleurs effacées, des images confuses, des ombres errantes ; et rien n'existe, rien n'est animé quand vous n'êtes pas là. Soyez donc, s'écria-t-il en se jetant à mes pieds, soyez donc la compagne de ma destinée, l'ange qui marchera devant moi, pendant les années que je dois encore parcourir. Soignez mon bonheur que je vous livre avec ma vie ; ménagez mes défauts, ils naissent, comme mon amour, d'un caractère passionné ; et demandez au ciel pour moi, le jour de notre union, que je meure jeune, aimé de vous, sans avoir jamais éprouvé le moindre refroidissement dans cette affection touchante que votre cœur m'a généreusement accordée. »

Ah ! Louise, quels sentiments j'éprouvais ! Je serrais ses mains dans les miennes, je pleurais, je craignais d'interrompre par un seul mot ces paroles enivrantes ! Léonce me dit qu'il allait écrire à sa mère pour lui déclarer formellement son intention, et il sollicita de moi la promesse de m'unir à lui, quelle que fût la réponse d'Espagne, au moment où elle serait arrivée. Je consentais avec transport au bonheur de ma vie, quand tout à coup je réfléchis que cette demande ne pouvait s'accorder avec la résolution que j'avais formée de confier mon secret à madame de Vernon, avant d'avoir pris aucun engagement. La délicatesse me faisait une loi de ne donner aucune réponse décisive sans lui avoir parlé. Je ne voulus pas dire à Léonce ma résolution à cet égard, dans la crainte de l'irriter ; je lui répondis donc que je lui demandais de n'exiger de moi aucune promesse

avant son retour. Il recula d'étonnement à ces mots,
et sa figure devint très sombre ; j'allais le rassurer,
lorsque tout à coup ma porte s'ouvrit, et je vis entrer
madame de Vernon, sa fille et M. de Fierville. Je fus
extrêmement troublée de leur présence, et je regrettais surtout de n'avoir pu m'expliquer avec Léonce
sur le refus qui l'avait blessé. Madame de Vernon ne
m'observa pas, et s'assit fort simplement, en m'annonçant qu'elle venait me chercher pour dîner chez
elle : Matilde eut un moment d'étonnement lorsqu'elle vit Léonce chez moi ; mais cet étonnement se
passa sans exciter en elle aucun soupçon : la lenteur
de ses idées et leur fixité la préservent de la jalousie.
« A propos, me dit madame de Vernon, est-il vrai
que M. de Serbellane part après-demain pour le
Portugal ? » Je rougis à ce mot extrêmement, dans la
crainte qu'il ne compromît Thérèse, et je me hâtai de
dire qu'il était parti ce matin même. Léonce me
regarda avec une attention très vive, puis il tomba
dans la rêverie. Je sentis de nouveau le malheur du
secret auquel j'étais condamnée, et je tressaillis en
moi-même, comme si mon bonheur eût couru quelque grand hasard. Madame de Vernon me proposa
de partir ; elle insista, mais faiblement, pour que
Léonce vînt chez elle : M. Barton l'attendait ; il
refusa. Comme je montais en voiture, il me dit à voix
basse, mais avec un ton très solennel : « N'oubliez
pas qu'avec un caractère tel que le mien, un tort du
cœur, une dissimulation, détruirait sans retour et
mon bonheur et ma confiance. » Je le regardai pour
me plaindre, ne pouvant lui parler, entourée comme
je l'étais ; il m'entendit, me serra la main, et s'éloigna ; mais, depuis, une oppression douloureuse ne
m'a point quittée.

Il est enfin convenu que, demain au soir, madame
de Vernon me recevra seule. Avant cette heure,
Thérèse et son amant se seront rencontrés chez moi :

c'est trop pour demain. J'ai vu ce soir Thérèse ; elle savait ma promesse par un mot de M. de Serbellane ; je n'aurais pu lui persuader moi-même, quand je l'aurais voulu, que j'étais capable de me rétracter. Son mari croit M. de Serbellane en route ; il va demain à Saint-Germain : tout est arrangé d'une manière irrévocable ; je suis liée de mille nœuds ; mais, je l'espère au moins, c'est le dernier secret qui existera jamais entre Léonce et moi. Vous, ma sœur, à qui j'ai tout dit, songez à moi ; mon sort sera bientôt décidé.

LETTRE XXXI

Léonce à sa mère

Mondoville, 6 juillet 1790.

Je suis dans cette terre où vous avez passé les plus heureuses années de votre mariage ; c'est ici, mon excellente mère , que vous avez élevé mon enfance : tous ces lieux sont remplis de mes plus doux souvenirs, et je retrouve en les voyant cette confiance dans l'avenir, bonheur des premiers temps de la vie. J'y ressens aussi mon affection pour vous avec une nouvelle force ; cette affection de choix que mon cœur vous accorderait, quand le devoir le plus sacré ne me l'imposerait pas. Vous me connaissez d'autant mieux, qu'à beaucoup d'égards je vous ressemble ; fixez donc, je vous en conjure, toute votre attention et tout votre intérêt sur la demande que je vais vous faire.

Je puis être malheureux de beaucoup de manières ; mon âme irritable est accessible à des peines de tout genre ; mais il n'existe pour moi qu'une seule source de bonheur, et je n'en goûterai point sur la terre, si je n'ai pas pour femme un être que j'aime et dont l'esprit intéresse le mien. Ce n'est point le rapide enthousiasme d'un jeune homme pour une jolie femme que je prends pour l'attachement nécessaire à toute ma vie ; vous savez que la réflexion se mêle toujours à mes sentiments les plus passionnés : je suis profondément amoureux de madame d'Albémar ; mais je n'en suis pas moins certain que c'est la raison qui me guide dans le choix que j'ai fait d'elle pour lui confier ma destinée.

Mademoiselle de Vernon est une personne belle, sage et raisonnable ; je suis convaincu qu'elle ne donnera jamais à son époux aucun sujet de plainte, et que sa conduite sera conforme aux principes les plus réguliers ; mais est-ce l'absence des peines que je cherche dans le mariage ? je ferais tout aussi bien alors de rester libre. D'ailleurs je n'atteindrais pas même à ce but en me résignant à l'union que l'on me propose. Que ferais-je de l'âme et de l'esprit que j'ai, avec une femme d'une nature tout à fait différente ? N'avez-vous pas souvent remarqué dans la vie combien les gens médiocres et les personnes distinguées s'accordent mal ensemble ! Les esprits tout à fait vulgaires s'arrangent beaucoup mieux avec les esprits supérieurs ; mais la médiocrité ne suppose rien au delà de sa propre intelligence, et regarde comme folie tout ce qui la dépasse. Mademoiselle de Vernon a déjà un caractère et un esprit arrêtés, qui ne peuvent plus ni se modifier, ni se changer ; elle a des raisonnements pour tout, et les pensées des autres ne pénètrent jamais dans sa tête. Elle oppose constamment une idée commune à toute idée nouvelle, et croit en avoir triomphé. Quel plaisir la conversation pourrait-elle donner avec une telle femme ! et l'un des premiers bonheurs de la vie intime n'est-il pas de s'entendre et de se répondre ? Que de mouvements, que de réflexions, que de pensées, que d'observations ne me serait-il pas impossible de communiquer à Matilde ! et que ferais-je de tout ce que je ne pourrais pas lui confier, de cette moitié de ma vie à laquelle je ne pourrais jamais l'associer !

Ah ! ma mère, je serai seul, pour jamais seul, avec tout autre femme que Delphine, et c'est une douleur toujours plus amère avec le temps, que cette solitude de l'esprit et du cœur, à côté de l'objet qui vers la fin de la vie doit être votre unique bien. Je ne supporterais point une telle situation ; j'irais chercher ailleurs cette société parfaite, cette harmonie des âmes, dont jamais l'homme ne peut se passer ; et quand je serais vieux, je rapporterais mes tristes jours à celle à qui je n'aurais pu donner un doux souvenir de mes jeunes années.

Quel avenir ! ma mère ; pouvez-vous y condamner votre fils, quand le hasard le plus favorable lui présente l'objet qui ferait le bonheur de toutes les époques de sa vie, la plus belle des femmes, et cependant celle qui, dépouillée de tous les agréments de la jeunesse, posséderait encore les trésors du temps, la douceur, l'esprit et la bonté ! Vous avez donné, par une éducation forte, une grande activité à mes vertus comme à mes défauts ; pensez-vous qu'un tel caractère soit facile à rendre heureux !

Si vous eussiez pris des engagements indissolubles, des engagements consacrés par l'honneur, c'en était fait, j'immolais ma vie à votre parole ; mais sans doute votre consentement n'avait point un semblable caractère, puisque vous ne m'avez jamais fait cette objection, en réponse à dix lettres qui vous interrogeaient à cet égard. Vous ne m'avez parlé que des injustes préventions qu'on vous a données contre madame d'Albémar.

On vous a dit qu'elle était légère, imprudente, coquette, philosophe ; tout ce qui vous déplaît en tout genre, on l'a réuni sur Delphine. Ne pouvez-vous donc pas, ma mère, en croire votre fils autant que madame du Marset ! Delphine a été élevée dans la solitude, par des personnes qui n'avaient point la connaissance du monde, et dont l'esprit était cependant fort éclairé ; elle ne vit à Paris que depuis un an, et n'a point appris à se défier des jugements des hommes. Elle croit que la morale suffit à tout, et qu'il faut dédaigner les préjugés reçus, les convenances admises, quand la vertu n'y est point intéressée. Mais le soin de mon bonheur la corrigera de ce défaut ; car ce qu'elle est avant tout, c'est bonne et sensible ! elle m'aime, que n'obtiendrai-je donc pas d'elle, et pour vous, et pour moi ?

On vous a parlé de la supériorité de son esprit ; et comme à ma prière vous avez consenti à venir vivre chez moi l'année prochaine, vous craignez de rencontrer dans votre belle-fille un caractère despotique. Matilde, dont l'esprit est borné, a des volontés positives sur les plus petites circonstances de la vie domestique ; Delphine n'a que deux intérêts au monde, le sentiment et la pensée : elle est sans désirs, comme sans avis sur les détails journaliers, et s'abandonne avec joie à tous les goûts des autres ; elle n'attache du prix qu'à plaire et à être aimée. Vous serez l'objet continuel de ses soins les plus assidus : je la vois avec madame de Vernon ; jamais l'amour filial, l'amitié complaisante et dévouée ne pourraient inspirer une conduite plus aimable. Ah ! ma mère, c'est votre bonheur autant que le mien que j'assure en épousant madame d'Albémar.

Vous n'avez pas réfléchi combien vous auriez de peine à ménager l'amour-propre d'une personne médiocre : tout est si doux ! tout est si facile avec un être vraiment supérieur ! Les opinions mêmes de Delphine sont mille fois plus aisées à modifier que celles de Matilde. Delphine ne peut jamais craindre d'être humiliée ; Delphine ne peut jamais éprouver les inquiétudes de la vanité ; son esprit est prêt à reconnaître une erreur, accoutumé qu'il est à découvrir tant de vérités nouvelles, et son cœur se plaît à céder aux lumières de ceux qu'elle aime.

On vous a dit encore, j'ai honte de l'écrire, qu'elle était fausse et dissimulée ; que j'ignorais sa vie passée et ses affections présentes : sa vie passée ! tout le monde la sait ; ses affections présentes ! que vous a-t-on mandé sur M. de Serbellane ? pourquoi me le nommez-vous ? Non, Delphine ne m'a rien caché. Delphine fausse ! dissimulée !... Si cela pouvait être vrai, son caractère serait le plus méprisable de tous ; car elle profanerait indignement les plus beaux dons que la nature ait jamais faits pour entraîner et convaincre.

Enfin, j'oserai vous le dire, sans porter atteinte au respect profond que j'aime à vous consacrer, je suis résolu à épouser madame d'Albémar, à moins que vous ne vous prouviez qu'une loi de l'honneur s'y oppose. Le sacrifice que je ferais alors serait bientôt suivi de celui de ma vie : l'honneur peut l'exiger ; mais vous, ma mère, seriez-vous heureuse à ce prix ?

LETTRE XXXII

Delphine à mademoiselle d'Albémar

Bellerive, ce 6 juillet.

Ma chère sœur, j'étais sans doute avertie par quelque pressentiment du ciel lorsque j'éprouvais un si grand effroi de la journée d'hier. Oh ! de quel événement ma fatale complaisance est la première cause ! J'éprouve autant de remords que si j'étais coupable, et je n'échappe à ces réflexions que par une douleur plus vive encore, par le spectacle du désespoir de Thérèse. Et Léonce ! Léonce ! juste ciel ! quelle impression recevra-t-il de mon imprudente conduite ? Ma Louise, je me dis à chaque instant que si vous aviez été près de moi, aucun de ces malheurs ne me serait arrivé. Mais la bonté, mais la pitié naturelles à mon caractère m'égarent, loin d'un guide qui saurait joindre à ces qualités une raison plus ferme que la mienne.

Hier, à deux heures après midi, M. d'Ervins alla dîner à Saint-Germain chez un de ses amis, se croyant assuré du départ de M. de Serbellane. Madame d'Ervins arriva chez moi vers cinq heures, seule, à pied, dans un état déplorable ; et peu de moments après, M. de Serbellane vint très secrètement pour lui dire un adieu qui sera plus long, hélas ! qu'ils ne l'imaginaient alors. Ma porte était défendue pour tout le monde, et pour M. d'Ervins en particulier ; on disait chez moi que j'étais partie pour Bellerive, et tous mes volets fermés du côté de la cour servaient à le persuader. Je fus témoin, pendant trois heures, de la douleur la plus déchirante ; je versai beaucoup de larmes avec Thérèse, et j'étais déjà bien abattue lorsque la plus terrible épreuve tomba sur moi.

Au moment où j'avais obtenu de Thérèse et de M. de Serbellane qu'ils se séparassent, un de mes gens entra, et me dit qu'un domestique de madame de Vernon m'apportait un billet d'elle, et demandait à me parler ; je sors et je vois, jugez de ma terreur, je vois M. d'Ervins ! Il était déjà dans la chambre voisine, et se débarrassant d'une redingote à la livrée des gens de madame de Vernon, dont il s'était revêtu pour se déguiser : il s'avance tout à coup, malgré mes efforts, se précipite sur la porte de mon salon, l'ouvre, et trouve M. de Serbellane à genoux devant Thérèse, la tête baissée sur sa main. Thérèse reconnaît son mari la première, et tombe sans connaissance sur le plancher. M. de Serbellane la relève dans ses bras, avant d'avoir encore aperçu M. d'Ervins, et croyant que la douleur des adieux était la seule cause de l'état où il voyait Thérèse. M. d'Ervins arrache sa femme des bras de son amant, et la jette sur une chaise, en l'abandonnant à mes secours ; il se retourne ensuite vers M. de Serbellane, et tire son épée sans remarquer que son adversaire n'en avait pas ; les cris qui m'échappèrent attirèrent mes gens ; M. de Serbellane leur ordonna de s'éloigner, et, s'adressant à M. d'Ervins, il lui dit : « Vous devez croire à madame d'Ervins, monsieur, des torts qu'elle n'a pas ; je la quittais, je la priais de recevoir mes adieux. »

M. d'Ervins alors entra dans une colère, dont les expressions étaient à la fois insolentes, ignobles et furieuses. A travers tous ses discours, on voyait cependant la plus ferme résolution de se battre avec M. de Serbellane. J'essayai de persuader à M. d'Ervins que cette scène pourrait être ignorée de tout le monde ; mais je compris par des réponses une partie de ce que j'ai su depuis avec détail ; c'est que M. de Fierville savait tout, avait tout dit, et que cette raison, plus qu'aucune autre encore, animait le courage de M. d'Ervins.

M. de Serbellane souffrait de la manière la plus cruelle ; je voyais sur son visage le combat de toutes les passions généreuses et fières ; il était immobile devant une fenêtre, mordant ses lèvres, écoutant en silence les folles provocations de M. d'Ervins, et regardant seulement quelquefois le visage pâle et mourant de Thérèse, comme s'il avait besoin de trouver dans ce spectacle des motifs pour se contenir.

Il me vint dans l'esprit, après avoir tout épuisé

pour calmer M. d'Ervins, de détourner sa colère sur moi, et j'essayai de lui dire que c'était moi qui avais engagé madame d'Ervins à venir : je commençais à peine ces mots que, se rappelant ce qu'il avait oublié, que le rendez-vous s'était donné dans ma maison, il se permit sur ma conduite les réflexions les plus insultantes. M. de Serbellane alors ne se contint plus, et saisissant la main de M. d'Ervins, il lui dit : « C'en est assez, monsieur, c'en est assez ; vous n'aurez plus affaire qu'à moi, et je vous satisferai. » Thérèse revint à elle dans ce moment. Quelle scène pour elle, grand Dieu ! une épée nue, la fureur qui se peignait dans les regards de son amant et de son mari, lui apprirent bientôt de quel événement elle était menacée ; elle se jeta aux pieds de M. d'Ervins pour l'implorer.

Alors, soit que, prêt à se battre, il éprouvât un ressentiment plus âpre encore contre celle qui en était la cause, soit qu'il fût dans son caractère de se plaire dans les menaces, il lui déclara qu'elle devait s'attendre aux plus cruels traitements, qu'il lui retirerait sa fille, qu'il l'enfermerait dans une terre pour le reste de ses jours, et que l'univers entier connaîtrait sa honte, puisqu'il allait s'en laver lui-même dans le sang de son amant. A ces atroces discours, M. de Serbellane fut saisi d'une colère telle, que je frémis encore en me la rappelant : ses lèvres étaient pâles et tremblantes, son visage n'avait plus qu'une expression convulsive ; il me dit à voix basse en s'approchant de moi : « Voyez-vous cet homme, il est mort ; il vient de se condamner ; je perdrai Thérèse pour toujours, mais je la laisserai libre, et je lui conserverai sa fille. » A ces mots, avec une action plus prompte que le regard, il prit M. d'Ervins par le bras et sortit.

Thérèse et moi nous les suivîmes tous les deux ; ils étaient déjà dans la rue. Thérèse, en se précipitant sur l'escalier, tomba de quelques marches ; je la relevai, j'aidai à la reporter sur mon lit, et je chargeai Antoine, le valet de chambre intelligent que vous m'avez donné, de rejoindre M. d'Ervins et M. de Serbellane, et de nous rapporter à l'instant ce qui se serait passé.

Je tins serrée dans mes bras pendant cette cruelle incertitude la malheureuse Thérèse, qui n'avait qu'une idée, qui ne craignait au monde que le danger de M. de Serbellane.

Antoine revint enfin, et nous apprit que dans le fatal combat M. d'Ervins avait été tué sur place. Thérèse, en l'apprenant, se jeta à genoux, et s'écria : « Mon Dieu, ne condamnez pas aux peines éternelles la criminelle Thérèse ! accordez-lui les bienfaits de la pénitence ; sa vie ne sera plus qu'une expiation sévère, ses derniers jours seront consacrés à mériter votre miséricorde ! » En effet depuis ce moment toutes ses idées semblent changées ; le repentir et la dévotion se sont emparés de son esprit troublé : elle ne s'est pas permis de me prononcer une seule fois le nom de son amant.

Antoine, après nous avoir dit l'affreuse issue du combat, nous apprit qu'il avait eu lieu dans les Champs-Élysées, presque devant le jardin de madame de Vernon. Lorsque M. d'Ervins fut tombé, M. de Serbellane vit Antoine et l'appela ; il le chargea de me dire, n'osant pas prononcer le nom de Thérèse, qu'après un tel événement il était obligé de partir à l'instant même pour Lisbonne, mais qu'il m'écrirait dès qu'il y serait arrivé. Ces derniers mots furent entendus de quelques personnes qui s'étaient rassemblées autour du corps de M. d'Ervins, et mon nom seul fut répété dans la foule. Antoine, appelé comme témoin par la justice, ne déposera rien qui puisse compromettre Thérèse, et mon nom seul, s'il le faut, sera prononcé ; j'espère donc que je sauverai à Thérèse l'horrible malheur de passer pour la cause de la mort de son mari.

M. d'Ervins a un frère méchant et dur, qui serait capable, pour enlever à Thérèse sa fille et la direction de sa fortune, de l'accuser publiquement d'avoir excité son amant au meurtre de son mari. Thérèse me fit part de ses craintes, dont Isore seule était l'objet. Nous convînmes ensemble que nous ferions dire partout qu'une querelle politique, que je n'avais pu réussir à calmer, était la cause de ce duel. Je priai seulement madame d'Ervins de me permettre de tout confier à madame de Vernon, parce qu'elle était plus en état que personne de diriger l'opinion de la société sur cette affaire, et qu'elle avait de l'ascendant sur M. de Fierville, qui paraissait le seul instruit de la vérité. Je demandai aussi à Thérèse de me donner une grande preuve d'amitié en consentant à ce que Léonce fût dépositaire de son secret ; je lui avouai mon sentiment pour lui, et à ce mot Thérèse ne résista plus.

C'était peut-être trop exiger d'elle ; mais redoutant l'éclat de cette aventure, à laquelle mon nom dans les premiers temps pouvait être malignement associé, il m'était impossible de me résoudre à courir ce hasard auprès de Léonce. Je crains, je n'ai que trop de raisons de craindre qu'il ne blâme ma conduite, mais je veux au moins qu'il en connaisse parfaitement tous les motifs. Il fut aussi décidé que j'emmènerais madame d'Ervins le soir même à ma campagne, et que nous y resterions quelques jours ensemble sans voir personne, jusqu'à ce qu'elle eût des nouvelles de la famille de son mari.

On vint me dire que madame de Vernon me demandait. J'allai la recevoir dans mon cabinet ; il fallait enfin que cette journée si douloureuse se terminât par quelques sentiments consolateurs. Je l'ai souvent remarqué : un soin bienfaisant prépare dans les peines de la vie un soulagement à notre âme, lorsque ses forces sont prêtes à l'abandonner. Quelle affection madame de Vernon me témoigna ! avec quel intérêt elle me questionna sur tous les détails de cet affreux événement ! Elle-même me raconta ce qui avait été la première cause de notre malheur.

Hier au soir madame du Marset crut apercevoir dans la rue M. de Serbellane enveloppé dans un manteau, et le raconta à M. de Fierville. Celui-ci, dînant avec M. d'Ervins, à Saint-Germain, lui soutint que M. de Serbellane n'était pas parti pour le Portugal hier matin, comme il le croyait : il paraît que M. de Fierville le dit d'abord sans mauvaise intention ; mais il le soutint ensuite, malgré l'émotion qu'il remarqua chez M. d'Ervins, parce que la crainte de faire du mal ne l'arrête point, et qu'il aime assez les brouilleries quand il peut y jouer un rôle.

M. d'Ervins voulut partir à l'instant même : cet empressement piqua la curiosité de M. de Fierville ; il lui demanda de l'accompagner. M. d'Ervins passa d'abord chez lui, et n'y trouva point sa femme : il vint à ma porte ; on la lui refusa, en lui disant que j'étais à Bellerive ; mais M. de Fierville prétendit qu'il avait aperçu à travers une jalousie ma femme de chambre qui travaillait, et suggéra lui-même à M. d'Ervins, comme une bonne plaisanterie, d'aller secrètement chez madame de Vernon, et de donner un louis à son domestique pour qu'il lui prêtât sa redingote. « Et vous ne fermerez pas votre porte à M. de Fierville ! dis-je à madame de Vernon avec indignation. — Mon Dieu ! je vous assure, me répondit-elle, qu'il ne se doutait pas des conséquences de ce qu'il faisait. — Et n'est-ce pas assez, lui dis-je, de cette existence sans but, de cette vie sans devoirs, de ce cœur sans bonté, de cette tête sans occupation ? n'est-il pas le fléau de la société, qu'il examine sans relâche, et trouble avec malignité ? — Ah ! dit madame de Vernon, il faut être indulgent pour la vieillesse et pour l'oisiveté ; mais laissons cela pour nous occuper de vous » ; et me parlant alors de Léonce, elle vint elle-même au-devant de la confiance que je voulais avoir en elle.

Combien elle me parut noble et sensible dans cet entretien ! elle m'avoua que depuis longtemps elle m'avait devinée, mais qu'elle avait voulu savoir si Léonce me préférait réellement à sa fille, et qu'en étant maintenant convaincue, elle ne ferait rien pour s'opposer au sentiment qui l'attachait à moi. Elle ne me cacha point que la rupture de ce mariage lui était pénible ; elle exprima ses regrets pour sa fille avec la plus touchante vérité. Néanmoins sa tendre amitié la ramenant bientôt à ce qui me concernait, elle parut se consoler par l'espérance de mon bonheur. Je n'avais point d'expressions assez vives pour lui témoigner ma reconnaissance ; je lui confiai mes craintes sur l'éclat qui venait de se passer ; je lui avouai que je redoutais l'impression qu'il pouvait faire sur Léonce. Elle m'écouta avec la plus grande attention, et me dit, après y avoir beaucoup pensé : « Il faut me charger de lui parler à son arrivée, avant qu'il ait appris tout ce qu'on ne manquera pas de dire contre vous. Il sait que je m'entends mieux qu'une autre à conjurer ces orages d'un jour ; je le tranquilliserai. — Quoi ! lui dis-je, vous me défendrez auprès de lui, avec ce talent sans égal que je vous ai vu quelquefois ? — En doutez-vous ? » me répondit-elle. Son accent me pénétra.

« Je veux lui écrire, lui dis-je ; vous lui remettrez ma lettre. — Pourquoi lui écrire ? reprit-elle ; vos chevaux sont prêts pour partir, la nuit est déjà venue ; vous n'auriez pas le temps de raconter toute cette histoire. — J'éprouve de la répugnance, lui répondis-je, à hasarder dans une lettre le secret de mon amie ; mais je manderai seulement à Léonce que je vous ai tout confié, qu'il peut tout savoir de vous ;

et s'il vous témoigne le désir de venir à Bellerive, vous voudrez bien lui dire que je l'y recevrai. — Oui, reprit-elle vivement ; c'est mieux comme cela ; vous avez raison. »

Je pris la plume, et je sentis une sorte de gêne en écrivant à Léonce en présence de madame de Vernon : mon billet fut plus court et plus froid que je ne l'aurais voulu : tel qu'il était, je le remis à madame de Vernon ; elle le lut attentivement, le cacheta, et me dit qu'il était à merveille, et que j'y conservais la dignité qui me convenait. C'était à elle, ajouta-t-elle, à suppléer à ce que je ne disais pas ; elle me rassura sur ce que je redoutais ; elle me parut convaincue qu'elle me justifierait entièrement auprès de Léonce ; elle en prit presque l'engagement, et se plaisant à me raconter ce qu'elle lui dirait, elle me parla de moi sous cette forme indirecte, avec tant de grâce, de charme et même d'adresse, que je bénis le ciel d'avoir eu l'idée de lui confier ma défense. Non, il n'existe point de femme au monde qui sache faire valoir aussi habilement ceux qu'elle aime. Elle seule connaît assez bien le monde pour rassurer Léonce sur l'éclat que peut avoir le funeste événement auquel mon nom est mêlé. Un sentiment indomptable d'amour et de fierté me rendrait impossible de m'excuser auprès de lui, si son premier mouvement ne m'était pas favorable.

Je finis en recommandant à madame de Vernon de veiller sur la réputation de Thérèse, de ne nommer que moi dans le monde, de me livrer mille fois plutôt qu'elle, et de raconter l'histoire du duel telle que nous avions décidé qu'on la ferait ; elle me le promit : je l'embrassai ; nous nous séparâmes ; j'emmenai Thérèse et sa fille, et nous arrivâmes à trois heures du matin à Bellerive : quel voyage ! quelle journée, ma chère Louise ! J'enverrai cette lettre à Paris demain, de peur que la nouvelle de la mort de M. d'Ervins ne vous arrive avant ma lettre, et ne vous effraye pour moi.

Ce soir, pendant que l'infortunée Thérèse avait désiré d'être seule, je me suis promenée sur le bord de la rivière : j'ai voulu me livrer au souvenir de Léonce ; mais je ne sais, une inquiétude que j'avais de la peine à m'avouer, m'empêchait de m'abandonner au charme de cette idée. Je me rappelai quelques traits sévères de son caractère, ce qu'il en disait lui-même dans sa lettre à M. Barton. Ce n'était plus un amant, c'était un juge que je croyais voir dans Léonce ; et des mouvements d'une fierté douloureuse s'emparaient de mon âme en pensant à lui. Enfin, me retraçant tout ce que madame de Vernon m'avait dit pour me rassurer, je me suis répété qu'un trait de bonté même indiscret ne pouvait détruire les sentiments qu'il m'a témoignés, et je suis rentrée chez moi plus tranquille.

Hélas ! Thérèse, l'infortunée Thérèse est la seule à plaindre ! combien vous vous intéresserez à son malheur, bonne, excellente Louise ! combien vous serez disposée à me pardonner ce que j'ai fait pour elle ! Ce n'est pas vous qui seriez sévère envers les égarements de la pitié.

LETTRE XXXIII

Delphine à mademoiselle d'Albémar

Bellerive, 9 juillet.

Depuis trois jours, le croirez-vous, ma chère Louise ? je n'ai pas reçu une seule lettre de madame de Vernon ! je n'ai pas entendu parler de Léonce !

peut-être n'est-il pas encore revenu de Mondoville. J'ai reçu seulement une lettre de madame d'Artenas, la tante de madame de R., qui me mande que la mort de M. d'Ervins fait un bruit horrible dans Paris, et que beaucoup de gens me blâment : elle me demande de l'instruire de la vérité des faits, pour qu'elle puisse me défendre. Eh ! que m'importe ce qu'on dira de moi ? c'est l'opinion de Léonce que je veux savoir.

J'avais envie d'aller à Paris pour parler encore à madame de Vernon ; je ne puis abandonner Thérèse ; elle a pris la fièvre avec un délire violent, elle veut me voir à tous les instants ; hier j'étais sortie de sa chambre pendant quelques minutes, elle me demanda, et ne me trouvant point auprès d'elle, elle tomba dans un accès de pleurs qui me fit une peine profonde : non, je ne la quitterai point.

LETTRE XXXIV

Delphine à mademoiselle d'Albémar

Bellerive, 10 juillet.

Ce jour s'est encore passé sans nouvelles, et cependant Léonce est arrivé ; un de mes gens, revenu ce soir de Paris, a rencontré un des siens. Je suis descendue vingt fois pendant le jour dans mon avenue, regardant si je ne voyais venir personne, reconnaissant de loin le facteur des lettres, courant d'abord au-devant de lui, mais bientôt forcée de m'appuyer contre un arbre pour l'attendre : les battements de cœur qui me saisissaient m'ôtaient la force de marcher.

J'ai épuisé toutes les informations que l'on peut prendre sur les lettres, sur les moyens d'en recevoir, sur la possibilité d'en perdre ; je suis honteuse auprès de mes gens de ces innombrables questions ; je les ai cessées, n'en espérant plus rien.

Il est clair que madame de Vernon n'a pas été contente de Léonce, puisqu'elle ne m'a pas mandé à l'instant même ce qu'il lui a dit ; elle espère le ramener. Non, je ne lui écrirai point ; non, je n'entrerai avec lui dans aucune justification ; je n'irai point à Paris pour le prévenir, pour lui demander grâce : je peux avoir eu tort selon son opinion ; mais quand je lui confie mes motifs, mais quand je sollicite presque mon pardon par l'entremise de mon amie ; enfin, quand je suis seule ici dans la douleur, auprès du lit d'une infortunée qui succombe aux tourments du repentir et de l'amour, c'est à Léonce à venir me chercher.

LETTRE XXXV

Léonce à sa mère

Paris, 11 juillet.

Je vous ai écrit, je crois, il y a quatre jours, de Mondoville, ma chère mère, une lettre que je désavoue entièrement ; vous aviez raison de choisir mademoiselle de Vernon pour ma femme. Madame de Vernon m'a remis une lettre de vous décisive ; le contrat est signé d'hier au soir, et cependant je vis, vous ne pouvez rien désirer de plus.

J'avais abrégé mon séjour à Mondoville, mais ce n'était pas dans ce but. A mon arrivée, j'apprends que M. de Serbellane a tué M. d'Ervins à la suite d'une querelle politique chez madame d'Albémar ; tout Paris retentit de cet éclat scandaleux ; sur le champ de bataille même M. de Serbellane a nommé madame d'Albémar ; il était renfermé chez elle depuis vingt-quatre heures ; elle m'avait dit qu'il était parti pour le Portugal ; dans huit jours elle part pour Montpellier, d'où elle se rendra à Lisbonne, s'il n'est pas permis à M. de Serbellane de revenir en France pour l'épouser. Elle-même m'a écrit que madame de Vernon m'apprendrait toute son histoire. Enfin de quoi me plaindrais-je ? elle est libre, son caractère devait m'être connu : ne m'aviez-vous pas dit, ma mère, qu'il ne s'accorderait jamais avec le mien ? pardonnez-moi de vous en avoir parlé : oubliez-la.

Je le sais, il ne m'est pas permis d'en finir ; l'existence que vous m'avez donnée vous appartient : j'ai éprouvé une émotion assez forte de tout ceci ; mais ce n'est pas en vain que votre sang m'a transmis le courage et la fierté ; j'en aurai, je serai dans deux jours l'époux de Matilde. Que dira madame d'Albémar alors ? que pensera-t-elle ? Mais qu'importe ce qu'elle pensera ? ma mère, vous serez obéie.

Le pauvre Barton s'est démis le bras en tombant de cheval ; il est obligé de rester à Mondoville encore quelque temps : il s'est aussi comme moi cruellement trompé ; mais qu'en résulte-t-il pour lui ? rien. Adieu, ma mère.

LETTRE XXXVI

Delphine à mademoiselle d'Albémar

Bellerive, dans la nuit du 12 juillet.

Je n'ai plus rien à vous dire sur moi ; aujourd'hui, à six heures du soir, mon sort a fini, et à neuf, j'ai reçu la lettre qui me l'annonce. J'existe ; je crois que je ne mourrai pas ; j'irai vous rejoindre dès que madame d'Ervins sera rétablie. Il y a quelques heures que je me suis crue très mal, mais c'est une des illusions de la douleur : souffrir, ce n'est pas mourir, c'est vivre.

Lisez cette lettre : je suis parvenue à vous le copier ; mais il faut que j'en conserve l'original toujours sous mes yeux ; si je ne la voyais pas, je n'y croirais plus. J'irais trouver Léonce, j'irais lui dire que je l'aime encore ; et de ma vie je ne dois le voir, ni lui parler.

Madame de Vernon à madame d'Albémar

Ce 10 juillet.

La peine que je vais vous causer, ma chère Delphine, m'est extrêmement douloureuse. J'ai remis votre billet à Léonce ; je lui ai parlé avec la plus grande vivacité, mais il était déjà tellement prévenu par le bruit qu'a fait cette malheureuse aventure, qu'il m'a été impossible de le ramener : il prétend que vos caractères ne se conviennent point ; que vous l'offenseriez sans cesse dans ce qu'il a de plus cher au monde, le respect pour l'opinion, et que vous vous rendriez malheureux mutuellement. Il avait, d'ailleurs, reçu une lettre de sa mère, qui s'opposait formellement à ce qu'il vous épousât, et le sommait de remplir ses engagements avec ma fille.

J'ai voulu lui rendre à cet égard toute sa liberté, mais il l'a refusée ; et, comme il était décidé à ne point s'unir avec vous, il m'a paru naturel de revenir à nos anciens projets. Le contrat de Matilde et de Léonce a donc été signé aujourd'hui ; et après-demain, à six heures du soir, ils se marient : je voudrais vous voir avant cet instant si solennel pour

moi ; venez, demain, à Paris, et j'irai chez vous.
Adieu ; je suis bien affectée de votre chagrin.

SOPHIE DE VERNON.

Cette lettre, qui m'est parvenue par la poste,
devait, d'après la date, m'arriver avant-hier : est-ce
la fatalité, ou madame de Vernon voulait-elle s'épargner mes plaintes ? Oh ! j'en suis sûre, elle a froidement servi ma cause ; je me suis confiée dans son
amitié pour moi, et j'avais tort : son affection pour sa
fille a sans doute affaibli toutes ses expressions en ma
faveur. Mais Léonce ! juste ciel ! Léonce devait-il
avoir besoin qu'on me défendît ? La vérité ne lui
suffisait-elle pas ?

Ce matin, je m'éveillais aux espérances des plus
tendres affections du cœur ; la nature me semblait la
même ; je pensais, j'aimais, j'étais moi ; et il se
préparait à conduire une autre femme à l'autel ! il ne
me donnait pas même un regret ! il me croyait
indigne de son nom ! Je voulais, ce soir même, aller
trouver Léonce, oui, l'époux de Matilde, lui demander la raison de cette cruauté, de ce mépris qui
l'avaient forcé de rompre nos liens. Mais quelle
honte, grand Dieu ! l'implorer ! lui qui me croit
dégradée dans l'opinion des hommes ! Ah ! que je
meure, mais que je meure immobile à la place où j'ai
reçu le coup mortel.

Qu'avais-je donc fait, cependant, qui pût inspirer à
Léonce cette haine subite contre moi ? j'avais cédé à
la pitié que m'inspirait l'amour de Thérèse : ne la
comprend-il donc pas, cette pitié (29) ? Se croit-il
certain de n'en avoir jamais besoin ? Ma condescendance peut être blâmée, je le sais ; mais pouvais-je
aimer comme j'aimais Léonce, et n'avoir pas un cœur
accessible à la compassion ? L'amour et la bonté ne
viennent-ils pas de la même source ?

Non, ce ne sont pas les motifs de mon action qu'il juge, c'est ce que les autres en ont dit ; c'est leur opinion qu'il consulte, pour savoir ce qu'il doit penser de moi : jamais il ne m'aurait rendue heureuse, jamais. Ah ! qu'ai-je dit, Louise ? Aucune femme sur la terre ne l'aurait été comme moi : je me serais conformée à son caractère, je l'aurais consulté sur toutes mes actions ; il m'aimait, j'en suis sûre ! sans cet éclat cruel... Ah ! Thérèse, vous nous avez perdues toutes les deux !

J'ai eu soin de lui cacher quelle était la cause de mon désespoir : elle est assez malheureuse. Cependant elle n'a point à se plaindre de son amant ; c'est le sort qui les sépare. Mais Léonce, ce sort, c'est ta volonté, c'est toi (30)... Louise, est-il sûr qu'ils sont mariés maintenant ? qui le sait, qui me le dira ? Sans doute, ils le sont depuis plusieurs heures ; tout est irrévocable.

J'irai pourtant à Paris demain ; je n'y verrai personne, je ne verrai pas madame de Vernon. Qu'at-elle affaire de moi ? Mais je saurai l'heure, le lieu, les circonstances ; je veux me représenter l'événement qui sera désormais l'unique souvenir de ma vie ; je veux d'autres douleurs que cette lettre, d'autres pensées non moins déchirantes, mais qui soulagent un peu ma tête : elle est là, devant moi, cette lettre ; je la regarde sans cesse, comme si elle devait s'animer et répondre à mes avides questions.

Louise, vous aviez raison de craindre le monde pour votre malheureuse Delphine ; voilà mon âme bouleversée ; le calme n'y rentrera plus, la tempête a triomphé de moi : vous qui m'aimez encore, il faut que vous me le pardonniez, mais je crois que je ne peux plus vivre ; j'ai horreur de la société, et la solitude me rend insensée ; il n'y a plus de place sur la terre où je puisse me reposer.

LETTRE XXXVII

Delphine à mademoiselle d'Albémar

Paris, le 13 juillet, à minuit.

Louise, hier il n'était pas marié, non il ne l'était pas encore ! Juste ciel ! seule maintenant, abandonnée de tout ce que j'aimais, vous dirai-je ce que mon désespoir peut à peine me persuader encore ! Écoutez-moi ; si je me rappelle ce que j'ai vu, ce que j'ai ressenti, ma raison n'est pas encore entièrement égarée.

Il me fut impossible de rester plus longtemps à Bellerive ; l'inaction du corps, quand l'âme est agitée, est un supplice que la nature ne peut supporter ; je montai en voiture ; j'ordonnai qu'on me conduisît à Paris, sans aucun projet, sans aucune idée qu'il me fût possible de m'avouer ; je sentais encore, non de l'espérance, mais quelque chose qui différait cependant de l'impression qu'une nouvelle certaine fait éprouver. A force de réfléchir, mes idées s'étaient obscurcies, et j'étais parvenue à douter.

Je contemplais tous les objets dans le chemin avec ce regard fixe qui ne permet de rien distinguer ; j'aperçus cependant un pauvre vieillard sur la route ; je fis arrêter ma voiture pour lui donner de l'argent : ce mouvement n'appartenait point à la bienfaisance, il était inspiré par l'idée confuse qu'une action charitable détournerait de moi le malheur qui me menaçait ; je frémis en découvrant quelques restes d'espoir dans mon âme, en sentant que je n'étais pas encore au dernier terme de la douleur ; je tombai à genoux dans ma voiture sans avoir la force de prier, et j'arrivai dans une anxiété inexprimable.

Antoine était chez moi ; je n'osai lui faire une question directe ; mais je lui dis, sur madame de Vernon, un mot qui devait l'amener à me parler d'elle. « Sans doute, me répondit-il, madame vient ici pour assister au mariage de mademoiselle Matilde avec M. Mondoville : c'est à six heures, à Sainte-Marie, près de Chaillot, à l'extrémité du faubourg, dans l'église du couvent où mademoiselle de Vernon a été élevée : il n'est pas cinq heures, madame a bien le temps de faire sa toilette. » Oh ! Louise ! il n'était pas encore son époux ! j'étais à cinquante pas de lui, je pouvais aller me jeter en travers de la porte, et sa voiture aurait passé sur mon cœur avant que le mariage s'accomplît !

Non jamais une heure n'a fait naître tant de pensées diverses, tant de projets adoptés, rejetés à l'instant ! je me suis crue vingt fois décidée à tout hasarder pour lui parler encore, avant qu'il eût prononcé le serment éternel ; et vingt fois la fierté, la timidité glacèrent mes mouvements, et renfermèrent en moi-même la passion qui me consumait. Je me disais : Léonce, que mon imprudence a détaché de moi, que pensera-t-il d'une action inconsidérée ? Faut-il le voir marcher à l'autel après avoir foulé ma prière ! Cette réflexion m'arrêtait ; mais le souvenir des jours où il m'avait aimée la combattait bientôt avec force. Pendant ces incertitudes je voyais l'heure s'écouler, et le temps décidait pour moi de l'irrévocable destinée.

Je ne sais par quel mouvement je pris tout à coup un parti dont l'idée me donna d'abord quelque soulagement. Je résolus d'aller moi-même, couverte d'un voile, à cette église où ils devaient se marier, et d'être ainsi témoin de la cérémonie. Je ne comprends pas encore quel était mon projet ; je n'avais pas celui de m'opposer au mariage, d'oser faire un tel scandale ; j'espérais, je crois, que je mourrais ; ou plutôt,

DELPHINE

la réflexion ne me guidait pas : la douleur me poursuivait, et je fuyais devant elle.

Je sortis seule, et tellement enveloppée d'un voile et d'un vêtement blanc (31), qu'on ne me reconnut point à ma porte : je marchais dans la rue rapidement ; je ne sais d'où me venait tant de force ; mais il y avait sans doute dans ma démarche quelque chose de convulsif, car je voyais ceux qui passaient s'arrêter en me regardant : une agitation intérieure me soutenait ; je craignais de ne pas arriver à temps, j'étais pressée de mon supplice ; il me semblait qu'en atteignant au plus haut degré de la souffrance, quelque chose se briserait dans ma tête ou dans mon cœur, et qu'alors j'oublierais tout.

J'entrai dans l'église sans avoir repris ma raison ; la fraîcheur du lieu me calma pendant quelques instants : il y avait très peu de monde ; je pus choisir la place que je voulais, et je m'assis derrière une colonne qui me dérobait aux regards, mais cependant, hélas ! me permettait de tout voir. J'aperçus quelques femmes âgées dans le fond de l'église, qui priaient avec recueillement ; et comparant le calme de leur situation avec la violence de la mienne, je haïssais ma jeunesse qui donnait à mon sang cette activité de malheur.

Des instruments de fête se firent entendre en dehors de l'église ; ils annonçaient l'arrivée de Léonce ; les orgues bientôt aussi la célébrèrent, et mon cœur seul mêlait le désespoir à tant de joie. Cette musique produisit sur mes sens un effet surnaturel ; dans quelque lieu que j'entendisse l'air que l'on a joué, il serait pour moi comme un chant de mort. Je m'abandonnai, en l'écoutant, à des torrents de larmes, et cette émotion profonde fut un secours du ciel : j'éprouvai tout à coup un mouvement d'exaltation qui soutint mon âme abattue ; la pensée de l'Être suprême s'empara de moi ; je sentis qu'elle me relevait à mes propres yeux : Non, me dis-je à moi-même, je ne suis point coupable ; et lorsque tout bonheur m'est enlevé, le refuge de ma conscience, le secours d'une Providence miséricordieuse me restera. Je vivrai de larmes ; mais aucun remords ne pouvant s'y mêler, je ne verrai dans la mort que le repos. Ah ! que j'ai besoin de ce repos !

Je n'avais pas encore osé lever les yeux ; mais quand les sons eurent cessé, cette douleur déchirante qu'ils avaient un moment suspendue, me saisit de nouveau ; je vis Léonce à la clarté des flambeaux ; pour la dernière fois sans doute je le vis ! il donnait la main à Matilde ; elle était belle, car elle était heureuse ; et moi, mon visage couvert de pleurs ne pouvait inspirer que de la pitié.

Léonce, est-ce encore une illusion de mon cœur ? Léonce me parut plongé dans la tristesse ; ses traits me semblaient altérés, et ses regards erraient dans l'église, comme s'il eût voulu éviter ceux de Matilde. Le prêtre commença ses exhortations, et lorsqu'il se tourna vers Léonce pour lui adresser des conseils sur le sentiment qu'il devait à sa femme, Léonce soupira profondément, et sa tête se baissa sur sa poitrine.

Vous le dirai-je ! un instant après je crus le voir qui cherchait dans l'ombre ma figure appuyée sur la colonne, et je prononçai dans mon égarement ces mots d'une voix basse : « *C'était à Delphine, Léonce, que cette affection était promise ; oui, Léonce la devait à Delphine ; elle n'a point cessé de la mériter.* » Il se troubla visiblement, quoi qu'il ne pût m'entendre ; madame de Vernon se leva pour lui parler ; elle se mit entre lui et moi ; il s'avança cependant encore pour regarder la colonne ; son ombre s'y peignit encore une fois (32).

J'entendis la question solennelle qui devait décider de moi, un frissonnement glacé me saisit ; je me penchai en avant, j'étendis la main ; mais bientôt épouvantée par la sainteté du lieu, du silence universel, de l'éclat que ferait ma présence, je me retirai par un dernier effort, et j'allai tomber sans connaissance derrière la colonne. Je ne sais ce qui s'est passé depuis ; je n'ai point entendu le *oui* fatal ; le froid bienfaisant de la mort m'a sauvé cette angoisse.

A dix heures du soir, le gardien de l'église, au moment où il allait la fermer, s'est aperçu qu'une femme était étendue sur le marbre ; il m'a relevée, il m'a portée à l'air ; enfin, il m'a rendu cette fièvre douloureuse qu'on appelle la vie : je me suis fait conduire chez moi ; j'ai trouvé mes gens inquiets, et de quoi, juste ciel ! que ne pleuraient-ils de me revoir !

Après trois heures d'une immobilité stupide, j'ai retrouvé la force de vous écrire. Louise, ma seule amie, rappelez-moi près de vous ; ils sont tous heureux ici, qu'ai-je à faire dans ce pays de joie ? Peut-être les lieux que vous habitez ranimeront-ils en moi les sentiments que j'y ai longtemps éprouvés ; une année ne peut-elle se retrancher de la vie ? mais un jour, un seul jour ! Ah ! c'est celui-là qui ne s'effacera point.

LETTRE XXXVIII

Léonce à M. Barton

Paris, ce 14 juillet.

Je vous ai mandé ma résolution : sachez à présent que je suis marié ; oui, depuis hier, à Matilde, je suis marié ; je vous ai épargné tout ce que j'ai souffert ; pourquoi mêler à vos douleurs les inquiétudes de l'amitié ? Mais il faut cependant, si je ne veux pas devenir fou, que je vous confie une seule chose ; et que direz-vous de moi si ce secret impossible à garder est une apparition, un fantôme, une chimère ? Voilà ce qu'est devenu votre misérable ami, voilà dans quel état elle m'a jeté par sa perfidie.

Je savais hier que madame d'Albémar était à Bellerive, s'occupant de son départ pour Lisbonne ; je le savais ; eh bien, au milieu de la cérémonie imposante qui pour jamais disposait de mon sort, dans cette église où la fierté, le devoir, la volonté de ma mère m'ont entraîné, j'ai cru voir, derrière une colonne, madame d'Albémar couverte d'un voile blanc ; mais sa figure s'offrit à mes regards si pâle et si changée, que c'est ainsi que son image devrait m'apparaître après sa mort. Plus je fixais les yeux sur cette colonne, plus mon illusion devenait forte, et je crus que mon nom et le sien avaient été prononcés par sa voix, que j'entends souvent, il est vrai, quand je suis seul.

Madame de Vernon s'approcha de moi, et me rappela doucement à ce que je devais à Matilde : je me levai pour prononcer le serment irrévocable ; à l'instant même je vis cette même ombre s'avancer, étendre la main, et mon trouble fut tel qu'un nuage couvrit mes yeux. Je fis cependant un nouvel effort pour examiner cette colonne dont j'avais cru voir sortir l'image persécutrice de ma vie ; mais je n'aperçus plus rien ; l'effet des lumières dans cette vaste église, et mon imagination agitée avaient sans doute créé cette chimère.

Mon silence et mon trouble, cependant, embarrassaient Matilde : je me hâtai de dire *oui,* comme dans l'égarement d'un rêve. Mon âme tout entière était ailleurs ; n'importe, le lien est serré, je suis l'époux de Matilde ! Quand il serait vrai que Delphine m'aurait aimé quelques instants, elle a senti, je n'en puis douter, qu'après l'éclat de son aventure, elle serait perdue si elle n'épousait pas M. de Serbellane ; mais si je savais au moins qu'elle m'a regretté ! indigne faiblesse ! Delphine m'a trompé, la nature n'a plus rien de vrai.

Vous saurez une fois, si je puis raconter ces derniers jours sans tomber dans des accès de rage et de douleur, vous saurez une fois tout ce qui s'est passé. Mais ce fantôme blanc, hier, qu'était-il ? Je le vois encore... Ah ! mon ami, quand vous serez guéri, venez ; j'ai plus besoin de vous que dans les débiles jours de mon enfance ; ma raison est sans force, et je n'ai plus d'un homme que la violence des passions.

SECONDE PARTIE

LETTRE PREMIÈRE

Mademoiselle d'Albémar à Delphine

Montpellier, 20 juillet 1790.

Après avoir reçu votre lettre, j'ai passé le jour entier dans les larmes, et je peux à peine voir assez pour vous écrire, tant mes yeux sont fatigués de pleurer. Ma chère enfant, à quelles douleurs vous avez été livrée ! ah ! que n'étais-je là pour exprimer ma haine contre les méchants, et pour consoler la bonté malheureuse ! Je m'étais attachée à Léonce, je le regardais déjà comme un époux, comme un ami digne de vous ; il a été capable d'une telle cruauté ; il a volontairement renoncé à la plus aimable femme du monde, parce qu'il avait à lui reprocher une faute dont toutes les vertus généreuses étaient la cause ; une faute comme les anges en commettraient s'ils étaient témoins des faiblesses et des souffrances des hommes !

Sans doute, madame de Vernon n'a point su vous défendre ; je vais plus loin, et je la soupçonne d'avoir empoisonné l'action qu'elle était chargée de justifier ; mais ce n'est point une excuse pour Léonce. Celui que vous aviez daigné préférer devait-il avoir besoin d'un guide pour vous juger ? Non, il ne vous a jamais aimée ; il faut l'oublier et relever votre âme par le sentiment de ce que vous valez. Ma chère Delphine, la vie n'est jamais perdue à vingt ans ; la nature, dans la jeunesse, vient au secours des douleurs, les forces morales s'accroissent encore à cet âge, et ce n'est que dans le déclin que sont les maux irréparables.

J'ose vous le conseiller, quittez pour quelque temps le monde, et venez auprès de moi ; je l'entrevois confusément ce monde, mais il me semble qu'il ne suffit pas de toutes les qualités du cœur et de l'esprit pour y vivre en paix ; il exige une certaine science qui n'est pas précisément condamnable, mais qui vous initie cependant trop avant dans le secret du vice, et dans la défiance que les hommes doivent inspirer. Vous avez l'esprit le plus étendu, mais votre âme est trop jeune, trop prompte à se livrer ; mettez votre sensibilité sous l'abri de la solitude, fortifiez-vous par la retraite, et retournez ensuite dans la société ; si vous y restiez maintenant, vous ne guéririez point des peines que vous avez éprouvées.

Venez goûter le calme, venez vous reposer par l'absence des objets pénibles, et par la suspension momentanée de toute émotion nouvelle : ce tableau sans couleurs n'a rien d'attirant, mais, à la longue, une situation monotone fait du bien ; si les consolations qu'il faut puiser en soi-même ne sont pas rapides, leur effet au moins est durable.

Je ne vous parle point de mon affection, c'est avec timidité que je la rappelle, quand il s'agit des peines de l'amour ; cependant une fois, je l'espère, votre âme tendre y trouvera peut-être encore quelque douceur.

DELPHINE

LETTRE II

Réponse de Delphine à mademoiselle d'Albémar

Bellerive, ce 26 juillet 1790.

Oui, j'irai vous rejoindre et pour toujours ; cependant, pourquoi dites-vous qu'il ne m'a jamais aimée ? Je sais bien que je n'ai plus d'avenir, mais il ne faut pas m'ôter le passé.

Au concert, au bal, la dernière fois que je l'ai vu, j'en suis sûre, il m'aimait ! Il y a maintenant douze jours que je ne fais plus que repasser les mêmes souvenirs ; je me suis rappelé des mots, des regards, des accents dont je n'avais pas assez joui, mais qui doivent me convaincre de son affection. Il m'aimait, j'étais libre, et il est l'époux d'une autre ; ne croyez pas que jamais ma pensée puisse sortir de ce cercle cruel que les regrets tracent autour de moi. Depuis le jour où j'aurais dû mourir, j'ai vécu seule ; je n'ai vu que Thérèse ; je n'ai point répondu aux lettres de madame de Vernon, je lui ai fait dire que je ne pouvais pas la voir : vous-même vous ne m'auriez pas fait du bien.

Je saurai recouvrer quelque empire sur moi-même ; mais le bonheur ! votre raison même vous dira qu'il n'en est plus pour moi. Vous ne pensez pas que jamais je puisse aimer un autre homme que Léonce ; ce charme irrésistible, qui m'avait inspiré la première passion de ma vie, vous ne pensez pas que jamais je puisse l'oublier. Eh bien ! le sort d'une femme est fini quand elle n'a pas épousé celui qu'elle aime ; la société n'a laissé dans la destinée des femmes qu'un espoir ; quand le lot est tiré et qu'on a perdu, tout est dit : on essaie de vains efforts, souvent même on dégrade son caractère en se flattant de réparer un irréparable malheur ; mais cette inutile lutte contre le sort ne fait qu'agiter les jours de la jeunesse, et dépouiller les dernières années de ces souvenirs de vertu, l'unique gloire de la vieillesse et du tombeau.

Que faut-il donc faire quand une cause, inconnue ou méritée, vous a ravi le bien suprême, l'amour dans le mariage ? que faut-il donc faire, quand vous êtes condamnée à ne jamais le connaître ? Éteindre ses sentiments, se rendre aride, comme tant d'êtres qui disent qu'ils s'en trouvent bien ; étouffer ces élans de l'âme qui appellent le bonheur et se brisent contre la nécessité : j'y ai presque réussi : c'est aux dépens de mes qualités, je le sais ; mais qu'importe ! pour qui maintenant les conserverais-je (33) ?

Je suis moins tendre avec Thérèse ; j'ai quelque chose de contraint dans mes paroles, dans mon air, qui m'inspire de la déplaisance pour moi-même ; ces défauts me conviennent : Léonce ne m'a-t-il pas jugée indigne de lui ! pourquoi ne lui donnerais-je pas raison ? Vous voulez que je retourne vers vous, ma chère Louise ; mais pourrez-vous me reconnaî-tre ? J'ai fait sur moi un travail qui a singulièrement altéré ce que j'avais d'aimable ; ne fallait-il pas roidir son âme pour supporter ce que je souffre ! S'éveiller sans espoir, traîner chaque minute d'un long jour comme un fardeau pénible, ne plus trouver d'intérêt ni de vie à aucune des occupations habituelles, regarder la nature sans plaisir, l'avenir sans projet ; juste ciel, quelle destinée ! et si je me livre à ma douleur, savez-vous quelle est l'idée, l'indigne idée qui s'empare de moi ? le besoin d'une explication avec Léonce.

Il me semble que je lui dirais des paroles qui me vengeraient..., mais à quoi me servirait-il de me venger ? la fierté seule peut me conserver quelques restes de son estime. Cependant pourra-t-il éviter de me voir ? c'est à moi de m'y refuser, je le dois, je le veux. Louise, ce qui m'a perdue, c'est trop d'abandon dans le caractère ; je me sens de l'admiration pour les qualités, pour les défauts même qui préservent de l'ascendant des autres. J'aime, j'estime la froideur, le dédain, le ressentiment ; Léonce verra si moi aussi je ne puis pas lui ressembler (34)... Que verra-t-il ? Il ne me regarde plus ; je m'agite, et il est en paix. Ma vie n'est de rien dans la sienne ; il continue sa route, et me laisse en arrière, après m'avoir vue tomber du char qui l'entraîne.

Vous me parlez de la retraite ! j'ai le monde en horreur, mais la solitude aussi m'est pénible. Dans le silence qui m'environne, je suis poursuivie par l'idée que personne sur la terre ne s'intéresse à moi : personne ! ah ! pardonnez, c'est à Léonce seul que je pensais ; funeste sentiment, qui dévaste le cœur, et n'y laisse plus subsister aucune des affections douces qui le remplissaient ! C'est pour vous, pour vous seule, ma sœur, que j'essaye de vivre ; madame de Vernon que j'ai tant aimée ne m'est plus qu'une pensée douloureuse ; je lui adresse, au fond de mon cœur, des reproches pleins d'amertume : hélas ! peut-être que Léonce seul les mérite ; je veux me préserver du premier tort des malheureux, de l'injustice. Je recevrai madame de Vernon, puisqu'elle veut me voir : elle m'écrit que mon refus l'afflige ; oh ! je ne veux pas l'affliger : peut-être, en la revoyant, reprendrai-je à son charme.

Je redemande un intérêt, un moment agréable, comme on invoquerait les dons les plus merveilleux de l'existence ; il me semble que cesser de souffrir est impossible, et qu'il n'y a plus au monde que de la douleur.

LETTRE III

Delphine à mademoiselle d'Albémar

Ce 30 juillet.

J'ai vu madame de Vernon ; elle est venue passer deux jours à Bellerive : je me promenais seule sur ma terrasse, lorsque de loin je l'ai aperçue ; j'ai été saisie d'un tel tremblement à sa vue, que je me suis hâtée de m'asseoir pour ne pas tomber ; mais cependant, comme elle approchait, un sentiment d'irritation et de fierté m'a soutenue, et je me suis levée pour lui cacher mon trouble.

Toute l'expression de son visage était triste et abattue ; nous avons gardé l'une et l'autre le silence ; enfin elle l'a rompu, en me disant que sa fille allait la quittter, et s'établir avec son mari dans une maison séparée. « Ce projet n'était pas le vôtre, lui ai-je dit. — Non, répondit-elle ; il dérange, et mon aisance de fortune, et l'espoir que j'avais d'être entourée de ma famille ; mais qui peut prétendre au bonheur ! » J'ai soupiré. « Vous avez fait cependant, lui dis-je avec amertume, beaucoup de sacrifices à votre fille ; elle, du moins, vous devrait de la reconnaissance. — Vous m'accusez, répondit-elle après quelques moments de réflexion, vous m'accusez de vous avoir mal défendue auprès de Léonce : je peux mériter ce reproche ; cependant, je vous l'assure, son irritation ne pouvait être calmée ; vos ennemis l'avaient prévenu avant que je le visse ; le blâme que vous avez encouru avait particulièrement offensé son respect pour l'opinion publique, et vos caractères se convenaient si peu, que vous auriez été très malheureux ensemble. — Vous avais-je chargée d'en juger, lui dis-je, et n'aviez-vous pas accepté, ou plutôt recherché le devoir de me justifier ? — Et vous aussi, s'écria-t-elle, vous voulez m'abandonner ! vous en avez plus le droit que ma fille ; et je me résigne à mon sort, sans vouloir lutter contre lui. » Elle s'assit en finissant ces mots ; je la vis pâlir et trembler : je l'avouerai, d'abord je n'en fus point émue ; j'ai tant souffert depuis huit jours, que mon âme est devenue plus ferme contre la douleur des autres ; cependant lorsqu'elle versa des larmes, je me sentis attendrie, je lui pris la main, je lui demandai de se justifier ; elle se tut, et continua de pleurer.

C'était la première fois de ma vie que je la voyais dans cet état ; tous mes souvenirs parlèrent pour elle dans mon cœur. « Eh bien, lui dis-je, eh bien, je puis vous aimer assez pour vous pardonner le malheur de ma vie : vous ne m'avez point servie auprès de Léonce, mais en effet c'était à son cœur à plaider pour moi : lui qui était l'objet de ma tendresse, lui qui ne pouvait douter de mon amour, ne savait-il pas ma meilleure excuse ? Cependant, comment avez-vous pu vous résoudre à précipiter ce mariage ? n'aviez-vous pas besoin de mon consentement, après l'aveu que je vous avais fait ? Vous étiez mère ; mais n'étais-je pas devenue votre fille en vous confiant mon sort ? — Oui, s'écria-t-elle en soupirant, ma fille, et bien plus tendre que ma fille : je suis coupable, je le suis. » Et sa pâleur et l'altération de ses traits devenaient à chaque instant plus remarquables. Je ne pus résister à ce spectacle, et je me jetai dans ses bras en lui disant : « Je vous pardonne ; si j'en meurs, souvenez-vous que je vous ai pardonnée. » Elle me regarda avec une émotion extrême ; elle eut presque le mouvement de se jeter à mes pieds ; mais, se reprenant tout à coup, elle se leva, et me demanda la permission de se promener un instant seule.

Je résolus, pendant qu'elle fut loin de moi, de l'interroger sur tout ce qui s'était passé. Quand elle revint, je le tentai ; cette conversation lui était pénible, et j'étais sans cesse combattue entre l'intérêt qui me faisait dévorer ses réponses, et le sentiment de pitié qui me défendait d'insister : si elle avait voulu se vanter et me tromper, notre liaison était rompue ; mais elle me peignit avec une telle vérité les nuances précises de son désir secret en faveur de sa fille, et son exactitude cependant à dire ce que j'avais exigé d'elle, qu'elle exerça sur moi l'empire de la vérité. Je la condamnais, mais je l'aimais toujours ; et comme ses manières étaient restées naturelles, son charme existait encore.

Elle m'avoua avec confusion qu'elle avait en effet pressé Léonce de conclure son mariage avec sa fille ; mais elle m'affirma que jamais il ne m'aurait épousée après l'éclat du duel de M. de Serbellane. Il était convaincu, me dit-elle, que tout le monde saurait un jour que j'avais réuni chez moi une femme avec son amant, à l'insu de son mari, et que la mort de M. d'Ervins en étant la suite, on ne me pardonnerait jamais. Le prétexte dont on voulait couvrir ce malheur, les opinions politiques, lui déplaisait presque autant que la vérité même. Enfin madame de Vernon ajouta que Léonce avait reçu la lettre de sa mère la plus vive contre moi, et ne cessa de me répéter que ma destinée eût été très malheureuse avec deux personnes qui auraient traité la plupart de mes qualités comme des défauts.

Je repoussai ces consolations pénibles, et je ne lui trouvais pas le droit de me les donner. Je n'aimais pas davantage ses conseils répétés de fuir Léonce, et d'aller passer quelque temps auprès de vous, jusqu'à ce qu'il partît pour l'Espagne, comme c'était son dessein. Ces conseils étaient d'accord avec mes résolutions ; mais je n'avais pas rendu à madame de

Vernon le pouvoir de me diriger ; et c'était presque malgré moi que je me laissais captiver par sa grâce et sa douceur.

Dans le cours de cette conversation, je lui demandai une fois si Léonce n'avait pas imaginé que je m'intéressais trop vivement à M. de Serbellane ; mais elle repoussa bien facilement cette supposition, qui m'aurait été plus douce. En effet, la jalousie que M. de Serbellane avait un moment inspirée à Léonce n'était-elle pas tout à fait détruite par la confidence même du secret de madame d'Ervins ? Non, Louise, il ne reste aucune pensée sur laquelle mon cœur puisse se reposer.

Madame de Vernon me parla ensuite de Matilde et de Léonce. « Il ne l'aime pas, me dit-elle ; depuis leur mariage, il la voit à peine, mais elle lui convient mieux qu'aucune autre, parce qu'elle ne fera jamais parler d'elle, et que c'est ainsi que doit être la femme d'un homme si sensible au moindre blâme. Quant à Mathilde, elle aimera Léonce de toutes les puissances de son âme ; mais elle a une telle confiance dans l'ascendant du devoir, qu'elle ne forme pas un doute sur l'affection de son mari pour elle ; elle n'observe rien, et passe la plus grande partie de sa journée dans les pratiques de dévotion. Elle ne sera point ombrageuse en jalousie ; mais si quelques circonstances frappantes lui découvraient l'attachement de Léonce pour une autre femme, elle serait aussi véhémente qu'elle est calme, et la roideur même de son esprit et l'inflexibilité de ses principes ne lui permettraient plus ni tolérance, ni repos. — Hélas ! m'écriai-je, ce ne sera pas moi qui troublerai son bonheur ; l'on n'a rien à craindre de moi ; ne suis-je pas un être immolé, anéanti ? Ah ! Sophie, lui dis-je, deviez-vous... Mais ne parlons plus ensemble de Léonce, afin que je puisse goûter le seul plaisir dont mon âme soit encore susceptible, le charme de votre entretien. »

Madame de Vernon voulait voir madame d'Ervins, elle s'y est refusée ; Thérèse ne se montrant pas, pendant que madame de Vernon était à Bellerive, j'ai passé deux jours tête à tête avec elle. Je l'avoue, le second jour j'éprouvai quelque soulagement ; il y a dans l'attrait que je ressens pour madame de Vernon à présent quelque chose d'inexplicable : elle ne m'inspire plus une estime parfaite, ma confiance n'est plus sans bornes ; mais sa grâce me captive (35) ; quand je la vois, je m'en crois aimée, je suis moins oppressée auprès d'elle, et je ne puis l'entendre quelques heures sans imaginer confusément qu'elle m'a offert des consolations inattendues. Hélas ! cette illusion a peu duré ! Quand madame de Vernon a été partie, je me suis retrouvée plus mal qu'avant son arrivée : le bien qu'elle fait au cœur n'y reste pas.

Quel trouble je sens dans mon âme ! mes idées, mes sentiments sont bouleversés ; je ne sais pour quel but, ni dans quel espoir je dois me créer un esprit, une manière d'être nouvelle ; je flotte dans la plus cruelle des incertitudes, entre ce que j'étais et ce que je veux devenir : la douleur, la douleur est tout ce qu'il y a de fixe en moi ; c'est elle qui me sert à me reconnaître. Mes projets varient, mes desseins se combattent ; mon malheur reste le même ; je souffre, et je change de résolution pour souffrir encore. Louise, faut-il vivre quand on craint l'heure qui suit, le jour qui s'avance, comme une succession de pensées amères et déchirantes ? Si le temps ne me soulage pas, tout n'est-il pas dit ? Le secret de la raison, c'est d'attendre ; mais qui attend en vain n'a plus qu'à mourir.

DELPHINE

LETTRE IV

Léonce à M. Barton

Paris, ce 5 août.

Vous me demandez comment je passe ma vie avec Matilde : ma vie ! elle n'est pas là. Je me promène seul tout le jour, et Matilde ne s'en inquiète pas ; pendant ce temps elle va à la messe, elle voit son évêque, ses religieuses, que sais-je ? elle est bien. Quand je la retrouve, de la politesse et de la douceur lui paraissent du sentiment ; elle s'en contente, et cependant elle m'aime. La fille de la personne du monde qui a le plus de finesse dans l'esprit et de flexibilité dans le caractère, marche droit dans la ligne qu'elle s'est tracée, sans apercevoir jamais rien de ce qu'on ne lui dit pas. Tant mieux... Je ne la rendrai pas malheureuse. Et que m'importe son esprit, puisque je ne veux jamais lui communiquer mes pensées ?

Nous avancerons l'un à côté de l'autre dans cette route vers la tombe, que nous devons faire ensemble ; ce voyage sera silencieux et sombre comme le but. Pourquoi s'en affliger ? Un seul être au monde changeait en pompe de bonheur cette fête de mort que les hommes ont nommée le mariage ; mais cet être était perfide, et un abîme nous a séparés.

Mon ami, je voudrais venger M. d'Ervins. Pourquoi M. de Serbellane existe-t-il après avoir tué un homme ? n'a-t-il tué que ce d'Ervins ? Et moi, juste ciel ! est-ce que je vis ? Je ne suis pas content de ma tête, elle s'égare quelquefois ; ce que j'éprouve surtout, c'est de la colère : une irritabilité que vous aviez adoucie ne me laisse plus de repos ; je n'ai pas un sentiment doux. Si je pense que je pourrais la rencontrer, je ne me plais qu'à lui parler avec insulte ; il n'y a plus de bonté en moi : mais qu'en ferais-je ? ne disait-on pas que Delphine était remarquable par la bonté ? je ne veux pas lui ressembler.

Tous les jours une circonstance nouvelle accroît mon amertume ; j'étais étonné de ce que le départ de madame d'Albémar n'avait pas encore eu lieu ; je remarquais le séjour de madame d'Ervins chez elle, et j'avais fait de ce séjour même une sorte d'excuse à sa conduite ; je me disais qu'apparemment elle n'avait point pris avec trop de chaleur et d'éclat le parti de M. de Serbellane, puisque la femme de M. d'Ervins avait choisi sa maison pour asile ; et, quoique cette circonstance ne changeât rien aux relations de madame d'Albémar avec M. de Serbellane, à ces vingt-quatre heures passées chez elle, misérable que je suis ! je sentais mon ressentiment adouci : mais hier, mon banquier, chez qui j'étais entré pour je ne sais quelle affaire, reçut devant moi deux lettres de M. de Serbellane pour madame d'Albémar, et les lui adressa dans l'instant même, en faisant une plaisanterie sur ce qu'elle avait envoyé plusieurs fois demander si ces lettres étaient arrivées. Je n'apprenais rien par cet incident ; eh bien, j'en ai été comme fou tout le jour.

Que me demandez-vous encore ? si Matilde et moi nous restons chez madame de Vernon ? Matilde veut avoir un établissement séparé ; elle aime l'indépendance dans les arrangements domestiques, et d'ailleurs la vie de sa mère n'est point d'accord avec ses goûts. Madame de Vernon se couche tard, aime le jeu, voit beaucoup de monde ; Matilde veut régler son temps d'après ses principes de dévotion. Je la laisse libre de déterminer ce qui lui convient : comment, dans l'état où je suis, pourrais-je avoir la moindre décision sur quelque objet que ce soit ? Je ne remarque rien, je ne sens la différence de rien : j'ai une pensée qui me dévore, et je fais des efforts pour la cacher ; voilà tout ce qui se passe en moi.

Il m'a paru cependant que madame de Vernon était plus affectée du projet de sa fille que je ne m'y serais attendu d'un caractère aussi ferme que le sien : elle a prononcé à demi-voix, et avec émotion, les mots d'*isolement* et d'*oubli* ; mais, reprenant bientôt les manières indifférentes dont elle sait si bien couvrir ce qu'elle éprouve : « Faites ce que vous voudrez, ma fille, a-t-elle dit ; il ne faut vivre ensemble que si l'on y trouve réciproquement du bonheur. » Et en finissant ces mots, elle est sortie de la chambre. Singulière femme ! Excepté un seul et funeste jour, elle ne m'a jamais parlé avec confiance, avec chaleur, sur aucun sujet ; mais, ce jour-là, elle exerça sur moi un ascendant inconcevable.

Ah ! quels mouvements de fureur et d'humiliation ce qu'elle m'a dit ne m'a-t-il pas fait éprouver ! Ne me demandez jamais de vous en parler ; je ne le puis. Je veux aller en Espagne voir ma mère, m'éloigner d'ici ; je l'ai annoncé à Matilde ; je pars dans un mois, plus tôt peut-être, quand je serai sûr de ne pas rencontrer madame d'Albémar sur la route.

Un homme de mes amis m'a assuré que madame de Vernon avait beaucoup de dettes ; cela se peut ; la précipitation avec laquelle j'ai tout signé ne m'a permis de rien examiner. Si madame de Vernon a des dettes, il est du devoir de sa fille de les payer : ce mariage avec Matilde me ruinera peut-être entièrement ; eh bien, cette idée me satisfait ; madame d'Albémar aura jeté sur moi tous les genres d'adversités ; elle ne croira pas du moins qu'en m'unissant à une autre, je me sois ménagé pour le reste de ma vie aucune jouissance, ni même aucun repos. Elle ne croira pas... Mais, insensé que je suis, s'occupe-t-elle de moi ? n'écrit-elle pas à M. de Serbellane ? ne reçoit-elle pas de ses lettres ? Ne doit-elle pas le rejoindre ?... Ah ! que je souffre ! Adieu.

LETTRE V

Delphine à mademoiselle d'Albémar

Bellerive, ce 4 août.

Depuis que j'existe, vous le savez, ma sœur, l'idée d'un Dieu puissant et miséricordieux ne m'a jamais abandonnée ; néanmoins dans mon désespoir je n'en avais tiré aucun secours : le sentiment amer de l'injustice que j'avais éprouvée s'était mêlé aux peines de mon cœur, et je me refusais aux émotions douces qui peuvent seules rendre aux idées religieuses tout leur empire ; hier je passai quelques instants plus calmes, en cessant de lutter contre mon caractère naturel.

Je descendis vers le soir dans mon jardin, et je méditai pendant quelque temps, avec assez d'austérité, sur la destinée des âmes sensibles au milieu du monde. Je cherchais à repousser l'attendrissement que me causait l'image de Léonce ; je voulais le confondre avec les hommes injustes et cruels, avides de déchirer le cœur qui se livre à leurs coups. J'essayai d'étouffer les sentiments jeunes et tendres dont j'ai goûté le charme depuis mon enfance. La vie, me disais-je, est une œuvre qui demande du courage et de la raison. Au sommet des montagnes, à l'extrémité de l'horizon, la pensée cherche un avenir, un autre monde, où l'âme puisse se reposer, où la bonté jouisse d'elle-même, où l'amour enfin ne se change jamais en soupçons amers, en ressentiments douloureux : mais dans la réalité, dans cette existence positive qui nous presse de toutes parts, il faut, pour conserver la dignité de sa conduite, la fierté de son caractère, réprimer l'entraînement de la confiance et de l'affection, irriter son cœur lorsqu'on le sent trop faible, et contenir dans son sein les qualités malheureuses qui font dépendre tout le bonheur des sentiments qu'on inspire.

Je me ferai, disais-je encore, une destinée fixe, uniforme, inaccessible aux jouissances comme à la douleur ; les jours qui me sont comptés seront remplis seulement par mes devoirs. Je tâcherai surtout de me défendre de cette rêverie funeste qui replonge l'âme dans le vague des espérances et des regrets : en s'y livrant, on éprouve une sensation d'abord si douce, et ensuite si cruelle ! on se croit attiré par une puissance surnaturelle ; elle vous fait pressentir le bonheur à travers un nuage ; mais ce nuage s'éclaircit par degrés, et découvre enfin un abîme où vous aviez cru voir une route indéfinie de vertus et de félicités.

Oui, me répétais-je, j'étoufferai en moi tout ce qui me distinguait parmi les femmes, pensées naturelles, mouvements passionnés, élans généreux de l'enthousiasme ; mais j'éviterai la douleur, la redoutable douleur. Mon existence sera tout entière concentrée dans ma raison, et je traverserai la vie, ainsi armée contre moi-même et contre les autres.

Sans interrompre ces réflexions, je me levai, et je marchai d'un pas plus ferme, me confiant davantage dans ma force. Je m'arrêtai près des orangers que vous m'avez envoyés de Provence ; leurs parfums délicieux me rappelèrent le pays de ma naissance, où ces arbres du Midi croissent abondamment au milieu de nos jardins. Dans cet instant, un de ces orgues que j'ai si souvent entendus dans le Languedoc, passa sur le chemin, et joua des airs qui m'ont fait danser quand j'étais enfant. Je voulais m'éloigner ; un

charme irrésistible me retint : je me retraçai tous les
souvenirs de mes premières années, votre affection
pour moi, la bienveillante protection dont votre frère
cherchait à m'environner, la douce idée que je me
faisais, dans ce temps, de mon sort et de la société ;
combien j'étais convaincue qu'il suffisait d'être aimable et bonne pour que tous les cœurs s'ouvrissent à
votre aspect, et que les rapports du monde ne fussent
plus qu'un échange continuel de reconnaissance et
d'affection. Hélas ! en comparant ces délicieuses
illusions avec la disposition actuelle de mon âme,
j'éprouvai des convulsions de larmes ; je me jetai sur
la terre, avec des sanglots qui semblaient devoir
m'étouffer : j'aurais voulu que cette terre m'ouvrît
son repos éternel.

En me relevant, j'aperçus les étoiles brillantes, le
ciel si calme et si beau. « O Dieu ! m'écriai-je, vous
êtes là, dans ce sublime séjour, si digne de la toute-
puissance et de la souveraine bonté ! Les souffrances
d'un seul être se perdent-elles dans cette immensité ?
ou votre regard paternel se fixe-t-il sur elles pour les
soulager et les faire servir à la vertu ? Non, vous
n'êtes point indifférent à la douleur ; c'est elle qui
contient tout le secret de l'univers : secourez-moi,
grand Dieu ! secourez-moi. Ah ! pour avoir aimé, je
n'ai pas mérité d'être oubliée de vous ! Aucun être,
dans le petit nombre d'années que j'ai passées sur
cette terre, aucun être n'a souffert par moi ; vous
n'avez entendu aucune plainte qui fût causée par
mon existence ; j'ai été jusqu'à ce jour une créature
innocente ; pourquoi donc me livrez-vous à des
tourments si cruels ? » Ma Louise, en prononçant ces
mots, j'avais pitié de moi-même : ce sentiment a
quelque douceur.

Un secours plus efficace pénétra dans mon cœur ;
je me blâmai d'avoir tardé si longtemps à recourir à
la prière ; je repoussai le système que je m'étais fait

de froideur et d'insensibilité : ce que je craignais, c'était l'amour, c'était la faiblesse, qui m'inspirait quelquefois le désir d'aller vers Léonce, de me justifier moi-même à ses yeux, de braver, pour lui parler, tous les devoirs, tous les sentiments délicats. Je trouvai bien plus de ressource contre ces indignes mouvements dans l'élévation de mon âme vers son Dieu, dans les promesses que je lui fis de rester fidèle à la morale, et je revins chez moi plus satisfaite de mes résolutions.

Depuis, je me suis occupée de Thérèse ; il y avait quelques jours que je ne l'avais vue : elle passe presque toutes ses heures seule avec un prêtre vénérable qui a pris beaucoup d'ascendant sur elle ; son dessein est d'aller à Bordeaux pour arranger ses affaires, lorsqu'elle se croira sûre de n'avoir rien à craindre de la famille de son mari. Comme nous causions ensemble, je reçus des lettres de M. de Serbellane que mon banquier m'envoyait, parce que c'est sous mon nom qu'il écrit à Thérèse ; je les lui remis : elle pleura beaucoup en les lisant, et me dit : « Il m'est permis de les recevoir encore ; mais dans quelques mois je ne le pourrai plus. » Je voulais qu'elle s'expliquât davantage ; elle s'y refusa : je n'osai pas insister. J'ignore par quelles pratiques, par quelles pénitences, elle essaye de se consoler ; sans partager ses opinions, je n'ai point cherché, jusqu'à ce jour, à les combattre : qui sait, Louise, s'il n'y a pas des malheurs pour lesquels toutes les idées raisonnables sont insuffisantes ?

DELPHINE

LETTRE VI

Delphine à mademoiselle d'Albémar

Je me croyais mieux, ma sœur, la dernière fois que je vous ai écrit ; aujourd'hui les circonstances les plus simples, telles qu'il en naîtra chaque jour de semblables, ont rempli mon âme d'amertume : le fond triste et sombre sur lequel repose ma destinée ne peut varier, et cependant ma douleur se renouvelle sous mille formes, et chacune d'elles exige un nouveau combat pour en triompher. Oh ! qui pourrait supporter longtemps l'existence à ce prix ?

Ce matin un de mes gens m'a apporté de Paris des lettres assez insignifiantes, et la liste des personnes qui sont venues me voir pendant mon absence : je regardais avec distraction ces détails de la société, qui m'intéressent si peu maintenant, lorsqu'une lettre imprimée, que je n'avais point remarquée, attira mon attention ; je l'ouvris et j'y vis ces mots : *M. Léonce de Mondoville à l'honneur de vous faire part de son mariage avec mademoiselle de Vernon.* Le mal que m'a fait cette vaine formalité est insensé ; mais tout n'est-il pas folie dans les sensations des malheureux ? J'ai été indignée contre Léonce ; il me semblait qu'il aurait dû veiller à ce qu'on ne suivît pas l'usage envers moi ; je trouvais de l'insulte dans cet envoi d'une annonce à ma porte, comme s'il avait oublié que c'était une sentence de mort qu'il m'adressait ainsi, par forme de circulaire, sans daigner y joindre je ne sais quel mot de douceur ou de pitié. Je passai la matinée entière dans un sentiment d'irritation inexprimable. Le croiriez-vous ? je commençai

vingt lettres à Léonce pour m'abandonner à peindre
ce qui m'oppressait ; mais je savais, en les écrivant,
que je les brûlerais toutes ; soyez-en sûre, je le
savais : je ne puis répondre des mouvements qui
m'agitent, mais quand il s'agira des actions, ne
doutez pas de moi.

Ce jour si péniblement commencé me réservait
encore des impressions plus cruelles : madame de
Vernon vint me demander à dîner. Une demi-heure
après son arrivée, comme j'étais appuyée sur ma
fenêtre, je vis dans mon avenue cette voiture bleue
de Léonce qui m'était si bien connue ; un tremblement affreux me saisit ; je crus qu'il venait avec sa
femme accomplir son barbare cérémonial : j'étais
dans un état d'agitation inexprimable, je regardai
madame de Vernon, et ma pâleur l'effraya tellement,
qu'elle avança rapidement vers moi pour me soutenir. Elle aperçut alors cette voiture que je regardais
fixement, sans pouvoir en détourner les yeux. « C'est
ma fille seule, me dit-elle promptement ; il n'y sera
pas, j'en suis sûre ; il ne viendrait pas chez vous. »
Ces mots produisirent sur moi les impressions les plus
diverses ; je respirai de ce qu'il ne venait pas.
L'attente d'une si douloureuse émotion me faisait
éprouver une terreur insupportable ; mais je fus
couverte de rougeur en me répétant les paroles de
madame de Vernon : *Il ne viendrait pas chez vous.*
Elle sait donc qu'il me croit indigne de sa présence,
ou qu'il a pitié de ma faiblesse, de l'amour qu'il me
croit encore pour lui. Ah ! si je le voyais, combien je
serais calme, fière, dédaigneuse ! Pendant que je
cherchais à reprendre quelque force, les deux battants de mon salon s'ouvrirent, et l'on annonça
madame de Mondoville.

Louise, c'est ainsi que l'heureuse Delphine se fût
appelée, si Thérèse... Ah ! ce n'est pas Thérèse ; c'est
lui, c'est lui seul ! A l'abri de ce nom de Mondoville,

si doux, si harmonieux, quand il présageait sa présence ; à l'abri de ce nom, Matilde s'avançait avec fierté, avec confiance ; et moi qu'il en a dépouillée, je n'osais lever les regards sur elle, je pouvais à peine me soutenir. Elle m'aborda fort simplement, et ne me parut pas avoir la moindre idée des motifs de mon absence ; elle attribua tout à mes soins pour madame d'Ervins, et me parut avoir gagné depuis qu'elle passait sa vie avec Léonce. *Je ne suis pas la rose,* dit un poète oriental, *mais j'ai habité avec elle.* Dieu ! que deviendrai-je, moi condamnée à ne plus le revoir !

Une fois, dans la conversation, il me sembla que Matilde avait pris un geste, un mot familier à Léonce ; mon sang s'arrêta tout à coup à ce souvenir, si doux en lui-même, si amer quand c'était Matilde qui me le retraçait. Un des gens de Léonce servait Matilde à table ; tous ces détails de la vie intime me faisaient mal. Si je restais ici, j'éprouverais à chaque instant une douleur nouvelle. Voir sans cesse Matilde, sentir son bonheur goutte à goutte ! non je ne le puis. Quand il fallait m'adresser à elle, lui offrir ce qui se trouvait sur la table, j'évitais de lui donner aucun nom ; madame de Vernon l'appelait souvent madame de Mondoville, et chaque fois je tressaillais.

Je m'aperçus aisément que madame de Vernon était blessée contre sa fille ; mais je gardais le silence sur tout ce qui pouvait amener une conversation animée ; à peine pouvais-je articuler les mots les plus insignifiants sans me trahir. Enfin, après le dîner, madame de Vernon demanda à Matilde quand son nouvel appartement serait prêt. « Dans six jours, » répondit Matilde ; et se retournant vers moi, elle me dit : « Je vois bien que cet arrangement déplaît à ma mère, mais je vous en fais juge, ma cousine, n'est-il pas convenable que nous vivions dans des maisons séparées ? nos goûts et nos opinions diffèrent extrê-

mement ; ma mère aime le jeu, elle passe une partie
de la nuit au milieu du monde, la solitude me
convient, et nous serons beaucoup plus heureuses
toutes les deux en nous voyant souvent, mais en
n'habitant pas sous le même toit. — Finissons-en sur
ce sujet, lui dit madame de Vernon, assez vivement ;
j'aurais modifié mes habitudes avec plaisir, je les
aurais même sacrifiées, si je m'étais crue nécessaire à
votre bonheur : quant à vos opinions, puisque c'est
moi qui ai dirigé votre éducation, il n'y a pas
apparence que je ne sache ménager une manière de
penser que j'ai voulu vous inspirer. Mais vous parlez
de goûts, d'habitudes, et jamais d'affections ; celle
que vous avez pour moi, en effet, a bien peu
d'ascendant sur votre vie ; n'en parlons plus : j'avais
encore une illusion, vous venez de me prouver qu'il
suffit d'en avoir une, quelque aride que soit d'ailleurs
la vie, pour éprouver de la douleur. » Matilde rougit,
je serrai la main de madame de Vernon, et nous
gardâmes toutes les trois le silence pendant quelques
minutes ; enfin madame de Vernon le rompit, en
demandant à Matilde si elle avait été voir sa cousine
madame de Lebensei. « Je ne pense pas, assurément,
répondit Matilde, que vous exigiez de moi d'aller voir
une femme qui s'est remariée pendant que son
premier mari vivait encore ; un pareil scandale ne
sera jamais autorisé par ma présence. — Mais son
premier mari était étranger et protestant, lui répondit
madame de Vernon ; elle a fait divorce avec lui selon
les lois de son pays. — Et sa religion, à elle-même,
reprit Matilde, la comptez-vous pour rien ? Elle est
catholique : pouvait-elle se croire libre, quand sa
religion ne le permettait pas ? — Vous savez, reprit
madame de Vernon, que son premier mari était un
homme très méprisable ; qu'elle aime le second
depuis six ans ; qu'il lui a rendu des services généreux. — Je ne m'attendais pas, je l'avoue, interrom-

pit Matilde, que ma mère justifierait la conduite de madame de Lebensei. — Je ne sais si je la justifie, répondit madame de Vernon ; mais quand madame de Lebensei aurait commis une faute, la charité chrétienne commanderait l'indulgence envers elle. — La charité chrétienne, répondit Matilde, est toujours accessible au repentir ; mais quand on persiste dans le crime, elle ordonne au moins de s'éloigner des coupables. — Et vous voudriez, ma fille, que madame de Lebensei quittât maintenant M. de Lebensei ? — Oui, je le voudrais, s'écria Matilde, car il n'est point, car il ne peut être son mari. On dit de plus que c'est un homme dont les opinions politiques et religieuses ne valent rien ; mais je ne m'en mêle point : il est protestant, il est tout simple que sa morale soit relâchée. Il n'en est pas de même de madame de Lebensei, elle est catholique, elle est ma parente ; je vous le répète, ma conscience ne me permet pas de la voir. — Eh bien, j'irai seule chez elle, répondit madame de Vernon. — Je vous y accompagnerai, ma chère tante, lui dis-je, si vous le permettez. — Aimable Delphine ! s'écria madame de Vernon en soupirant. Eh bien, nous irons ensemble ; elle demeure à deux lieues de chez vous ; elle passe sa vie dans la retraite, elle sait combien sa conduite a été, non seulement blâmée, mais calomniée ; elle ne veut point s'exposer à la société qui est très mal pour elle. — Dites-lui bien, reprit Matilde avec assez de vivacité, que ce n'est point ce qu'on peut dire d'elle qui m'empêche d'aller la voir ; je ne suis point soumise à l'opinion, et personne ne saurait la braver plus volontiers que moi, si le moindre de mes devoirs y était intéressé ; au premier signe de repentir que donnera madame de Lebensei, je volerai auprès d'elle, et je la servirai de tout mon pouvoir. — Matilde, m'écriai-je involontairement, Matilde, croyez-vous qu'on se repente d'avoir épousé ce qu'on aime ? » A peine ces mots m'étaient-ils échappés, que je craignis d'avoir attiré son attention sur le sentiment qui me les avait inspirés ; mais je me trompais : elle ne vit dans ces paroles qu'une opinion qui lui parut immorale, et la combattit dans ce sens. Je me tus ; elle et sa mère repartirent pour Paris, et je vis ainsi finir une contrainte douloureuse. Mais que de sentiments amers se sont ranimés dans mon cœur ! Quelle conduite que celle de Léonce ! Il ne me fait pas dire un mot, il ne veut pas me voir, il m'accable de mépris !... Louise, j'ai écrit ce mot ; malgré ce qu'il m'en a coûté, j'ai pu l'écrire ! car c'est de toute la hauteur de mon âme que je considère l'injustice même de Léonce. Je voudrais cependant, je voudrais, au prix de ma misérable vie, qu'il me fût possible de le rencontrer encore une fois par hasard, sans qu'il pût me soupçonner de l'avoir recherché. Je saurais alors, soyez-en sûre, je saurais reconquérir son estime : je m'enorgueillis à cette idée : je l'aime peut-être encore ; mais ce qui m'est nécessaire surtout, c'est qu'il me rende cette considération à laquelle il a sacrifié son bonheur, oui, son bonheur... Je valais mieux pour lui que Matilde. Se peut-il qu'un mouvement de regret ne lui inspire pas le besoin de me parler ! Louise, ne condamnez pas celle que vous avez élevée ; ce souhait, le ciel m'en est témoin, je ne le forme point pour me livrer aux sentiments les plus criminels. Mais je voudrais du moins refuser de le voir, qu'il le sût, qu'il en souffrît un moment, et qu'il cessât de me croire le plus faible des êtres, le plus indigne de son inflexible caractère. Louise, j'éprouve les douleurs les plus poignantes, et celles que je confie, et celles qui me font mal à développer. Pardonnez-moi si j'y succombe ; c'est pour vous seule que je vis encore.

DELPHINE

LETTRE VII

Delphine à mademoiselle d'Albémar

Bellerive, ce 8 août.

Ne puis-je donc faire un pas qui ne renouvelle plus cruellement encore les chagrins que je ressens ? Pourquoi m'a-t-on conduite chez madame de Lebensei ? Elle est heureuse par le mariage ; elle l'est parce que son mari a su braver l'opinion, parce qu'il a méprisé les vains discours du monde, et qu'à cet égard il est en tout l'opposé de Léonce. Madame de Lebensei est heureuse, et je l'aurais été bien plus qu'elle, car son caractère ne la met point entièrement au-dessus du blâme : son cœur est bien loin d'aimer comme le mien ; et quel homme, en effet, pourrait inspirer à personne ce que j'éprouve pour Léonce ?

Madame de Vernon vint me prendre hier pour aller à Cernay, comme nous en étions convenues. En arrivant, nous apprîmes que M. de Lebensei était absent. Madame de Lebensei, en nous voyant, fut émue ; elle cherchait à le cacher, mais il était aisé de démêler cependant qu'une visite de ses parents était un événement pour elle, dans la proscription sociale où elle vivait. Vous avez connu madame de Lebensei à Montpellier : elle a près de trente ans ; sa figure, calme et régulière, est toujours restée la même. Nous parlâmes quelque temps sur tous les sujets convenus dans le monde, pour éviter de se connaître et de se pénétrer : cette manière de causer n'intéressait point une personne qui, comme madame de Lebensei, passe sa vie dans la retraite ; néanmoins elle craignait de s'approcher la première d'aucun sujet qui pût nous engager à lui parler de sa situation. J'essayai de nommer quelques personnes de sa connaissance, il me parut, par ce qu'elle m'en dit, qu'elle ne les voyait plus ; je remarquai bien qu'elle souffrait d'en avoir été abandonnée, mais je ne m'en aperçus qu'à la fierté même avec laquelle elle repoussait tout ce qui pouvait ressembler à une tentative pour se justifier, ou à des efforts pour ce rapprocher du monde. Elle veut briser ce qu'elle pourrait conserver encore de liens avec la société, non par l'indifférence, mais pour n'avoir plus aucune communication avec ce qui lui fait mal (36).

Madame de Lebensei a pris tellement l'habitude de se contenir en présence des autres, qu'il était difficile de l'amener à nous parler avec confiance. Cependant, comme madame de Vernon lui faisait quelques excuses polies sur l'absence de sa fille, il lui échappa de dire : « Vous avez la bonté de me cacher, madame, la véritable raison de cette absence : madame de Mondoville ne veut pas me voir depuis que j'ai épousé M. de Lebensei. » Madame de Vernon sourit doucement : je rougis, et madame de Lebensei continua : « Vous, madame, dit-elle en s'adressant à madame de Vernon, vous, qui m'avez connue dans mon enfance, et qui avez été l'amie de ma famille, je vous remercie d'être venue me trouver dans cette circonstance ; je remercie madame d'Albémar de vous avoir accompagnée ici : je ne cherche pas le monde ; je ne veux pas lui donner le droit de troubler mon bonheur intérieur ; mais une marque de bienveillance m'est singulièrement précieuse, et je sais la sentir. » Ses yeux se remplirent alors de larmes ; et ; se levant pour nous les dérober, elle nous mena voir son jardin et le reste de sa maison.

L'un et l'autre étaient arrangés avec soin, goût et simplicité ; c'était un établissement pour la vie, rien n'y était négligé : tout rappelait le temps qu'on avait déjà passé dans cette demeure, et celui plus long encore qu'on se proposait d'y rester. Madame de Lebensei me parut une femme d'un esprit sage sans rien de brillant, éclairée, raisonnable plutôt qu'exaltée. Je ne concevais pas bien comment, avec un tel caractère, sa conduite avait été celle d'une personne passionnée, et j'avais un grand désir de l'apprendre d'elle ; mais madame de Vernon ne m'aidait point à l'y engager ; elle était triste et rêveuse, et ne se mêlait point à la conversation.

En parcourant les jardins de madame de Lebensei, je découvris, dans un bois retiré, un autel élevé sur quelques marches de gazon ; j'y lus ces mots : *A six ans de bonheur, Elise et Henri.* Et plus bas : *L'amour et le courage réunissent toujours les cœurs qui s'aiment.* Ces paroles me frappèrent ; il me sembla qu'elles faisaient un douloureux contraste avec ma destinée ; et je restai tristement absorbée devant ce monument du bonheur. Madame de Lebensei s'approcha de moi ; et, troublée comme je l'étais, je m'écriai involontairement : « Ah ! ne m'apprendrez-vous donc pas ce que vous avez fait pour être heureuse ! Hélas ! je ne croyais plus que personne le fût sur la terre. » Madame de Lebensei, touchée sans doute de mon attendrissement, me dit avec un mouvement très aimable : « Vous saurez, madame, puisque vous le désirez, tout ce qui concerne mon sort ; je ne puis être insensible à l'espoir de captiver votre estime. Un sentiment de timidité, que vous trouverez naturel, me rendrait pénible de parler longtemps de moi ; j'aurai plus de confiance en écrivant. » Madame de Vernon nous rejoignit alors, et fut témoin de l'expression de ma reconnaissance.

Madame de Lebensei nous pria toutes les deux de rester chez elle quelques jours ; je m'y refusai pour cette fois, n'en ayant pas prévenu Thérèse ; mais nous promîmes de revenir : je désirais revoir madame de Lebensei, et j'aurais craint de la blesser en la refusant ; on a de la susceptibilité, dans sa situation, et cette susceptibilité, les âmes sensibles doivent la ménager, car elle donne aux plus petites choses une grande influence sur le bonheur.

En revenant avec madame de Vernon, je fus encore plus frappée que je ne l'avais été le matin de sa pâleur et de sa tristesse, et je lui demandai à quelle heure elle s'était couchée la nuit dernière. « A cinq heures du matin, me répondit-elle. — Vous avez donc joué ? — Oui. — Mon Dieu ! repris-je, comment pouvez-vous vous abandonner à ce goût funeste ? Vous y aviez renoncé depuis si longtemps ! — Je m'ennuie dans la vie, me répondit-elle ; je manque d'intérêt, de mouvement, et mon repos n'a point de charmes : le jeu m'anime sans m'émouvoir douloureusement ; il me distrait de toute autre idée, et je consume ainsi quelques heures sans les sentir. — Est-ce à vous, lui dis-je, de tenir ce langage ? votre esprit... — Mon esprit ! interrompit-elle ; vous savez bien que je n'en ai que pour causer, et point du tout pour lire, ni pour réfléchir ; j'ai été élevée comme cela, je pense dans le monde ; seule, je m'ennuie ou je souffre. — Mais ne savez-vous donc pas, lui dis-je, jouir des sentiments que vous inspirez ? — Vous voyez quelle a été la conduite de ma fille pour moi, me répondit-elle ; de ma fille à qui j'avais fait tant de sacrifices : peut-être qu'en voulant la servir je me suis rendue moins digne de votre amitié ; vous me l'accordez encore, mais votre confiance en moi n'est plus la même : tout est donc altéré pour moi. Néanmoins les moments que je passe avec vous sont encore les plus agréables de tous ; ainsi ne parlons pas de mes peines dans le seul instant où je les oublie. » Alors elle ramena la conversation sur madame de Lebensei ; et comme elle a tout à la fois de la grâce et de la dignité dans les manières, il est impossible de persister à lui parler d'un sujet qu'elle évite, ni de résister au charme de ce qu'elle dit.

Elle fut si parfaitement aimable pendant la route, qu'elle suspendit un moment l'amertume de mes chagrins. La finesse de son esprit, la délicatesse de ses expressions, un air de douceur et de négligence qui obtient tout sans rien demander ; ce talent de mettre son âme tellement en harmonie avec la vôtre, que vous croyez sentir avec elle, en même temps qu'elle, tout ce que son esprit développe en vous ; ces avantages qui n'appartiennent qu'à elle, ne peuvent jamais perdre, entièrement leur ascendant. Il me semble impossible, quand je vois madame de Vernon, de ne pas me confier à son amitié ; et cependant, dès que je suis loin d'elle, le doute me ressaisit de nouveau. Que le cœur humain est bizarre ! on a des sentiments que l'on cherche à se justifier, parce qu'on a toujours en soi quelque chose qui les blâme ; et l'on cède à de certains agréments, à de certains esprits, avec une sorte de crainte, qui ajoute peut-être encore à l'attrait qu'ils inspirent et qu'on voudrait combattre (37).

Ce matin, comme je me levais, ayant passé presque toute la nuit à réfléchir sur l'heureux et doux asile de Cernay, je reçus la lettre que madame de Lebensei m'avait promis de m'écrire : la voici ; jugez, Louise, de ce que j'ai dû souffrir en la lisant.

Madame de Lebensei à madame d'Albémar

Parmi les sacrifices qui me sont imposés, madame, le seul que j'aurais de la peine à supporter, ce serait de vous avoir connue et de ne pas chercher à vous prouver que je ne mérite point l'injustice dont on a voulu me rendre victime. Mettez quelque prix à mes efforts pour obtenir votre approbation ; car jusqu'à ce jour, satisfaite de mon bonheur, et fière de mon choix, je n'ai pas fait une démarche pour expliquer ma conduite.

En prenant la résolution de faire divorce avec mon premier mari, et d'épouser quelques années après M. de Lebensei, j'ai parfaitement senti que je me perdais dans le monde, et j'ai formé, dès cet instant, le dessein de n'y jamais reparaître. Lutter contre l'opinion, au milieu de la société, est le plus grand supplice dont je puisse me faire l'idée. Il faut être, ou bien audacieuse, ou bien humble pour s'y exposer. Je n'étais ni l'une ni l'autre, et je compris très vite qu'une femme qui ne se soumet pas aux préjugés reçus doit vivre dans la retraite, pour conserver son repos et sa dignité ; mais il y a une grande différence entre ce qui est mal en soi et ce qui ne l'est qu'aux yeux des autres ; la solitude aigrit les remords de la conscience, tandis qu'elle console de l'injustice des hommes.

Si j'avais été très aimable, très remarquable par la grâce et l'esprit de société, le sacrifice de mes succès m'eût peut-être été pénible ; mais j'étais une femme ordinaire dans la conversation, quoique j'eusse une manière de sentir très forte et très profonde : je pouvais donc renoncer au monde, sans craindre ces regrets continuels de l'amour-propre qui troublent tôt ou tard les affections les plus tendres.

Je n'avais point à redouter non plus le réveil des passions exaltées : j'ai de la raison, quoique ma conduite ne soit pas d'accord avec ce qu'on appelle communément ainsi. C'est d'après les réflexions sages et calmes que j'ai pris un parti qui sort de toutes les règles communes ; et rien de ce qui m'a décidée ne peut changer, car c'est d'après mon caractère et celui de Henri que je me suis déterminée.

Les événements de ma vie sont très simples et peu multipliés ; la suite de mes impressions est le seul intérêt de mon histoire.

DELPHINE

Un Hollandais, M. de T., avait rapporté des colonies une très grande fortune ; il passa quelque temps à Montpellier pour rétablir sa santé. Il se prit, je ne sais pourquoi, d'une passion très vive pour moi, me demanda, m'obtint, et m'emmena dans son pays, où je ne connaissais personne. Il fallut, à dix-huit ans, rompre avec tous les souvenirs de ma vie. Je voulais m'attacher à mon mari ; il y avait, dans nos esprits et dans nos caractères, une opposition continuelle. Il était amoureux de moi, parce qu'il me trouvait jolie ; car, d'ailleurs, il semblait qu'il aurait dû me haïr. Cette espèce d'attachement que je lui inspirais ajoutait donc encore à mon malheur ; car si ma figure ne lui avait pas été agréable, il se serait éloigné de moi, et je n'aurais pas senti à chaque instant de la journée les défauts qui me le rendaient insupportable (38).

Avarice, dureté, entêtement, toutes les bornes de l'esprit et de l'âme se trouvaient en lui. Je me brisais sans cesse contre elles ; j'essayais sans cesse un plan quelconque de bonheur, et tous échouaient contre son active et revêche médiocrité.

Il avait fait sa fortune en Amérique, en exerçant sur ses malheureux esclaves un despotisme tyrannique ; il y avait contracté l'habitude de se croire supérieur à tout ce qui l'entourait : les sentiments nobles, les idées élevées lui paraissaient de l'affectation ou de la niaiserie. Exercez-vous une vertu généreuse à vos dépens, il se moquait de vous ; l'opposiez-vous à ses désirs, non seulement il s'irritait contre vous, mais il cherchait à dégrader vos motifs : il voulait qu'il n'y eût qu'une seule chose de considérée dans le monde, l'art de s'enrichir, et le talent de faire prospérer, en tout genre, ses propres intérêts. Enfin, je l'ai doublement senti, dans le temps de mon malheur et dans les années heureuses qui l'ont suivi, l'étendue des lumières, le caractère et les idées que l'on nomme philosophiques, sont aussi nécessaires au charme, à l'indépendance et à la douceur de la vie privée, qu'elles peuvent l'être à l'éclat de toute autre carrière.

Il fallait, pour vivre bien avec M. de T., que je renonçasse à tout ce que j'avais de bon en moi ; je n'aurais pu me créer un rapport avec lui qu'en me livrant à un mauvais sentiment.

Quoiqu'il ne cherchât point à plaire, il était très inquiet de ce qu'on disait de lui ; il n'avait ni l'indifférence sur les jugements des hommes, que la philosophie peut inspirer, ni les égards pour l'opinion qu'aurait dû lui suggérer son désir de la captiver. Il voulait obtenir ce qu'il était résolu de ne pas mériter, et cette manière d'être lui donnait de la fausseté dans ses rapports avec les étrangers, et de la violence dans ses relations domestiques.

Il songeait, du matin au soir, à l'accroissement de sa fortune, et je ne pouvais pas même me représenter cet accroissement comme de nouvelles jouissances, car j'étais assurée qu'une augmentation de richesses lui faisait toujours naître l'idée d'une diminution de dépense, et je ne disputais sur rien avec lui, dans la crainte de prolonger l'entretien et de sentir nos âmes de trop près dans la vivacité de la querelle.

L'exercice d'aucune vertu ne m'était permis ; tout mon temps était pris par le despotisme ou l'oisiveté de mon mari. Quelquefois les idées religieuses venaient à mon secours ; néanmoins combien elles ont acquis plus d'influence sur moi depuis que je suis heureuse ! Des souffrances arides et continuelles, une liaison de toutes les heures avec un être indigne de soi, gâtent le caractère au lieu de le perfectionner. L'âme qui n'a jamais connu le bonheur ne peut être parfaitement bonne et douce ; si je conserve encore quelque sécheresse dans le caractère, c'est à ces années de douleur que je le dois. Oui, je ne crains pas de le dire, s'il était une circonstance qui pût nous permettre une plainte contre notre Créateur, ce serait du sein d'un mariage mal assorti que cette plainte échapperait ; c'est sur le seuil de la maison habitée par ces époux infortunés qu'il faudrait placer ces belles paroles du Dante, qui proscrivent l'espérance. Non, Dieu ne nous a point condamnés à supporter un tel malheur ! Le vice s'y soumet en apparence, et s'en affranchit chaque jour ; la vertu doit le briser, quand elle se sent incapable de renoncer pour jamais au bonheur d'aimer, à ce bonheur dont le sacrifice coûte bien plus à notre nature que le mépris de la mort.

Je ne vous développerai point ici mon opinion sur le divorce ; quand M. de Lebensei sera assez heureux pour vous connaître, madame, il vous dira mieux que personne les raisonnements qui m'ont convaincue ; je ne peux vous peindre que les sentiments qui ont décidé de mon sort.

Un jour, à la Haye, chez l'ambassadeur de France, on m'annonça qu'un jeune Français était arrivé le matin de Paris, et devait nous être présenté le soir même. Une femme me dit que ce Français passait pour sauvage, savant et philosophe, que sais-je ? tout ce que les Français sont rarement à vingt-cinq ans ; elle ajouta qu'il avait fait ses études à Cambridge, et que sans doute il s'était gâté par les manières anglaises ; mais comme il n'existe pas, selon mon opinion, de plus noble caractère que celui des Anglais, je ne me sentais point prévenue contre l'homme qui leur ressemblait. Je demandai son nom, elle me nomma Henri de Lebensei, gentilhomme protestant du Languedoc : sa famille était alliée de la mienne : je ne l'avais jamais vu, mais il connaissait le séjour de mon enfance ; il était Français ; il avait au moins entendu parler de mes parents : cette idée, dans l'éloignement où je vivais de tout ce qui m'avait été cher, cette idée m'émut profondément.

M. de Lebensei entra chez l'ambassadeur avec plusieurs autres jeunes gens ; je reconnus à l'instant l'image que je m'en étais faite : il avait l'habillement et l'extérieur d'un Anglais, rien de remarquable dans la figure, que de l'élégance, de la noblesse, et une expression très spirituelle. Je ne fus point frappée en le voyant, mais plus je causai avec lui, plus j'admirai l'étendue et la force de son esprit, et plus je sentis qu'aucun caractère ne convenait mieux au mien (39).

Depuis ce jour jusqu'à présent, depuis six années, loin de me reprocher d'aimer Henri de Lebensei, il m'a semblé toujours que si je l'éloignais de moi, je repousserais une faveur spéciale de la Providence, le signe le plus manifeste de sa protection, l'ami qui me rend l'usage de mes qualités naturelles, et me conduit dans la route de la morale, de l'ordre et du bonheur.

Vous avez peut-être su les cruels traitements que M. de T. me fit éprouver quand il sut que j'aimais M. de Lebensei. Je n'avais point d'enfants ; je demandai le divorce selon les lois de Hollande. M. de T., avant d'y consentir, voulut exiger de moi une renonciation absolue à toute ma fortune ; quand je la refusai, il m'enferma dans sa terre et me menaça de la mort ; son amour s'était changé en haine, et toute sa conduite était alors soumise à sa passion dominante, à l'avidité. Henri me sauva par son courage, exposa mille fois sa vie pour me délivrer, et me ramena enfin en France après deux années, pendant lesquelles il m'avait rendu tous les services que l'amour et la générosité peuvent inspirer.

Mon divorce fut prononcé : je ne vous fatiguerai point des peines qu'il m'en coûta pour l'obtenir ; c'est Henri que je veux vous faire connaître : toute ma destinée est en lui. Je vais peut-être vous étonner, jeune et charmante Delphine, mais ce n'est point la passion de l'amour, telle qu'on peut la ressentir dans l'effervescence de la jeunesse, qui m'a décidée à choisir Henri pour le dépositaire de mon sort ; il y a de la raison dans mon sentiment pour lui, de cette raison qui calcule l'avenir autant que le présent, et se rend compte des qualités et des défauts qui peuvent fonder une liaison durable. On parle beaucoup des folies que l'amour fait commettre : je trouve plus de vraie sensibilité dans la sagesse du cœur que dans son égarement ; mais toute cette sagesse consiste à n'aimer, quand on est jeune, que celui qui vous sera cher également dans tous les âges de la vie. Quel doux précepte de morale et de bonheur ! Et la morale et le bonheur sont inséparables, quand les combinaisons factices de la société ne viennent pas mêler leur poison à la vie naturelle.

Henri de Lebensei est certainement l'homme le plus remarquable par l'esprit qu'il soit possible de rencontrer : une éducation sérieuse et forte lui a donné sur tous les objets philosophiques des connaissances infinies, et une imagination très vive lui inspire des idées nouvelles sur tous les faits qu'il a recueillis. Il se plaît à causer avec moi, d'autant plus qu'une sorte de timidité sauvage et fière le rend souvent taciturne dans le monde ; comme son esprit est animé et son caractère assez sérieux, plus le cercle se resserre, plus il déploie dans la conversation d'agréments et de ressources, et seul avec moi il est plus aimable encore qu'il ne s'est jamais montré aux autres. Il réserve pour moi, des trésors de pensées et de grâce, tandis que le commun des hommes s'exalte pour les auditeurs, s'enflamme par l'amour-propre, et se refroidit dans l'intimité. Tous ceux qui aiment la solitude, ou que des circonstances ont appelés à y vivre, vous diront de quel prix est dans les jouissances habituelles ce besoin de communiquer ses idées, de développer ses sentiments, ce goût de conversation qui jette de l'intérêt dans une vie où le calme s'achète d'ordinaire aux dépens de la variété. Et ne croyez point que cet empressement de Henri pour mon entretien naisse seulement de son amour pour moi ; ma raison m'aurait dit encore qu'il ne faut jamais compter sur les qualités que l'amour donne, ou se croire préservé des défauts dont il corrige. Ce qui me rend certaine de mon bonheur avec Henri, c'est que je connais parfaitement son caractère tel qu'il est, indépendamment de l'affection que je lui inspire, et que je suis la seule personne au monde avec laquelle il ait entièrement développé ses vertus comme ses défauts.

Henri possède un genre d'agrément et de gaieté qui ne peut se développer que dans la familiarité de sentiments intimes ; ce n'est point une grâce de parure, mais une grâce d'originalité dont la parfaite aisance augmente beaucoup le charme : quand l'intimité est arrivée à ce point, qui fait trouver du charme dans des jeux d'enfants, dans une plaisanterie vingt fois répétée, dans de petits détails sans fin auxquels personne que vous deux ne pourrait jamais rien comprendre, mille liens sont enlacés autour du cœur, et il suffirait d'un mot, d'un signe, de l'allusion la plus légère à des souvenirs si doux, pour rappeler ce qu'on aime du bout du monde.

J'ai de la disposition à la jalousie ; Henri ne m'en fait jamais éprouver le moindre mouvement ; je sais que seule je le connais, que seule je l'entends, et qu'il jouit d'être senti, d'être estimé par moi, sans avoir jamais besoin de mettre en dehors ce qu'il éprouve. Il a des opinions très indépendantes, assez de mépris pour les hommes en général, quoiqu'il ait beaucoup de bienveillance pour chacun d'eux en particulier. On a dit assez de mal de lui, surtout depuis que, dans les querelles politiques, il s'est montré partisan de la révolution ; il tient cette injustice pour acceptée, et rien au monde ne pourrait le contraindre à une

justification, p
qu'il est : dès
demandée, ell
naturel de son
fidélité : s'il
obligé d'entr
sur ses défa
envers moi l
c'est de cett
calomnié a

Sous de
est plus a
secret, de
et je m'y
reuse s'il
de m'aff
l'amour
deux v
bonté.

observ
ont b
diver
le pl
de l
prin
prit
ca
lo
tr

sacrifier ce sort unique au mal que pouvaient dire de moi de froids amis qui m'ont bientôt oubliée, les indifférents qui savent à peine mon nom ? Ils me conseilleraient de renoncer au seul être qui m'aime, au seul être qui me protège dans ce monde, tout en se préparant à me refuser du secours si j'en avais besoin, si, redevenue isolée par déférence pour leurs avis, j'allais leur demander l'un des milliers de services qu'Henri me rendrait sans les compter.

Non, ce n'est point à l'opinion des hommes, c'est à la vertu qu'on peut immoler les affections du cœur : entre Dieu et l'amour, je ne reconnais d'autre médiateur que la conscience.

De quoi vous menace donc la société ? De ne plus vous voir ? La punition n'est pas égale à la sévérité des lois qu'elle impose. Cependant, je le répète à vous, madame, qui êtes encore dans les premières années de la jeunesse, mon exemple ne doit entraîner personne à m'imiter. C'est un grand hasard pour une femme, que de braver l'opinion ; il faut, pour l'oser, se sentir, suivant la comparaison d'un poète, un triple airain autour du cœur, se rendre inaccessible aux traits de la calomnie, et concentrer en soi-même toute la chaleur de ses sentiments ; il faut avoir la force de renoncer au monde, posséder les ressources qui permettent de s'en passer, et ne pas être douée cependant d'un esprit ou d'une beauté rare, qui feraient regretter les succès pour toujours perdus ; enfin, il faut trouver dans l'objet de nos sacrifices la source toujours vive des jouissances variées du cœur et de la raison, et traverser la vie appuyés l'un sur l'autre, en s'aimant et faisant le bien.

Vous connaissez maintenant ma situation, madame ; vous aurez aperçu que mon bonheur n'est pas sans mélange : mais le bonheur parfait ne peut jamais être le partage d'une femme à qui l'erreur de ses parents ou la sienne propre ont fait contracter un mauvais mariage. Si l'enfant que je porte dans mon sein est une fille, ah ! combien je veillerai sur son choix ! combien je lui répéterai que, pour les femmes, toutes les années de la vie dépendent d'un jour ! et que d'un seul acte de leur volonté dérivent toutes les peines ou toutes les jouissances de leur destinée.

Quand des personnes que j'estime condamnent la résolution que j'ai prise ; quand j'éprouve la faiblesse ou la dureté de mes amis, quelquefois je ne retrouve plus, même dans la solitude, le repos que j'espérais, et le souvenir du monde s'y introduit pour la troubler. Mais dans les moments où je suis le plus abattue, un beau jour, avec Henri, relève mon âme : nous sommes jeunes encore l'un et l'autre, et néanmoins nous parlons souvent ensemble de la mort, nous cherchons dans nos bois quelque retraite paisible pour y déposer nos cendres ; là, nous serons unis, sans que les générations successives qui fouleront notre tombe nous reprochent encore notre affection mutuelle.

Nous nous entretenons souvent sur les idées religieuses, nous interrogeons le ciel par des regards d'amour : nos âmes, plus fortes de leur intimité, essayent de pénétrer à deux dans les mystères éternels. Nous existons par nous-mêmes, sans aucun appui, sans aucun secours des hommes. M. de Lebensei, je l'espère, est plus heureux que moi, car il est beaucoup plus indépendant des autres. Quand les chagrins causés par l'opinion me font souffrir, je me dis que j'aurais été trop heureuse si les hommes avaient joint leur suffrage à ma félicité intérieure, si j'avais vu, pour ainsi dire, mon bonheur se répéter de mille manières dans leurs regards approbateurs. L'imparfaite destinée jette toujours des regrets à travers les plus pures jouissances : la peine que j'éprouve, la seule de ma vie, me garantit peut-être la possession de tout ce qui m'est cher ; elle m'acquitte

225

envers la douleur, qui ne veut pas qu'on l'oublie, et j'obtiendrai peut-être en compensation le seul bien que je demande maintenant au ciel... mourir avant Henri, recevoir ses soins à ma dernière heure, entendre sa douce voix me remercier de l'avoir rendu heureux, de l'avoir préféré à tout sur cette terre ; alors j'aurai vécu de la vraie destinée pour laquelle les femmes sont faites, aimer, encore aimer, et rendre enfin au Dieu qui nous l'a donnée une âme que les affections sensibles auront seules occupée (40).

Elise de Lebensei.

Ah ! ma chère Louise, maintenant que vous avez fini cette lettre, avez-vous donné quelques larmes aux regrets qu'elle a ranimés dans mon cœur ? Avez-vous pressenti toutes les réflexions amères qu'elle m'a suggérées ? Que d'obstacles M. de Lebensei n'a-t-il pas eus à vaincre pour épouser celle qu'il aimait ! Et Léonce, comme aisément il y a renoncé ! C'est madame de Lebensei qui pense à la défaveur de l'opinion ; mais son mari ne s'en est pas occupé un seul instant ; il ne dépend que de ses propres affections, il ne se soumet qu'à ce qu'il aime ; et Léonce... Ne croyez pas cependant que son caractère ait moins de force, qu'il soit en rien inférieur à personne ; mais il a manqué d'amour : je veux en vain me faire illusion, tout le mal est là.

Hélas ! sans le savoir, madame de Lebensei condamne à chaque ligne la conduite de Léonce. La douleur que m'a causée cette lettre ne me sera point inutile ; si je le revoyais, je pourrais lui parler, je serais calme et fière en sa présence.

DELPHINE

LETTRE VIII

Delphine à mademoiselle d'Albémar

Louise, qu'ai-je éprouvé ? Que m'a-t-il dit ? je n'en sais rien. Je l'ai vu ; mon âme est bouleversée. Je croyais entrevoir une espérance, madame de Vernon me l'a presque entièrement ravie. Pouvez-vous m'éclairer sur mon sort ? Ah ! je ne suis plus capable de rien juger par moi-même.

Je reçus hier à Paris, où j'étais venue pour reconduire madame de Vernon, une lettre vraiment touchante de madame d'Ervins. Dans cette lettre, elle me conjurait d'aller chez un peintre au Louvre, où le portrait de M. de Serbellane était encore, et de le lui apporter pour le considérer une dernière fois. Elle me disait : « Je me suis persuadée la nuit passée que ses traits étaient effacés de mon souvenir ; je les cherchais comme à travers des nuages qui se plaçaient toujours entre ma mémoire et moi : je le sais, c'est une chimère insensée ; mais il faut que j'essaye de me calmer avant le dernier sacrifice. Ces condescendances que j'ai encore pour mes faiblesses ne vous compromettront plus longtemps, ma chère amie ; ma résolution est prise, et tout ce qui semble m'en écarter m'y conduit. »

Je n'hésitai pas à donner à Thérèse la consolation qu'elle désirait, et madame de Vernon, à qui j'en parlai, fut entièrement de mon avis.

J'allai donc ce matin au Louvre ; mais avant d'arriver à l'atelier du peintre de M. de Serbellane, je m'arrêtai dans la galerie des tableaux ; il y en avait un qu'un jeune artiste venait de terminer* : il me

---

* *Le Marcus Sextus de Guérin.*

frappa tellement qu'à l'instant où je le regardai, je me sentis baignée de larmes. Vous savez que de tous les arts c'est à la peinture que je suis le moins sensible ; mais ce tableau produisit sur moi l'impression vive et pénétrante que jusqu'alors je n'avais jamais éprouvée que par la poésie ou la musique.

Il représente Marcus Sextus revenant à Rome après les proscriptions de Sylla. En rentrant dans sa maison, il retrouve sa femme étendue sans vie sur son lit ; sa jeune fille, au désespoir, se prosterne à ses pieds. Marcus tient la main pâle et livide de sa femme dans la sienne ; il ne regarde pas encore son visage ; il a peur de ce qu'il va souffrir ; ses cheveux se hérissent : il est immobile ; mais tous ses membres sont dans la contraction du désespoir. L'excès de l'agitation de l'âme semble lui commander l'inaction du corps. La lampe s'éteint, le trépied qui la soutient se renverse. Tout rappelle la mort dans ce tableau ; il n'y a de vivant que la douleur.

Je fus saisie, en le voyant, de cette pitié profonde que les fictions n'excitent jamais dans notre cœur sans un retour sur nous-mêmes ; et je contemplai cette image du malheur comme si, dangereusement menacée au milieu de la mer, j'avais vu de loin, sur les flots, les débris d'un naufrage.

Je fus tirée de ma rêverie par l'arrivée du peintre, qui me mena dans son atelier ; je vis le portrait de M. de Serbellane, très-frappant de ressemblance. Je demandai qu'on le portât dans ma voiture : pendant qu'on l'arrangeait, je revins dans la galerie pour revoir encore le tableau de Marcus Sextus.

En entrant, j'aperçois Léonce placé comme je l'étais devant ce tableau, et paraissant ému comme moi de son expression ; sa présence m'ôta dans l'instant toute puissance de réflexion, et je m'avançai vers lui sans savoir ce que je faisais. Il leva les yeux sur moi, et ne parut point surpris de me voir. Son âme était déjà ébranlée ; il me sembla que j'arrivais comme il pensait à moi, et que ses réflexions le préparaient à ma présence.

« On plaint, me dit-il avec une sorte d'égarement tout à fait extraordinaire, et presque sans me regarder, oui, l'on plaint ce Romain infortuné qui, revenant dans sa patrie, ne trouve plus que les restes inanimés de l'objet de sa tendresse ; eh bien, il serait mille fois plus malheureux s'il avait été trompé par la femme qu'il adorait, s'il ne pouvait plus l'estimer ni la regretter sans s'avilir. Quand la mort a frappé celle qu'on aime, la mort aussi peut réunir à elle ; notre âme, en s'échappant de notre sein, croit s'élancer vers une image adorée ; mais si son souvenir même est un souvenir d'amertume, si vous ne pouvez penser à elle sans un mélange d'indignation et d'amour, si vous souffrez au dedans de vous par des sentiments toujours combattus, quel soulagement trouvez-vous dans la tombe ? Ah ! regardez-le encore, madame, cet homme malheureux qui va succomber sous le poids de ses peines ; il ne connaissait pas les douleurs les plus déchirantes ; la nature, inépuisable en souffrances, l'avait encore épargné. Il tient, s'écria Léonce avec l'accent le plus amer, et en me saisissant le bras comme un furieux, il tient la main décolorée de la compagne de sa vie ; mais la main cruelle de celle qui lui fut chère n'a pas plongé dans son sein un fer empoisonné. »

Effrayée de son mouvement, ne pouvant comprendre ses discours, je voulais lui répondre, l'interroger, me justifier, un de mes gens apporta dans cet instant le portrait de M. de Serbellane, et le peintre qui le suivait lui dit : « Mettez ce tableau avec beaucoup de soin dans la voiture de madame d'Albémar. » Léonce me quitte, s'approche du portrait, lève la toile qui le couvrait, la rejette avec violence, et se retournant vers moi avec l'expression de visage la plus insultante : « Pardonnez-moi, me dit-il, madame, les moments que je vous ai fait perdre ; je ne sais ce qui m'avait troublé ; mais ce qui est certain, ajouta-t-il en pesant sur ce mot de toute la fierté de son âme, ce qui est certain, c'est que je suis calme à présent. » En prononçant ces paroles, il enfonça son chapeau sur ses yeux, et disparut.

Je restai confondue de cette scène, immobile à la place où Léonce m'avait laissée, et cherchant à deviner le sens des reproches sanglants qu'il m'avait adressés : cependant une idée me saisit, c'est que tout ce qu'il m'avait dit, et l'impression qu'avait produite sur lui le portrait de M. de Serbellane pouvait appartenir à la jalousie ; cette pensée, peut-être douce, n'était encore que confuse dans ma tête, lorsque madame de Vernon arriva ; je ne l'attendais point ; elle avait été chez moi, ne me croyant pas encore partie, et voulant m'amener elle-même chez le peintre. Je lui exprimai dans mon premier mouvement toutes les idées qui m'agitaient, et je lui demandai vivement comment il serait possible que Léonce pût croire que j'aimais M. de Serbellane, lui qui devait savoir l'histoire de madame d'Ervins. « Aussi, me répondit-elle, ne le croit-il pas. Mais vous n'avez pas d'idée de son caractère, et de l'irritation qu'il éprouve sur tout ce qui vous regarde. » Cette réponse ne me satisfit pas, et je regardai madame de Vernon avec étonnement : je ne sais ce qui se passa dans son esprit alors ; mais elle se tut pendant quelques instants, et reprit ensuite d'un ton ferme, qui me fit rougir des pensées que j'avais eues, et ne me prouva que trop combien elles étaient fausses.

« Je pénètre, me dit madame de Vernon, l'injuste défiance que vous avez contre moi, je ne puis la supporter, il faut que tout soit éclairci ; je forcerai Léonce, malgré les motifs qu'il pourrait m'opposer, à vous expliquer lui-même les raisons qui l'ont déterminé à ne pas s'unir à vous. Je fais peut-être une démarche contraire à mon devoir de mère, en vous rapprochant du mari de ma fille, car certainement il ne pourra jamais vous voir sans émotion, quelle que soit son opinion sur votre conduite ; mais ce qu'il m'est impossible de tolérer, c'est votre défiance, et pour qu'elle finisse, je vais écrire dès demain à Léonce que je le prie d'avoir un entretien avec vous. »

Jugez, ma sœur, de l'effroi qu'un tel dessein dut me causer ; je conjurai madame de Vernon d'y renoncer ; elle me quitta sans vouloir me dire ce qu'elle ferait ; elle était blessée, je n'en pus obtenir un seul mot : mais je pars à l'instant même pour passer deux jours à Cernay chez madame de Lebensei ; si madame de Vernon, malgré mes instances, me ménage assez peu pour demander à Léonce de me voir, au moins il saura que je n'ai point consenti à cette humiliation ; il ne me trouvera point chez moi, à Paris, ni à Bellerive.

LETTRE IX

Madame de Vernon à Léonce

Après tout ce que je vous ai dit, après tout ce qui s'est passé, votre agitation, en parlant hier matin à madame d'Albémar, l'a fort étonnée, mon cher Léonce ! elle voudrait ne point partir sans que vous fussiez en bonne amitié l'un avec l'autre ; elle pense avec raison qu'étant devenus proches parents par votre mariage avec ma fille, vous ne devez pas rester brouillés ; je désirerais donc que vous vous rencontrassiez tous les deux chez moi demain soir ; le voulez-vous ?

LETTRE X

Réponse de Léonce à madame de Vernon

Je n'ai rien à dire à madame d'Albémar, madame, qui pût motiver l'entretien que vous me demandez. Nous sommes et nous resterons parfaitement étrangers l'un à l'autre : l'amitié comme l'amour doivent être fondés sur l'estime, et quand je suis forcé d'y renoncer, dispensez-moi de le déclarer.

LETTRE XI

Léonce à M. Barton

Paris, ce 14 août.

Je l'ai offensée, mortellement offensée, mon ami ; je le voulais, et néanmoins je m'en repens avec amertume : mais aussi comment se peut-il que le jour même où j'apprends par hasard de madame de Vernon, que madame d'Albémar doit aller chez le peintre de M. de Serbellane, le jour où je la vois emporter ce portrait avec elle, madame de Vernon me propose de rencontrer chez elle madame d'Albémar, de lui dire adieu, lorsqu'elle part pour rejoindre M. de Serbellane ! et de quels termes madame de Vernon, inspirée sans doute par madame d'Albémar, se sert-elle pour m'y engager ! elle me rappelle l'amitié, les liens de famille qui doivent me rapprocher de sa nièce ! Non, je ne suis ni le parent, ni l'ami de Delphine ; je la hais ou je l'adore, mais rien ne sera simple entre nous, rien ne se passera selon les règles communes. Il est vrai, je ne devais pas me servir d'expressions blessantes, en refusant de la voir ; tant de circonstances cependant s'étaient réunies pour m'irriter ! Je fus tout le jour assez content de moi-même ; mais la nuit, mais le lendemain qui suivit, je ne pus me défendre du remords d'avoir outragé celle que j'ai si tendrement aimée. J'allai chez madame de Vernon pour la conjurer de ne pas montrer ma réponse à madame d'Albémar. Madame de Vernon était partie pour la campagne de madame de Lebensei. Il n'y avait pas une heure, me dit-on, qu'elle était en route. J'eus l'espoir, en montant à cheval, de la rejoindre, et je partis à l'instant. J'arrive à Cernay, sans rencontrer madame de Vernon : un de mes gens me précède ; on ouvre la grille, j'entre, et j'aperçois d'abord la voiture de madame d'Albémar, qui était avancée devant la porte de l'intérieur de la maison. J'imaginai que madame d'Albémar était au moment de partir, et je ne sais par quelle inconséquence du cœur, quoique je ne fusse pas venu dans l'intention de la voir, je ne supportai pas l'idée que cela me serait impossible. Sans projet ni réflexion, j'avance et je crie au cocher : « Reculez. — J'attends madame, me répondit-il. — Reculez, » lui dis-je ; et je sautai en bas de mon cheval avec une action si véhémente, qu'il m'obéit de frayeur. Je fus honteux de ma folle colère, quand je me trouvai seul au milieu de la cour, examiné par tous les domestiques qui y étaient. Celui de madame d'Albémar, se ressouvenant du temps où sa maîtresse avait du plaisir à me voir, me dit qu'elle était dans le jardin ; j'y entrai par la porte de la cour, toujours dans le même égarement : j'étais dans une maison étrangère, je n'y connaissais personne ; mais j'allais où elle était, comme un malheureux entraîné par une force surnaturelle. Il était neuf heures du soir, le ciel était parfaitement serein, et la beauté de la nuit aurait calmé tout autre cœur que le mien ; mais, dans mon agitation, je ne pouvais éprouver aucune impression douce. Je la cherchais, et mes yeux repoussaient tout ce qui n'était pas elle. J'aperçus d'une des hauteurs du jardin, à travers l'ombre des arbres, cette charmante figure que je ne puis méconnaître ; elle était appuyée sur un monument qu'elle semblait considérer avec attention ; une petite fille à ses pieds, habillée de noir, la tirait par sa robe pour la rappeler à elle. Je m'approchai sans me montrer. Delphine levait ses beaux yeux vers le ciel, et je crus la voir pâle et tremblante, telle que son image m'était apparue à l'église. Elle priait, car toute l'expression de son visage peignait l'enthousiasme de l'inspiration. Le vent venait de son côté ; il agitait les plis de sa robe avant d'arriver jusqu'à moi ; en respirant cet air, je croyais m'enivrer d'elle ; il m'apportait un souffle divin. Je restai quelques instants dans cette situation : depuis un mois, mon cœur oppressé n'avait pas cessé de me faire mal ; je le sentais alors battre avec moins de peine, j'y pouvais poser la main sans douleur. Je serais resté longtemps dans cet état, si je n'avais pas vu Delphine sortir du bosquet, pour lire, aux rayons de la lune, une lettre qu'elle tenait entre ses mains : il me vint dans l'esprit que c'était celle que j'avais écrite à madame de Vernon, et que les signes de douleur que je remarquais sur le visage de Delphine, venaient peut-être de la peine que je lui avais causée. Je ne pus résister à cette idée ; je m'approchai précipitamment de madame d'Albémar ; elle se retourna, tressaillit, et prête à tomber, elle s'appuya sur un arbre. Je reconnus ma lettre qu'elle regardait encore ; j'allais m'en saisir pour la déchirer, lorsque Delphine, reprenant ses forces, s'avança vers moi, et tenant ma lettre dans l'une de ses mains, elle leva l'autre vers le ciel. Jamais je ne l'avais vue si ravissante, je crus un moment que moi seul j'étais coupable ; il me semblait que j'entendais les anges qu'elle invoquait à son secours parler pour elle et m'accuser. Je tombai à genoux devant le ciel, devant elle, devant la beauté ; je ne sais ce que j'adorais, mais je n'étais plus à moi. « Parlez, m'écriai-je, parlez ; prosterné devant vous, je vous demande de vous justifier. — Non, me dit-elle en mettant sa main sur son cœur, ma réponse est là, celui qui put m'offenser n'a pas mérité de l'entendre. » Elle s'éloigna de moi, je la conjurai de s'arrêter, mais en vain ; je vis de loin madame de Vernon qui venait rapidement vers nous avec madame de Lebensei ; je fis un dernier effort pour obtenir un mot, il fut inutile, et mon cœur irrité reprit l'indignation que le regard de Delphine avait comme suspendue. Je voulus paraître calme en présence des étrangers, et ne pas rendre Delphine témoin de mon abattement. Je parlai vite, je rassemblai au hasard tout ce que je pouvais dire à madame de Lebensei et à madame de Vernon, et quand je crus en avoir assez fait pour avoir l'air d'être tranquille, je regardai Delphine, d'abord avec assurance. Elle n'avait point essayé, comme moi, de cacher son émotion, elle s'appuyait sur la fille de madame d'Ervins, marchait avec peine, ne répondait à rien, et cherchait seulement avec ses regards la route qui conduisait hors du parc. Dès que je vis sa tristesse, je me tus, et je la suivis en silence ; madame de Vernon et madame de Lebensei tâchaient en vain de soutenir la conversation. Au moment où nous approchâmes de la porte, les yeux de madame d'Albémar tombèrent sur moi ; si je n'avais vu que ce regard, il me semble que ma situation ne serait point amère, mais elle a refusé de

se justifier... Insensé que je suis ! que pouvait-elle me
dire ? désavouera-t-elle son choix ? ne m'a-t-elle pas
trompé ? peut-elle anéantir le passé ? Mais pourquoi
donc voulais-je la voir, et pourquoi ne puis-je jamais
oublier cette expression de douleur qui s'est peinte
dans tous ses traits ? Est-ce encore un art perfide ?
mais de l'art avec ce visage, avec cet accent ! Fei-
gnait-elle aussi l'état où je l'ai vue, lorsqu'elle ne
pouvait m'apercevoir ? Sa voiture en s'en allant
passait devant une des allées du parc ; j'ai fait
quelques pas derrière les arbres, pour la suivre
encore des yeux ; la fille de madame d'Ervins avait
jeté ses bras autour d'elle, et Delphine la tenait
serrée contre son cœur, avec un abandon si tendre,
une expression si touchante ! Il m'a semblé que sa
poitrine se soulevait par des sanglots. Une femme
dissimulée pourrait-elle presser ainsi un enfant
contre son sein ? Cet âge si vrai, si pur, serait-il
associé déjà par elle aux artifices de la fausseté ?
Non, elle a été émue en me revoyant ; non, ce
sentiment n'était point un mensonge ; mais elle est
liée à M. de Serbellane, elle n'aurait pu me le nier :
je devais m'y attendre ; je ne la chercherai plus.
Avant de l'avoir rencontrée, j'espérais toujours que
si je la revoyais, cet instant changerait mon sort. Je
l'ai revue, et c'en est fait : je n'en suis que plus
malheureux. Que venais-je faire chez madame de
Lebensei ? Pourquoi madame d'Albémar y était-
elle ? C'est une maison qui me déplaît sous tous les
rapports. M. de Lebensei était absent ; je ne le
regrettai point. M. de Lebensei n'a-t-il pas entraîné
la femme qu'il aimait dans une démarche qui l'expose
au blâme universel ? Je suis sûr qu'elle n'est point
heureuse, quoiqu'elle ait eu soin de répéter plusieurs
fois qu'elle l'était : son inquiétude secrète, son calme
apparent, ce mélange de timidité et de fierté qui rend
ses manières incertaines, tout en elle est une preuve

indubitable qu'on ne peut braver l'opinion sans en souffrir cruellement. Mais moi qui la respecte, mais moi qui n'ai rien fait que l'on puisse me reprocher, en suis-je plus heureux ? Mon ami, il n'est pas d'homme sur la terre aussi misérable.

Pourquoi, tout en m'écrivant avec intérêt, avec affection, ne me dites-vous rien sur le sujet de mes peines ? Craignez-vous de me montrer que vous aimez encore madame d'Albémar ? J'y consens, je suis peut-être même assez faible pour le désirer ; mais de grâce parlez-moi d'elle, et ne m'abandonnez pas seul au tourment de mes pensées.

LETTRE XII

Mademoiselle d'Albémar à Delphine

Montpellier, 23 août.

Pour la première fois, ma chère amie, je désapprouve entièrement les sentiments que vous m'exprimez. Quoi ! Léonce, en se refusant à vous voir, écrit formellement qu'il a cessé de vous estimer, et dans le moment où cette conduite révoltante ne devrait vous inspirer que de l'indignation, votre lettre à moi* n'est remplie que du regret de ne lui avoir pas parlé, de n'avoir pas essayé de vous justifier à ses yeux ! On dirait que vous devenez plus faible quand il se montre plus injuste ; vainement vous vous faites illusion, en m'assurant que ce n'est point l'amour, mais la fierté, mais le sentiment de votre dignité blessée, qui ne vous permet pas de supporter qu'il se croie le droit de

* Cette lettre, ainsi que quelques autres dont il est parlé, ne se trouve pas dans le recueil.

vous offenser, en parlant, en pensant mal de vous. Voulez-vous savoir la vérité ? La lettre de Léonce vous cause une douleur plus vive que toutes celles que vous aviez ressenties, et vous n'avez plus la force de vous y résigner. Ce n'est pas tout encore ; en revoyant ce redoutable Léonce, votre sentiment pour lui s'est ranimé, et peut-être, pardonnez-moi de vous le dire, il le faut pour vous éclairer sur vous-même, peut-être avez-vous aperçu qu'il avait éprouvé près de vous une émotion profonde, et qu'un plus long entretien le ramènerait à vos pieds. Pardon encore une fois, votre cœur ne s'est pas rendu compte de ses impressions ; mais pensez à l'irréparable malheur d'exciter dans le cœur de Léonce une passion qui lui inspirerait sans doute de l'éloignement pour Matilde !

Delphine, souvenez-vous que, dans vos conversations avec mon frère, vous répétiez souvent que la vertu dont toutes les autres dérivaient, c'était la bonté, et que l'être qui n'avait jamais fait de mal à personne était exempt de fautes au tribunal de sa conscience. Je le crois comme vous, la véritable révélation de la morale naturelle est dans la sympathie que la douleur des autres fait éprouver, et vous braveriez ce sentiment, vous, Delphine ! Je ne raisonnerai point avec vous sur vos devoirs ; mais je vous dirai : Songez à Matilde ; elle a dix-huit ans, elle a confié son bonheur et sa vie à Léonce : abuserez-vous des charmes que la nature vous a donnés, pour lui ravir le cœur que Dieu et la société lui ont accordé pour son appui ! Vous ne le voulez pas, mais que d'écueils dans votre situation, si vous n'avez pas le courage de quitter Paris, et de revenir auprès de moi !

Je songe aussi avec inquiétude que cette madame de Vernon, dont la conduite est si compliquée, quoique sa conversation soit si simple, est la seule personne qui ait du crédit sur vous à Paris : pourquoi ne répondez-vous pas à l'empressement que madame d'Artenas a pour vous, depuis que vous avez rendu service à sa nièce, madame de R. ? Elle m'a écrit plusieurs fois qu'elle désirerait se lier plus intimement avec vous. Je sais que quand elle vint nous voir à Montpellier, à son retour de Barèges, vous ne me permettiez pas de la comparer à madame de Vernon. Elle est certainement moins aimable ; elle n'a pas surtout cette apparence de sensibilité, cette douceur dans les discours, cet air de rêverie dans le silence, qui vous plaisent dans madame de Vernon ; mais son caractère a bien plus de vérité : elle a une parfaite connaissance du monde ; je conviens qu'elle y attache trop de prix, et que, si elle n'avait pas vraiment beaucoup d'esprit, l'importance qu'elle met à tout ce qu'on dit à Paris pourrait passer pour du *commérage* : néanmoins personne ne donne de meilleurs conseils, et, soit vertu, soit raison, elle est toujours pour le parti le plus honnête.

Ne vous refusez pas à l'écouter : vous ne lui parlerez pas, je le comprends, des sentiments qu'on ne peut confier qu'à des âmes restées jeunes ; mais elle vous donnera des avis utiles, tandis que madame de Vernon, qui ne cherche qu'à vous plaire, ne songe point à vous servir.

Je vous en conjure aussi, ma chère Delphine, continuez à ne rien me cacher de tout ce qui se passe dans votre cœur et dans votre vie ; vous avez besoin d'être soutenue dans la noble résolution de partir. Croyez-moi, dans cette occasion, si la passion ne vous troublait pas, quel être sur la terre serait assez présomptueux pour comparer sa raison à la vôtre ? Mais vous aimez Léonce, et je n'aime que vous ; confiez-vous donc sans réserve à ma tendresse, et laissez-vous guider par elle.

LETTRE XIII

Madame d'Artenas à madame de R.

Paris, ce 1er septembre 1790.

Revenez donc à Paris, ma chère nièce ; vous avez pris cette année trop de goût pour la solitude ; depuis cette malheureuse scène des Tuileries, vous êtes triste ; je voulais bien que vous sentissiez un peu la nécessité d'en croire mes conseils, mais je serais bien fâchée que votre caractère perdît sa gaieté naturelle.

J'ai enfin rencontré chez elle madame d'Albémar que vous m'aviez chargée de voir, et que je rechercherais volontiers pour moi-même, tant je la trouve aimable et bonne. J'aurais désiré qu'elle me parlât avec confiance sur sa situation actuelle ; mais madame de Vernon possède seule toute son amitié, et je doute fort cependant qu'elle en fasse un bon usage. J'ai trouvé madame d'Albémar triste, et surtout fort agitée ; elle avait l'air d'une personne tourmentée par une indécision cruelle ; il était neuf heures du soir, elle était encore vêtue de sa robe du matin, ses beaux cheveux n'avaient point encore été rattachés ; à l'extérieur négligé de sa personne, à sa démarche lente, à sa tête baissée, l'on aurait dit que depuis longtemps elle n'avait rien fait que songer à la même pensée, et souffrir de la même douleur.

Dans cet état cependant, elle était jolie comme le jour, et je ne pus m'empêcher de le lui dire. « Moi, jolie ! me répondit-elle, je ne dois plus l'être. » Et elle se tut. Je voulais apprendre d'elle quelles sont à présent ses relations avec M. de Serbellane ; on rapporte à ce sujet des choses très diverses dans Paris : les uns disent qu'elle ne part pour le Languedoc que pour aller de là rejoindre M. de Serbellane, s'il n'obtient pas, à cause de son duel, la permission de revenir en France : d'autres murmurent tout bas que madame d'Albémar a été fort coquette pour M. de Mondoville, et que M. de Serbellane irrité s'est brouillé tout à fait avec elle : enfin une lettre de Bordeaux m'avait fait naître une idée très différente de toutes celles-là, et je l'avais gardée jusqu'à présent pour moi seule ; je pensais qu'il se pourrait bien que M. de Serbellane fût l'amant de madame d'Ervins, et que madame d'Albémar les ayant réunis tous les deux chez elle un peu indiscrètement, M. d'Ervins les y eût surpris, et se fût battu avec M. de Serbellane pour se venger de l'infidélité de sa femme.

J'essayai de provoquer la confiance de madame d'Albémar, en lui disant ce qui était vrai, c'est que je voyais avec peine que les différents bruits qui se répandaient dans Paris sur son compte, pouvaient nuire à sa réputation ; elle me répondit avec un découragement qui me toucha beaucoup : « Il fut une époque de ma vie dans laquelle j'aurais attaché de l'importance à ce qu'on pouvait dire de moi ; mais à présent que mon nom ne doit plus être uni à celui de personne, je ne m'inquiète plus de l'injustice dont ce nom peut être l'objet. » Ces paroles me persuadèrent qu'elle était en effet brouillée avec M. de Serbellane, et comme je commençais à lui donner des consolations douces sur la peine qu'elle devait en éprouver, elle m'arrêta pour me demander de m'expliquer mieux, et lorsque je l'eus fait, elle eut l'air étonné ; mais, sans y mettre un intérêt très-vif, elle me déclara qu'elle n'avait jamais pensé à épouser M. de Serbellane.

Le soupçon que j'avais formé sur madame d'Ervins me revint à l'instant, et je le dis à Delphine, en lui avouant que je regardais dans ce cas madame d'Ervins comme la véritable cause de la mort de son mari.

plutôt qu'elle ne jouit par ses sentiments, et que, prévoyant d'une manière confuse que votre amitié finira peut-être un jour, elle ne veut pas à tout hasard vous donner des armes contre elle, en contribuant elle-même à consolider votre réputation.

— Si vous avez raison, me répondit Delphine, je n'en suis que plus à plaindre ; je l'aime, je l'ai aimée, madame de Vernon, de l'attrait du monde le plus vif et le plus tendre ; si tant de dévouement, tant d'affection n'ont point obtenu son amitié, il est donc vrai qu'il n'est rien en moi qui puisse attacher à mon sort, il est donc vrai que je ne puis être aimée. — Vous vous trompez, ma chère Delphine, repris-je alors vivement ; vous méritez d'avoir des amis plus que personne au monde : mais vous ne savez pas encore ce que c'est que la vie ; vous vous croyez deux excellents guides, l'esprit et la bonté ; eh bien, ma chère, ce n'est pas assez d'être aimable et excellente pour se démêler heureusement des difficultés du monde : il y a d'utiles défauts, tels que la froideur, la défiance, qui vaudraient beaucoup mieux pour égide que vos qualités mêmes ; tout au moins faut-il diriger ces qualités avec une grande force de raison. Moi qui ne suis pas née très-sensible, j'ai deviné le monde assez vite ; laissez-moi vous l'apprendre. Madame de Vernon vous paraît plus digne de votre amitié, elle sait mieux vous tenir le langage qui vous séduit ; moi, je reste toujours ce que je suis ; je n'ai pas assez d'imagination pour feindre, je le voudrais en vain, je ne suis plus jeune, mon esprit n'est plus flexible, il ne peut aller que dans sa ligne ; mais je sais que mes avertissements vous sont nécessaires, et c'est cette conviction qui me fait solliciter votre confiance. On vous l'aura dit, je crois ; d'ordinaire, je ne me mets pas en avant : je suis sur la défensive avec la société, et c'est ainsi qu'il faut être. Je m'offre à vous cependant, ma chère Delphine, parce que vous avez

un caractère qui donne tout et n'abuse de rien :
servez-vous donc de moi, si je puis vous être utile ; ce
sera ce que je pourrai faire de mieux de mon oisive
existence. »

Madame d'Albémar parut fort touchée des preuves d'amitié que je lui donnais, et je croyais même
l'avoir un peu ébranlée dans son aveugle amitié pour
madame de Vernon ; mais le surlendemain elle est
revenue chez moi, presque uniquement pour me dire
qu'elle avait revu depuis moi madame de Vernon, et
s'était assurée qu'elle n'avait aucun tort. « Elle
n'aurait pu me défendre, continua madame d'Albémar, sans compromettre ses amis ; elle a bien fait de
se conduire avec prudence, et de ne pas se livrer à
son sentiment. » Je vous le répète, ma chère nièce,
on ne peut arracher madame d'Albémar à l'empire
de madame de Vernon. Je l'ai souvent remarqué en
vivant dans leur société, madame de Vernon met
beaucoup d'intérêt à captiver Delphine ; elle est avec
elle fière, sensible, délicate ; elle rend hommage au
caractère de son amie, en imitant toutes les vertus
pour lui plaire. Moi, je ne puis ni ne veux me montrer
autrement que la nature ne m'a faite, bonne et
raisonnable, mais point du tout exaltée : je vaux
mieux réellement que madame de Vernon ; Delphine
a tort de ne pas s'en apercevoir.

J'obtiendrai cependant un jour l'amitié de madame
d'Albémar, si quelques circonstances me mettent
dans le cas de la servir ; je vous promets que je
veillerai sur elle comme sur ma fille. Vous aussi, ma
chère nièce, vous allez devenir l'objet de tous mes
soins, si vous continuez à m'écouter et à me croire.

DELPHINE

LETTRE XIV

Delphine à mademoiselle d'Albémar

Paris, ce 3 septembre.

Non, vous l'exigez en vain ; non je n'ai pas la force de souffrir une telle incertitude : qu'il me dise ce qu'il éprouve, que je connaisse la cause de l'état extraordinaire où je le vois, et je me soumets à mon sort : mais le doute, le doute ! cette douleur qui prend toutes les formes pour vous poursuivre, sans que vous ayez jamais aucune arme pour l'atteindre, je ne puis me résoudre à la supporter. Les malheureux condamnés au supplice savent au moins pour quels crimes ils sont punis et moi je l'ignore. Ce que je croyais ne me paraît plus vraisemblable. Ecoutez ce qui s'est passé hier, et, si vous le pouvez, continuez à me commander de partir sans le voir.

On jouait hier Tancrède (41) ; madame de Vernon me proposa d'y aller : j'y consentis, parce que de toutes les tragédies c'est celle qui m'a fait verser le plus de larmes : nous nous plaçâmes dans la loge de madame de Vernon, qui est en bas sur l'orchestre. Pendant le premier acte, je remarquai à quelque distance de nous un homme enveloppé d'un manteau, la tête appuyée sur le banc de devant, couvrant son visage avec ses mains, et mettant du soin à se cacher. Malgré tous ses efforts je reconnus Léonce ; il y a tant de noblesse dans sa taille que rien ne peut la déguiser.

Mes yeux étaient fixés sur lui, je n'entendais presque rien de la pièce, mais je le regardais ; il tressaillit en écoutant la scène où Tancrède apprend l'infidélité d'Aménaïde : son émotion depuis cet

246

instant semblait s'accroître toujours ; il cherchait à la dérober à tous les regards, mais je ne pouvais m'y méprendre. Ah ! que j'aurais voulu m'approcher de lui ! combien j'étais touchée de ses larmes ! c'étaient les premières que je voyais répandre à cet homme d'un caractère si ferme et si soutenu : était-ce pour moi qu'il pleurait ? serait-il possible que son âme fût ainsi bouleversée, si Matilde suffisait à son bonheur ? ne donnait-il point de regrets à celle qui entend mieux les sentiments d'Aménaïde, qui est plus digne d'admirer avec lui le langage que le génie prête à l'amour ?

Enfin, au quatrième acte, il me parut qu'il n'avait plus le pouvoir de se contraindre ; je vis son visage baigné de pleurs, et je remarquai dans toute sa personne un air de souffrance qui m'effraya ; je crois même que, dans mon trouble, je fis un mouvement qu'il aperçut, car à l'instant même il se baissa de nouveau pour se dérober à mes regards : mais lorsque Tancrède, après avoir combattu et triomphé pour Aménaïde, revient avec la résolution de mourir ; lorsqu'un souvenir mélancolique, dernier regret vers l'amour et la vie, lui inspire ces vers, les plus touchants qu'il y ait au monde :

Quel charme, dans son crime, à mes esprits rappelle
L'image des vertus que je crus voir en elle !
Toi qui me fais descendre avec tant de tourment
Dans l'horreur du tombeau dont je t'ai délivrée,
Odieuse coupable !... et peut-être adorée !
Toi qui fais mon destin jusqu'au dernier moment !
Ah ! s'il était possible ! ah ! si tu pouvais être
Ce que mes yeux trompés t'ont vu toujours paraître !
Non, ce n'est qu'en mourant que je peux l'oublier,

un soupir, un cri même étouffé sortit du cœur de Léonce ; tous les yeux se tournèrent vers lui : il se leva avec précipitation et se hâta de s'en aller ; mais il chancelait en marchant, et s'arrêta quelques instants pour s'appuyer ; son visage me parut d'une pâleur mortelle, et comme on refermait la porte sur lui, je crus le voir manquer de force et tomber.

Dieu ! comment ne l'ai-je pas suivi ! La présence de madame de Vernon, qui me regardait attentivement, et la curiosité des spectateurs que j'aurais attirée sur moi, me retinrent, mais jamais un sentiment plus passionné ne m'avait entraînée vers Léonce : il me suffisait de le retrouver sensible ; j'oubliais qu'il ne l'était plus pour moi, et qu'il avait pris volontairement des liens qui nous séparaient pour toujours. Je me hâtai de revenir chez moi, et quand je fus seule, une réflexion me saisit fortement ; je crus voir quelques rapports entre les vers qui avaient touché Léonce et les sentiments qu'il pouvait éprouver, s'il m'aimait encore et me croyait coupable. Néanmoins, quelque exagéré que soit Léonce sur les vertus qu'impose le monde, pourrait-il donner le nom de crime à la conduite que j'ai tenue ? Non ! m'écriai-je seule avec transport, on m'a calomniée près de lui ; je ne puis deviner de quelle manière, mais il faut qu'il m'entende, il le faut à tout prix ! Louise, il n'est aucun devoir sur la terre qui pût me faire consentir à lui laisser une opinion injuste de moi : que je meure, mais qu'il me regrette ; n'exigez pas que je vive avec son mépris.

Cependant, en me rappelant la lettre qu'il a répondue, la seule pensée de lui écrire, de le chercher, me fait mourir de honte. Quoi qu'il arrive, je ne confierai point à madame de Vernon les pensées qui m'agitent : je ne sais ce qu'elle a cru devoir ou me dire ou me taire ; mais la voix seule de Léonce peut me persuader maintenant ; c'est de lui seul que j'apprendrai s'il me hait ou s'il m'aime, s'il est injuste ou malheureux. C'est à lui... Eh quoi !

bravant tout ce qui devrait me retenir, j'irais implorer une explication de ce caractère si soupçonneux, si
rigide et si fier! Quelle perplexité cruelle! comment
jamais en sortir!

Ne me dites pas que tout est fini, qu'il est marié,
que je dois renoncer à son opinion comme à son
amour; son estime est encore mon seul bien sur la
terre; il a besoin des suffrages de tous, je ne veux que
le sien, mais il faut que je l'emporte dans ma
retraite: si je ne l'obtenais pas, vous me verriez
poursuivie par une agitation que rien ne pourrait
calmer; je n'aurais pas le repos que peut donner le
malheur même, quand il n'y a plus rien à faire ni rien
à vouloir. Je ne me résignerais jamais; et en expi-
rant, ma dernière parole serait encore pour me
justifier auprès de lui.

LETTRE XV

Léonce à M. Barton

Ce 4 septembre 1790.

Je vous envoie un courrier qui a ordre de revenir
dans vingt-quatre heures avec une lettre de vous.
Vous ne répondez pas depuis huit jours aux lettres
que je vous ai écrites sur ce qui s'était passé entre
madame d'Albémar et moi. Quel est le motif de
votre silence? pourquoi ne m'avez-vous pas écrit?
Me trouvez-vous injuste envers Delphine? et si vous
le croyez, juste ciel! pensez-vous que ce serait me
faire du mal que de me le dire?

méritât de lui plaire. Eh bien, hier, l'expression du visage de Léonce était entièrement changée ; la beauté de ses traits restait toujours la même, mais son regard sombre et distrait ne s'arrêtait plus sur aucune femme. Il se hâta de saluer, et s'assit dans un coin de la chambre où il n'y avait personne à qui parler. Sa femme s'approcha de lui ; je ne sais ce qu'elle lui demandait : il lui répondit d'un air doux ; mais dès qu'elle l'eut quitté, il soupira comme s'il venait de se contraindre.

Une fois madame de Vernon voulut conduire son gendre auprès d'une dame étrangère qui ne le connaissait pas : je crus voir dans les manières de Léonce une répugnance secrète à se laisser ainsi présenter comme un nouvel époux ; il restait en arrière, suivait avec peine, et se prêtait gauchement à tout ce qui pouvait ressembler à des félicitations.

Madame du Marset, placée à côté de moi, vit que j'observais attentivement monsieur et madame de Mondoville, et me dit tout bas en souriant : « J'ai été leur rendre visite deux ou trois fois, et les ai vus souvent chez madame de Vernon ; il n'y a rien de si singulier que la conduite de Léonce, il semble qu'il veuille être, comme le disait le duc de B., *le moins marié qu'il est possible* ; il évite avec un soin extraordinaire les sociétés, les occupations communes avec sa femme. Matilde, charmée de sa douceur, de sa politesse, de la liberté qu'il lui laisse, ne remarque pas l'indifférence qu'il a pour elle, et la crainte qu'il éprouve de resserrer ses liens en se servant du pouvoir qu'ils lui donnent. Matilde a de l'amour pour son mari, et se persuade fermement qu'il en a pour elle : ces dévotes ont en toutes choses une merveilleuse faculté de croire. On dirait que Léonce attend toujours quelque événement extraordinaire, et qu'il n'est dans sa maison qu'en passant ; il n'arrange rien chez lui, n'a pas seulement encore fait ouvrir la caisse de ses livres ; aucun de ses meubles n'est à sa place. Ce sont de petites observations, mais qui n'en prouvent pas moins l'état de son âme ; tout ce qui lui rappelle sa situation lui fait mal, et quoiqu'il ne puisse la changer, il s'épargne autant qu'il peut les circonstances journalières qui lui retracent la grande douleur de sa vie, son mariage : enfin je vous garantis qu'il est très malheureux. »

J'allais répondre à madame du Marset et l'interroger encore, mais notre conversation fut interrompue. Comme il y avait beaucoup de jeunes personnes dans la chambre, on proposa de danser ; une femme se mit au clavecin, une autre prit la harpe, moi je regardais Léonce ; il cherchait les moyens de sortir de la chambre : mais un homme âgé qui lui parlait le retenait impitoyablement. Je compris que la danse devait lui rappeler des souvenirs pénibles, et j'espérais qu'on ne lui proposerait pas de s'en mêler, lorsque madame du Marset, prenant la main de Matilde et la mettant dans celle de Léonce, leur dit : « Allons, les jeunes mariés, dansez ensemble. » *Bravo !* se mit-on à crier de toutes parts, *oui, qu'ils dansent ensemble.* La musique commence à l'instant, et tout le monde s'écarte pour laisser Matilde et Léonce seuls au milieu de la chambre.

Tout cela s'était fait si rapidement que Léonce, toujours absorbé, ne sut pas d'abord ce qu'on voulait de lui ; mais quand il entendit la musique, qu'il vit le cercle formé, et près de lui Matilde qui se préparait à danser, saisi à l'instant comme par un sentiment d'effroi, frappé sans doute du souvenir de Delphine que tout lui retraçait, il rejeta la main de Matilde avec violence, recula de quelques pas devant elle, puis se retournant tout à coup, il sortit en un clin d'œil de la chambre et s'élança dans le jardin ; le cercle qui l'entourait s'ouvrit subitement pour le laisser passer ; la vivacité de son action faisait tant d'impression sur tout le monde, que personne n'eut l'idée de prononcer un mot pour l'arrêter.

Madame de Vernon, remarquant l'étonnement de la société, se hâta de dire que M. de Mondoville ne pouvait supporter d'être l'objet de l'attention générale, et qu'il était très timide, malgré les bonnes raisons qu'on pouvait lui trouver de ne pas l'être. Chacun eut l'air de le croire ; et, chose étonnante, Matilde, qui aime certainement son mari, fut la première à se tranquilliser complètement, et se mit à danser à la même place où Léonce l'avait quittée.

Je sortis pour prendre l'air à l'extrémité du jardin de madame de Vernon, je trouvai Léonce assis sur un banc, et profondément rêveur ; il me vit pourtant au moment où je me détournais pour ne pas le troubler ; et lui, qui jusqu'alors ne m'avait jamais adressé la parole, vint à moi, et me dit : « Madame de R., la dernière fois que je vous ai vue, vous étiez avec madame d'Albémar : vous en souvenez-vous ? — Oui, sûrement, lui répondis-je, je ne l'oublierai jamais. — Eh bien, dit-il alors, asseyez-vous sur ce banc avec moi ; cela vous fera-t-il de la peine de quitter le bal ? — Non, je vous assure », lui répétai-je plusieurs fois. Mais lorsque nous fûmes assis, il garda le silence et n'eut plus l'air de se souvenir que c'était lui qui voulait me parler. J'éprouvais un embarras qui ne me convient plus, et je me hâtai d'en sortir par mes anciennes manières étourdies et coquettes ; car c'est une coquetterie que de parler à un homme de ses sentiments, même pour une autre femme. « Que vous est-il donc arrivé, lui dis-je, en mon absence ? Je croyais avoir remarqué que madame d'Albémar vous aimait, que vous aimiez madame d'Albémar ; je vais passer un mois à la campagne, je reviens, tout est changé : une aventure cruelle fait un bruit épouvantable ; madame d'Albémar, dit-on, doit épouser M. de Serbellane, je vous retrouve l'époux de

Matilde, et cependant vous êtes triste ; madame d'Albémar ne part point, et ne voit plus personne ; qu'est-ce que cela signifie ? » Léonce reprit l'air de réserve qu'il avait un moment perdu, et me dit assez froidement : « Madame d'Albémar sera sans doute très heureuse dans le choix qu'elle a fait de M. de Serbellane. — On ne m'ôtera pas de l'esprit, repartis-je, qu'elle vous préfère à tout ; mais il est inutile de vous en parler à présent que vous êtes marié ; ainsi donc, adieu. » Je me levais pour m'en aller ; Léonce me retint par ma robe, et me dit : « Vous êtes bonne, quoiqu'un peu légère ; vous n'avez pas voulu me faire de la peine, expliquez-vous davantage. — Je ne sais rien, repris-je, je vous assure ; je me souviens seulement d'avoir vu madame d'Albémar traverser ici la salle du bal, un soir où vous étiez près de vous trouver mal après avoir dansé avec elle. L'émotion qui la trahissait ce jour-là ne peut appartenir qu'à un sentiment vrai, pur, abandonné, tel qu'on l'éprouve, ajoutai-je en soupirant, quand d'illusions en illusions on n'a pas flétri son cœur : il se peut qu'elle ait eu des engagements antérieurs avec M. de Serbellane ; mais je suis convaincue qu'elle ne l'épousera pas, parce qu'elle vous aime, et qu'elle a rompu ses liens avec lui à cause de vous. »

Léonce parut frappé de ce que je venais de lui dire. Madame de Vernon étant venue nous rejoindre, je rentrai dans le salon, et ne parlai plus à M. de Mondoville de la soirée, qu'un moment lorsque je m'en allais, et qu'il venait d'avoir un assez long entretien seul avec sa belle-mère. « N'écoutez pas trop madame de Vernon, lui dis-je tout bas ; je me méfie beaucoup, même de son amitié pour madame d'Albémar ; elle est bien fine, madame de Vernon ; elle n'est point dévote, elle n'a guère de principes sur rien, elle a beaucoup d'esprit ; elle n'a point aimé son mari, et cependant elle n'a jamais eu d'amant.

Défiez-vous de ces caractères-là, il faut que leur
activité s'exerce de quelque manière. Croyez-moi, les
pauvres femmes qui, comme moi, se sont fait beaucoup de mal à elles-mêmes, ont été bien moins
occupées d'en faire aux autres. — Hélas ! me répondit Léonce, en me donnant la main pour me reconduire jusqu'à ma voiture, il y a peut-être une vie dont
le sort a été décidé par ce que vous dites si gaie-
ment. »

Madame de Mondoville sortait en même temps
que moi ; elle exprima son mécontentement d'une
manière très visible de la politesse que me faisait
Léonce : ce n'était pas la jalousie qui l'irritait ; votre
pauvre nièce ne passera jamais pour attirer l'attention de Léonce ; mais madame de Mondoville, avant
son mariage comme depuis, n'a jamais manqué
d'exercer sur moi toute la rigueur de sa pruderie ; je
le mérite peut-être, mais que la charmante Delphine,
aussi pure que Matilde, et mille fois plus aimable, sait
mieux trouver l'art de faire aimer la vertu !

Adieu, ma chère tante ; revenez, revenez vite ; je
puis vous promettre avec certitude que désormais je
contribuerai tous les jours plus à votre bonheur.

LETTRE XVIII

Léonce à M. Barton

Paris, ce 15 septembre.

Enfin, je suis décidé, mon cher maître, sur le parti
que je dois prendre ; je verrai madame d'Albémar
avant d'aller en Espagne : une femme à qui je
n'aurais pas permis dans le temps heureux de ma vie,
de prononcer le nom de Delphine, madame de R.,

m'a expliqué, je le crois, les contradictions qui m'étonnaient dans la conduite de madame d'Albémar. Avant mon arrivée, elle avait contracté des engagements avec M. de Serbellane ; mais il est vrai que depuis elle m'a aimé, et peut-être l'est-il aussi que ce sentiment a blessé M. de Serbellane, et qu'ils sont maintenant brouillés. Le séjour de madame d'Albémar à Bellerive, son trouble, son embarras en me voyant, tout peut se comprendre, si, en effet, elle se reproche de n'avoir pas été vraie avec moi.

Je ne puis plus avoir pour elle cet enthousiasme sans bornes qui me la représentait comme une créature sublime ; mais n'est-il pas simple que si elle a sacrifié ses liens avec M. de Serbellane à son attachement pour moi, j'éprouve encore pour elle un attendrissement profond ? Cependant... ne me connaissait-elle pas lorsque son amant a passé vingt-quatre heures chez elle ? Oh ! pensée de l'enfer ! écartons-la s'il est possible. Je veux revoir Delphine : c'est un ange tombé, mais il lui reste encore quelque chose de son origine.

Je lui dois, d'ailleurs, quelques excuses avant de la quitter pour toujours ; elle a peut-être souffert quand elle m'a su l'époux de Matilde : c'était une action dure de me marier, de rompre avec elle, sans l'informer même par un mot de mon dessein.

Madame de Vernon m'a fortement pressé hier encore d'aller en Espagne ; elle craint, je le crois, que je ne lui fasse des reproches sur ses pertes continuelles au jeu : son inquiétude est mal fondée ; c'est le moment d'avoir des torts avec moi ; je ne me souviens de rien, je suis insensible à tout. Mais pourquoi madame de Vernon ne m'a-t-elle jamais dit que Delphine m'avait aimé, qu'elle désirait pouvoir rompre avec son premier choix ? Madame de Vernon avait-elle peur qu'après tout ce qui s'était passé, je consentisse à remplacer M. de Serbellane ? c'était bien peu me connaître ! mais elle ne devait pas se refuser à me donner un sentiment doux quand j'étais irrité, dévoré ; quand un mot qui m'eût laissé respirer, m'aurait fait plus de bien qu'une goutte d'eau dans le désert.

Le soulagement dont j'ai besoin, je le trouverai peut-être dans une conversation de quelques heures avec madame d'Albémar. Je suis donc résolu de lui écrire pour lui demander de me recevoir à Bellerive. Ce n'est point à Paris, c'est dans la solitude que je veux lui parler ; elle y retournera demain, ma lettre lui sera remise après-demain, à son réveil.

Vous n'avez rien à redouter pour mes devoirs de cette explication, mon cher maître ; j'apprendrais que Delphine m'aime encore, que mes résolutions ne seraient point changées ; elle ne peut plus se montrer à moi telle que je la croyais, et l'idée parfaite que j'avais d'elle pourrait seule décider de mon sort. Si, comme je l'espère, madame d'Albémar consent à me recevoir, si elle me montre quelques regrets, je saurai me tracer un plan de vie triste, mais calme. Je partirai pour l'Espagne, j'y resterai quelques années, dussé-je y faire venir madame de Mondoville. Je veux quitter la France après avoir vu madame d'Albémar ; nous nous séparerons sans amertume ; je pourrai supporter mon sort : mes regrets ne finiront point, mais la plupart des hommes ne vivent-ils pas avec un sentiment pénible au fond du cœur ?

Enfin ne me blâmez pas, j'ose vous le répéter, ne me blâmez pas ; on doit permettre aux caractères passionnés de chercher une situation d'âme quelconque qui leur rende l'existence tolérable. Pensez-vous que je puisse vivre plus longtemps dans l'état où je suis depuis deux mois ? Il me faut une autre impression, fût-ce une autre douleur, il me la faut ! Vous me connaissez de la force, de la fermeté ; je sais souffrir ; eh bien, je vous le dis, je succombais, et ce cri de miséricorde ne m'échappe qu'après les combats les plus violents que le caractère et le sentiment, la raison et la souffrance se soient jamais livrés.

LETTRE XIX

M. de Serbellane à madame d'Albémar *

Lisbonne, ce 4 septembre 1790.

Je viens vous demander, madame, le plus éminent service, le seul qui puisse détourner l'irréparable malheur dont je suis menacé.

Thérèse, après avoir assuré le sort de sa fille, en passant quelques mois dans ses terres près de Bordeaux, veut obtenir de la famille de son mari la permission de vous confier l'éducation d'Isore, et tranquille alors sur le sort de cette enfant, elle est résolue à se faire religieuse dans un couvent dont le P. Antoine, son confesseur actuel, a la direction : ainsi mourrait au monde et à moi, la meilleure et la plus charmante créature que le ciel ait jamais formée. Le Dieu que Thérèse adore serait-il un Dieu de bonté, s'il lui commandait un tel supplice !

Les coutumes barbares des société civilisées ont fait de Thérèse, à quatorze ans, l'épouse d'un homme indigne d'elle ; la nature, en faisant naître M. d'Ervins vingt-cinq ans avant Thérèse, semblait avoir pris soin de les séparer ; les indignes calculs d'une famille insensible les ont réunis, et Thérèse serait coupable de m'avoir choisi pour le compagnon de sa vie.

* Cette lettre fut remise le 16 septembre au soir à madame d'Albémar.

Il est impossible, je le sens, qu'au milieu du monde elle porte le nom de mon épouse ; il faut respecter la morale publique qui le défend : elle est souvent inconséquente, cette morale, soit dans ses austérités, soit dans ses indulgences ; néanmoins, telle qu'elle est, il ne faut pas la braver, car elle tient à quelques vertus dans l'opinion de ceux qui l'adoptent. Mais quel devoir, quel sentiment peut empêcher Thérèse de changer de nom, et d'aller en Amérique m'épouser et s'établir avec moi ? Vous trouverez ce projet bien romanesque pour le caractère que vous me connaissez ; il m'est inspiré par un sentiment honnête et réfléchi. J'ai fait imprudemment le malheur d'une innocente personne ; je dois lui consacrer ma vie, quand cette vie peut lui faire quelque bien. D'ailleurs si la disposition de mon âme me rend peu capable de passions très vives, elle me rend aussi les sacrifices plus faciles. L'Europe, l'Amérique, tous les pays du monde me sont égaux. Quand une fois on connaît bien les hommes, aucune préférence vive n'est possible pour telle ou telle nation, et l'habitude qui supplée à la préférence n'existe pas en moi puisque j'ai constamment voyagé ; peut-être même est-il assez doux, lorsque l'on n'est point poursuivi par les remords, de rompre tous ces rapports que la durée de la vie vous a fait contracter avec les hommes, de s'affranchir ainsi de cette foule de souvenirs pénibles qui oppressent l'âme, et souvent arrêtent ses élans les plus généreux ; je me replacerai au milieu de la nature avec un être aimable qui partagera toutes mes impressions. J'essaierai sur cette terre ce qu'est peut-être la vie à venir, l'oubli de tout, hors le sentiment et la vertu.

Thérèse est beaucoup plus digne qu'aucune autre femme de la destinée que je lui propose ; en s'enfermant dans un couvent pendant le reste de ses jours, elle exerce plus de courage pour le malheur que je ne lui en demande pour le bonheur. Un principe de devoir fortifié par la religion peut seul, j'en suis sûr, la déterminer à se sacrifier ainsi ; mais en quoi consiste-t-il donc ce devoir ? à quelle expiation est-elle obligée ? Quel bien peut-il résulter pour les morts comme pour les vivants, du malheur qu'elle veut subir ? Si elle se croit des torts, ne vaut-il pas mieux les réparer par des vertus actives ? Nous emploierions en Amérique la fortune que je possède à des établissements utiles, à une bienfaisance éclairée ; Thérèse n'aura pas rempli, j'en conviens, les devoirs que les hommes lui avaient imposés ; mais ceux qu'elle a choisis, mais ceux que son cœur lui permettait d'accomplir, elle y sera fidèle.

Il faut que je la voie ; c'est le seul moyen qui me reste pour la faire renoncer à sa cruelle résolution ; toute autre tentative serait vaine : mes lettres n'ont rien produit, le spectacle seul de ma douleur peut la toucher. Obtenez-moi donc, madame, un sauf-conduit pour passer quinze jours en France. L'envoyé de Toscane le demandera, si vous le désirez ; je voulais arriver sans toutes ces précautions misérables, mais j'ai craint pour Thérèse l'éclat que pourrait avoir mon emprisonnement, si la famille de M. d'Ervins l'obtenait. Je ne doute pas que l'intention de cette famille ne soit de persécuter Thérèse ; mais ce ne sont point de semblables motifs qui pourront l'engager à me croire ; il n'y a que ma peine qui puisse agir sur elle, et jamais il n'en exista de plus profonde.

Depuis qu'une expérience rapide m'a donné de bonne heure les qualités des vieillards, en me décourageant, comme eux, de l'espérance, je ne fatiguais plus le ciel par la diversité des vœux d'un jeune homme ; je ne lui demandais qu'une grâce, c'était de n'avoir jamais à me reprocher le malheur d'un autre ; car le remords est la seule douleur de l'âme que le temps et la réflexion n'adoucissent pas. Elle va me poursuivre, cette douleur ; c'est en vain que j'avais émoussé la vivacité de tous mes sentiments ; la raison aura détruit mon illusion sur les plaisirs, sans adoucir l'âpreté de mes chagrins.

L'image de cette douce, de cette angélique Thérèse, immolant sa jeunesse, ensevelissant elle-même sa destinée, cette image enveloppée des voiles de la mort, me poursuivra jusqu'au tombeau. Vous, madame, qui avez le génie de la bonté, la passion du bien, et tout l'esprit des anges, secourez-moi.

Je vous envoie un ami fidèle qui, après vous avoir remis cette lettre et reçu votre réponse, doit revenir sur les frontière de France, où je l'attendrai. C'est à lui seul que vous voudrez bien donner le sauf-conduit que je désire si ardemment : vous l'obtiendrez, car jamais rien n'a pu être refusé à vos prières, et vous sauverez Thérèse et moi d'un malheur, d'un supplice éternel. Adieu, madame, je me confie à votre bonté, elle ne trompera point mon espoir.

P.S. Il importe que madame d'Ervins ne sache pas que mon intention est de revenir en France.

LETTRE XX

Léonce à Delphine

Paris, ce 17 septembre.

Les nouveaux devoirs que j'ai contractés doivent désormais me rendre étranger à votre avenir : cependant ne me refusez pas de le connaître ; permettez-moi de m'entretenir quelques instants seul avec vous, à l'heure que vous voudrez bien m'indiquer. Je pars pour l'Espagne après vous avoir vue : cette grâce que je vous demande sera sans doute le dernier rapport que vous aurez jamais avec ma triste vie. Je ne devrais plus conserver aucun doute sur vos torts envers vous-même, comme envers moi ; cependant si vous aviez des chagrins, si je pouvais pardonner, je partirais plus calme, et peut-être moins malheureux.

LETTRE XXI

Delphine à Léonce

Ce 17 septembre.

Me *pardonner !* Je vous verrai, monsieur, quoique votre billet ne mérite peut-être pas cette réponse ; j'ai besoin, pour ma propre dignité, d'une explication avec vous. Je dois consacrer ce jour tout entier à des devoirs d'amitié que vous ne m'apprendrez point à négliger ; mais demain, choisissez l'instant que vous préférerez ; je vous forcerai, je l'espère, à me rendre toute l'estime que vous me devez ; c'est dans ce but seul que je consens à vous entretenir. Je ne puis concevoir ce que vous voulez me demander sur mon avenir, il vous est facile de le deviner : je vais passer le reste de mes jours avec ma belle-sœur, et je n'ai plus dans ce monde, où ma confiance a été trompée, ni un intérêt ni un espoir de bonheur.

DELPHINE

LETTRE XXII

Delphine à mademoiselle d'Albémar

Ce 17 septembre au soir.

Léonce m'a écrit pour me demander de me voir, je n'ai point hésité à y consentir ; je dirai plus, j'ai regardé comme une faveur du ciel l'occasion qui m'était offerte de connaître enfin les torts dont il m'accuse, et d'y répondre avec vérité, peut-être avec hauteur.

Ne vous livrez, ma sœur, à aucune inquiétude en apprenant que je n'ai pas cédé à vos conseils ; Léonce n'est point à craindre pour moi, quels que soient les sentiments qu'il m'exprime ; s'il voulait faire renaître dans mon âme la passion qui m'attachait à lui ; s'il voulait me rendre méprisable par cet amour même dont il aurait pu faire ma gloire et son bonheur...

Non, Léonce, non, celle que vous n'avez pas jugée digne d'être votre femme n'accepterait pas vos regrets, si vous en éprouviez ; je ne suis pas comme vous, impitoyable envers des torts de convenance, des fautes apparentes, des actions condamnées par la société, mais que le cœur justifie ; je vous montrerai que la véritable vertu a d'autant plus de force sur mon âme, que j'abjure tout autre empire. Cette Delphine que vous croyez si faible, si entraînée, sera courageuse et ferme contre l'affection la plus passionnée de son cœur, contre vous... Oui, je le serai, ma sœur, quoique je donnasse ma vie pour obtenir encore une heure pendant laquelle je pusse me persuader qu'il m'aime et qu'il n'est pas l'époux de Matilde.

C'est demain que Léonce doit venir ! j'ai eu la

force de m'occuper encore aujourd'hui de faire avoir à M. de Serbellane un sauf-conduit pour rentrer en France ; il m'avait écrit pour m'en conjurer, et j'ai trouvé son désir bon et raisonnable ; car je crois comme lui qu'il n'existe aucun autre moyen d'empêcher Thérèse de se faire religieuse. Elle ne m'a point encore confié cette funeste résolution ; mais M. de-Serbellane m'a mandé qu'il la sait d'elle, et toutes mes observations me confirment ce qu'il m'écrit. J'ai donc été à Paris ce matin pour voir l'envoyé de Toscane : il était absent ; mais comme il doit passer la soirée chez Mme de Vernon, je l'ai priée de lui remettre une lettre de moi qui contient ma demande pour M. de Serbellane, et de l'appuyer en la lui donnant. Madame de Vernon réussira tout aussi bien que moi dans cette affaire ; et troublée comme je le suis, il m'était impossible de paraître au milieu du monde.

Je suis donc revenue ce soir même à Bellerive ; il est déjà tard, le jour qui précède demain va finir ; l'agitation de mon cœur est violente, et cependant je n'ai pas d'incertitude ; il ne peut m'arriver rien de nouveau que plus ou moins de douleur dans un adieu sans espoir. Ma sœur, du haut du ciel, votre frère, mon protecteur, veille sur moi ; il ne souffrira pas que Delphine infortunée, mais pure, mais irréprochable, déshonore ses soins, ses bontés, son affection, en se permettant des sentiments coupables ! Je ne sais ce que j'éprouve maintenant dans cette émotion de l'attente qui suspend toutes les puissances de l'âme ; mais quand Léonce sera venu, mon âme se relèvera, et dût la vertu m'ordonner de le voir demain pour la dernière fois de ma vie, Louise, j'obéirai.

LETTRE XXIII

Delphine à mademoiselle d'Albémar

Ce 18 septembre, à minuit.

J'avais tort, ma sœur, véritablement tort de m'occuper de la conduite que je tiendrais avec M. de Mondoville ; il se préparait à m'en épargner le soin ; il ne voulait sans doute que m'éprouver, savoir si je serais assez faible pour consentir à le revoir ; il se jouait de mon cœur avec insulte : il est parti la nuit dernière pour l'Espagne ; la nuit dernière, et c'était aujourd'hui... Ah ! c'en est trop, toute mon âme est changée : je vous parlerai de lui avec sang-froid, avec dédain ; ce départ est mille fois plus coupable que son mariage ; aucune erreur, de quelque nature qu'elle soit, ne peut l'expliquer : c'est de la barbarie froide, légère. Je ne retrouve pas même ses défauts dans cette conduite ; je me suis trompée, j'ai mis une illusion, la plus noble, la plus séduisante de toutes, à la place de son caractère. Eh bien, renonçons à cette illusion comme à toutes celles dont le cœur est avide ; il faut, tant qu'il est ordonné de vivre, repousser les affections qui rattachent à l'idée du bonheur : dès qu'elles le promettent, elles trompent. Adieu, Louise ; je n'ai que des sentiments amers, je répugne à les exprimer ; adieu.

DELPHINE

LETTRE XXIV

Delphine à mademoiselle d'Albémar

Ce 21 septembre.

Je n'ai pas eu depuis deux jours la force de vous écrire ; je craindrais cependant qu'un plus long silence ne vous inquiétât, je ne veux pas le prolonger ; mais que puis-je dire maintenant ? rien, plus rien du tout ; il n'y a pas même dans ma vie de la douleur à confier. J'ai du dégoût de moi puisque je ne peux plus penser à lui ; il n'y a rien dans mon âme, rien dans mon esprit qui m'intéresse. Je ne pars pas immédiatement, parce que Thérèse reste encore quelque temps chez moi, et que madame de Vernon est malade, peut-être ruinée ; je veux la consoler et réparer ainsi mes injustes soupçons contre elle. J'ai encore en ma puissance de la fortune et des soins, je veux faire de ce qui me reste du bien à quelqu'un, et, s'il se peut, surtout, madame de Vernon. Je m'étonne que je puisse servir à quoi que ce soit dans ce monde, mais enfin si je puis, je le dois.

Je veux tâcher d'engager madame de Vernon à venir avec moi dans les provinces méridionales, ce voyage est nécessaire à l'état menaçant de sa poitrine. Si elle a dérangé sa fortune, je lui offrirai les services que je peux lui rendre, mais je ne donnerai point de conseils sur la conduite qu'elle doit tenir désormais ; hélas ! sais-je juger, sais-je découvrir la vérité ! sur quoi pourrait-on s'en reporter à moi, quand je ne puis me guider moi-même ! Ma tête est exaltée ; je n'observe point, je crois voir ce que j'imagine ; mon cœur est sensible, mais il se donne à qui veut le déchirer. Je vous le dis, Louise, je ne suis plus rien qu'un être assez bon, mais qu'il faut diriger, et dont surtout il ne faut jamais parler à personne au monde, comme d'une femme distinguée sous quelque rapport que ce soit.

J'ai pourtant encore une sorte de besoin de vous raconter les dernières heures dont je gardai l'idée, celles qui ont terminé l'histoire de ma vie ; je ne veux pas que vous ignoriez ce que j'ai encore éprouvé pendant que j'existais ; seulement ne me répondez pas sur ce sujet, ne me parlez que de vous et de ce que je peux faire pour vous ; ne me dites rien de moi : il n'y a plus de Delphine, puisqu'il n'y a plus de Léonce ! crainte, espoir, tout s'est évanoui avec mon estime pour lui ; le monde et mon cœur sont vides.

Il faut l'avouer pour m'en punir, le jour où je l'attendais il m'était plus cher que dans aucun autre moment de ma vie. Depuis l'instant où le soleil se leva, quel intérêt je mis à chaque heure qui s'écoulait ! de combien de manières je calculai quand il était vraisemblable qu'il viendrait ! D'abord il me parut qu'il devait arriver à l'heure qu'il supposait celle de mon réveil, afin d'être certain de me trouver seule. Quand cette heure fut passée, je pensai que j'avais eu tort d'imaginer qu'il la choisirait, et je comptai sur lui entre midi et trois heures ; à chaque bruit que j'entendais, je combinais par mille raisons minutieuses s'il viendrait à cheval ou en voiture. Je n'allai pas chez Thérèse, je n'ouvris pas un livre, je ne me promenai pas, je restai à la place d'où l'on voyait le chemin. L'horloge du village de Bellerive ne sonne que toutes les demi-heures ; j'avais ma montre devant moi, et je la regardais quand mes yeux pouvaient quitter la fenêtre. Quelquefois je me fixais à moi-même un espace de temps que je me promettais de consacrer à me distraire ; ce temps était précisément celui pendant lequel mon âme était le plus violemment agitée.

Ce que j'éprouvai peut-être de plus pénible dans cette attente, ce fut l'instant où le soleil se coucha : je l'avais vu se lever lorsque mon cœur était ému par la plus douce espérance ; il me semblait qu'en disparaissant, il m'enlevait tous les sentiments dont j'avais été remplie à son aspect. Cependant, à cette heure de découragement succéda bientôt une idée qui me ranima ; je m'étonnai de n'avoir pas songé que c'était le soir que Léonce choisirait pour s'entretenir plus longtemps avec moi, et je retombai dans cet état, le plus cruel de tous, où l'espoir même fait presque autant de mal que l'inquiétude. L'obscurité ne me permettait plus de distinguer de loin les objets ; j'en étais réduite à quelques bruits rares dans la campagne, et plus la nuit approchait, plus ma souffrance était uniforme et pesante ; combien je regrettais le jour, ce jour même dont toutes les heures m'avaient été si pénibles !

Enfin, j'entends une voiture, elle s'approche, elle arrive, je ne doute plus ; j'entends monter mon escalier, je n'ose avancer ; mes gens ouvrent les deux battants, apportent des lumières, et je vois entrer madame de Mondoville et madame de Vernon ! Non, vous ne pouvez pas vous peindre ce qu'on éprouve lorsque, après le supplice de l'attente, on passe par toutes les sensations qui en font espérer la fin, et que, trompé tout à coup, on se voit rejeté en arrière, mille fois plus désespéré qu'avant le soulagement passager qu'on vient d'éprouver.

Je n'avais pas la force de me soutenir : l'idée me vint que Léonce allait arriver, qu'il s'en irait en apprenant que je n'étais pas seule, et que je ne retrouverais peut-être jamais l'occasion de lui parler. Je reçus madame de Mondoville et sa mère avec une distraction inouïe ; je me levai, je me rassis, je me relevai pour sonner, je demandai du thé, et craignant tout à coup que cet établissement ne les retînt, je leur dis : « Mais vous voulez peut-être retourner à Paris ce soir ? » Elles arrivaient, rien n'était plus absurde ; mais je ne pouvais supporter la contrariété que leur présence me faisait éprouver.

Madame de Vernon s'approchait de moi pour me prendre à part avec l'attention la plus aimable, lorsque madame de Mondoville la prévint et me dit : « J'ai voulu accompagner ma mère ici ce soir ; son intention était de venir seule, mais j'avais besoin de votre société pour me distraire du chagrin que j'ai éprouvé ce matin en apprenant que mon mari avait été obligé de partir cette nuit pour l'Espagne ». A ces mots, un nuage couvrit mes yeux, et je ne vis plus rien autour de moi. Madame de Mondoville se serait aperçue de mon état, si sa mère, avec cette promptitude et cette présence d'esprit qui n'appartiennent qu'à elle, ne se fût placée entre sa fille et moi, comme je retombais sur ma chaise, et ne l'eût priée très instamment d'aller dire à un de ses gens de lui apporter une lettre qu'elle avait oubliée dans sa voiture.

Pendant que Matilde était sortie, madame de Vernon me porta presque entre ses bras dans la chambre à côté, et me dit : « Attendez-moi, je vais vous rejoindre. » Elle alla conseiller à sa fille de monter dans la chambre qui lui était destinée, et lui dit que j'avais besoin de repos ; sa fille ne demanda pas mieux que de se retirer, et ne conçut pas le moindre soupçon de ce qui se passait. Madame de Vernon revint, j'avais à peine repris mes sens, et lorsqu'elle s'approcha de moi, oubliant entièrement les soupçons que j'avais conçus, je me jetai dans ses bras avec la confiance la plus absolue : ah ! j'avais tant de besoin d'une amie ! je l'aurais forcée à l'être, quand son cœur n'y aurait pas été disposé.

Combien de fois lui répétai-je avec déchirement : « Il est parti, Sophie, quand il devait me voir,

aujourd'hui même : quelle insulte ! quel mépris ! »
J'avouai tout à madame de Vernon : elle avait tout
deviné. Elle me fit sentir avec une grande délicatesse,
quoique avec une parfaite évidence, à quel point
j'avais eu tort de me défier d'elle. « Ne voyez-vous
pas, me dit-elle, combien un homme qui se conduit
ainsi avait de préventions contre vous ! Vous avez cru
qu'il était jaloux de M. de Serbellane : pouvait-il
l'être après la confidence que je lui avais faite de
votre part ? Le dernier billet même que vous avez
écrit, où vous lui annoncez, me dites-vous, votre
résolution de rester en Languedoc, ce billet ne
détruisait-il pas tout ce qu'on a répandu sur votre
prétendu voyage en Portugal ? Non, je vous le dis,
c'est un homme qui a conservé du goût pour vous, ce
qui est bien naturel, mais qui ne veut pas s'y livrer,
parce que votre caractère ne lui convient pas ; et
quand son goût l'entraîne, il prend des partis décisifs
pour s'y arracher. Il n'y a rien de plus violent que
Léonce ; vous le savez, sa conduite le prouve : il s'en
est allé cette nuit sans me prévenir ; il a instruit
seulement sa femme par un billet assez froid, qu'une
lettre de sa mère le forçait à partir à l'instant, et j'ai
su positivement par ses gens qu'il n'avait point reçu
de lettres d'Espagne ; c'était donc vous qu'il évitait :
cette crainte même est une preuve qu'il redoute votre
ascendant ; mais jamais il ne s'y soumettra, quand
votre délicatesse pourrait vous permettre à présent
de le désirer. »

Je voulus me justifier auprès de madame de
Vernon de la moindre pensée qui pût offenser
Matilde ; mais cette généreuse amie s'indigna que je
crusse cette explication nécessaire ; elle me témoigna
la plus parfaite estime ; l'embarras que je remarque
quelquefois en elle était entièrement dissipé, et du
moins, à travers ma douleur, j'acquis plus de certitude que jamais qu'elle m'aimait avec tendresse.

Hélas ! sa santé est bien mauvaise, les veilles ont abîmé sa poitrine. J'ai voulu l'engager à parler d'elle, de ses affaires, de ses projets, mais elle ramenait sans cesse la conversation sur moi, avec cette grâce qui lui est propre ; ne se lassant pas de m'interroger, cherchant, découvrant toutes les nuances de mes sentiments, réussissant quelquefois à me soulager, et n'oubliant rien de tout ce que l'on pouvait dire sur mes peines : enfin, sans elle, je ne sais si j'aurais supporté cette dernière douleur. Ce que je ressentais était amer et humiliant ; Sophie m'a relevée à mes propres yeux ; elle a su adoucir mes impressions, et me préserver du moins d'une irritation, d'un ressentiment qui aurait dénaturé mon caractère.

Louise, vous n'étiez pas auprès de moi, il a bien fallu qu'une autre me secourût ; mais dès que Thérèse m'aura quittée, dans un mois, je viendrai, je m'abandonnerai à vous, et si je ne puis vivre, vous me le pardonnerez.

LETTRE XXV

Léonce à M. Barton

Bordeaux, 23 septembre.

L'auriez-vous cru, que ce serait de cette ville que vous recevriez ma première lettre ? Je devais la voir, et je suis parti ; je suis venu sans m'arrêter jusqu'ici ; je comptais aller de même, jusqu'à ce que j'eusse rencontré cet homme insolemment heureux, que l'on fait revenir en France. La fièvre m'a pris avec tant de violence qu'il faut bien suspendre mon voyage ; mais M. de Serbellane passe par ici, je le sais ; il a mandé qu'il y viendrait, il est peut-être plus sûr de l'y attendre.

Oui, je suis parti lorsqu'elle avait consenti à me voir, lorsqu'elle avait sans doute préparé quelques ruses pour me tromper : je suis parti sans regrets, mais avec un sentiment d'indignation qui a changé totalement ma disposition pour elle. Mon ami, lisez bien ces mots qui m'étonnent plus que vous-même en les traçant : *Madame d'Albémar n'a mérité ni votre estime ni mon amour.*

Quand elle me répondit qu'elle me recevrait, je n'osai pas vous l'écrire, mon cher maître ; mais je ne pouvais contenir dans mon sein la joie que je ressentais ; je me promenais dans ma chambre avec des transports dont je n'étais plus le maître ; quelquefois cette vive émotion de bonheur m'oppressait tellement, que je voulais la calmer en me rappelant tout ce qu'il y avait de cruel dans ma situation, dans mes liens ; mais il est des moments où l'âme repousse toute espèce de peines, et ces idées tristes qui, la veille, me pénétraient si profondément, glissaient alors sur mon cœur, comme s'il avait été invulnérable.

Je m'étais enfermé ; un de mes gens frappa à ma porte, je tressaillis à ce bruit ; tout événement inattendu me faisait peur ; je redoutais même une lettre de madame d'Albémar ; je craignais une émotion, fût-elle douce. On me remit un billet de madame de Vernon, qui me demandait de venir la voir à l'instant, pour une affaire de famille importante ; il fallut y aller. Madame de Vernon me dit d'abord ce dont il s'agissait ; et je regrettai, je l'avoue, d'être venu pour un si faible intérêt ; l'instant d'après elle prit à part l'envoyé de Toscane qui était chez elle, et me pria d'attendre un moment pour qu'elle pût me parler encore.

Je l'entendis qui lui disait : « Voici la lettre de

madame d'Albémar ; appuyez auprès du ministre sa demande en faveur de M. de Serbellane. » A ce nom, je me levai, je m'approchai de madame de Vernon, malgré l'inconvenance de cette brusque interruption ; elle continua de parler devant moi, et j'appris, juste ciel ! j'appris que madame d'Albémar avait été le matin même chez l'envoyé de Toscane, pour obtenir, par son crédit, un sauf-conduit qui permît à M. de Serbellane de revenir en France, malgré son duel. N'ayant point trouvé l'envoyé de Toscane, elle lui écrivait pour lui renouveler cette demande ; elle en chargeait madame de Vernon. J'ai vu l'écriture de madame d'Albémar ; elle a obtenu ce qu'elle désirait, et dans quinze jours M. de Serbellane doit être en France, oui, il y sera ; mais il m'y trouvera ; je le forcerai bien à me donner un prétexte de vengeance.

Mon parti fut pris tout à coup ; je résolus d'aller au-devant de M. de Serbellane, et de partir sans délai. Si j'étais resté un seul jour, je n'aurais pu résister au besoin de voir madame d'Albémar, pour l'accabler des reproches les plus insultants, et c'était encore lui accorder une sorte de triomphe ; mais ce départ, à l'instant même où son billet faible et trompeur me donne la permission de la voir, ce départ sans un mot d'excuse ni de souvenir, l'aura, je l'espère, offensée.

J'ai écrit à madame de Mondoville pour lui donner un prétexte quelconque de mon voyage ; je n'ai voulu dire adieu à personne : mes gens, en recevant mes ordres pour mon départ, me regardaient avec étonnement ; je me croyais calme, et sans doute quelque chose trahissait en moi l'état où j'étais. Si j'avais vu quelqu'un, mon agitation eût été remarquée ; peut-être Delphine l'aurait-elle apprise ! il faut qu'elle me croie dédaigneux et tranquille, c'est tout ce que je désire : si je mourais du mal qui me consume, mon ami, jamais vous ne lui diriez que c'est elle qui me tue ; j'en exige votre serment : je me sentirais une sorte de rage contre ma fièvre, si je pensais qu'elle pût l'attribuer à l'amour.

J'ai voulu m'éloigner aussi de madame de Vernon ; je la hais, c'est injuste, je le sais ; mais enfin, toutes les peines que j'ai éprouvées, c'est elle qui me les a annoncées ; depuis mon mariage même, chaque fois qu'une idée, une circonstance me faisait du bien, le hasard amenait de quelque manière cette femme pour me découvrir la vérité ; j'en conviens, la vérité, mais celle qu'on ne peut entendre sans détester qui vous la dit. Ne combattez pas cette prévention, je la condamne ; mais que ne condamné-je pas en moi ! et je ne puis me vaincre sur rien ! Ah ! qu'il serait heureux que je mourusse ! cependant ne craignez pas que M. de Serbellane me tue ; non, il n'est pas juste que tout lui réussisse, il me semble que c'est assez des prospérités dont il a joui ; s'il met le pied en France, il en trouvera le terme.

LETTRE XXVI

Delphine à mademoiselle d'Albémar

Bellerive, 2 octobre.

Eh bien, Thérèse est inflexible ; eh bien, celle à qui j'ai sacrifié tout le bonheur de ma vie, ne jouira pas un seul jour du funeste dévouement de ma trop facile amitié. Louise, le récit que je vais vous faire vous inspirera de la pitié pour Thérèse ; il m'en faut aussi pour moi. Ah ! que de douleurs sur la terre ! où sont-ils les heureux ? en est-il parmi ceux qui seraient dignes du bonheur ?

Depuis quelque temps, je voyais madame d'Ervins plus rarement ; un prêtre d'un couvent voisin, d'un extérieur simple et respectable, passait beaucoup d'heures seul avec elle ; moi-même, accablée de douleur, et craignant, si je confiais mes peines à Thérèse, de ne pouvoir lui cacher qu'elle en était la cause involontaire, je me résignais à son goût pour la retraite, et je ne voulais pas lui parler des projets que je lui connaissais. Je comptai sur l'arrivée de M. de Serbellane et sur ses prières pour l'y faire renoncer ; mais le frère de M. d'Ervins étant venu à Paris, Thérèse eut hier matin un long a entretien avec lui, et je me hâtai d'aller chez elle, quand il fut parti, pour en savoir le résultat.

J'ai retenu toutes les paroles de Thérèse, et je vous les transmettrai fidèlement. Qui pourrait oublier un langage si plein d'amour et de repentir. « J'ai apaisé le frère de M. d'Ervins, me dit-elle ; maintenant qu'il sait ma résolution, il n'a plus de haine contre moi ; cette résolution met la paix entre les ennemis ; Dieu qui l'inspire la rend efficace : mais vous à qui je dois tant, vous qui avez peut-être fait pour moi plus de sacrifices que vous ne m'en avez avoué, vous avez failli me perdre dans un mouvement de bonté ; vous aviez encouragé M. de Serbellane à revenir ; je l'ai appris à temps, j'ai pu le lui défendre ; il sera instruit que s'il me voyait, il ne pourrait me faire changer de dessein, mais qu'il renouvellerait, par son retour, le courroux des parents de M. d'Ervins, et qu'il perdrait ma fille en déshonorant sa mère. »

Je voulus l'interrompre, elle m'arrêta. « Demain, me dit-elle, venez me chercher en vous levant, nous nous promènerons ensemble ; je vous dirai tout ce qui se passe en moi ; je n'en ai pas la force ce soir ; il me semble que quand la nuit est venue, la présence d'un Dieu protecteur se fait moins sentir, et j'ai besoin de son appui pour annoncer avec courage mes résolutions. A demain donc, avec le jour, avec le soleil. »

Quand elle m'eut quittée, je réfléchis douloureusement sur les obstacles que sa ferveur religieuse opposerait à mes efforts, et je plaignis le triste destin de deux nobles créatures, Thérèse et son ami. C'était moi, moi si malheureuse, qui devais essayer de soutenir le courage de madame d'Ervins, et mon cœur au désespoir était chargé de la consoler ! Ah ! combien souvent dans la vie cet exemple s'est présenté, et que d'infortunés ont encore trouvé l'art de secourir des infortunés comme eux !

J'entrai chez Thérèse de très bonne heure, et je la trouvai toute habillée, priant dans son cabinet devant un crucifix qu'elle y a placé, et aux pieds duquel elle a déjà répandu bien des larmes. Elle se leva en me voyant, ouvrit son bureau, et me dit : « Tenez, voilà toutes les lettres de M. de Serbellane que j'ai reçues depuis deux mois, je vous les remets avec son portrait ; il ne vous est point ordonné à vous de les brûler, conservez-les pour qu'elles me survivent et que rien de lui ne périsse avant moi. » J'insistai pour qu'elle connût la lettre que m'avait écrite M. de Serbellane ; en la lisant, elle rougit et pâlit plusieurs fois. « Il m'a fait dans ses lettres, reprit-elle, l'offre dont il vous parle ; il me l'a faite avec une expression bien plus vive, bien plus sensible encore, et cependant ma résolution est restée inébranlable. Descendons dans le jardin, je ne suis pas bien ici ; l'air me donnera des forces ; il m'en faut pour vous ouvrir encore une fois ce cœur qui doit se refermer pour toujours. » Je la suivis ; ses cheveux noirs, son teint pâle, ses regards qui exprimaient alternativement l'amour et la dévotion, donnaient à son visage un caractère de beauté que je ne lui avais jamais vu. Nous nous assîmes sous quelques arbres encore verts ; Thérèse alors, tournant vers l'horizon des regards vraiment inspirés, me dit :

« Ma chère Delphine, je vous le confie, en présence de ce soleil qui semble nous écouter au nom de son divin maître, l'objet de mon malheureux amour n'est point encore effacé de mon cœur. Avant qu'un prêtre vénérable eût accepté le serment que j'ai fait de me consacrer à Dieu, je lui ai demandé si, parmi les devoirs que j'allais m'imposer, il en était un qui m'interdît les souvenirs que je ne puis étouffer ; il m'a répondu que le sacrifice de ma vie était le seul qui fût en ma puissance ; il m'a permis de mêler aux pleurs que je verserais sur mes fautes, le regret de n'avoir pas été la femme de celui qui me fut cher, et de n'avoir pu concilier ainsi l'amour et la vertu. Je ne craignais, dans l'état que je vais embrasser, que des luttes intérieures contre ma pensée ; dès qu'on n'exige que mes actions, je me voue avec bonheur à l'expiation de la mort de M. d'Ervins.

« M. de Serbellane m'offre de m'épouser et de passer le reste de sa vie en Amérique avec moi ; juste ciel ! avec quel transport je l'accepterais ! quel sentiment presque idolâtre n'éprouverais-je pas pour lui ! Mais le sang, la mort nous sépare, un spectre défend ma main de la sienne, et l'enfer s'est ouvert entre nous deux. Si je succombais, j'entraînerais ce que j'aime dans mon crime ; le malheureux ! il partagerait mon supplice éternel et je n'obtiendrais pas de la Providence, comme des hommes, de ne condamner que moi seule. Mes pleurs et mon sacrifice serviront peut-être aussi sa cause dans le ciel. Oui, s'écrie-t-elle d'une voix plus élevée ; oui, je prierai sans cesse ; et si mes prières touchent l'Être suprême, ô mon ami ! c'est toi qu'il sauvera. Delphine, me dit-elle en m'embrassant, pardonnez, je ne puis parler de lui sans m'égarer, et je confonds ensemble et l'amour et le sentiment qui m'ordonne d'immoler l'amour. Mais ils m'ont dit que dans le temple, après de longs exercices de piété, mes idées deviendraient plus calmes ; je les crois, ces bons prêtres, qui ont fait entendre à mon âme le seul langage qui l'ait consolée.

« Il m'eût été beaucoup plus difficile de vivre au milieu du monde, en renonçant à M. de Serbellane, que de lui prouver encore par la résolution que je prends, combien mon âme est profondément atteinte. Ce motif n'est pas digne de l'auguste état que j'embrasse ; mais ne faut-il pas aider de toutes les manières la faiblesse de notre nature ? et si je me sens plus de force pour revêtir les habits de la mort, en pensant que ce sacrifice obtiendra de lui des larmes plus tendres, pourquoi m'interdirais-je les idées qui me soutiennent dans ce grand combat du cœur ?

« Un seul devoir, un seul, pouvait me retenir dans le monde ; c'était l'éducation d'Isore. Ma chère Delphine, c'est vous qui m'avez tranquillisée sur cette inquiétude ; je vous remettrai ma fille, la fille du malheureux dont j'ai causé la mort : vous êtes bien plus digne que moi de former son esprit et son âme ; mon éducation négligée ne me permet pas de contribuer à son instruction, et mon cœur est trop troublé pour être jamais capable de fortifier son caractère contre le malheur. Elle a dix ans ; et j'en ai vingt-six ; le spectacle de ma douleur agit déjà trop sur ses jeunes organes. Hélas ! ma chère Delphine, vous n'êtes pas heureuse vous-même ; j'ai peut-être à jamais perdu votre destinée ; mais votre âme, plus habituée que la mienne à la réflexion, sait mieux contenir aux regards d'un enfant les sentiments qu'il faut lui laisser ignorer. L'étendue de votre esprit, la variété de vos connaissances vous permettent de vous occuper et d'occuper les autres de diverses idées. Pour moi, je vis et je meurs d'amour. Dans cette religion à laquelle je me livre, je ne comprends rien que son empire sur les peines du cœur, et je n'ai pas, dans ma faible et pauvre tête, une seule pensée qui ne soit née de l'amour.

« Hélas ! le parti que je vais prendre affligera sans doute M. de Serbellane ; peut-être aurait-il goûté quelque bonheur avec moi : ce sanglant hyménée ne lui inspirait point d'horreur ; et pendant quelques années du moins, il n'aurait point été troublé par l'attente d'une autre vie. Oh ! Delphine, il m'en a coûté longtemps pour lui causer cette peine ; il me semblait qu'un jour de la douleur d'un tel homme comptait plus que toutes mes larmes : cependant une idée que l'orgueil aurait repoussée m'a soulagée enfin de la plus accablante de mes craintes. Je lui suis chère, il est vrai, mais c'est moi qui l'aime mille fois plus qu'il ne m'a jamais aimée ; une carrière, un but à venir lui reste ; il ne donnera jamais à personne, je le crois, cette tendresse première dont je faisais ma gloire, alors même qu'elle me coûtait l'honneur et la vertu : l'amour finit avec moi pour lui ; mais une existence forte, énergique, peut le remplir encore de généreuses espérances.

« Quant à moi, ma chère Delphine, puisqu'un devoir impérieux me sépare de lui, qu'est-ce donc que je sacrifie en me faisant religieuse ? j'ai éprouvé la vie, elle m'a tout dit ; il ne me reste plus que de nouvelles larmes à joindre à celles que j'ai déjà répandues. Si je conservais ma liberté, je ne pourrais écarter de moi l'idée vague de la possibilité d'aller le rejoindre. J'aurais besoin chaque jour de lutter contre cette idée avec toutes les forces de ma volonté ; jamais je n'obtiendrais le repos. Mon amie, croyez-moi, il n'est pour les femmes sur cette terre que deux asiles, l'amour et la religion ; je ne puis reposer ma tête dans les bras de l'homme que j'aime, j'appelle à mon secours un autre protecteur qui me soutiendra, quand je penche vers la terre, quand je voudrais déjà qu'elle me reçût dans son sein.

« Le malheur a ses ressources ; depuis un mois, je l'ai appris ; j'ai trouvé dans les impressions qu'autrefois je laissais échapper sans les recueillir, dans les merveilles de la nature, que je ne regardais pas, des secours, des consolations qui me feront trouver du calme dans l'état que je vais embrasser. Enfin, il me sera permis de rêver et de prier ; ce sont les jouissances les plus douces qui restent sur la terre aux âmes exilées de l'amour.

« Peut-être que, par une faveur spéciale, les femmes éprouvent d'avance les sentiments qui doivent être un jour le partage des élus du ciel ; mais si j'en crois mon cœur, elles ne peuvent exister de cette vie active, soutenue, occupée, qui fait aller le monde et les intérêts du monde ; il leur faut quelque chose d'exalté, d'enthousiaste, de surnaturel, qui porte déjà leur esprit dans les régions éthérées.

« J'ai confondu dans mon cœur l'amour avec la vertu, et ce sentiment était le seul qui pût me conduire au crime par une suite de mouvements nobles et généreux ; mais que le réveil de cette illusion est terrible ! il a fallu, pour la faire cesser, que je devinsse l'assassin de l'homme que j'avais juré d'aimer. Oh ! quel affreux souvenir ! et quel serait mon désespoir si la religion ne m'avait pas offert un sacrifice assez grand pour me réconcilier avec moi-même !

« Il est fait, ce sacrifice, et Dieu m'a pardonné, je le sais, je le sens ; mes remords sont apaisés, la mélancolie des âmes tendres et douces est rentrée dans mon cœur ; je communique encore par elle avec l'Être suprême ; et si dans un autre monde mon malheureux époux a perdu son irritable orgueil, s'il lit au fond des cœurs, lui-même aussi, lui-même aura pitié de moi. »

Thérèse s'arrêta en prononçant ces dernières paroles, et retint quelques larmes qui remplissaient ses yeux. J'étais aussi profondément émue, et je rassemblais toutes mes pensées pour combattre le dessein de Thérèse ; mais au fond de mon cœur, je vous l'avouerai, je ne le désapprouvais pas : je n'ai point les mêmes opinions qu'elle sur la religion ; mais j'aimerais cette vie solitaire, enchaînée, régulière, qui doit calmer enfin les mouvements désordonnés du cœur. Je voulus cependant épouvanter Thérèse en lui peignant les regrets auxquels elle s'exposait, mais elle m'arrêta tout à coup.

« Oh ! que me direz-vous, mon amie, s'écria-t-elle, qu'il ne m'ait pas écrit ! que mon amour, plus éloquent encore que lui, n'ait pas plaidé pour sa cause dans mon cœur ! Ne parlons plus sur l'irrévocable, dit-elle en m'imposant doucement silence ; mes serments sont déjà déposés aux pieds du Tout-Puissant ; il me reste à les faire entendre aux hommes ; mais le lien éternel m'enchaîne déjà sans retour.

« Je ne vous ai point dit que je serais heureuse ; il n'y avait de bonheur sur la terre que quand je le voyais ; quand il me parlait, sa voix seule ranimait dans mon sein les jouissances vives de l'existence ; mais je n'ai plus à craindre ces peines violentes où la vengeance divine imprime son redoutable pouvoir. Désormais étrangère à la vie, je la regarderai couler comme ce ruisseau qui passe devant nous, et dont le mouvement égal finit par nous communiquer une sorte de calme. Le souvenir de ma destinée agitera peut-être encore quelque temps ma solitude ; mais enfin, ils me l'ont promis, ce souvenir s'affaiblira, le retentissement lointain ne se fera plus entendre que confusément ; c'est ainsi que je commencerai à mourir, et que je m'endormirai, bénie d'un Dieu clément, et chère peut-être encore à ceux qui m'ont aimée.

« Je pars aujourd'hui pour Bordeaux avec mon

beau-frère, continua Thérèse ; j'y resterai quelques mois. Je reviendrai chez vous, avant de prendre le voile, pour vous ramener Isore, et vous remettre tous mes droits sur elle. Je vous en conjure, ma chère Delphine, ne nous abandonnons plus à notre émotion ; je n'ai pu contenir mon âme en vous parlant aujourd'hui ; vous avez dû voir que Thérèse n'était pas encore devenue insensible, jamais elle ne le sera ; mais je dois tâcher de le paraître, pour recueillir quelque bien de la résolution que j'ai prise. Il faut se dominer, il faut ne plus exprimer ce qu'on éprouve, c'est ainsi qu'on peut étouffer, m'a-t-on dit, les sentiments dont la religion doit triompher. Ma chère Delphine, ma généreuse amie, retenez ce dernier accent, ce sont les adieux qui précèdent la mort, vous n'entendrez plus la voix qui sort du cœur ; adieu ! »

Thérèse me quitta, je ne la suivis point ; je restai quelque temps seule, pour me livrer à mes larmes. Je sentis d'ailleurs que ce n'était pas au moment de son départ que je pourrais produire aucune impression sur elle ; et j'espérai davantage de mes lettres pendant son absence. Quand je rentrai, le frère de M. d'Ervins était arrivé. Thérèse fit les préparatifs de son voyage avec une singulière fermeté ; Isore pleura beaucoup en me quittant ; sa mère, en descendant pour partir, détourna la tête plusieurs fois, afin de ne pas voir l'émotion de cette pauvre petite. Thérèse monta en voiture sans me dire un mot ; mais, en prenant sa main, je reconnus à son tremblement quelle douleur elle éprouvait.

Thérèse ! être si tendre et si doux, me répétai-je souvent quand elle fut partie, cette force que vous ne tenez pas de vous-même, vous soutiendra-t-elle constamment ? ne sentirez-vous pas se refroidir en vous l'exaltation d'une religion qui a tant besoin d'enthousiasme ? et ne perdrez-vous pas un jour cette foi du cœur qui vous aveugle sur tout le reste ? Hélas !

et moi qui me crois plus éclairée, que deviendrai-je ?
l'espérance d'une vie à venir, les principes qui m'ont
été donnés par un être parfaitement bon, les idées
religieuses, raisonnables, et sensibles, ne me ren-
dront-elles donc pas à moi-même ? et l'amour ne
peut-il être combattu que par des fantômes superstitieux qui remplissent notre âme de terreur ? Louise,
la douleur remet tout en doute, et l'on n'est contente
d'aucune de ses facultés, d'aucune de ses opinions,
quand on n'a pu s'en servir contre les peines de la
vie.

LETTRE XXVII

Delphine à mademoiselle d'Albémar

Bellerive, ce 14 octobre.

Je vous prie, ma chère Louise, de remettre à M. de
Clarimin ce billet, par lequel je me rends caution de
soixante mille livres que madame de Vernon lui
doit : obtenez de lui, je vous en conjure, qu'il cesse
de la calomnier. Il est dans sa terre, à quelques lieues
de vous, il vous sera facile de l'engager à venir vous
parler. Dès que j'aurai reçu votre réponse, et que je
pourrai tranquilliser madame de Vernon, les affaires
qui la retiennent ici seront terminées, et nous partirons ensemble pour le Languedoc ; moi, pour vous
rejoindre ; elle, pour m'accompagner, et pour passer
l'hiver dans les pays chauds. Les médecins disent que
sa poitrine est très affectée ; elle paraît elle-même se
croire en danger, mais elle s'en occupe singulièrement peu : ah ! si j'étais condamnée à la perdre, cette
amère douleur m'ôterait le reste de mes forces.

Je n'ai point appris par madame de Vernon

l'embarras dans lequel elle se trouvait ; le hasard me l'a fait découvrir, et je le savais seulement de la veille, lorsque madame de Mondoville et madame de Vernon vinrent avant-hier chez moi. Je pris madame de Mondoville à part, et je lui demandai si ce que l'on m'avait dit des plaintes de M. de Clarimin contre sa mère était vrai. « Oui, me répondit-elle : ma mère voulait que je m'engageasse pour les soixante mille livres qu'elle lui doit, pendant l'absence de M. de Mondoville ; je l'ai refusé, car je n'ai le droit de disposer de rien sans le consentement de mon mari, et ma mère ne veut pas que je le demande. Vous savez que je mets fort peu d'importance à la fortune ; mais je prétends être stricte dans l'accomplissement de mes devoirs. » Elle disait vrai, Louise, elle ne met point d'importance à l'argent ; mais sa mère serait mourante, qu'elle ne sacrifierait pas une seule de ses idées sur la conduite qu'elle croit devoir tenir.

« Je ne sais pas bien, lui dis-je vivement, quel est le devoir au monde qui peut empêcher d'être utile à sa mère ; mais enfin... » Elle m'interrompit à ces mots avec humeur, car les attaques directes l'irritent d'autant plus qu'elle n'aperçoit jamais que celles-là. « Vous croyez apparemment, ma cousine, me dit-elle, qu'il n'y a de principes fixes sur rien ; et que serait donc la vertu, si l'on se laissait aller à tous ses mouvements ? — Et la vertu, lui dis-je, est-elle autre chose que la continuité des mouvements généreux ? Enfin, laissons ce sujet, c'est moi qu'il regarde, et moi seule. »

Madame de Vernon, s'approchant de nous, interrompit notre entretien ; en la voyant au grand jour je fus douloureusement frappée de sa maigreur et de son abattement ; jamais je n'avais senti pour elle une amitié plus tendre. Madame de Mondoville retourna à Paris ; je gardai madame de Vernon chez moi, et le lendemain matin, à son réveil, je lui portai une

DELPHINE

assignation de soixante mille livres sur mon banquier, en la suppliant de l'accepter. « Non, me dit-elle, je ne le puis ; c'était à ma fille, à ma fille pour qui j'ai tout fait, de me tirer de l'embarras où je suis : elle ne le veut pas, c'est peut-être juste ; je ne l'ai pas assez formée pour moi ; j'ai remis son éducation à d'autres ; nous ne pouvons ni nous entendre, ni nous convenir : mais ce n'est pas vous, non, ce n'est pas vous, en vérité, ma chère Delphine, qui devez me rendre un tel service. — Pourquoi donc me refusez-vous ce bonheur ? lui dis-je ; il y a deux ans que vous y avez consenti ; nouvellement encore, dans le mariage de votre fille... — Ah ! s'écria-t-elle, le mariage de ma fille... » Et puis tout à coup s'arrêtant, elle reprit : « Depuis quelque temps j'ai du malheur en tout, peut-être des torts ; mais enfin, dans l'état où je suis, tout cela ne sera pas long. — Ne voulez-vous pas empêcher que M. Clarimin ne vous accuse ? — Je le croyais mon ami, me dit-elle en soupirant ; se peut-il que je me sois fait des illusions ! je n'y étais pas cependant disposée. Enfin il veut me perdre dans le monde, et me ruiner en saisissant ce que je possède ; il a tort, car je dois mourir bientôt, et il est dur de m'ôter à présent l'existence à laquelle j'ai sacrifié toute ma vie. — Au nom de Dieu, lui dis-je en versant des larmes, repoussez ces horribles idées, et ne refusez pas le service que je vous conjure d'accepter : j'ai des peines, de cruelles peines, vous le savez, voulez-vous me ravir le seul bonheur que je puisse tirer de mon inutile fortune ? — Eh bien, me répondit madame de Vernon, je vous crois généreuse : quand je mourrai, quoi qu'il arrive après moi, vous ne vous repentirez point de m'avoir rendu un dernier service. Il n'est pas nécessaire que vous me prêtiez ce que je dois ; votre caution suffit, et je l'accepte. »

Il y avait dans l'accent de madame de Vernon

quelque chose de triste et de sombre qui me fit beaucoup de peine. Pauvre femme ! les injustices des hommes ont peut-être aigri ce caractère si doux, troublé cette âme si tranquille. Ah ! que les cœurs durs font de mal ! Je lui dis quelques mots sur son goût pour le jeu. « Hélas ! reprit-elle, vous ne savez pas combien il est difficile d'être femme, sans fortune, sans jeunesse, et sans enfants qui nous entourent ; on essaye de tout pour oublier cette pénible destinée. » Je ne voulus pas insister sur les pertes qu'elle s'exposait à faire, dans un moment où je venais de lui rendre service, et je cherchai à la ramener sur d'autres sujets de conversation.

Le soir il vint assez de monde me voir : on savait que madame d'Ervins, pour qui j'avais dit que je quittais la société, n'était plus à Bellerive : mon départ annoncé avait attiré chez moi plusieurs personnes, qui croient toutes qu'elles me regrettent, et dont la bienveillance s'est singulièrement ranimée en ma faveur, par l'idée de ma prochaine absence.

Pendant que ce cercle était réuni dans le salon de Bellerive, madame de Lebensei y arriva avec son mari, qu'elle m'avait promis de m'amener. Quand elle vit cette société nombreuse, elle fut entièrement déconcertée, et descendit dans le jardin, sous le prétexte de prendre l'air ; il me fut impossible de la retenir, et peut-être valait-il mieux en effet qu'elle s'éloignât, car tous les visages de femmes s'étaient déjà composés pour cette circonstance. M. de Lebensei ne s'en alla point : je remarquai même que c'était avec intention qu'il restait ; il voulait trouver l'occasion de témoigner son indifférence pour les malveillantes dispositions de la société : il avait raison, car, sous la proscrition de l'opinion, une femme s'affaiblit, mais un homme se relève ; il semble qu'ayant fait les lois, les hommes sont les maîtres de les interpréter ou de les braver.

L'esprit de M. de Lebensei me frappa beaucoup ; il n'eut pas l'air de se douter du froid accueil qu'on destinait à sa femme : il parla sur des objets sérieux avec une grande supériorité, n'adressa la parole à personne, excepté à moi, et trouva l'art d'indiquer son dédain pour la censure dont il pouvait être l'objet, sans jamais l'exprimer ; un air insouciant, un calme, des manières nobles, remettaient chacun à sa place : il ne changeait peut-être rien à la manière de penser, mais il forçait du moins au silence, et c'est beaucoup ; car dans ce genre, l'on s'exalte par ce qu'on se permet de dire, et l'homme qui oblige à des égards en sa présence est encore ménagé lorsqu'il est absent.

Quand madame de Lebensei fut revenue près de nous, après le départ de la société, M. de Lebensei continua à montrer l'indépendance de caractère et d'opinion qui le distingue, et je sentis que sa conversation, en fortifiant mon esprit, me faisait du bien : du bien ! ah ! de quel mot je me suis servie ! Hélas ! si vous saviez dans quel état est mon âme... Mais puisque je me suis promis de me contraindre, il faut en avoir la force, même avec vous.

LETTRE XXVIII

Delphine à mademoiselle d'Albémar

Paris, ce 16 octobre.

Avant de nous réunir pour toujours, ma chère sœur, il faut que je m'explique avec vous sur un sujet que j'avais négligé, mais que vous développez trop clairement dans votre dernière lettre pour que je puisse me dispenser d'y répondre. Vous me dites que

M. de Valorbe a toujours conservé le même sentiment pour moi, qu'il n'a pu quitter depuis un an sa
mère qui est mourante, mais qu'il vous a constamment écrit pour vous parler de son désir de vous voir,
et de son besoin de me plaire : vous me rappelez
aussi ce que je ne puis jamais oublier, c'est qu'il a
sauvé la vie à M. d'Albémar, il y a dix ans, et que
votre frère conservait pour lui la plus vive reconnaissance. Vous ajoutez à tout cela quelques éloges sur le
caractère et l'esprit de M. de Valorbe : je pourrais
bien n'être pas, à cet égard, de votre avis, mais ce
n'est pas de cela qu'il s'agit. Si vous aviez connu
Léonce, vous ne croiriez pas possible que jamais je
devinsse la femme d'un autre ; je serais très affligée,
je l'avoue, si les obligations que nous avons à M. de
Valorbe vous imposaient le devoir de l'admettre
souvent chez vous. Je ne pense pas, vous le croyez
bien, à revoir Léonce de ma vie ; mais s'il apprenait
que je permets à quelqu'un de me rechercher, il
croirait que je me console (42) ; il n'aurait pas l'idée
qui peut lui venir une fois de plaindre mon sort ; et
tous les hommages de l'univers ne me dédommage-
raient pas de la pitié de Léonce. C'en est assez :
maintenant que vous connaissez les craintes que
j'éprouve, je suis bien sûre que vous chercherez à me
les épargner.

Dès que vous m'aurez mandé si M. de Clarimin
accepte ma caution, nous partirons : madame de
Vernon désire que je vous prie de l'accueillir avec
amitié ; ma chère sœur, je vous en conjure, ne soyez
pas injuste pour elle ; si je ne puis vaincre les
préventions que vous m'exprimez encore dans votre
dernière lettre, au moins soyez touchée des soins
infinis qu'elle a eus pour moi ; ces soins supposent
beaucoup de bonté. Depuis le départ de Léonce pour
l'Espagne, je suis presque méconnaissable. Une
femme d'esprit a dit que *la perte de l'espérance*

changeait entièrement le caractère. Je l'éprouve : j'avais, vous le savez, beaucoup de gaieté dans l'esprit ; je m'intéressais aux événements, aux idées ; maintenant rien ne me plaît, rien ne m'attire, et j'ai perdu avec le bonheur tout ce qui me rendait aimable. Quel état cependant pour une personne dont l'âme était si vivement accessible à toutes les jouissances de l'esprit et de la sensibilité ! J'aimais la société presque trop, elle m'était souvent nécessaire et toujours agréable ; à présent je n'en puis supporter qu'une seule, celle de madame de Vernon. Louise, récompensez-la donc par votre bienveillance des consolations qu'elle m'a données.

Jamais on n'a mis dans l'intimité tant de désir de plaire ! jamais on n'a consacré un esprit si fait pour le monde au soulagement de la douleur solitaire ! Je vous le dis, ma sœur, et vous finirez par l'éprouver, madame de Vernon est une personne d'un agrément irrésistible. J'ai connu des femmes piquantes et spirituelles ; je comprenais facilement, quand elles parlaient, comment on était aimable comme elles, et si je l'avais voulu, j'aurais réussi par les mêmes moyens ; mais chaque mot de madame de Vernon est inattendu, et vous ne pouvez suivre les traces de son esprit, ni pour l'imiter, ni pour le prévoir. Si elle vous aime, elle vous l'exprime avec une sorte de négligence qui porte la conviction dans votre âme. Il semble que c'est à elle-même qu'elle parle quand des mots sensibles lui échappent, et vous les recueillez quand elle les laisse tomber.

Ma vie n'appartient plus qu'à vous et à madame de Vernon ; de grâce, que je ne vous voie pas désunies ! elle m'est devenue plus nécessaire qu'elle ne me l'était ; c'est un dernier sentiment que j'ai saisi plus fortement que jamais, dans le naufrage de mon bonheur. Mais je n'ai pas besoin d'insister davantage ; vous la trouverez, hélas ! assez triste et bien malade ; votre bon cœur s'intéressera sûrement pour elle.

LETTRE XXIX

Léonce à M. Barton

Bordeaux, ce 20 octobre.

Une fièvre violente m'a forcé de rester ici près d'un mois ; je l'ai caché à ma famille à Paris, ma mère seule l'a su ; je ne voulais que personne, excepté elle, se mêlât de s'intéresser à moi. Le premier jour de cette fièvre ; je vous ai écrit je ne sais quelle lettre insensée, qui contenait, je crois, des expressions insultantes pour madame d'Albémar ; je vous prie de la brûler, j'étais dans le délire : ce n'est pas que rien justifie Delphine des torts dont je l'accuse ; mais, pour tout autre que moi, elle est, elle doit être un ange. Si vous saviez comme on parle d'elle ici ! Elle n'y a demeuré que deux mois ; mais n'est-ce pas assez pour qu'on ne puisse pas l'oublier !

J'essayerai demain de pénétrer jusqu'à madame d'Ervins ; elle ne veut voir personne : elle est résolue, m'a-t-on appris, à se faire religieuse ; elle doit remettre sa fille à madame d'Albémar : cette enfant parle de Delphine avec transport ; je verrai au moins cette enfant. Ne trouvez-vous pas qu'il y a un mystère singulier dans tout ?

Il me semble que dans votre dernière lettre vous vous exprimez moins bien sur madame d'Albémar : vous avez eu tort de recevoir aucune impression par ce que je vous ai écrit ; je n'en dois faire sur personne. Conservez votre admiration pour madame d'Albémar ; je serais malheureux de penser que je

l'ai diminuée. Il circule des bruits sur madame
d'Ervins ; mais c'est impossible : la première fois
qu'on me les a dits, j'ai tressailli ; depuis, on les a
démentis, tout à fait démentis. Adieu, mon cher
maître, j'irai voir madame d'Ervins. D'où vient que
cette idée me bouleverse ? Elle est l'amie de Delphine. M. de Serbellane est allé en Toscane par mer ;
il ne voulait donc pas venir en France... je ne sais où
j'en suis.

LETTRE XXX

Léonce à Delphine

Bordeaux, ce 22 octobre.

Delphine, oh ! femme autrefois tant aimée ! un
enfant m'a-t-il révélé ce que la perfidie la plus noire
avait trouvé l'art de me cacher ? La voix des hommes
vous avait accusée ; la voix d'un enfant, cette voix du
ciel vous aurait-elle justifiée ? Écoutez-moi : voici
l'instant le plus solennel de votre vie. Je suis lié pour
toujours, je le sais ; il n'est plus de bonheur pour
moi ; mais si j'étais seul coupable, et que Delphine
fût innocente, mon cœur aurait encore du courage
pour souffrir.

Hier j'ai été chez madame d'Ervins : quelque irrité
que je fusse, je voulais entendre parler de vous par
ceux qui vous aiment. Madame d'Ervins, toujours
livrée aux exercices de piété, a refusé de me voir.
Isore, sa fille, jouait dans le jardin ; je me suis
approché d'elle : on m'avait dit qu'elle vous aimait à
la folie ; je l'ai fait parler de vous, et j'ai vu que
l'impression que vous produisiez était déjà sentie,
même à cet âge. Vous l'avouerai-je, enfin ? j'ai osé

interroger Isore sur vos sentiments : des circonstances inouïes avaient plusieurs fois ranimé et détruit mon espoir ; j'en accusais quelquefois confusément l'adresse d'une femme, j'espérai que la candeur d'un enfant déconcerterait les calculs les plus habiles.

« Madame d'Albémar doit se charger de vous, ai-je dit à Isore ; elle vous emmènera sûrement en Toscane ? — En Toscane ! pourquoi ? répondit-elle ; je serais bien fâchée d'aller en Italie : c'est lorsque maman a tant aimé ce pays-là que nous avons été si malheureux. — Mais votre mère, lui dis-je, n'a-t-elle pas toujours aimé l'Italie ? elle y est née. — Oh ! reprit Isore, elle l'avait quittée si enfant qu'elle ne s'en souvenait plus, mais M. de Serbellane lui a tout rappelé. — M. de Serbellane vous déplaît-il ? continuai-je. — Non, il ne me déplaît pas, répondit Isore ; mais depuis qu'il est venu chez maman, elle a toujours pleuré. — Toujours pleuré ! répétai-je avec une vive émotion. Et madame d'Albémar, que faisait-elle alors ? — Elle consolait maman : elle si bonne ! — Oh ! sans doute, elle l'est. » m'écriai-je. Et dans ce moment, Delphine, je sentis mon cœur revenir à vous. « Mais, cependant, ajoutai-je, elle épousera M. de Serbellane ? — M. de Serbellane ! interrompit Isore avec la vivacité qu'ont les enfants quand ils croient avoir raison ; M. de Serbellane ! oh ! c'est maman qui l'aimait, ce n'est pas madame d'Albémar ; et puisque maman veut se faire religieuse, elle n'épousera pas M. de Serbellane, et madame d'Albémar n'ira sûrement pas en Italie. » A ces mots, la gouvernante d'Isore la prit brusquement par la main, et l'emmena en lui faisant une sévère réprimande. Je ne prévoyais pas que j'entraînais cette enfant à faire du tort à sa mère ; mais ce mot qu'elle m'a dit, grand Dieu ! que signifie-t-il ? Ce serait madame d'Ervins qui aurait aimé M. de Serbellane ! ce serait pour le sauver que vous auriez pris aux yeux du monde l'apparence de tous les torts ! vous seriez une créature sublime, quand je vous accusais de parjure, et moi je mériterais... Non, je ne mériterais pas ce que j'ai souffert.

Cependant comment puis-je le croire ? n'ai-je pas une lettre de vous que je tiens de madame de Vernon, dans laquelle vous me dites de m'en rapporter à ce qu'elle me confiera de votre part ? N'a-t-elle pas gardé le silence, ne s'est-elle pas embarrassée, comme une amie confuse de vos torts envers moi, lorsque je l'ai interrogée sur les détails que j'avais appris en arrivant à Paris, et qui se répandaient dans la société, à l'occasion de la mort de M. d'Ervins ? Ces détails, qui me causaient tous une douleur nouvelle, c'étaient votre attachement pour M. de Serbellane, vos engagements pris à Bordeaux avec lui, l'instant d'incertitude que mes sentiments pour vous avaient fait naître dans votre âme, la délicatesse qui vous avait ramenée à votre premier amour, l'obligation où vous étiez de suivre M. de Serbellane, après qu'il s'était battu pour vous, et lorsque le séjour de la France lui était interdit. Ne m'avez-vous pas dit vous-même qu'il était parti, quand il ne l'était pas ? n'a-t-il pas passé vingt-quatre heures enfermé chez vous ?... Oh ! je reprends, en écrivant ces mots, tous les mouvements que je croyais calmés ! M. de Serbellane, à l'instant même où il avait tué M. d'Ervins, ne vous a-t-il pas nommée ? Vos gens, au tribunal, ne vous ont-ils pas citée seule ? n'avez-vous pas été chercher le portrait de M. de Serbellane ? ne receviez-vous pas sans cesse de ses lettres ? avez-vous nié à personne que vous dussiez l'épouser ? n'avez-vous pas demandé un sauf-conduit pour lui ? Mais si toute cette conduite n'était qu'un dévouement continuel à l'amitié, vous seriez bien imprudente, je serais bien malheureux ! Mais vous n'auriez pas cessé de m'aimer, et il vaudrait encore la peine de vivre.

Si vous n'avez pas été coupable, (43) si madame de Vernon a su la vérité, si vous l'aviez chargée de me la dire, jamais la fausseté n'a employé des moyens plus infâmes, plus artificieux, mieux combinés. Je serai vengé, si son cœur insensible peut recevoir une blessure, si... Mais ce n'est pas de son sort que je dois vous occuper.

Qui pourra jamais comprendre ce génie du mal qui a disposé de moi ! Madame de Vernon me rend une lettre de ma mère, qui me conjurait de tenir la promesse qu'elle avait donnée de me marier avec Mathilde ; elle me parlait de vous avec amertume ; dans un autre temps, rien de ce qu'elle aurait pu me dire n'aurait fait impression sur moi ; mais il me semblait que sa voix était prophétique, et me prédisait l'événement qui venait d'anéantir mon sort. Ma mère m'adjurait, au nom du repos de sa vie, d'accomplir sa promesse ; il ne suffisait pas de mon devoir envers elle pour me condamner au malheur que j'ai subi, il fallait que madame Vernon s'emparât de mon caractère, avec une habileté que je ne sentis pas alors, mais qui depuis en souvenir, m'a quelquefois saisi d'un insurmontable effroi.

Il n'y avait pas un défaut en moi qu'elle n'irritât. Elle vous défendait avec chaleur, et me blessait jusqu'au fond de l'âme par sa manière de vous justifier ; elle m'exagérait le tort que vous vous étiez fait dans le monde, en passant pour la cause du duel de M. d'Ervins avec M. de Serbellane, et proposait en même temps de vous engager, au nom de mon désespoir, à m'accorder votre main ; c'est ainsi qu'elle révoltait ma fierté. En me rappelant aujourd'hui tous ses discours, il se peut qu'elle n'ait pas dit précisément que vous aimiez M. de Serbellane ; mais elle a mis, si cela n'est pas, plus de ruse à me le faire croire, qu'il n'en fallait à le dire. J'éprouvais, en l'écoutant, une contraction inouïe ; j'avais le front couvert de sueur, je me promenais à grands pas dans sa chambre, je m'écartais et je me rapprochais d'elle, avide de ses discours, et redoutant leur effet ; mon âme était fatiguée de cette conversation, comme par une suite de sensations amères, par une longue vie de peines : et cette fatigue cependant ne lassait point mon agitation ; elle me rendait seulement tous les mouvements plus douloureux.

Cette femme, je ne sais par quelle puissance, agitait mes passions comme un instrument qui s'ébranlait à sa volonté ; toutes les pensées que je fuyais, elle me les offrait en face ; tous les mots qui me faisaient mal, elle les répétait : et cependant ce n'était pas contre elle que j'étais irrité ; car il me semblait toujours qu'elle voulait me consoler, et que la peine que j'éprouvais n'était causée que par des vérités qui lui échappaient, ou qu'elle ne pouvait réussir à me cacher.

Elle allait chercher en moi tout ce que je peux avoir d'irritabilité sur tout ce qui tient à l'opinion et à l'honneur, pour me convaincre, sans me le prononcer, que je serais avili si je montrais encore mon attachement pour une femme publiquement livrée à un autre, ou si seulement je paraissais indifférent au scandale qu'avait causé la mort de M. d'Ervins. Ce qu'elle disait pouvait convenir également aux torts de légèreté (si je ne vous avais crue coupable que de ceux-là), ou au torts du sentiment ; mais je saisissais surtout ce qui aigrissait ma jalousie. Madame de Vernon a fait de moi ce qu'elle a voulu, non par l'empire des affections, mais en excitant tous les mouvements amers que le ressentiment peut inspirer. Quel art ! si c'est de l'art.

Je n'ai rien encore entrevu que confusément, mais les plus généreuses vertus et les plus vils des hommes ne pourraient-ils pas s'être réunis pour me perdre ? Delphine, si cette espérance que je saisis m'a déçu, si l'enfant n'a pas dit la vérité, ne me répondez pas, j'entendrai votre silence, et je retomberai dans l'état dont je suis un moment sorti. Que signifiait une lettre de votre propre main ? comment fallait-il la comprendre ? et tous les mystères du jour fatal, des jours qui l'ont précédé, de ceux qui l'ont suivi ! Ah ! ne me cachez rien, le secret fait tant de mal !

Depuis mon mariage même, depuis bientôt cinq mois, madame de Vernon se serait-elle encore servie de sa fatale connaissance de mon caractère, pour irriter en moi la jalousie par la fierté, la fierté par la jalousie ; pour empoisonner les peines de l'amour par l'orgueil, et me déchirer à la fois par tous les bons et les mauvais mouvements de mon âme ? Delphine, le cœur de Léonce est resté le même ; si le vôtre n'a point été coupable, souvenez-vous du temps où vous vous confiiez à lui ; hélas ! hélas ! depuis ce temps, un lien funeste... et ce serait la fausseté la plus insigne qui... Ne craignez rien pour madame de Vernon, ni pour sa fille ; qu'une bonté cruelle ne vous inspire pas encore de me sacrifier à des ménagements pour les autres !

Je voulais, après avoir vu Isore, retourner à l'instant même à Paris ; mais j'ai reçu une lettre de ma mère qui, s'inquiétant de mon séjour à Bordeaux, et me croyant fort malade, voulait, malgré l'état de sa santé, se mettre en route pour me rejoindre ; j'ai dû la prévenir, et je pars. Si c'est vous dont l'image doit régner sur ma vie, je pars pour accomplir envers ma mère les devoirs que vous me recommanderiez ; s'il faut vous perdre, c'est en Espagne que reposent les cendres de mon père, c'est en Espagne qu'il faut aller mourir.

Delphine, songez avec quelle émotion je vais passer les jours qui me séparent de votre réponse. Je serai à Madrid le premier de novembre ; si vous êtes à Bellerive, ma lettre aura pu retarder de quelques jours ; jusqu'au vingt-cinq, pendant un mois, j'attendrai : j'ai fixé ce terme à mon espérance. Jusqu'au vingt-cinq, mon anxiété sera sans doute cruelle ; mais que servirait-il de vous la peindre ? elle ne vous impose qu'un devoir, la vérité.

LETTRE XXXI

Delphine à mademoiselle d'Albémar

Paris, ce 26 octobre.

Louise, quelle lettre Léonce vient de m'écrire ! tout est révélé, tout est éclairci ; madame de Vernon ! vous-même, vous n'auriez jamais pensé qu'elle pût en être capable ! elle a profité de tous les prétextes que lui fournissait ma confiance, pour induire Léonce à croire que j'aimais M. de Serbellane, que je l'avais reçu chez moi pendant vingt-quatre heures, et que je partais pour l'épouser. Juste ciel ! vous croyez que c'est à moi que je pense, et que je goûterai quelque joie en apprenant que Léonce m'aime encore ! non, je ne sens qu'une douleur, je n'ai qu'une idée ; c'est l'amitié trahie, l'amitié la plus tendre, la plus fidèle : on s'attend peut-être, sans se l'avouer, que le temps amènera des changements dans les sentiments passionnés ; mais tout l'avenir repose sur les affections qui s'entretiennent par la certitude et la confiance.

Mon amie, si vous me trompiez, croyez-vous que je pusse supporter un tel malheur ? Eh bien, j'aimais madame de Vernon autant que vous, peut-être plus encore : je m'en accuse, je m'humilie ; mais son esprit séducteur avait un empire inconcevable sur moi. J'ai eu des moments de doute sur elle depuis le mariage de Léonce, mais elle en avait triomphé, mais mon cœur lui était plus livré que jamais.

Je suis troublée, tremblante, irritée comme s'il s'agissait de Léonce. Ah ! quand on a consacré tant de soins, tant de services, tant d'années à conquérir une amitié pour le reste de ses jours, quelle douleur on éprouve en considérant tout ce temps, tous ces efforts comme perdus ! Loin de vous, qui trouverai-je jamais que j'aie aimé depuis mon enfance avec cette confiance, avec cette candeur ? Une autre amie que j'aurais après madame de Vernon, je la jugerais, je l'examinerais, je serais susceptible de crainte, de soupçon ; mais Sophie, je l'ai aimée dans une époque de ma vie où j'étais si tendre et si vraie ! Je ne puis plus offrir à personne ce cœur qui se livrait sans réserve, et dont elle a possédé les premières affections. J'aimerai si l'on m'aime, je serai reconnaissante des marques d'intérêt que l'on pourra me donner ; mais cette tendresse vive, involontaire, que des agréments nouveaux pour moi m'avaient inspirée, je ne l'éprouverai plus. Je regrette Sophie et moi-même ; car je ne vaudrai jamais pour personne ce que je valais pour elle.

Se peut-il qu'elle ait pu accepter tant de preuves d'amitié, si elle ne sentait pas qu'elle m'aimait, qu'elle m'aimait pour la vie ! De tous les vices humains, l'ingratitude n'est-il pas le plus dur, celui qui suppose le plus de sécheresse dans l'âme, le plus d'oubli du passé, de ce temps qui ébranle si profondément les âmes sensibles ? Et moi-même aussi, faut-il que je ne conserve plus aucune trace de ce passé qu'elle a trahi ? Si je cède à mon cœur, si je confirme tous les soupçons de Léonce, ne vais-je pas l'irriter mortellement contre la mère de sa femme ? Je connais sa véhémence, sa généreuse indignation, il défendra à Matilde de voir sa mère ; je ne veux pas perdre madame de Vernon, je le dois à mes souvenirs ; je veux respecter en elle l'amitié qu'elle m'avait inspirée : cependant, rester coupable aux yeux de Léonce est un sacrifice au-dessus de mes forces ! Que faire donc, que devenir ? J'écrirai à M. Barton, je lui demanderai de se charger d'éclairer Léonce, en modérant les effets de son premier mouvement.

Eh quoi ! je me refuserais au bonheur d'écrire cette simple ligne : *Delphine n'a jamais aimé que Léonce.* Il l'espère, il l'attend ; ah ! quelle affreuse perplexité ! Je vais aller chez madame de Vernon ; je lui parlerai, je n'épargnerai pas son cœur, s'il peut encore être ému ; vous saurez, en finissant cette lettre, ce qu'elle m'aura dit ; mais que peut-elle me dire ? Je veux que du moins une fois elle entende les plaintes amères qu'elle ne pourra jamais se rappeler sans rougir.

Minuit.

Non, je ne conçois point ce qu'est devenue l'idée que je m'étais faite de madame de Vernon ; je viens de passer deux heures avec elle sans avoir pu lui arracher un seul mot qui rappelât en rien cette sensibilité naturelle et aimable que je lui ai trouvée tant de fois ; il semble que dès qu'elle a vu son caractère dévoilé, elle ne s'est plus embarrassée de feindre, et si elle s'était jamais montrée à moi comme aujourd'hui, mon cœur ne s'y serait point trompé.

Après avoir reçu la lettre de Léonce, après m'être livrée, en vous écrivant, à toutes les impressions douces et cruelles qu'elle faisait naître en moi, j'allai chez madame de Vernon. Je ne vous peindrai point avec quel serrement de cœur je faisais cette même route, j'entrais dans cette même maison que je croyais hier plus à moi que la mienne ; le spectacle des lieux toujours invariables, quand notre cœur est si changé, produit une impression amère et triste. Je m'arrêtai néanmoins dans l'antichambre de madame de Vernon, pour demander de ses nouvelles avant d'entrer chez elle ; je sentais que si elle avait été malade, je serais retournée chez moi. On me dit qu'elle se portait beaucoup mieux, et qu'elle avait dormi jusqu'à midi ; alors je hâtai mes pas, et j'ouvris brusquement sa porte : elle était seule, et vint à moi avec cet air d'empressement qui avait coutume de me charmer. J'en fus irritée, et par un mouvement très vif, je jetai sur une table, devant elle, la lettre de Léonce, et je lui dis de la lire.

Elle la prit, rougit d'abord d'une manière très marquée, mais prolongeant à dessein la lecture pour se remettre, quand elle se sentit enfin tout à fait calme, elle me dit assez froidement : « Vous êtes la maîtresse de semer la haine dans une famille unie ; mais vous auriez dû penser plus tôt qu'il était juste que je fisse tous les efforts qui dépendaient de moi pour bien marier ma fille, et vous empêcher de lui enlever l'époux qui lui était promis. — Grand Dieu ! m'écriai-je, il était juste que vous abusassiez de mon amitié pour vous, de la confiance absolue qu'elle m'inspirait... — Et vous, interrompit-elle, n'abusiez-vous pas de ce que je vous recevais chez moi, pour venir, dans ma maison même, ravir à ma fille l'affection de Léonce ? — Vous ai-je rien caché ? répondis-je avec chaleur ; ne vous ai-je pas chargée vous-même d'expliquer ma conduite et mes sentiments à Léonce ? — En vérité, interrompit madame de Vernon, si vous me permettez de vous le dire, il fallait être trop naïve pour me choisir, moi, pour engager Léonce à vous épouser. — Trop naïve ! répétai-je avec indignation, trop naïve ! est-ce vous, madame, qui parlez avec dérision des sentiments généreux ? Ah ! j'en atteste le ciel, dans ce moment où j'apprends que mon estime pour votre caractère a détruit tout le bonheur de ma vie, je jouis encore de vous avoir offert une dupe si facile ; je jouis avec orgueil d'avoir un esprit incapable de deviner la perfidie, et dont vous avez pu vous jouer comme d'un enfant.

— Léonce lui-même vous avoue, me répondit-elle, que ce n'est pas moi qui lui ai appris ce que l'on répandait dans le monde ; je me suis contentée de ne pas le nier : c'était bien le moins dans ma situation. Quant à tout l'esprit que fait Léonce, à propos du prétendu pouvoir que j'ai exercé sur lui, c'est une excuse qu'il veut vous donner ; on ne gouverne jamais personne que dans le sens de son caractère : l'éclat de votre aventure lui déplaisait ; l'imprudence de votre conduite, l'indépendance de vos opinions blessaient extrêmement sa manière de voir, voilà tout. — Non, repris-je vivement, ce n'est pas tout ; vous voulez, par des paroles légères, confondre le bien avec le mal, et cacher vos actions dans le nuage de vos discours ; préparez pour le monde ces habiles moyens, un cœur blessé ne peut s'y méprendre. Écoutez chaque mot de la lettre de Léonce. » Comme je voulais la reprendre pour la relire, madame de Vernon la retint, et me dit négligemment : « Ne voulez-vous pas occuper tout Paris de nos querelles de famille, et montrer à vos amis cette lettre de Léonce ? » En prononçant ces paroles, elle la jeta dans le feu. Cette action m'indigna ; mais plus mon impression était vive, plus je voulus la réprimer, et je me levai pour sortir. Madame de Vernon reprit la parole assez vite ; elle recommença l'entretien, afin qu'il ne se terminât pas par l'action qu'elle venait de se permettre. « J'avais de l'amitié pour vous, me dit-elle ; mais les intérêts de ma fille devaient m'être encore plus chers. — Eh quoi ! répondis-je, ne les avais-je pas assurés, ces intérêts, lorsque je lui donnai la terre d'Andelys, lorsque je vous ai préservée deux fois de la ruine ? — Delphine, interrompit madame de Vernon, il n'y a rien de plus indélicat que de reprocher les services qu'on a rendus. — Vous savez mieux que personne, madame, continuai-je froidement, combien j'attache peu de prix à ce que je puis faire pour les autres ; quand il m'est arrivé de rendre des services à ceux que je n'aimais pas, je n'en ai jamais gardé le moindre souvenir ; mais c'est avec confiance, avec tendresse, que je me suis vouée à vous être utile : les preuves d'amitié que je vous ai données, c'est aux sentiments que je croyais vous avoir inspirés qu'elles s'adressaient ; si vous n'aviez pas ces sentiments, pourquoi donc avez-vous disposé de moi ? pourquoi vous exposiez-vous au reproche le plus humiliant, le plus cruel, à celui de l'ingratitude ? — L'ingratitude ! me dit madame de Vernon, c'est un grand mot, dont on abuse beaucoup ; on se sert parce que l'on s'aime, et quand on ne s'aime plus, l'on est quitte ; on ne fait rien dans la vie que par calcul ou par goût ; je ne vois pas ce que la reconnaissance peut avoir à faire dans l'un ou dans l'autre. — Je ne daigne pas répondre, lui dis-je, à ce détestable sophisme ; mais vous n'aviez donc pas d'amitié pour moi, quand vous me montriez tant d'intérêt et d'affection ? l'attachement que j'avais pour vous ne vous avait donc pas touchée ? est-il donc vrai que depuis six ans nos conversations, nos lettres, notre intimité, tout fut mensonge de votre part ? En me retraçant les années heureuses que j'ai passées avec vous, j'éprouve l'insupportable peine de ne pouvoir me flatter qu'il ait existé un temps où vous m'aimiez sincèrement : quand donc avez-vous commencé à me tromper ? (44) dites-le moi, je vous en conjure, pour que du moins je puisse conserver quelques souvenirs doux de tous les jours qui ont précédé cette funeste époque. » En parlant ainsi, j'étais inondée de larmes, et je souffrais extrêmement de n'avoir pu les retenir, car madame de Vernon me paraissait avoir conservé le plus grand sang-froid ; cependant, quand elle reprit la parole, sa voix était altérée.

« Tout est fini entre nous, me dit-elle en se levant ;
avec votre caractère, vous n'entendriez raison sur
rien ; vous êtes trop exaltée pour qu'on puisse vous
faire comprendre le réel de la vie. Si je meurs de la
maladie qui me menace, peut-être vous expliquerai-
je ma conduite ; mais tant que je vivrai, il me
convient de soutenir mon existence, ma manière
d'être dans le monde, telle qu'elle est ; je veux aussi
éviter les émotions pénibles que votre présence et les
scènes douloureuses qu'elle entraîne me cause-
raient : il vaut donc mieux ne plus nous revoir. »
Vous le dirai-je, ma chère Louise ? je frémis à ces
derniers mots : j'étais bien décidée à ne plus être liée
avec madame de Vernon ; je sentais que je ne
pouvais répéter des reproches de cette nature, et
qu'il me serait impossible de la revoir sans les
renouveler ; mais je ne m'étais pas dit que ce jour
finirait tout entre nous, et la rapidité de cette
décision, quelque inévitable qu'elle fût, me faisait
peur. « Quoi ! lui dis-je, vous ne pouvez pas trouver
quelques excuses qui puissent affaiblir mon ressentiment ? — Le prestige de tout ce que j'étais pour vous
est détruit, me dit madame de Vernon ; je suis trop
fière pour essayer de le faire renaître. — Trop fière !
m'écriai-je, vous qui avez pu me tromper !... —
Laissons ces reproches, reprit-elle impatiemment : je
vaux peut-être mieux que je ne parais ; mais, quoi
qu'il en soit, je ne veux pas m'entendre dire le mal
que l'on peut penser de moi.

« Vous êtes la maîtresse, ajouta-t-elle, de rendre
les derniers jours de vie qui me restent horriblement
malheureux, en révélant tout à Léonce ; vous pouvez
user de cette puissance, je n'essayerai point de vous
en détourner. — Ah ! m'écriai-je, vous ne savez pas
encore ce que vous pourriez sur moi, si le repentir...
— Du repentir, interrompit-elle avec l'accent le plus

ironique ; voilà bien une idée dans votre genre ! » A cette réponse, à cet air, je repris toute mon indignation, et m'avançai vers la porte pour m'en aller ; mais tout à coup je m'arrêtai, je regardai cette chambre dans laquelle j'avais passé des heures si douces, et je songeai que j'allais en sortir pour n'y plus rentrer jamais.

« Hélas ! lui dis-je alors avec douceur, combien vous avez mal connu la route de votre bonheur ! vous avez rencontré au milieu de votre carrière une personne jeune, qui vous aimait de sa première amitié, sentiment presque aussi profond que le premier amour ; une personne singulièrement captivée par le charme de votre esprit et de vos manières, et qui ne concevait pas le moindre doute sur la moralité de votre caractère : vous le savez, autour de moi j'avais souvent entendu dire du mal de vous ; mais en vous justifiant toujours je m'étais plus attachée aux qualités que je vous attribuais, que si je n'avais jamais eu besoin de vous défendre : vous avez brisé ce cœur qui vous était acquis, sans que même une telle dureté fût nécessaire à aucun de vos intérêts ; vous auriez obtenu de moi d'immoler mon bonheur à mon attachement pour vous ; vous m'avez trompée par goût pour la dissimulation, car la vérité eût atteint le même but, et vous avez voulu dérober, par la fausseté, ce que l'amitié généreuse s'offrait à vous sacrifier. Je souhaite néanmoins, oui, je souhaite du fond du cœur que vous soyez heureuse ; mais je vous prédis que vous ne serez plus aimée comme je vous ai prouvé qu'on aime : on ne forme pas deux fois des liaisons telles que la nôtre, et quelque aimable que vous soyez, vous ne retrouverez pas l'amitié, le dévouement, l'illusion de Delphine. Je vous quitte dans cet instant pour ne plus vous revoir, et c'est moi qui suis émue, moi seule. Ah ! n'essayerez-vous donc pas d'adoucir le sentiment que je vais emporter avec moi ? ce talent de feindre, dont vous avez si cruellement abusé, vous manque-t-il donc seulement alors qu'il pourrait rendre nos derniers moments moins cruels ? — Je ne le puis, me dit-elle, je ne le puis ; il faut éloigner de soi les sentiments pénibles, et ne point recommencer des liens qui désormais ne seraient que douloureux ; il n'est plus en votre puissance de ne pas troubler mon repos ; adieu donc, c'est du repos que je veux, si je dois vivre encore ; sinon... » Elle s'arrêta, comme si elle avait eu l'idée de me parler, mais, changeant de résolution : « Adieu, Delphine », me dit-elle d'une voix assez précipitée, et elle rentra dans son cabinet.

Je restai quelque temps à la même place ; mais enfin, honteuse de mon émotion, de cette faiblesse de cœur qui avait entièrement changé nos rôles, et fait de celle qui était mortellement offensée celle qui était prête à supplier l'autre, je quittai cette maison pour toujours, et je revins impatiente de vous apprendre ce qui s'était passé. S'il ne se mêlait pas à votre affection pour moi des vertus maternelles, si vous ne m'inspiriez pas ces sentiments qui appartiennent à l'amour filial, et que la mort prématurée de mes parents ne m'a permis de connaître que pour vous, j'aurais quelque embarras à vous peindre la douleur que m'a causée ma rupture avec madame de Vernon ; mais votre cœur n'est point accessible même à la plus noble des jalousies. Vous avez de l'indulgence pour votre enfant ; vous lui pardonnez cette amitié vive que les premiers goûts de l'esprit et les premiers plaisirs de la société avaient fait naître ; elle existait à côté de l'amour le plus passionné, cette amitié funeste ; elle ne portait donc pas atteinte à la tendresse reconnaissante que je ne puis éprouver que pour vous seule.

Maintenant quel parti prendre ? Ma conversation avec madame de Vernon m'a bien prouvé qu'elle redoutait extrêmement, pour le repos de sa famille, que Léonce ne connût la vérité ; mais que dois-je à madame de Vernon ? mais quelle puissance sur la terre pourrait obtenir de moi que je consentisse une seconde fois à être méconnue de Léonce ? Eh ! que parlé-je de puissance ? il n'en est qu'une à craindre, c'est la voix de mon propre cœur ? mais est-il vrai qu'elle me le demande ? Non, il faut aussi que je compte mon sort pour quelque chose, que la bonté m'inspire quelque compassion pour moi-même. J'ai le temps encore de consulter M. Barton, d'avoir sa réponse ; la vôtre aussi peut me parvenir ; il faut quatorze jours pour que les lettres arrivent à Madrid. Léonce, jusqu'au vingt-cinq novembre, attendra sans me condamner. Ah ! ma sœur, que m'écrirez-vous dans le combat qui me déchire, à quel sentiment prêterez-vous votre appui ?

LETTRE XXXIII

Delphine à mademoiselle d'Albémar

Paris, ce 2 novembre 1790.

J'attends impatiemment votre réponse et celle de M. Barton ; je compte les jours, et je les redoute ; je consume mes heures dans des réflexions qui me déchirent, en se combattant mutuellement ; quelquefois je trouve de la douceur à penser que si l'on n'avait pas excité la jalousie de Léonce, toute autre prévention ne l'eût jamais assez éloigné de moi pour qu'il consentît à devenir l'époux de Matilde ; et l'instant d'après je me livre au désespoir, en songeant que le plus simple hasard pouvait tout éclaircir, et que si j'avais eu le courage d'aller vers lui, peut-être encore au dernier moment, un mot, un seul mot faisait de la plus misérable des femmes, la plus heureuse.

Quel sentiment éprouvera-t-il, quand il saura mon innocence ! Oui, sans doute il la saura ; l'on n'exigera pas de moi que je renonce à me justifier auprès de lui. Cependant quel trouble je vais porter dans ses affections, dans ses devoirs, si je l'instruis positivement de la vérité ! Ne vaut-il pas mieux que le temps et ma conduite l'éclairent ? Mais si je garde le silence, il m'annonce qu'il me croira coupable, il croira que dans le moment même où je paraissais l'aimer, je le trompais ; non, cette pensée est intolérable : si j'étais mourante, n'obtiendrais-je pas le droit de tout révéler après moi ? hélas ! l'aurais-je même alors ? le bonheur des autres ne doit-il pas nous être sacré, tant qu'il peut dépendre de notre volonté !

Cruelle femme ! c'est encore pour vous que j'éprouve ces affreuses incertitudes ; c'est votre repos, c'est votre bonheur qui lutte encore dans mon cœur contre un désir inexprimable ! Et Matilde aussi, ne souffrira-t-elle pas de ce que je dirai ? puis-je écrire à Léonce ce qui doit lui faire haïr sa belle-mère, et l'éloigner encore plus de sa femme ? Ah ! jamais, jamais personne ne s'est trouvé dans une situation où les deux partis à prendre paraissent tous deux également impossibles.

Enfin il le faut, je le dois ; attendons les conseils qui peuvent m'éclairer.

Mon voyage près de vous est forcément retardé de quelques jours, parce que je ne vais plus avec madame de Vernon. J'avais remis toutes mes affaires entre les mains d'un homme à elle ; il faut tout séparer, après avoir cru que tout était en commun pour la vie. J'ai honte de vous avouer combien je suis faible ! encore ce matin, je suis montée en voiture pour aller chez mon notaire ; mais comme il fallait, pour arriver à sa maison, passer devant la porte de madame de Vernon, je n'en ai pas eu le courage ; j'ai tiré le cordon de ma voiture au milieu de la rue, et j'ai donné l'ordre de retourner chez moi. J'ai voulu ranger mes papiers avant mon départ ; je trouvais partout des lettres et des billets de madame de Vernon : il a fallu ôter son portrait de mon salon, lui renvoyer une foule de livres qu'elle m'avait prêtés ; c'est beaucoup plus cruel que les adieux au moment de mourir, car les affections qui restent alors répandent encore de la douceur sur les dernières volontés ; mais dans une rupture, tous les détails de la séparation déchirent, et rien de sensible ne s'y mêle et ne fait trouver du plaisir à pleurer.

Je n'ai plus personne à consulter sur les circonstances journalières de la vie ; je me sens indécise sur tout. Je pense avec une sorte de plaisir que, par délicatesse pour madame de Vernon, je m'étais isolée de la plupart des femmes qui me témoignaient de l'amitié ; je ne voulais confier à aucune autre ce que je lui disais ; j'étais jalouse de moi pour elle.

Au milieu de ces pensées, plus douces mille fois qu'une amie si coupable ne devait les attendre de moi, madame de Lebensei a trouvé le secret, hier, de me faire parler très amèrement de madame de Vernon ; elle était arrivée de la campagne exprès pour me questionner ; madame de Vernon l'avait vue, et avait su la captiver entièrement, soit par l'empire de son charme, soit que, dans la situation de madame de Lebensei, l'on ne veuille se brouiller avec personne, et que l'on devienne même très aisément favorable à tous ceux qui vous traitent bien.

Je trouvai d'abord mauvais que madame de Vernon eût confié, sans mon aveu, à madame de Lebensei mon sentiment pour Léonce ; mais la justification de madame de Vernon, que me rapporta madame de Lebensei assez maladroitement, m'irrita bien plus encore. Elle se fondait entièrement sur les dispositions que madame de Vernon supposait à Léonce, son éloignement pour les femmes qui ne respectaient pas l'opinion, l'irrésolution de ses projets relativement à moi, le peu de convenance qui existait entre nos manières de penser. Madame de Vernon se représentait enfin, me dit madame de Lebensei, comme n'ayant fait que conseiller Léonce selon son bonheur, et peut-être son penchant : c'était me blesser jusqu'au fond du cœur que se servir d'un tel prétexte. Si quelqu'un avait senti fortement les torts de madame de Vernon envers moi, peut-être aurais-je adouci moi-même les coups qu'on voulait lui porter ; mais les formes tranchantes de madame de Lebensei, son parti pris d'avance, les petits mots qu'elle me disait, et qui m'annonçaient que madame de Vernon l'avait prévenue que j'étais très exagérée dans mon ressentiment ; tout cet appareil d'impartialité, quand il s'agissait de décider entre la générosité et la perfidie, m'offensa tellement, que je perdis, je le crois, toute mesure ; et faisant à madame de Lebensei, avec beaucoup de chaleur, le tableau de ma conduite et de celle de madame de Vernon, je lui déclarai que je ne voulais point écouter ceux qui me parleraient pour elle, et que je la priais seulement de raconter à madame de Vernon ce que j'avais dit, et les propres termes dont je m'étais servie.

Quand madame de Lebensei fut partie, je sentis que j'avais eu tort ; je ne me repentis ni d'avoir excité le ressentiment de madame de Vernon, ni d'avoir attaché plus vivement madame de Lebensei à ses intérêts : il est assez doux de se faire du mal à soi-même, en attaquant une personne qui nous fut chère ; on aime à briser tous les calculs en se livrant à ce douloureux mouvement ; mais je me repentis d'avoir dénaturé ce que j'éprouvais, et de m'être donné des torts de paroles, quand mes sentiments et

mes actions n'en avaient aucun. J'étais aussi, je
l'avoue, vivement irritée, en apprenant que madame
de Vernon cherchait encore à me nuire, dans le
moment même où j'hésitais si je ne sacrifierais pas le
bonheur de toute ma vie à son repos.

Cependant que deviendrai-je, tant que Léonce me
soupçonnera ? la solitude et le temps ne feront rien à
cette douleur ; elle renaîtra chaque jour, car chaque
jour j'essayerai de raisonner avec moi-même, pour
me prouver que je dois répondre à Léonce. Mais
pourquoi donc supposer que ma conscience me le
défend ? Ah ! je l'espère, vous et M. Barton, vous
penserez que Léonce aura assez de calme, assez de
vertu, pour apprendre la vérité sans punir celle qui
fut coupable : ah ! s'il sait pardonner, ne puis-je pas
tout lui dire ?

P. S. Vous ne m'avez pas répondu sur l'affaire de
M. de Clarimin : je suis bien sûre que vous sentez
comme moi que je dois mettre plus d'importance que
jamais à lui faire accepter ma caution. Si par hasard
vous ne l'aviez pas encore offerte, ce qui vient de se
passer vous inspirera, j'en suis sûre, le désir de vous
hâter.

LETTRE XXXIII

Mademoiselle d'Albémar à Delphine

Montpellier, ce 4 novembre.

Ma chère Delphine, mon élève chérie, dans quel
monde êtes-vous tombée ? Pourquoi faut-il que
madame de Vernon, cette femme perfide que mon
pauvre frère détestait avec tant de raison, vous ait
captivée par son esprit séducteur ? Pourquoi n'ai-je

pas su réunir à mon affection pour vous cet art d'être aimable, qui pouvait satisfaire votre imagination ? vous n'auriez eu besoin d'aucun autre sentiment, et votre cœur n'eût jamais été trompé.

Vous me demandez un conseil sur la conduite que vous devez tenir avec Léonce : comment oserais-je vous le donner ? Je ne pense pas que vous deviez en rien vous sacrifier pour l'indigne madame de Vernon ; mais quand Léonce saura que vous n'avez jamais cessé de l'aimer, pourra-t-il supporter Matilde ? pourra-t-il se résoudre à ne pas vous revoir ? aurez-vous la force de le lui défendre ? Cependant faut-il que, pouvant vous justifier, vous vous donniez l'air coupable ? Supporterez-vous une telle douleur ? Non, l'amitié ne saurait s'arroger le droit de conseiller une action héroïque. Si vous répondez à Léonce, si vous l'instruisez de la vérité, vous ne ferez peut-être rien de vraiment mal, rien que personne surtout pût se permettre de condamner ; mais si, pour mieux assurer son repos domestique, si, pour l'éloigner plus sûrement de vous, vous vous taisez, vous aurez surpassé de beaucoup ce que l'on pourrait attendre de la vertu la plus sévère.

LETTRE XXXIV

M. Barton à madame d'Albémar

Mondoville, 6 novembre.

J'ai été quelques jours, madame, sans pouvoir me déterminer à vous écrire ; ce que je devais vous conseiller me semblait trop pénible pour vous ; cependant je me suis résolu à vous donner la plus grande preuve de mon estime en répondant avec une sévère franchise à la généreuse question que vous daignez me faire.

M. de Mondoville, indignement trompé sur vos sentiments, a épousé mademoiselle de Vernon ; il a repoussé le bonheur que j'espérais pour lui ; il a gâté sa vie, mais il faut au moins qu'il respecte ses devoirs ; il lui restera toujours une destinée supportable, tant qu'il n'aura pas perdu l'estime de lui-même.

Sans pouvoir deviner le secret habilement conduit dont vous avez été la victime, je n'ai jamais cru que vous fussiez capable de tromper, mais j'ai toujours refusé de m'expliquer avec Léonce sur ce sujet. J'ai reçu une lettre de lui, deux jours avant la vôtre, dans laquelle il m'apprend qu'il vous a écrit, et qu'il vous demande de lui dévoiler ce qu'il commence enfin à entrevoir, les criminelles ruses de madame de Vernon. Il se contient avec vous, me dit-il ; mais il s'exprime, dans sa confiance en moi, avec une telle fureur, que je frémis du parti qu'il prendra quand il saura la conduite de madame de Vernon envers lui.

Il est résolu d'abord de défendre à madame de Mondoville de voir sa mère, et, si elle lui désobéit, il veut se séparer d'elle. Il forme encore mille autres projets extravagants de vengeance contre madame de Vernon. Je ne doute pas qu'il ne renonce à ce qui serait indigne de lui ; mais tel que je le connais, je suis sûr qu'il suivra le dessein qu'il m'annonce, de forcer madame de Mondoville à rompre avec sa mère. Quel trouble cependant ne va-t-il pas en résulter ?

Quelque coupable que soit madame de Vernon, vous la plaindriez d'être condamnée à ne jamais revoir sa fille ; et si, comme je n'en doute pas, madame de Mondoville croit de son devoir de s'y refuser, quel scandale que la séparation de Léonce avec sa femme pour une telle cause ! C'est vous seule, madame, qui pouvez encore être l'ange sauveur de cette famille, l'ange sauveur de celle même qui vous a cruellement persécutée.

Je ne me permettrai pas de vous dicter la conduite que vous devez tenir ; j'ai dû seulement vous instruire des dispositions de Léonce. Il est impossible, quand il saura tout, de se flatter de l'apaiser ; il est malheureusement très emporté, et jamais, il faut en convenir, jamais un homme n'a été offensé à ce point dans son amour et dans son caractère. Jugez vous-même, madame, de ce qu'il importe de cacher à Léonce, jugez des sacrifices que votre âme généreuse est capable de faire ! Je ne vous demande point de me pardonner, car je crois vous honorer par ma sincérité autant que vous méritez de l'être, et mon admiration respectueuse donne beaucoup de force à cette expression.

LETTRE XXXV

Réponse de Delphine à M. Barton

Paris, ce 8 novembre.

Vous ne savez pas quelle douleur vous m'avez causée ! je croyais pouvoir le détromper, je croyais toucher au moment de recouvrer toute son estime ; vous m'avez montré mon devoir, le véritable devoir, celui qui a pour but d'épargner des souffrances aux autres : je l'ai reconnu, je m'y soumets, je n'écrirai point : mais souffrez que je le dise, pour la première fois j'ai senti que je m'élevais jusqu'à la vertu : oui, c'est la vertu qu'un tel sacrifice, et ce qu'il me coûte mérite le suffrage d'un honnête homme et la pitié du ciel.

Il attend ma réponse pour un jour fixe, pour le

vingt-cinq novembre. Mon silence, dit-il, sera pour lui l'aveu de la perfidie dont on m'avait accusée ; ne pouvez-vous lui écrire que ce silence est un mystère que je ne veux jamais éclaircir, mais qu'il ne doit lui donner aucune interprétation décisive ? ne pouvez-vous pas lui dire au moins que je pars pour le Languedoc, d'où je ne sortirai jamais ? Est-ce trop demander, et ne défais-je pas ainsi, faiblesse après faiblesse, l'action que je nommais généreuse ?

Je vous laisse l'arbitre de ce que vous pouvez dire ; vous comprenez ce que je souffre, ce que je souffrirai toujours, tant qu'il me croira coupable. Si le ciel vous inspire un moyen de me secourir, sans porter atteinte au bonheur des autres, vous le saisirez, j'ose en être sûre ; s'il faut me sacrifier, je vous en donne le pouvoir, je saurai vous en estimer. Je dépose entre vos mains la promesse de m'éloigner, de ne point écrire, de ne rien me permettre enfin pour moi-même, que de vous demander quelquefois si vous avez affaibli dans le cœur de Léonce la juste haine qu'il va de nouveau ressentir contre moi.

LETTRE XXXVI

Madame d'Artenas à Delphine

Paris, 10 novembre.

J'ai passé hier chez vous, ma chère Delphine, mais en vain ; votre porte est toujours fermée. Je suis obligée de partir pour ma terre, près de Fontaine-bleau ; mais je ne veux pas différer à vous demander de m'apprendre les causes d'un événement qui occupe toute la société de Paris. Vous êtes brouillée avec madame de Vernon ; vous ne vous voyez plus :

je crois bien aisément qu'elle a tort, et que vous avez raison ; mais pourquoi vous brouiller avec elle ? pourquoi vous brouiller avec personne ? Cela peut avoir les plus graves inconvénients.

Vous avez découvert qu'elle vous trompait : il y a longtemps que je m'en serais doutée, à votre place ; mais c'est pécisément parce qu'elle a un caractère adroit et dissimulé, qu'il était sage de la ménager : votre conduite a été le contraire de ce qu'elle devait être ; il fallait ne pas l'aimer avec tant d'aveuglement avant la découverte, et ne pas rompre depuis avec tant de véhémence. Madame de Vernon est établie à Paris depuis beaucoup plus longtemps que vous ; elle y a beaucoup plus de relations ; et vous savez qu'on est toujours ici soutenu par ses parents, non parce qu'ils vous aiment, mais parce qu'ils regardent comme un devoir de vous justifier. Il y a si peu de véritable amitié dans le grand monde, qu'encore vaut-il mieux compter sur ceux qui se croient obligés à vous défendre, que sur ceux qui le font volontairement. Vous allez vous trouver nécessairement mal avec votre famille, si vous ne voyez plus madame de Vernon ; car madame de Mondoville, dans cette circonstance, ne se séparera sûrement pas de sa mère. Il faut tâcher de vous raccommoder avec tout cela : pensez-en ce que j'en pense, mais soyez avec madame de Vernon dans une bonne mesure, quoique sans fausseté.

Les hommes peuvent se brouiller avec qui ils veulent, un duel brillant répond à tout ; cette magie reste encore au courage, il affranchit honorablement des liens qu'impose la société ; ces liens sont les plus subtils, et cependant les plus difficiles à briser. Une jeune femme sans père ou sans mari, quelque distinguée qu'elle soit, n'a point de force réelle ni de place marquée au milieu du monde. Il faut donc se tirer d'affaire habilement, gouverner les bons sentiments avec encore plus de soin que les mauvais, renoncer à cette exaltation romanesque qui ne convient qu'à la vie solitaire, et se préserver surtout de ce naturel inconsidéré, la première des grâces de conversation, et la plus dangereuse des qualités en fait de conduite (45).

Vous aimez, quoi que vous en puissiez dire, le mouvement et la variété de la société de Paris ; sachez donc vous maintenir dans cette société, sans donner prise sur vous à personne. Avant les chagrins que vous avez éprouvés, vous aimiez aussi, et cela devait être, les succès sans exemple que vous obteniez toujours quand on vous voyait et quand on vous entendait. Défiez-vous de ces succès ; qu'ils vous rendent d'autant plus prudente ; car en excitant l'envie, ils vous obligent à craindre madame de Vernon. Je pourrais, moi, me brouiller avec elle ; nous sommes à force égale, vieille et oubliée que je suis ; mais vous, la plus belle, la plus jeune, la plus aimable des femmes, on croira tout ce que madame de Vernon dira contre vous, et, pour ne vous rien cacher, on le croit déjà.

J'avais commencé ma lettre avec l'intention de vous laisser ignorer ce que madame de Vernon allègue en sa faveur ; mais je réfléchis qu'il faut que vous connaissiez tous les motifs qui doivent diriger votre conduite. Elle prétend que vous l'aviez chargée d'engager Léonce à vous épouser ; que, depuis l'esclandre du duel de M. de Serbellane, il ne l'a pas voulu, et que vous ne lui avez jamais pardonné son infructueuse négociation. Elle affirme que vous avez dit à tout le monde un mal abominable d'elle, et que vous lui avez reproché de prétendus services avec indélicatesse et amertume. Jugez combien les ingrats et ceux qui auraient envie de l'être trouvent mauvais qu'on se souvienne des services qu'on a rendus ! Elle assure enfin que c'est elle qui n'a plus voulu vous voir, parce que vous ne veniez dans sa maison que pour vous faire aimer du mari de sa fille, et cette dernière accusation lui rallie toutes les dévotes. Vous voyez qu'elle sait se concilier les bons et les méchants, et de plus, cette nombreuse classe d'indifférents paisibles, qui, ayant beaucoup plus entendu parler de madame d'Albémar que de madame de Vernon, croient qu'il est de leur dignité de gens médiocres de blâmer celle qui a le plus d'éclat.

Ne vous exagérez pas cependant l'effet des discours de madame de Vernon, nous sommes en état de nous en défendre ; mais il est indispensable que vous commenciez par vous raccommoder avec elle, et je vous réponds qu'elle ne demanderait pas mieux ; car dans toutes ces querelles, en présence du tribunal de l'opinion, chacun a peur de l'autre. Retournez à ses soupers, cessez de lui faire aucun reproche, n'en dites plus aucun mal ; et si elle continue à chercher à vous nuire, je me charge, moi, de lui jouer quelques tours de vieille guerre. Je connais les ruses de madame de Vernon, je ne m'en sers pas, mais j'en sais assez pour les dévoiler ; et elle vous ménagera, quand elle apprendra que vos qualités vives et brillantes sont sous la protection de ma prudence et de mon sang-froid. Adieu, ma chère Delphine ; suivez mes conseils, et tout ira bien.

LETTRE XXXVII

Delphine à madame d'Artenas

Paris, 14 novembre.

Je suis touchée, madame, de l'intérêt que vous voulez bien me témoigner, mais je ne puis suivre le conseil que vous avez la bonté de me donner. J'ai aimé tendrement madame de Vernon ; comment me serait-il possible de renouer avec elle par des motifs tirés de mon intérêt personnel ? je suis bien peu capable de cette conduite, même avec les indifférents ; mais j'aurais une répugnance invincible à dégrader les sentiments que j'ai éprouvés, en les soumettant à des calculs. Comment pourrais-je revoir avec calme, dans les rapports communs du monde, une personne qui a été l'objet de ma plus tendre amitié, et qui s'est montrée ma plus cruelle ennemie ? Non, la société ne vaut pas ce qu'il en coûterait pour torturer à ce point son caractère naturel ; de tels efforts feraient plus que contraindre les mouvements vrais du cœur ; ils finiraient par le dépraver.

Je suis singulièrement blessée, je l'avoue, des discours que madame de Vernon tient sur moi ; mais c'est précisément parce que ces discours sont écoutés que je ne veux pas me rapprocher d'elle. J'aurais peut-être été assez faible pour le désirer, s'il était arrivé ce qui, je crois, était juste, si on n'eût blâmé qu'elle seule ; mais puisqu'elle m'accuse et qu'on la soutient, puisque j'ai quelque chose encore à craindre d'elle, je ne la reverrai jamais.

C'est auprès de vous, madame, que je voudrais me justifier. Madame de Vernon m'a reproché *d'avoir dit du mal d'elle,* et vous me conseillez *de la ménager ;* tous ces mots me paraissent bien étranges dans un sentiment de la nature de celui que j'avais pour madame de Vernon. Une seule fois j'ai parlé d'elle avec amertume, en m'adressant à une personne qui l'aime beaucoup, et que je rattachais à elle, au lieu de l'en détacher, par la vivacité même qui me donnait l'air d'avoir tort. Vous n'aimez pas madame de Vernon, et je m'interdis de vous en parler, à vous que je désirerais si vivement éclairer sur les absurdes calomnies dont je suis l'objet.

J'ai reproché à madame de Vernon les services que je lui ai rendus ; *et tous les services du monde,* dit-elle, *sont effacés par les reproches.* Vous sentez aisément, madame, combien il serait facile de se dégager ainsi de la reconnaissance. On blesserait le cœur d'une personne qui se serait conduite généreusement envers nous ; elle s'en plaindrait, et l'on dirait ensuite que *toutes ses actions sont effacées par ses paroles.* Mais ce n'est pas de cela qu'il s'agit entre madame de Vernon et moi ; si je lui ai reproché son ingratitude, c'est celle du cœur dont je l'ai accusée, et c'est en confondant ensemble, en plaçant sur la même ligne le jour où je lui ai serré la main avec tendresse, et celui où j'aurais engagé la moitié de ma fortune pour elle, que j'ai eu le droit de lui rappeler tout ce qui lui a prouvé que je l'aimais.

Je rougis jusqu'au fond de l'âme des autres torts qu'elle m'impute ; mais si je les repoussais, ce serait alors que je serais vraiment blâmable ; je nuirais à madame de Vernon, et jusqu'à présent vous voyez que j'ai trouvé le secret de ne nuire qu'à moi-même ; je m'en applaudis. Je ne veux pas *ménager* madame de Vernon par les motifs que vous me présentez ; je ne veux point la désarmer, mais je craindrais encore de lui faire du mal. Hélas ! elle apprendra bientôt à quel point je l'ai craint !

Mes plaintes contre elle, quand je m'en permets, ont toutes un caractère de sensibilité romanesque qui, vous le savez, n'associera pas les salons de Paris à mon ressentiment. Je ne suis pas indifférente au blâme de la société, mais je ne ferai, pour m'y soustraire, que ce que je ferais pour la satisfaction de ma conscience ; la vérité doit nous valoir le suffrage des autres, ou nous apprendre à nous en passer.

Je mettrais peut-être plus de prix à l'opinion, si j'étais unie à la destinée d'un homme qui me fût cher; mais condamnée à vivre seule, à supporter seule mon sort, je n'ai point d'intérêt à me défendre : qui jouirait de mon triomphe si je le remportais? et n'est-il pas assez sage de ne point lutter contre la méchanceté des hommes, quand l'on n'a d'autre bien à espérer de ses efforts que quelques douleurs de moins? Cette indifférence sur ce qu'on peut dire de moi m'est beaucoup plus facile maintenant que je suis résolue à quitter Paris. Je vais m'enfermer pour toujours dans la retraite où vit ma belle-sœur; j'y emporterai le souvenir le plus tendre de vos bontés, et le regret de n'en avoir pas joui plus longtemps.

LETTRE XXXVIII

Réponse de madame d'Artenas à Delphine

Fontainebleau, ce 19 novembre.

Vous prenez beaucoup trop vivement, ma chère Delphine, les peines passagères de la vie. Que de candeur, de noblesse et de bonté dans votre lettre! mais que vous êtes encore jeune! Je ne me souviens pas, en vérité, d'avoir eu cette bonne foi dans mon enfance, et je ne suis pourtant, Dieu merci! ni méchante, ni fausse; mais j'ai vécu au milieu du monde, et je suis détrompée du plaisir d'être dupe.

Quoi qu'il en soit, je ne veux pas exiger de vous ce qui serait trop opposé à votre caractère, et nous atteindrons au même but par une conduite négative. Dans la société de Paris, ce qu'on ne fait pas vaut presque toujours autant que ce qu'on pourrait faire. Vous ne passerez point votre vie dans le Languedoc, mais vous y resterez six mois; pendant ce temps tout sera oublié. On vous a accueillie avec transport à votre arrivée à Paris, c'est à présent le tour de l'envie ; quand vous reviendrez, on sera las de l'envie même, et curieux de vous revoir ; et comme rien de ce qu'on a dit n'a pu laisser de trace, on ne s'en souviendra plus : ce n'est pas pour de telles causes que la réputation se perd : si vous éprouviez ce malheur, quelque injuste qu'il pût être, votre philosophie ne tiendrait pas contre lui ; il a des pointes trop acérées : mais il n'en est pas question, et je vous réponds de réparer cet hiver, et ce que le duel de M. de Serbellane a fait dire, et ce que madame de Vernon y a ajouté.

Je vous demande seulement de vous arrêter dans ma terre, qui est sur votre route en allant à Montpellier. Ma nièce, pour qui vous avez été si bonne, et que vous avez rendue raisonnable, vous en prie instamment ; j'ose l'exiger de vous.

LETTRE XXXIX

Delphine à mademoiselle d'Albémar

Fontainebleau, ce 25 novembre.

J'ai déjà fait vingt lieues pour me rapprocher de vous, ma chère Louise ; mon voyage est commencé, je suis partie de Paris. Je ne reverrai plus les lieux où j'ai connu Léonce ; je les ai quittés le jour même où, rempli de mon souvenir, il attendait à deux cents lieues de moi la réponse qui devait me justifier ; et je ne l'ai pas faite cette réponse. Ah ! d'où vient qu'un sacrifice si grand ne me donne point le repos que l'on doit attendre de la satisfaction de sa conscience ? Hélas ! les peines de l'amour étouffent toutes les jouissances attachées à l'accomplissement du devoir, et le bonheur succombe alors même que la vertu résiste. N'importe, ce n'est pas pour notre propre avantage que tant de nobles facultés nous ont été données ; c'est pour seconder la pensée de l'Être suprême, en épargnant du mal, en faisant du bien sur la terre à tous les êtres qu'il a créés.

J'ai regretté M. de Lebensei en quittant Paris ; je l'avais vu tous les jours qui ont précédé mon départ : il craignait que ma dernière conversation avec sa femme ne m'eût éloignée d'elle, et il paraissait mettre du prix à nous rapprocher. J'ai promis de rester en correspondance avec lui ; c'est un homme d'un esprit si étendu, il a réfléchi si profondément sur les sentiments et les idées, que peut-être il calmera mon cœur en m'accoutumant à considérer la vie sous un point de vue plus général.

Madame d'Artenas veut que je passe huit jours ici dans sa terre, qui est agréablement située au milieu de la forêt de Fontainebleau : j'ai cédé à ses instances, et surtout à celles de sa nièce, madame de R... Elle a mis beaucoup de délicatesse à ne jamais me rechercher à Paris, et semble attacher un grand prix à ces jours passés avec elle : je ne continuerai donc mon voyage vers vous que dans huit jours. Madame de Mondoville est venue me voir à Paris un soir que j'étais à Bellerive ; je lui ai rendu le lendemain sa visite, mais en m'assurant auparavant qu'elle n'y était pas. Je craignais d'y trouver sa mère, et j'avais raison d'avoir peur de l'émotion que j'éprouverais, si j'en juge par celle que m'a causée le seul moment où, depuis notre rupture, j'ai entrevu madame de Vernon.

Je sortais de Paris, ce matin, avec ma voiture chargée pour le voyage, et conduite par des chevaux de poste ; les postillons, en tournant, accrochèrent assez violemment un carrosse à deux chevaux ; inquiète, je m'avançai pour voir s'il n'était pas renversé, j'aperçus dans ce carrosse madame de Vernon seule, et la tête appuyée contre un des côtés de la voiture. Je ne sais si c'était l'imagination ou la vérité, mais je la trouvai singulièrement pâle et défaite ; un cri d'étonnement m'échappa en la voyant : elle me regarda d'un air qui me parut triste et doux. Vous l'avouerai-je ? un mouvement involontaire me fit porter ma main au cordon de la voiture pour l'arrêter ; il n'y en avait point, et les chevaux m'avaient déjà emportée à cent pas d'elle ; mais je sentis, par cette épreuve et par l'émotion qu'elle me causa le reste du jour, combien j'avais eu raison en évitant de revoir madame de Vernon.

Les souvenirs d'une longue et tendre amitié se renouvellent toujours quand on se représente celle que l'on a aimée comme souffrante ou malheureuse ; mais je sais trop bien que madame de Vernon ne me regrette point, n'a pas besoin de moi, et je m'éloigne d'elle sans avoir, à cet égard, le moindre doute.

LETTRE XL

Delphine à mademoiselle d'Albémar

Fontainebleau, ce 27 novembre.

Ah ! mon Dieu ! que j'étais loin de prévoir l'événement qui me rappelle à l'instant même à Paris ! La pauvre madame de Vernon ! il ne me reste plus de traces de mon ressentiment contre elle ; je me reproche même... Je ne sais ce que je me repproche ; mais je serai bien malheureuse d'avoir été brouillée avec elle, si je ne puis la revoir encore, la soigner, lui prouver que j'ai tout oublié. Je crains de perdre un moment, même avec vous, ma chère Louise ; je vous envoie la lettre de madame de Mondoville, et je pars.

Madame de Mondoville à madame d'Albémar

Paris, ce 26 novembre.

J'ai à vous annoncer, ma chère cousine, un cruel malheur : cette nuit, ma mère a pris un vomissement de sang qui ne s'est point arrêté pendant plusieurs heures, et que les médecins regardent comme mortel ; sa poitrine est déjà très attaquée depuis plusieurs mois, par des veilles continuelles : l'on croit ce dernier accident sans remède dans son état, et le péril même en paraît extrêmement prochain. Elle avait tout à fait perdu connaissance vers la fin de la nuit ; en revenant à elle, elle a fait quelques questions à son médecin, et comprenant parfaitement sa situation, elle lui a dit, avec l'air le plus calme et le plus doux : « J'aurais besoin, monsieur, de trois ou quatre jours pour régler divers intérêts ; donnez-moi donc les remèdes qui peuvent me soutenir : peu importe, comme vous le sentez bien, s'ils conviennent au fond de la maladie ; elle est jugée, elle est sans ressources ; mais indiquez-moi ce qu'il faut faire pour avoir un peu de force jusqu'à la fin de ma vie, je vous en serai sensiblement obligée. » Alors se retournant vers moi, elle me dit : « C'est pour voir madame d'Albémar que je souhaite encore de vivre quelques jours ; je l'ai rencontrée hier matin partant pour Montpellier ; je crois qu'un courrier peut la rejoindre, faites-le partir à l'instant ; je connais son cœur, je suis sûre qu'elle n'hésitera pas à revenir ; dites-lui seulement mon désir et mon état. » Je crois, comme ma mère, ma chère cousine, que vous êtes trop bonne pour hésiter à satisfaire les vœux d'une femme mourante, quand même, ce que j'ai toujours voulu ignorer, vous croiriez avoir à vous plaindre d'elle. Vous n'avez pas un moment à perdre pour lui donner la satisfaction de vous revoir, et pour contribuer au salut de son âme ; car je ne doute pas que, malgré nos différences d'opinion, vous ne vous joigniez à moi pour l'engager à remplir les devoirs sacrés dont dépend son bonheur à venir : c'est le premier intérêt dont je veux vous parler : vous lui ferez plus d'impression que moi, si vous vous joignez à mes instances ; vous ne voulez pas, j'en suis sûre, exposer ma pauvre mère à mourir sans avoir reçu les secours de la religion. Je retourne auprès d'elle, et je vous attends impatiemment ; sans ma confiance en Dieu, la douleur que je ressens me paraîtrait bien pénible à supporter. Adieu, ma chère cousine. Je viens de demander qu'on fît dans mon couvent des prières pour ma mère ; je les ai obtenues, j'y joins les miennes ; j'espère que vous rendrez les vôtres efficaces, en vous réunissant à moi dans les pieux efforts qui me sont commandés.

LETTRE XLI

Delphine à mademoiselle d'Albémar

Paris, ce 29 novembre.

Elle vit encore ! ma chère Louise, et c'est tout ce que je puis vous dire ; je n'ai point d'espérance, et jamais je n'aurais eu plus besoin d'en concevoir. Je me suis rattachée à madame de Vernon par des sentiments qui ne sont pas en tout semblables à ceux que j'éprouvais pour elle, mais la pitié les rend aussi tendres. Que ne puis-je prolonger ses jours ! Si elle revenait de son état maintenant, elle se corrigerait de ses défauts, parce qu'elle serait éclairée sur ses erreurs ; mais, hélas ! il semble que la nature ne donne sa plus terrible leçon que la dernière, et ne permet pas de faire servir à la vie les sentiments qu'ont inspirés les approches de la mort.

Je puis vous écrire pendant que madame de Vernon essaie de se reposer ; on lui a expressément défendu de parler, ce qui m'oblige à m'éloigner souvent d'elle. Votre intérêt sera douloureusement captivé par le récit de la conduite qu'elle tient ; vous serez aussi, je le crois, frappée de la singulière lettre qu'elle m'a écrite : je vous l'envoie, en vous priant de me la conserver. Oh ! que le cœur humain est inattendu dans ses développements ! les moralistes méditent sans cesse sur les passions et les caractères, et tous les jours il s'en découvre que la réflexion n'avait pas prévus, et contre lesquels ni l'âme ni l'esprit n'ont été mis en garde.

Je suis arrivée hier chez madame de Vernon, et j'éprouvais, en entrant chez elle, tous les genres d'émotion réunis ; l'embarras mêlé à la plus profonde pitié, un intérêt véritable joint à de l'incertitude sur les témoignages que j'en devais donner. J'avais su, par un courrier que j'envoyai à l'avance, que madame de Vernon était un peu mieux, mais toujours dans un grand danger. Je montai les escaliers en tremblant ; madame de Mondoville vint au-devant de moi : « Ma mère était bien impatiente de vous voir, me dit-elle ; elle vous a écrit hier tout le jour, quoiqu'on lui eût interdit cette occupation ; elle a mis en ordre ses affaires : venez, vous la trouverez plus touchante que jamais elle ne l'a été ; mais jusqu'à présent je n'ai pu lui faire encore entendre qu'elle est assez dangereusement malade pour se confesser. Les médecins disent que l'effrayer sur son état pourrait lui faire mal ; mais qui, juste ciel ! oserait prendre sur soi de ménager son corps aux dépens de son âme ? Je vous en avertis, je lui parlerai, si vous ne vous en chargez pas. — Attendez, de grâce, répondis-je à madame de Mondoville, que je me sois entretenue avec madame votre mère. »

Matilde me conduisit enfin chez la pauvre malade ; la chambre était obscure : à travers le jour sombre qui l'éclairait, j'aperçus madame de Vernon couchée sur un canapé, les cheveux détachés, vêtue de blanc, et d'une pâleur effrayante. Elle vit l'émotion que j'éprouvais : « Remettez-vous, ma chère Delphine, me dit-elle ; c'est bon à vous d'être si troublée. » Je pris sa main et je la baisai tendrement ; elle me fit signe de m'asseoir, et m'adressa d'abord des questions indifférentes sur mon voyage, sur le lieu où le courrier m'avait rencontrée, sur la santé de madame d'Artenas, etc. Je répondis à tout par des monosyllabes, n'osant commencer moi-même à lui parler de son état, et souffrant cruellement néanmoins de prendre part à des conversations si étrangères au sentiment qui m'occupait. Sa fille se leva et nous laissa seules ; je crus qu'elle allait me parler avec confiance, mais continuant à l'éviter, elle me raconta son accident, les suites qu'il devait avoir, la certitude qu'elle avait de mourir dans trois ou quatre jours, avec une simplicité et un calme tout à fait semblables à sa manière habituelle, à cette manière qui lui donnait toujours, soit dans le sérieux, soit dans la plaisanterie, de la grâce et de la dignité.

Elle prit son mouchoir en me parlant, l'approcha de sa bouche, et le reposa, sans s'interrompre, sur la table ; je le vis plein de sang, je tressaillis ; et penchant ma tête sur sa main, je fondis en larmes, en l'appelant plusieurs fois du nom que j'aimais à lui donner, Sophie, ma chère Sophie ! « Généreuse Delphine, me dit-elle, vous m'aimez encore ; ah ! cela vaut mieux que vivre ! Je vous ai écrit, ajouta-t-elle, afin d'éviter une conversation trop pénible pour nous

deux ; ma lettre contient tout ce que je pourrais dire ;
je n'ai pas prétendu me justifier, mais vous expliquer
ma conduite par mon caractère et ma manière de
voir. Vous ne trouverez pas peut-être mes sentiments
meilleurs après cette explication, mais vous comprendrez comment ils sont dans la nature ; et si je vous
montre les causes des plus grands torts, vous serez un
peu plus disposée à les pardonner. Ce que je vous
demande instamment, c'est, après avoir lu cette
lettre, de n'en pas causer avec moi ; j'ai toujours
craint les fortes émotions ; je ne suis pas assez
contente de moi pour aimer à m'abandonner à mes
mouvements, ni à ceux des autres. Le repentir seul
convient à ma situation, et je ne veux pas m'y livrer ;
je suis mieux en tout quand je me contiens, et
l'entraînement me fait mal. Écrivez-moi seulement
deux lignes, qui me disent que vous conserverez un
souvenir encore doux de votre ancienne amie ; je les
mettrai, ces deux lignes, sur ma poitrine déjà mortellement atteinte, et ce remède me fera peut-être
mourir sans douleur. » En disant ces derniers mots,
elle sonna, comme si elle eût redouté les pleurs que
je répandais, et la prolongation de sa propre
émotion.

Ses femmes entrèrent ; elle me renvoya doucement
chez moi. Je montai dans une chambre que je m'étais
fait donner pour ne pas sortir de la maison, et je lus
avec un serrement de cœur continuel la lettre que
voici :

Madame de Vernon à madame d'Albémar (46)

Je n'ai été aimée dans ma vie que par vous :
beaucoup de gens m'ont trouvée aimable, ont recherché ma société ; mais vous êtes la seule personne qui
m'ayez rendu service sans intérêt personnel, sans

autre objet que de satisfaire votre générosité et votre
amitié ; et cependant vous êtes l'être du monde
envers lequel j'ai eu les torts les plus graves, peut-
être même n'y a-t-il que vous qui ayez véritablement
le droit de me faire des reproches. Comment vous
expliquer, comment m'expliquer à moi-même une
telle conduite ? Au moins, je n'en adoucis pas les
couleurs ; je m'interdis, pour la première fois de ma
vie, tout autre secours que celui de la vérité. C'est à
votre esprit seul que je m'adresserai, dans cette
peinture fidèle de mon caractère, et je n'abuserai
point de ma situation pour obtenir mon pardon de
l'attendrissement qu'elle pourrait vous causer.

Les circonstances qui présidèrent à mon éducation
ont altéré mon naturel ; il était doux et flexible ; on
aurait pu, je crois, le développer d'une manière plus
heureuse. Personne ne s'est occupé de moi dans mon
enfance, lorsqu'il eût été si facile de former mon
cœur à la confiance et à l'affection. Mon père et ma
mère sont morts que je n'avais pas trois ans, et ceux
qui m'ont élevée ne méritaient point mon attachement. Un parent très éloigné et très insouciant fut
mon tuteur ; il me donnait des maîtres en tout genre,
sans prendre le moindre intérêt ni à ma santé, ni à
mes qualités morales : il voulait être bien pour moi ;
mais comme il n'était averti de rien par son cœur, sa
conduite tenait au hasard de sa mémoire, ou de sa
disposition ; il regardait d'ailleurs les femmes comme
des jouets, dans leur enfance, et, dans leur jeunesse,
comme des maîtresses plus ou moins jolies, que l'on
ne peut jamais écouter sur rien de raisonnable.

Je m'aperçus assez vite que les sentiments que
j'exprimais étaient tournés en plaisanterie, et que
l'on faisait taire mon esprit, comme s'il ne convenait
pas à une femme d'en avoir. Je renfermai donc en
moi-même tout ce que j'éprouvais ; j'acquis de bonne
heure ainsi l'art de la dissimulation, et j'étouffai la

sensibilité que la nature m'avait donnée. Une seule de mes qualités, la fierté, échappa à mes efforts pour les contraindres toutes. Quand on me surprenait dans un mensonge, je n'en donnais aucun motif, je ne cherchais point à m'excuser, je me taisais ; mais je trouvais assez injuste que ceux qui comptaient les femmes pour rien, qui ne leur accordaient aucun droit et presque aucune faculté, que ceux-là même voulussent exiger d'elles les vertus de la force et de l'indépendance, la franchise et la sincérité (47).

Mon tuteur, assez fatigué de moi, parce que je n'avais point de fortune, vint me dire un matin qu'il fallait épouser M. de Vernon. Je l'avais vu pour la première fois la veille ; il m'avait souverainement déplu. Je m'abandonnai au seul mouvement involontaire que je me sois permis de montrer en ma vie ; je résistai avec assez de véhémence ; mon tuteur me menaça de me faire enfermer pour le reste de mes jours dans un couvent, si je refusais M. de Vernon ; et comme je ne possédais rien au monde, je n'avais point l'espoir de m'affranchir de son despotisme. J'examinai ma situation ; je vis que j'étais sans force ; une lutte inutile me parut la conduite d'un enfant ; j'y renonçai, mais avec un sentiment de haine contre la société qui ne prenait pas ma défense, et ne me laissait d'autres ressources que la dissimulation. Depuis cette époque, mon parti fut irrévocablement pris d'y avoir recours chaque fois que je jugerais nécessaire. Je crus fermement que le sort des femmes les condamnait à la fausseté ; je me confirmai dans l'idée conçue dès mon enfance, que j'étais, par mon sexe et par le peu de fortune que je possédais, une malheureuse esclave à qui toutes les ruses étaient permises avec son tyran. Je ne réfléchis point sur la morale, je ne pensais pas qu'elle pût regarder les opprimés. Je n'étouffai point ma conscience, car, en vérité, jusqu'au jour où je vous ai trompée, elle ne m'a rien reproché.

M. de Vernon n'était point un caractère insouciant comme mon tuteur, mais il avait, avant tout, la peur d'être gouverné, et néanmoins une si grande disposition à être dupe, qu'il donnait toujours la tentation de le tromper : cela était si facile, et il y avait tant d'inconvénient à lui dire la vérité la plus innocente, qu'il aurait fallu, je vous l'atteste, une sorte de chevalerie dans le caractère, pour parler avec sincérité à un tel homme. J'ai pris pendant quinze ans l'habitude de ne devoir aucun de mes plaisirs qu'à l'art de cacher mes goûts et mes penchants, et j'ai fini par me faire, pour ainsi dire, un principe de cet art même, parce que je le regardais comme le seul moyen de défense qui restât aux femmes contre l'injustice de leurs maîtres.

J'engageai M. de Vernon avec tant d'adresse à passer plusieurs années à Paris, qu'il crut y aller malgré moi ; j'aimais le luxe, et je ne connais personne qui, par son caractère, ses fantaisies et sa prodigalité, ait plus besoin que moi d'une grande fortune. M. de Vernon s'était enrichi par l'économie ; je sus cependant exciter si bien son amour-propre, qu'à sa mort il était presque ruiné, et avait contracté, vous le savez, une dette assez forte avec la famille de Léonce. Je disposais de M. de Vernon, et cependant il me traitait toujours avec une grande dureté ; il ne se doutait pas que j'eusse de l'ascendant sur ses actions ; mais, pour mieux se prouver à lui-même qu'il était le maître, il me parlait toujours avec rudesse.

Ma fierté se révoltait souvent en secret de tout ce que j'étais obligée de faire pour alléger ma servitude ; mais si je m'étais séparée de M. de Vernon, je serais retombée dans la pauvreté, et j'étais convaincue que, de toutes les humiliations, la plus difficile à supporter au milieu de la société, c'était le manque de fortune, et la dépendance que cette privation entraîne.

Je ne voulus point avoir d'amants, quoique je fusse jolie et spirituelle ; je craignais l'empire de l'amour ; je sentais qu'il ne pouvait s'allier avec la nécessité de la dissimulation ; j'avais pris d'ailleurs tellement l'habitude de me contraindre, qu'aucune affection ne pouvait naître malgré moi dans mon cœur ; les inconvénients de la galanterie me frappèrent très vivement, et, ne me sentant pas les qualités qui peuvent excuser les torts d'entraînement, je résolus de conserver intacte ma considération au milieu de Paris. Je crois que personne n'a mieux jugé que moi le prix de cette considération, et les éléments dont elle se compose ; mais les liens d'amour, tels qu'on peut les former dans le monde, valent-ils mieux qu'elle ? je ne le pense pas.

J'avais eu d'abord l'idée d'élever ma fille d'après mes idées, et de lui inspirer mon caractère ; mais j'éprouvai une sorte de dégoût de former une autre à l'art de feindre : j'avais de la répugnance à donner les leçons de ma doctrine ; ma fille montrait dans son enfance assez d'attachement pour moi ; je ne voulais ni lui dire le secret de mon caractère, ni la tromper. Cependant j'étais convaincue, et je le suis encore, que les femmes étant victimes de toutes les institutions de la société, elles sont dévouées au malheur, si elles s'abandonnent le moins du monde à leurs sentiments, si elles perdent de quelque manière l'empire d'elles-mêmes. Je me déterminai, après y avoir bien réfléchi, à donner à Matilde, dont le caractère, je vous l'ai dit, s'annonçait de bonne heure comme très âpre, le frein de la religion catholique ; et je m'applaudis d'avoir trouvé le moyen de soumettre ma fille à tous les jougs de la destinée de femme, sans altérer sa sincérité naturelle. Vous voyez, d'après cela, que je n'aimais pas ma manière d'être, quoique je fusse convaincue que je ne pouvais m'en passer.

M. de Vernon mourut : l'état de sa fortune me rendait impossible de rester à Paris ; j'en fus très affligée : j'aime la société, ou, pour mieux dire, je n'aime pas la solitude ; je n'ai pas pris l'habitude de m'occuper, et je n'ai pas assez d'imagination pour avoir dans la retraite aucun amusement, aucune variété par le secours de mes propres idées. J'aime le monde, le jeu, etc. Tout ce qui remue au-dehors me plaît, tout ce qui agite au-dedans m'est odieux ; je suis incapable de vives jouissances, et, par cette raison même, je déteste la peine ; je l'ai évitée avec un soin constant et une volonté inébranlable.

J'allai à Montpellier ; c'est alors que je vous connus, il y a six ans : vous en aviez seize, et moi près de quarante. M. d'Albémar, qui vous avait élevée, devait, quoiqu'il eût déjà soixante ans, vous épouser l'année suivante : ce mariage me déplaisait extrêmement ; il m'ôtait tout espoir d'obtenir une part quelconque dans l'héritage de M. d'Albémar, et de voir finir la gêne d'argent qui m'était singulièrement odieuse. J'avais d'abord assez de prévention contre vous ; mais, je vous l'atteste, et j'ai bien le droit d'être crue, après tant de pénibles aveux, vous me parûtes extrêmement aimable, et dans les trois années que j'ai passées à Montpellier, je trouvais dans votre entretien un plaisir toujours nouveau.

Cependant mon âme n'était plus accessible à des sentiments assez forts pour me changer ; il fallait, pour être aimée d'une personne comme vous, que je cachasse mon véritable caractère, et j'étudiais le vôtre pour y conformer en apparence le mien. Cette feinte, quoiqu'elle eût pour but de vous plaire, dénaturait extrêmement le charme de l'amitié. Votre mari mourut : je vous avais dit que je désirais achever l'éducation de ma fille à Paris ; vous m'offrîtes aussitôt d'y venir avec moi, et de me prêter quarante mille livres, qui m'étaient nécessaires pour m'y établir ; j'acceptai ce service, et voilà ce qui a commencé à dépraver mon attachement pour vous.

Vous étiez si jeune et si vive, que je ne vous regardais absolument que comme un plaisir dans ma vie ; de ce moment, je pensai que vous pouviez m'être utile, et j'examinai votre caractère sous ce rapport. J'aperçus bientôt que vous étiez dominée par vos qualités, la bonté, la générosité, la confiance, comme on l'est par des passions, et qu'il vous était presque aussi difficile de résister à vos vertus, peut-être inconsidérées, qu'à d'autres de combattre leurs vices. L'indépendance de vos opinions, la tournure romanesque de votre manière de voir et d'agir, me parurent en contraste avec la société dans laquelle vos goûts, vos succès, votre rang et vos richesses devaient vous placer. Je prévis aisément que vos agréments et vos avantages inspireraient pour vous des sentiments passionnés, mais vous feraient des ennemis ; et dans la lutte que vous étiez destinée à soutenir contre l'envie et l'amour, je pensai que je pourrais aisément prendre un grand ascendant sur vous.

Je n'avais alors, je vous le jure, d'autre intention que de faire servir cet ascendant à notre bonheur réciproque. Mais le sentiment que vous inspirâtes à Léonce changea ma disposition. Je mettais une grande importance au mariage de ma fille avec lui, et je vous en ai, dans le temps, développé tous les motifs ; ils étaient tels, que votre générosité même ne pouvait diminuer leur influence sur mon sort : je ne pouvais, sans ce mariage, être dispensée de rendre compte de la fortune de M. de Vernon, ni donner une existence convenable à ma fille, ni conserver mon état à Paris.

Il y avait quelques-unes de mes dettes que je ne vous avais pas avouées, entre autres celle à M. de

Clarimin ; je me croyais sûre de son silence ; j'étais loin de penser qu'il fût capable de la conduite qu'il a tenue envers moi ; je le connaissais depuis mon enfance ; c'est le seul homme qui m'ait trompée, parce que, de tout temps, il s'est montré à moi comme très immoral, et que j'ai cru par conséquent qu'il ne me cachait rien. Une fois, malgré ma prudence accoutumée, je lui répondis une lettre un peu vive * ; elle l'a blessée. L'un des inconvénients de l'habitude de la dissimulation, c'est qu'une seule faute peut détruire tout le fruit des plus grands efforts : le caractère naturel porte en lui-même de quoi réparer ses torts ; le caractère qu'on s'est fait peut se soutenir, mais non se relever.

Je vous sus mauvais gré de vouloir enlever Léonce à ma fille, après que nous étions convenues ensemble de ce mariage. Si je vous avais parlé franchement, vous vous seriez sans doute justifiée ; mais j'ai une aversion particulière pour les explications : décidée à ne pas faire connaître en entier ce que je pense, je déteste les moments que l'on destine à se tout dire ; je conservai donc mon ressentiment contre vous, et il devint plus amer, étant contenu.

Le jour de la mort de M. d'Ervins, au moment même du dénouement de cette funeste histoire, lorsque j'avais tout préparé pour m'opposer à votre mariage, vous m'avez montré tant de confiance, que je fus prête à vous avouer ce qui se passait en moi ; mais ce mouvement était si contraire à ma nature et à mes habitudes, que j'éprouvai dans tout mon être comme une sorte de roideur qui s'y opposait. Mille hasards se réunirent pour aider à mes desseins : une lettre de la mère de Léonce, qui s'opposait de la manière la plus solennelle à son mariage avec vous, arriva la veille même du jour où je devais lui parler ;

* Cette lettre ne s'est pas trouvée.

le public était convaincu que c'était l'amour de M. de Serbellane pour vous qui l'avait si vivement irrité contre un mot blessant que vous avait dit M. d'Ervins. Ce que vous écriviez à Léonce était assez vague pour s'accorder avec ce qu'on pouvait insinuer ou taire ; les soins que vous preniez pour sauver la réputation de madame d'Ervins vous compromettaient nécessairement dans l'opinion ; je me vis environnée de ces facilités funestes, qui achèvent d'entraîner dans le combat de l'intérêt avec l'honnêteté.

J'hésitais encore cependant, je vous le jure, et deux fois j'ai demandé mes chevaux pour aller à Bellerive ; mais enfin ma fille, dans une conversation que nous eûmes ensemble, le matin même du retour de Léonce, me dit qu'elle l'aimait, et que le bonheur de sa vie était attaché à l'épouser. Alors je fus décidée ; je me dis qu'en donnant à Matilde l'espérance d'être la femme de Léonce, en lui faisant voir tous les jours un jeune homme aussi remarquable, j'avais contracté l'obligation de l'unir à lui, et que je ne faisais qu'accomplir mon devoir de mère, en employant tous les moyens possibles pour déterminer Léonce à l'épouser.

A cet intérêt se joignit une opinion qui ne peut pas m'excuser à vos yeux, mais dont je conserve néanmoins encore la conviction intime : je ne crois pas que le caractère de Léonce eût jamais pu vous rendre heureuse. Je sais qu'il a de grandes qualités par lesquelles vous pouvez vous ressembler ; mais, je l'ai remarqué, dans cet entretien même où j'ai mérité tous mes malheurs en trahissant votre confiance, ce n'était point la jalousie seule qui agissait sur lui : j'exerçais un grand empire sur les mouvements de son âme, en lui disant que l'opinion générale vous était contraire, et qu'on le blâmerait de rechercher une femme qui s'était publiquement compromise.

Chaque fois que j'en appelais, pour le décider, à ce qu'il devait à sa propre considération, je lui causais une rougeur, une agitation qui ne se serait pas entièrement calmée, quand même on lui aurait prouvé que les apparences seules étaient contre vous.

Vous savez maintenant, non mon excuse, mais l'explication de ma conduite. Mon plus grand tort fut d'arracher à Léonce son consentement, et de l'entraîner à l'église avant que vous eussiez eu le temps de vous revoir : j'en ai été punie ; il n'est résulté pour moi que des peines de ce malheureux mariage : ma fille s'est éloignée de moi ; elle n'a voulu se prêter à rien de ce que je souhaitais : je me suis jetée dans les distractions qui suspendent toutes les inquiétudes de l'âme ; j'ai joué, j'ai veillé toutes les nuits : je sentais qu'en me conduisant ainsi j'abrégeais ma vie, et cette idée m'était assez douce.

Je craignais à chaque instant que le hasard n'amenât un éclaircissement entre Léonce et vous : si j'ai mis alors tant d'intérêt à l'empêcher, c'était surtout dans l'espoir de conserver ou de dérober même votre amitié que je ne méritais plus. Le mariage que je voulais était conclu : mais il fallait que l'absence de Léonce me laissât le temps de vous engager à l'oublier, et peut-être alors auriez-vous formé d'autres liens, qui vous auraient rendue plus indifférente aux moyens employés pour vous brouiller avec M. de Mondoville. Pendant deux mois qu'il a différé le voyage qu'il projetait, j'ai su tout ce que vous faisiez l'un et l'autre, afin de prévenir l'explication que je redoutais mortellement. Votre caractère et celui de Léonce rendaient cette entreprise plus facile ; vous vous occupiez de M. de Serbellane, à cause de madame d'Ervins, sans songer qu'à votre âge vous pouviez nuire ainsi très sérieusement à votre réputation ; et Léonce a non seulement de la jalousie dans le caractère, mais une sorte de susceptibilité sur les torts d'une femme envers lui, ou sur ceux qu'elle peut avoir aux yeux des autres, dont il est aisé de tirer avantage pour l'irriter même contre celle qu'il aime. Enfin Léonce partit pour l'Espagne : vous me proposâtes d'aller avec vous à Montpellier ; et me croyant sûre, Léonce étant absent, de pouvoir conserver votre amitié, je revins à vous du fond de mon cœur, avec la tendresse la plus vive que j'aie jamais éprouvée pour personne. Quand j'acceptai de vous un nouveau service, j'étais digne de le recevoir ; je crus au bonheur plus que je n'y avais cru de ma vie : ma santé se rétablissait, et l'espoir de passer le reste de mes jours avec vous rafraîchissait mon âme flétrie : c'est alors qu'un enfant a découvert le secret le mieux caché ; c'est la punition d'une femme qui se croyait habile en dissimulation, que d'être déjouée par un enfant, quand elle avait réussi à tromper les hommes.

Cet événement m'a tuée ; la maladie dont je meurs vient de là. Vous avez été offensée, avec raison, de la manière dont je me suis conduite, lorsque tout vous fut révélé ; mais notre liaison ne pouvant plus subsister, je voulais éviter des scènes douloureuses. Plus je me sentais coupable, plus je souffrais, plus je voulais le cacher. Vous pouviez me perdre auprès de Léonce ; je ne cherchai point à vous adoucir : je pouvais, il est vrai, me confier en votre générosité ; mais ne repoussez pas le peu de bien que je dis de moi-même ; c'est, je vous le jure, parce que je vous aimais encore, qu'il me fut impossible de vous implorer.

Il ne me convenait pas, tant que je continuais à vivre dans le monde, que l'on connût la véritable cause de notre brouillerie. Je me trouvais engagée à suivre mon caractère, à mettre de l'art dans ma défense ; cependant ce caractère éprouvait déjà beaucoup de changement dans le secret de moi-même ; mais après quarante ans, les habitudes dirigent encore, alors même que les sentiments ne sont plus d'accord avec elles. Il faut de longues réflexions ou de fortes secousses pour corriger les défauts de toute la vie ; un repentir de quelques jours n'a pas ce pouvoir.

Quand je vous rencontrai avant-hier, au moment de votre départ, quand je vis le regard doux et sensible que vous jetâtes sur moi, j'éprouvai une émotion si profonde et si vive qu'elle a beaucoup hâté la fin de ma vie. J'aurais voulu vous retenir à l'instant, pour vous révéler mes secrets, mais il fallait l'approche de la mort pour me donner la confiance de parler de moi-même. Je suis timide malgré la présence d'esprit que j'ai su toujours montrer ; mon caractère est fier, quoique ma conduite ait été simple et dissimulée ; il y a en moi je ne sais quel contraste qui m'a souvent empêchée de me livrer aux bons mouvements que j'éprouvais.

Enfin je vais mourir, et toute cette vie d'efforts et de combinaisons est déjà finie ; je jouis de ces derniers jours pendant lesquels mon esprit n'a plus rien à ménager. Je croyais, il y a quelque temps, que j'avais seule bien entendu la vie, et que tous ceux qui me parlaient de sentiments dévoués et de vertus exaltées étaient des charlatans ou des dupes : depuis que je vous connais, il m'est venu par intervalles d'autres idées ; mais je ne sais encore si mon aride système était complètement erroné, et s'il n'est pas vrai qu'avec toute autre personne que vous, les seules relations raisonnables sont les relations calculées.

Quoi qu'il en soit, je ne crois pas avoir été méchante : j'avais mauvaise opinion des hommes, et je m'armais à l'avance contre leurs intentions malveillantes ; mais je n'avais point d'amertume dans l'âme ; j'ai rendu fort heureux tous mes inférieurs, tous ceux qui ont été dans ma dépendance ; et lorsque j'ai usé de la dissimulation envers ceux qui avaient des droits sur moi, c'était encore en leur rendant la vie plus agréable. J'ai eu tort envers vous, Delphine, envers vous qui êtes, je vous le répète, ce que j'ai le plus aimé : inconcevable bizarrerie ! que ne me suis-je livrée à l'impression que vous faisiez sur moi ! Mais je la combattais comme une folie, comme une faiblesse qui dérangeait une vie politiquement ordonnée, tandis que ce sentiment aurait aussi bien servi mes intérêts que mon bonheur.

J'ai tout dit dans cette lettre ; je ne vous ai point exagéré les motifs qui pouvaient m'excuser. J'ai donné à mes sentiments pour ma fille, à mes calculs personnels, leur véritable part ; croyez-moi donc sur le seul intérêt qui me reste, croyez que je meurs en vous aimant.

J'ai vécu pénétrée d'un profond mépris pour les hommes, d'une grande incrédulité sur toutes les vertus, comme sur toutes les affections. Vous êtes la seule personne au monde que j'aie trouvée tout à la fois supérieure et naturelle, simple dans ses manières, généreuse dans ses sacrifices, constante et passionnée, spirituelle comme les plus habiles, confiante comme les meilleurs ; enfin un être si bon et si tendre que, malgré tant d'aveux indignes de pardon, c'est en vous seule que j'espère pour verser des larmes sur ma tombe, et conserver un souvenir de moi qui tienne encore à quelque chose de sensible.

Sophie de VERNON.

Quelle lettre que celle que vous venez de lire, ma chère Louise ! n'augmente-t-elle pas votre pitié pour la malheureuse Sophie ? quelle vie froide et contrainte elle a menée ! Quelle honte, et quelle douleur qu'une dissimulation habituelle ! Comment pourrai-je lui inspirer quelques-uns de ces sentiments qui peuvent seuls soutenir dans la dernière scène de la vie ! Oh ! je lui pardonne, et du fond de mon cœur ; mais je voudrais que son âme s'endormît dans des idées, dans des espérances qui pussent l'élever jusqu'à son Dieu. Je vais retourner vers elle, et demain je vous écrirai.

LETTRE XLII

Delphine à mademoiselle d'Albémar

Paris, ce 31 novembre.

Madame de Vernon a été aujourd'hui véritablement sublime ; plus son danger augmente, plus son âme s'élève. Ah ! que ne peut-elle vivre encore ! elle donnerait, j'en suis sûre, pendant le reste de sa vie, l'exemple de toutes les vertus. Sa fille, qui avait passé la nuit à la veiller, est montée chez moi ce matin ; elle m'a dit que sa mère était plus mal que le jour précédent, et qu'il ne restait plus aucun espoir. « Il faut donc, ajouta-t-elle, il faut absolument que vous lui parliez de la nécessité d'accomplir ses devoirs de religion : je vous en conjure, ayez ce courage ; il aura plus de mérite avec vos opinions qu'avec les miennes, et vous m'éviterez le plus cruel des malheurs, en sauvant ma pauvre mère de la perdition qui la menace. Mon confesseur est ici, c'est un prêtre d'une dévotion exemplaire ; il prie pour nous dans ma chambre, et m'a déjà dit la messe pour obtenir du ciel que ma mère meure dans le sein de notre Église : cependant que peuvent ses prières, si ma mère n'y réunit pas les siennes ! Ma chère cousine, persuadez-la ! quelle que soit sa réponse, je lui parlerai, c'est mon devoir ; mais si elle était bien préparée, si elle savait qu'une personne aussi philosophe... Je ne le dis pas pour vous offenser, vous le croyez bien ; mais enfin, si elle savait qu'une personne du monde, comme vous, est d'avis qu'elle doit se conformer aux devoirs de sa religion, peut-être qu'elle ne serait pas retenue par le faux amour-propre qui l'endurcit. Ma chère cousine, je vous en conjure... » Et elle me serrait les mains en me suppliant avec une ardeur que je ne lui avais jamais connue. Je m'engageai de nouveau à parler à madame de Vernon ; je pensais en effet qu'on devait du respect aux cérémonies de la religion qu'on professe ; et d'ailleurs les scrupules même les moins fondés des personnes qui nous aiment, méritent des égards : je demandai toutefois instamment à Matilde de se conduire dans cette occasion avec beaucoup de douceur, de remplir ce qu'elle croyait son devoir, mais de ne point tourmenter sa mère. Je descendis chez madame de Vernon, j'y trouvai madame de Lebensei. Madame de Mondoville, en la voyant, recula brusquement, et ne voulut point entrer. Madame de Lebensei me laissa seule avec madame de Vernon, en promettant de revenir le soir même passer la nuit auprès d'elle avec moi. « Eh bien, me dit madame de Vernon en me tendant la main quand nous fûmes seules, un mot de vous sur ma lettre, j'en ai besoin. — Sophie, lui répondis-je, je demande au ciel de vous rendre la vie, et je suis sûre de ramener votre cœur à tous les sentiments pour lesquels il était fait. — Ah ! la vie, me dit-elle, il ne s'agit plus de cela ; mais si votre amitié me reste, je me croirai moins coupable, et je mourrai tranquille. — Ah ! sans doute, repris-je, elle vous reste, elle vous est rendue cette amitié si tendre ; à la voix de ce qui nous fut cher, le souvenir du passé doit toujours renaître, rien ne peut l'anéantir ; il se retire au fond de notre cœur, lors même qu'on croit l'avoir oublié : jugez ce que j'éprouve à présent que vous souffrez, que vous m'aimez, et que je vous vois prête à devenir ce que je vous croyais, ce que la nature avait voulu que vous fussiez ! — Douce personne ! interrompit-elle, vos paroles me font du bien, et je meurs plus tranquillement que je ne l'ai mérité.

— Il me reste, lui dis-je, un pénible devoir à remplir auprès de vous ; mais votre raison est si forte que je ne crains point de vous présenter des idées qui pourraient effrayer toute autre femme. Votre fille désire avec ardeur que vous remplissiez les devoirs que la religion catholique prescrit aux personnes dangereusement malades ; elle y attache le plus grand prix ; il me semble que vous devez lui accorder cette satisfaction. D'ailleurs vous donnerez un bon exemple en vous conformant, dans ce moment solennel, aux pratiques qui édifient les catholiques ; le commun des hommes croit y voir une preuve de respect pour la morale et la Divinité. » Madame de Vernon réfléchit un moment avant de me répondre ; puis elle me dit : « Ma chère Delphine, je ne consentirai point à ce que vous me demandez ; ce qui a souillé ma vie, c'est la dissimulation ; je ne veux pas que le dernier acte de mon existence participe à ce caractère. J'ai toujours blâmé les cérémonies des catholiques auprès des mourants ; elles ont quelque chose de sombre et de terrible qui ne s'allie point avec l'idée que je me fais de la bonté de l'Être suprême. J'ai surtout une invincible répugnance pour ouvrir mon âme à un prêtre, peut-être même à toute autre personne qu'à vous ; je sens qu'il me serait impossible de parler avec confiance à un homme que je ne connais point, ni de recevoir aucune consolation de cette voix, jusqu'alors étrangère à mon cœur. Je crois que si l'on me contraignait à voir un prêtre, je ne lui dirais pas une seule de mes pensées ni de mes actions secrètes ;

j'aurais l'air de me confesser, et je ne me confesserais
sûrement pas ; je me donnerais ainsi la fausse apparence de la foi que je n'aurais point. J'ai trop usé de
la feinte ; c'en est assez, je ne veux point interrompre
la jouissance, hélas ! trop nouvelle, que la sincérité
me fait goûter, depuis que mon âme s'y est livrée. Ce
n'est pas assurément que je repousse les idées
religieuses ; mon cœur les embrasse avec joie, et c'est
en vous que j'espère, ma chère Delphine, pour me
soutenir dans cette disposition ; mais si je mêlais à ce
que j'éprouve réellement des démonstrations for-
cées, je tarirais la source de l'émotion salutaire que
vous avez fait naître en moi. Madame de Lebensei
voulant me veiller cette nuit, ma fille choisira ce
temps pour se reposer. Restez avec moi, chère
Delphine, consacrez ces moments, qui sont peut-être
les derniers, à remplir mon âme de toutes les idées
qui peuvent à la fois la fortifier et l'attendrir ; mais
ayez la bonté d'annoncer à ma fille mes refus ; ils sont
irrévocables. » Je connaissais le caractère positif de
madame de Vernon ; mon insistance eût été inutile ;
je lui promis donc ce qu'elle désirait. « Suivez, ma
chère Sophie, lui dis-je, suivez les impulsions de
votre cœur ; quand elles sont pures, elle élèvent
toutes vers un Dieu qui se manifeste à nous par
chacun des bons mouvements de notre âme.

— Je me suis occupée, ajouta madame de Vernon,
de tous les intérêts qui pouvaient dépendre de moi ;
j'ai assuré autant qu'il m'était possible vos créances
sur mon héritage ; j'ai réglé avec le plus grand soin les
intérêts de ma fille ; enfin, et ce devoir était le plus
impérieux de tous, j'ai écrit à Léonce une lettre qui
contient dans les plus grands détails l'histoire malheureuse des torts que j'ai eus envers vous deux.
Cette lettre lui apprendra aussi les services que vous
m'avez rendus ; je lui dis positivement que c'est à
votre générosité que ma fille doit la terre qu'elle lui a

apportée en dot. Cette lettre sera remise par un de mes gens au courrier de l'ambassadeur d'Espagne, et dans huit jours vous serez justifiée auprès de Léonce. Je le renvoie à vous, pour savoir si j'ai mérité qu'il me pardonne. Je n'ai pu prendre sur moi de rien mettre dans cette lettre qui l'adoucît en ma faveur ; ma fierté souffrait, je l'avoue, de faire des aveux si humiliants à un homme qui ne m'a jamais aimée, et qui éprouvera sûrement, en lisant ma lettre, le dernier degré de l'indignation. Cette pensée, qui m'était toujours présente, m'a peut-être inspiré des expressions dont la sécheresse ne s'accorde pas avec ce que j'éprouve. Mais enfin, c'est à vous, à vous seule, que je pouvais confier mon repentir. Je n'ai pas dit à Léonce dans quel état de santé j'étais ; ma mort le lui apprendra : je n'ai pu même me résoudre à lui recommander le bonheur de Matilde ; une prière de moi ne peut que l'irriter : mais c'est entre vos mains, ma chère Delphine, que je remets le sort de ma fille. Je n'ai pas assurément le droit de donner des conseils à la vertu même, cependant, je vous en conjure, contentez-vous de reconquérir l'estime et l'admiration de Léonce, et ne rallumez pas un sentiment qui, j'en suis sûre, rendrait trois personnes très malheureuses. — Nous irons ensemble, je l'espère, lui répondis-je, auprès de ma belle-sœur, comme nous en avions formé le projet, et je ne quitterai plus sa retraite.

— Nous irons ! ce mot ne me convient plus, mais j'ose encore m'en flatter, s'écria madame de Vernon en joignant les mains avec ardeur, le ciel réparera le mal que j'ai fait, et vous donnera de nouveaux moyens de bonheur. Votre belle-sœur doit me haïr ; adoucissez ce sentiment, afin qu'elle puisse, sans amertume, vous entendre quelquefois parler avec bonté de votre coupable amie. » Elle continua pendant assez longtemps encore à m'entretenir avec la même douceur, le même calme, et la même certitude de mourir. Il semblait que cette conviction eût dégagé son esprit de toutes les fausses idées dont elle s'était fait un système. Ses qualités naturelles reparaissaient, elle se plaisait dans les bons sentiments auxquels elle se livrait ; et quoique la retrouver ainsi dût augmenter mes regrets, j'éprouvais une sorte de bien-être en revenant à l'estimer. Je jouissais de ce qu'elle me rendait son image, et me permettait de me souvenir d'elle sans rougir de l'avoir si tendrement aimée. Quoiqu'il ne me restât plus l'espérance de la conserver, il m'était cependant très pénible de l'entendre parler si longtemps malgré la défense des médecins. Je la lui rappelai avec instance. « Quoi ! me dit-elle, ne voyez-vous pas qu'il me reste à peine vingt-quatre heures à vivre ! il y a seulement trois jours, ma chère Delphine, que je suis contente de moi ; laissez-moi donc vous communiquer toutes mes pensées, apprendre de vous si elles sont bonnes, si elles sont dignes de ce Dieu protecteur que vous prierez pour moi, avec cette voix angélique qui doit pénétrer jusqu'à lui. Mais allez vous reposer, ajouta-t-elle ; vous redescendrez dans quelques heures : j'entends madame de Lebensei qui revient ; elle me plaît, elle a l'air de m'aimer : et ma fille, hélas ! j'ai mérité ce que j'éprouve, jamais aucune confiance n'a existé entre nous. Adieu pour un moment, Delphine ; ma chère enfant, adieu. » Elle me dit ces derniers mots avec le même accent, le même geste que dans sa grâce et dans sa santé parfaites. Cet éclair de vie à travers les ombres de la mort m'émut profondément, et je m'éloignai pour lui cacher mes pleurs.

En remontant chez moi, je trouvai Matilde qui m'attendait ; il fallut lui dire le refus de sa mère : elle en éprouva d'abord une douleur qui me toucha : mais bientôt m'annonçant ce qu'elle appelait son

devoir, j'eus à combattre les projets les plus durs et
les plus violents. Elle me répéta plusieurs fois qu'elle
voulait entrer chez sa mère, lui mener le prêtre
quand il reviendrait, et la sauver enfin à tout prix.
Elle accusait madame de Lebensei de tout le mal, et
se croyait obligée de ne pas approcher du lit de sa
mère mourante, tant qu'auprès de ce lit il y avait une
femme divorcée. Que sais-je ! ses discours étaient un
mélange de tout ce qu'un esprit borné et une
superstition fanatique peuvent produire dans une
personne qui n'est pas méchante, mais dont le cœur
n'est pas assez sensible pour l'emporter sur toutes ses
erreurs. Ce ne sont point ses opinions seules qu'il
faut en accuser : Thérèse en a de semblables ; mais
son caractère doux et tendre puise à la même source
des sentiments tout à fait opposés.

J'essayai vainement, pendant une heure, toutes les
armes de la raison, pour arriver jusqu'à la conviction
de Matilde ; on l'avait munie d'une phrase contre
tous les arguments possibles. Cette phrase ne répondait à rien ; mais elle suffisait pour l'entretenir dans
son opiniâtreté. Je n'aurais rien obtenu d'elle si
j'avais continué à chercher à la persuader ; mais j'eus
heureusement l'idée de lui proposer un délai de
vingt-quatre heures ; elle saisit cette offre, qui peut-
être la tirait de son embarras intérieur. Hélas ! qui
sait si Sophie sera en vie dans vingt-quatre heures ! je
ne la quitterai plus, de peur que Matilde, revenant à
ses premières idées, ne la tourmentât pendant que je
n'y serais pas.

Quoique je sois vivement occupée de l'état de
madame de Vernon, je ne puis repousser une idée
qui me revient dans cesse. Il y a sept jours aujour-
d'hui que Léonce attendait ma justification, et qu'il
ne l'a pas reçue ; dans huit jours, il apprendra tout
par la lettre de madame de Vernon : quelle impression recevra-t-il alors ? quel sentiment éprouvera-t-il

pour moi ? Ah ! je ne le saurai pas, je ne dois pas le savoir. Adieu, ma sœur ; hélas ! mon voyage ne sera pas longtemps retardé, et la pauvre Sophie aura cessé de vivre, avant même que M. de Mondoville ait pu répondre à sa lettre.

LETTRE XLIII

Madame de Lebensei à mademoiselle d'Albémar

Paris, ce 2 décembre.

Quelle cruelle scène, mademoiselle, je suis chargée de vous raconter ! madame d'Albémar est dans son lit, avec une fièvre ardente, et j'ai moi-même à peine la force de remplir les devoirs que m'impose mon amitié pour vous et pour elle. Vous avez daigné, m'a-t-elle dit, vous souvenir de moi avec intérêt, et c'est peut-être à vous que je dois la bienveillance de cette créature parfaite : comment pourrai-je jamais reconnaître un tel service ? quelle âme, quel caractère ! et se peut-il que les plus funestes circonstances privent à jamais une telle femme de tout espoir de bonheur !

Madame de Vernon n'est plus ; hier, à onze heures du matin, elle expira dans les bras de Delphine : une fatalité malheureuse a rendu ses derniers moments terribles. Je vais mettre, si je le peux, de la suite dans le récit de ces douze heures, dont je ne perdrai jamais le souvenir ; pardonnez-moi mon trouble, si je ne parviens pas à le surmonter.

Avant-hier, à minuit, madame d'Albémar redescendit dans la chambre de madame de Vernon ; elle la trouva sur une chaise longue ; son oppression ne lui avait pas permis de rester dans son lit : l'effrayante pâleur de son visage aurait fait douter de sa vie, si de temps en temps ses yeux ne s'étaient ranimés en regardant Delphine. Delphine chercha dans quelques moralistes, anciens et modernes, religieux et philoso- phes, ce qui était le plus propre à soutenir l'âme défaillante devant la terreur de la mort. La chambre était faiblement éclairée ; madame d'Albémar se plaça à côté d'une lampe dont la lumière voilée répandait sur son visage quelque chose de mysté- rieux. Elle s'animait en lisant ces écrits, dans lesquels les âmes sensibles et les génies élevés ont déposé leurs pensées généreuses. Vous connaissez son en- thousiasme pour tout ce qui est grand et noble : cette disposition habituelle était augmentée par le désir de faire une impression profonde sur le cœur de madame de Vernon ; sa voix si touchante avait quelque chose de solennel, souvent elle élevait vers l'Être suprême des regards dignes de l'implorer ; sa main prenait le ciel à témoin de la vérité de ses paroles, et toute son attitude avait une grâce et une majesté inexprimables.

Je ne sais où Delphine trouvait ce qu'elle lisait, ce qui peut-être lui était inspiré ; mais jamais on n'envi- ronna la mort d'images et d'idées plus calmes, jamais on n'a su mieux réveiller au fond du cœur ces impressions sensibles et religieuses qui font passer doucement des dernières lueurs de la vie aux pâles lueurs du tombeau.

Tout à coup, à quelque distance de la maison de madame de Vernon, une fenêtre s'ouvrit, et nous entendîmes une musique brillante, dont le son parve- nait jusqu'à nous : dans le silence de la nuit, à cette heure, ce devait être une fête qui durait encore. Madame de Vernon, maîtresse d'elle-même jusqu'a- lors, fondit en larmes à cette idée ; la même émotion nous saisit, Delphine et moi ; mais elle se remit la première, et prenant la main de madame de Vernon avec tendresse : « Oui, lui dit-elle, ma chère amie, à quelques pas de nous il y a des plaisirs, ici de la douleur ; mais avant peu d'années, ceux qui se réjouissent pleureront, et l'âme réconciliée avec son Dieu comme avec elle-même, dans ces temps-là ne souffrira plus. » Madame de Vernon parut calmée par les paroles de Delphine, et presque au même instant tous les instruments cessèrent (48).

Quel tableau cependant que celui dont j'étais témoin ! un rapprochement singulièrement remarquable en augmentait encore l'impression ; je venais d'apprendre, par madame de Vernon elle-même, qu'elle avait les plus grands torts à se reprocher envers madame d'Albémar ; et je réfléchissais sur l'enchaînement de circonstances qui donnait à madame de Vernon, si accueillie, si recherchée dans le monde, pour unique appui, pour seule amie, la femme qu'elle avait le plus cruellement offensée.

Quand madame de Vernon voulait parler à Delphine de son repentir, elle repoussait doucement cette conversation, l'entretenait de son amitié pour elle, avec une sorte de mesure et de délicatesse qui écartait le souvenir de la conduite de madame de Vernon, et ne rappelait que ses qualités aimables. Delphine apportait attentivement à son amie mourante les secours momentanés qui calmaient ses douleurs ; elle la replaçait doucement et mieux sur son sopha, elle l'interrogeait sur ses souffrances avec les ménagements les plus délicats, et, sans montrer ses craintes, elle laissait voir toute sa pitié ; enfin, le génie de la bonté inspirait Delphine, et sa figure, devenue plus enchanteresse encore par les mouvements de son âme, donnait une telle magie à toutes ses actions, que j'étais tentée de lui demander s'il ne s'opérait point quelque miracle en elle ; mais il n'y en avait point d'autre que l'étonnante réunion de la sensibilité, de la grâce, de l'esprit et de la beauté.

Pauvre madame de Vernon! elle a du moins joui de quelques heures très douces; et, pendant cette nuit, j'ai vu sur son visage une expression plus calme et plus pure que dans les moments les plus brillants de sa vie. J'espère encore que son âme n'a pas perdu tout le fruit du noble enthousiasme que Delphine avait su lui inspirer. Enfin le jour commença: c'était un des plus sombres et des plus glacés de l'hiver; il neigeait abondamment, et le froid intérieur qu'on ressentait ajoutait encore à tout ce que cette journée devait avoir d'effroyable; je voyais que madame de Vernon s'affaiblissait toujours plus, et que ses vomissements de sang devenaient plus fréquents et plus douloureux. Je suis convaincue que, quand même elle eût évité les cruelles épreuves qu'elle a souffertes, elle n'aurait pu vivre un jour de plus.

Le médecin arriva, et bientôt après madame de Mondoville: je dois lui rendre la justice que son visage était fort altéré; elle avait l'air d'avoir beaucoup pleuré: madame de Vernon le remarqua, et lui fit un accueil très tendre. Le médecin, après avoir examiné l'état de madame de Vernon, qui ne l'interrogea même pas, sortit avec madame de Mondoville; il est probable qu'il lui annonça que sa mère n'avait plus que quelques heures à vivre. Alors le confesseur de Matilde, qui n'a pas la modération et la bonté de quelques hommes de son état, décida l'aveugle personne dont il disposait, à le conduire chez sa mère, malgré le refus qu'elle avait fait de le voir.

Au moment où nous vîmes Matilde entrer dans la chambre, accompagnée de son prêtre, nous tressaillîmes, madame d'Albémar et moi; mais il n'était plus temps de rien empêcher. Matilde, avec d'autant plus de véhémence qu'il lui en coûtait peut-être davantage, dit à madame de Vernon: « Ma mère, si vous ne voulez pas me faire mourir de douleur, ne vous refusez pas aux secours qui peuvent seuls vous sauver

des peines éternelles : je vous en conjure au nom de
Dieu et de Jésus-Christ. » En achevant ces mots, elle
se jeta à genoux devant sa mère. « Insensée ! s'écria
Delphine, pensez-vous servir l'Être souverainement
bon, en causant à votre mère l'émotion la plus
douloureuse ? — Vous perdez ma mère, s'écria
Matilde avec indignation, vous, Delphine, par vos
ménagements pusillanimes, vos incertitudes et vos
doutes ; et vous, madame, dit-elle en se retournant
vers moi, par l'intérêt que vous avez à écarter la
religion qui vous condamne. » J'entendais ces paroles sans aucune espèce de colère, tant la situation de
madame de Vernon et l'anxiété de Delphine m'occu-
paient : je remarquai seulement dans le visage de
madame de Vernon une expression très vive, et
bientôt après, elle prit la parole avec une force
extraordinaire dans son état.

« Ma fille, dit-elle à Matilde, je pardonne à votre
zèle inconsidéré ; je dois tout vous pardonner, car j'ai
eu le tort de ne point vous élever moi-même ; je n'ai
point éclairé votre esprit, et les rapports intimes de la
confiance n'ont point existé entre nous ; j'ai soigné
vos intérêts, mais je n'ai point cultivé vos sentiments,
et j'en reçois la punition, puisque dans cet instant
même la mort ne saurait rapprocher nos cœurs : la
mère et la fille ne peuvent s'entendre au moins une
fois, en se disant un dernier adieu. Mais vous,
monsieur, continua-t-elle en s'adressant au prêtre,
qui jusqu'alors s'était tenu dans le fond de la
chambre, les yeux baissés, l'air grave, et ne prononçant pas un seul mot ; mais vous, monsieur, pourquoi
vous servez-vous de votre ascendant sur une tête
faible, pour l'exposer à un grand malheur, celui
d'affliger une mère mourante ? J'ai beaucoup de
respect pour la religion ; mon cœur est rempli
d'amour pour un Dieu bienfaisant, et sa bonté me
pénètre de l'espoir d'une autre vie ; mais ce serait mal

me présenter au juge de toute vérité que de trahir ma pensée par des témoignages extérieurs qui ne sont point d'accord avec mes opinions ; j'aime mieux me confesser à Dieu dans mon cœur, qu'à vous, monsieur, que je ne connais point, où qu'à tout autre prêtre avec lequel je n'aurais point contracté des liens d'amitié ou de confiance ; je suis plus sûre de la sincérité de mes regrets que de la franchise de mes aveux ; nul homme ne peut m'apprendre si Dieu m'a pardonné, la voix de ma conscience m'en instruira mieux que vous. Laissez-moi donc mourir en paix, entourée de mes amis, de ceux avec qui j'ai vécu, et sur le bonheur desquels ma vie n'a que trop exercé d'influence ; s'ils sont revenus à moi, s'ils ont été touchés de mon repentir, leurs prières imploreront la miséricorde divine en ma faveur, et leurs prières seront écoutées ; je n'en veux point d'autres : cet ange, ajouta-t-elle en montrant Delphine, cet ange que j'ai offensé, intercédera pour moi auprès de l'Être suprême. Retirez-vous maintenant, monsieur ; votre ministère est fini, quand vous n'avez pas convaincu ; si vous vouliez employer tout autre moyen pour parvenir à votre but, vous ne vous montreriez pas digne de la sainteté de votre mission. »

Dès que madame de Vernon eut fini de parler, le prêtre se mit à genoux, et, baisant la croix qu'il portait sur sa poitrine, il dit avec un ton solennel qui me parut dur et affecté : « Malheur à l'homme qui veut sonder les voies du Christ, et méconnaître son autorité ! malheur à lui, s'il meurt dans l'impénitence finale ! » Et faisant signe à Matilde de le suivre, ils s'éloignèrent tous les deux dans le plus profond silence.

Soit que madame de Mondoville voulût retenir le prêtre, pour le ramener auprès de sa mère, lorsqu'elle n'aurait plus la force de s'y opposer ; soit qu'elle crût que le service divin qu'on ferait pour madame de Vernon, pendant qu'elle vivait encore, serait plus efficace, elle s'enferma dans son appartement pour dire des prières avec son confesseur, et quelques domestiques attachés aux mêmes opinions qu'elle : ainsi donc elle s'éloigna de sa mère dans ses derniers moments, et ne lui rendit point les soins qu'elle lui devait. Un bizarre mélange de superstition, d'opiniâtreté, d'amour mal entendu du devoir, se combinait dans son âme avec une véritable affection pour sa mère, mais une affection dont les preuves amères et cruelles faisaient souffrir toutes les deux. Quoi qu'il en soit, c'est à cette singulière absence de la chambre de madame de Vernon que Matilde a dû de n'être pas témoin d'une scène qui l'aurait pour jamais privée du repos et du bonheur.

Lorsque madame de Mondoville et le confesseur furent éloignés, l'effort que madame de Vernon avait fait, l'émotion qu'elle avait éprouvée, lui causèrent un vomissement de sang si terrible, qu'elle perdit tout à fait connaissance dans les bras de madame d'Albémar. Nos soins la rappelèrent encore à la vie ; mais Delphine, profondément effrayée de cet accident que nous avions cru le dernier, était à genoux devant la chaise longue de madame de Vernon, le visage penché sur ses deux mains pour essayer de les réchauffer ; ses beaux cheveux blonds s'étant détachés, tombaient en désordre... Dans ce moment, j'entendis ouvrir deux portes avec une violence remarquable, dans une maison où les plus grandes précautions étaient prises contre le moindre bruit qui pût agiter madame de Vernon. Un pas précipité frappe mon oreille, je me lève, et je vois entrer Léonce une lettre à la main (c'était celle de madame de Vernon qui contenait l'aveu de sa conduite). Il était tremblant de colère, pâle de froid ; tout son extérieur annonçait qu'il venait de faire un long voyage : en effet, depuis sept jours et sept nuits, par les glaces de l'hiver, il était venu de Madrid sans s'arrêter un moment ; il était entré dans la maison de madame de Vernon sans parler à personne, et comme enivré d'agitations et de souffrances physiques et morales.

Delphine tourna la tête, jeta un cri en voyant Léonce, étendit les bras vers lui sans savoir ce qu'elle faisait : ce mouvement et l'altération des traits de Delphine achevèrent de déranger presque entièrement la raison de Léonce ; et prenant vivement le bras de Delphine, comme pour l'entraîner : « Que faites-vous, s'écria-t-il en s'adressant à madame de Vernon (dont il ne pouvait voir le visage, parce qu'un rideau à demi tiré devant sa chaise longue la cachait), que faites-vous de cette pauvre infortunée ? quelle nouvelle perfidie employez-vous contre elle ? Cette lettre que vous m'avez adressée en Espagne, le courrier qui la portait me l'a remise comme j'arrivais, comme je venais m'éclaircir enfin du doute affreux que le silence de Delphine et la lettre d'un ami faisaient peser sur moi : la voilà cette lettre, elle contient le récit de vos barbares mensonges. Je ne devais, disiez-vous, la recevoir qu'après le départ de Delphine ; était-ce encore une ruse pour empêcher mon retour ici, pour faire tomber dans quelque piège, en mon absence, la malheureuse Delphine ? — Léonce, dit madame d'Albémar, que vous êtes injuste et cruel ! madame de Vernon est mourante, ne le savez-vous donc pas ? — Mourante ! répéta Léonce ; non, je ne le crois pas : le feint-elle pour vous attendrir ? vous laisserez-vous encore tromper par sa détestable adresse ? Quoi, Delphine ! vous m'aviez écrit que je devais en croire madame de Vernon, et elle s'est servie de cette preuve même de votre confiance pour me convaincre que vous aimiez M. de Serbellane, tandis que, victime généreuse,

vous vous étiez sacrifiée à la réputation de madame
d'Ervins ! Et vous, Delphine, et vous qui me jugiez
instruit de la vérité, vous avez dû penser que j'étais le
plus faible, le plus ingrat, le plus insensible des
hommes ; que je vous blâmais de vos vertus, que je
vous abandonnais à cause de vos malheurs. J'ai des
défauts ; on s'en est servi pour donner quelque
vraisemblance à la conduite la plus cruelle envers
l'être le plus aimable et le plus doux. Ce n'est pas
tout encore ; un obstacle de fortune me séparait de
Matilde ; cet obstacle est levé par Delphine, l'exemple d'une générosité sans bornes, la victime d'une
ingratitude sans pudeur. On me laisse ignorer ce
service, on la punit de l'avoir rendu ; tout est mystère
autour de moi, je suis enlacé de mensonges, et quand
j'apprends que je suis aimé, que je l'ai toujours été
(dit-il avec un son de voix qui déchirait le cœur), je
suis lié, lié pour jamais ! Je la vois, cet objet de mon
amour, de mon éternel amour ; elle tend les bras vers
son malheureux ami ; tout son visage porte l'empreinte de la douleur, et je ne puis rien pour elle ! et
je l'ai repoussée quand elle se donnait à moi, quand
elle versait peut-être des larmes amères sur ma
perte ! et c'est vous, répéta-t-il en interpellant
madame de Vernon, c'est vous !... »

L'inexprimable angoisse de cette malheureuse
femme me faisait une pitié profonde ; Delphine, qui
en souffrait plus encore que moi, s'écria : « Léonce,
arrêtez ! arrêtez ! Un accident funeste l'a mise au
bord de la tombe ; si vous saviez, depuis ce temps,
par combien de regrets touchants et sincères elle a
tâché de réparer la faute que l'amour maternel l'avait
entraînée à commettre ! — Elle sera bien punie,
s'écria Léonce, si c'est sa fille qu'elle a voulu servir ;
elle se reprochera son malheur comme le mien.
Rompez, femme perfide, dit-il à madame de Vernon,
rompez le lien que vous avez tissu de faussetés ;

rendez-moi ce jour, le matin de ce jour où je n'avais pas entendu votre langage trompeur, où j'étais libre encore d'épouser Delphine, rendez-le-moi. — Oh, Léonce ! répondit madame de Vernon, ne me poursuivez pas jusque dans la mort, acceptez mon repentir. — Revenez à vous-même, interrompit Delphine en s'adressant à Léonce ; voyez l'état de cette infortunée ; pourriez-vous être inaccessible à la pitié ? — Pour qui, de la pitié ? reprit-il avec un égarement farouche ; pour qui ? pour elle ? Ah ! s'il est vrai qu'elle se meure, faites que le ciel m'accorde de changer de sort avec elle ; que je sois sur ce lit de douleur, regretté par Delphine, et qu'elle porte à ma place les liens de fer dont elle m'a chargé ; qu'elle acquitte cette longue destinée de peines à laquelle sa dissimulation profonde m'a condamné. — Barbare ! s'écria Delphine, que faut-il pour vous attendrir, pour obtenir de vous une parole douce qui console les derniers moments de la pauvre Sophie ? Et moi donc aussi, n'ai-je pas souffert ? depuis que j'ai perdu l'espoir d'être unie à vous, un jour s'est-il passé sans que j'aie détesté la vie ? Je vous demande au nom de mes pleurs... — Au nom de vos malheurs qu'elle a causés, interrompit Léonce, que me demandez-vous ? »

Delphine allait répondre ; madame de Vernon, se levant presque comme une ombre du fond du cercueil, et s'appuyant sur moi, fit signe à Delphine de la laisser parler. Comme elle s'avançait soutenue de mon bras, elle sortit de l'enfoncement dans lequel était placée sa chaise longue ; et le jour éclairant toute sa personne, Léonce fut frappé de son état, qu'il n'avait pu juger encore : ce spectacle abattit tout à coup sa fureur ; il soupira, baissa les yeux, et je vis, même avant que madame de Vernon se fût fait entendre, combien toute la disposition de son âme était changée.

« Delphine, dit alors madame de Vernon, ne demandez pas à Léonce un pardon qu'il ne peut m'accorder, puisque tout son cœur le désavoue ; j'ai peut-être mérité le supplice qu'il me fait éprouver. Vous aviez, chère Delphine, répandu trop de douceur sur la fin de ma vie ; je n'étais pas assez punie ; mais obtenez seulement qu'il me jure de ne pas faire le malheur de Matilde, que mes fautes soient ensevelies avec moi, que leurs suites funestes ne poursuivent pas ma mémoire ; obtenez de lui qu'il cache à Matilde l'histoire de son mariage et de ses sentiments pour vous. — A qui voulez-vous, répondit Léonce, dont l'indignation avait fait place au plus profond accablement, à qui voulez-vous que je promette du bonheur ? Hélas ! je n'ai, je ne puis répandre autour de moi que de la douleur. — Si vous me refusez aussi cette prière, répondit madame de Vernon, ce sera trop de dureté pour moi, oui, trop en vérité. » Je la sentis défaillir entre mes bras, et je me hâtai de la replacer sur son sopha.

Delphine, animée par un mouvement généreux, qui l'élevait au-dessus même de son amour pour Léonce, s'approcha de madame de Vernon, et lui dit avec une voix solennelle, avec un accent inspiré : « Oui, c'est trop, pauvre créature ! et ce cruel, insensible à nos prières, n'est point auprès de toi l'interprète de la justice du ciel. Je te prends sous ma protection ; s'il t'injurie, c'est moi qu'il offensera ; s'il ne prononce pas à tes pieds les paroles qui font du bien à l'âme, c'est mon cœur qu'il aliénera. Tu lui demandes de respecter le bonheur de ta fille ; eh bien ! je réponds, moi, de ce bonheur ; il me sera sacré, je le jure à sa mère expirante ; et si Léonce veut conserver mon estime, et ce souvenir d'amour qui nous est cher encore au milieu de nos regrets, s'il le veut, il ne troublera point le repos de Matilde, il n'altérera jamais le respect qu'elle doit à la mémoire de sa mère. Femme trop malheureuse, dont Léonce n'a point craint de déchirer le cœur, je me rends garant de l'accomplissement de vos souhaits ; écoutez-moi de grâce, n'écoutez plus que moi seule. — Oui, dit madame de Vernon d'une voix à peine intelligible, je t'entends, Delphine ; je te bénis : la bénédiction des morts est toujours sainte, reçois-la ; viens près de moi... » Elle posa sa tête sur l'épaule de Delphine. Léonce, en voyant ce spectacle, tombe à genoux au pied du lit de madame de Vernon, et s'écrie : « Oui, je suis un misérable furieux ; oui, Delphine est un ange : pardonnez-moi pour qu'elle me pardonne ; pardonnez-moi le mal que j'ai pu vous faire. — Entendez-vous, Sophie, dit madame d'Albémar à madame de Vernon, qui ne répondait plus rien à Léonce ; entendez-vous ? Son injustice est déjà passée ; il revient à vous. — Oui, répondit Léonce, il revient à vous, et peut-être il va mourir... » En effet, tant d'agitations, un voyage si long au milieu de l'hiver et sans aucun repos, l'avaient jeté dans un tel état, qu'il tomba sans connaissance devant nous.

Jugez de mon effroi, jugez de ce qu'éprouvait Delphine ! Les mains déjà glacées de madame de Vernon retenaient les siennes ; elle ne pouvait s'en éloigner ; et cependant elle voyait devant elle Léonce étendu comme sans vie sur le plancher. Madame de Vernon, au milieu des convulsions de l'agonie, saisit encore une fois la main de Delphine avant que d'expirer. Delphine, dans un état impossible à dépeindre, soutenait dans ses bras le corps de son amie, et me répétait, les yeux fixés sur Léonce : « Madame de Lebensei, juste ciel ! vit-il encore ?... dites-le-moi... » A mes cris madame de Mondoville arriva précipitamment ; sa mère ne vivait plus, et son mari, qu'elle croyait en Espagne, était sans connaissance devant ses yeux : elle attribua son état au saisissement causé par la mort de sa mère, et profondément touchée de le voir ainsi, elle montra, pour le secourir, une présence d'esprit et une sensibilité qui pouvaient intéresser à elle.

On transporta Léonce dans une autre chambre; Delphine était restée, pendant ce temps, immobile et dans l'égarement. Son amie, qui n'était plus, reposait toujours sur son sein : elle m'interrogeait des yeux sur ce que je pensais de l'état de Léonce ; je l'assurai qu'il serait bientôt rétabli, et que l'émotion et la fatigue avaient seules causé l'accident qu'il venait d'éprouver. Madame de Mondoville rentra dans ce moment avec ses prêtres et tout l'appareil de la mort ; Delphine comprit alors que madame de Vernon avait cessé de vivre, et plaçant doucement sur son lit cette femme à la fois intéressante et coupable, elle se mit à genoux devant elle, baisa sa main avec attendrissement et respect, et s'éloignant, elle se laissa ramener par moi dans sa maison, sans rien dire.

Je l'ai fait mettre au lit, parce qu'elle avait une fièvre très forte. Nous avons envoyé plusieurs fois savoir des nouvelles de Léonce : il est revenu de son évanouissement assez malade, mais sans danger. M. Barton qui, par un heureux hasard, était arrivé hier au soir, est venu voir Delphine ce matin ; elle était si agitée, qu'il n'eût pas été prudent de la laisser s'entretenir avec lui. Il m'a dit seulement qu'ayant obtenu de madame d'Albémar de ne pas écrire à Léonce, de peur de l'irriter contre sa belle-mère, il avait cru cependant devoir dire quelques mots, pour le calmer, dans une lettre qu'il lui avait adressée ; mais l'obscurité même de cette lettre et le silence de Delphine avaient jeté Léonce dans une si violente incertitude, qu'il était parti d'Espagne à l'instant même, se flattant d'arriver à Paris avant le départ de madame d'Albémar pour le Languedoc.

M. Barton ne m'a point caché qu'il était inquiet des résolutions de Léonce ; il reçoit les soins de madame de Mondoville avec douceur, mais quand il est seul avec M. Barton, il paraît invariablement décidé à passer sa vie avec madame d'Albémar : sa passion pour elle est maintenant portée à un tel excès, qu'il semble impossible de la contenir. M. Barton n'espère que dans le courage et la vertu de madame d'Albémar : il croit qu'elle doit se refuser à revoir Léonce, et suivre son projet de retourner vers vous : c'est aussi la détermination de Delphine ; je n'en puis douter, car je l'ai entendue répéter tout bas, quand elle se croyait seule : *Non, je ne dois pas le revoir, je l'aime trop ; il m'aime aussi : non, je ne le dois pas, il faut partir.*

Cependant, que vont devenir Léonce et Delphine ? avec leurs sentiments, et dans leur situation, comment vivre ni séparés ni réunis ? Mon mari est venu me rejoindre, il m'a rendu le courage qui m'abandonnait. Il dit qu'il veut essayer d'offrir des consolations à madame d'Albémar ; mais quel bien lui-même, le plus éclairé, le plus spirituel des hommes, quel bien peut-il lui faire ? Votre parfaite amitié, mademoiselle, vous fera-t-elle découvrir des consolations que je cherche en vain ? Je crois à l'énergie du caractère de madame d'Albémar, à la sévérité de ses principes ; mais ce qui n'est, hélas ! que trop certain, c'est qu'il n'existe aucune résolution qui puisse désormais concilier son bonheur et ses devoirs.

Agréez, mademoiselle, l'hommage de mes sentiments pour vous.

TROISIÈME PARTIE

LETTRE PREMIÈRE

Léonce à Delphine

Paris, ce 4 décembre 1790.

La perfidie des hommes nous a séparés, ma Delphine ; que l'amour nous réunisse : effaçons le passé de notre souvenir ; que nous font les circonstances extérieures dont nous sommes environnés ? N'aperçois-tu pas tous les objets qui nous entourent comme à travers un nuage ? Sens-tu leur réalité ? Je ne crois à rien qu'à toi : je sais confusément qu'on m'a indignement trompé ; que je l'ai reproché à une femme mourante ; que sa fille se dit ma femme ; je le sais : mais une seule image se détache de l'obscurité, de l'incertitude de mes souvenirs, c'est toi, Delphine : je te vois au pied de ce lit de mort, cherchant à contenir ma fureur, me regardant avec douceur : avec amour ; je veux encore ce regard ; seul il peut calmer l'agitation brûlante qui m'empêche de reprendre des forces.

Mon excellent ami Barton n'a-t-il pas prétendu hier que ton intention était de partir, et de partir sans me voir ! Je ne l'ai pas cru, mon amie : quel plaisir

ton âme douce trouverait-elle à me faire courir en
insensé sur tes traces ? Tu n'as pas l'idée, jamais tu ne
peux l'avoir, que je me résigne à vivre sans toi ! Non,
parce que la plus atroce combinaison m'a empêché
d'être ton époux, je ne consentirai point à te voir un
jour, une heure de moins que si nous étions unis l'un
à l'autre ; nous le sommes ; tout est mensonge dans
mes autres liens, il n'y a de vrai que mon amour, que
le tien ; car tu m'aimes, Delphine ! Je t'en conjure,
dis-moi, le jour, le jour où j'ai formé cet hymen qui
ne peut exister qu'aux yeux du monde, cet hymen
dont tous les serments sont nuls, puisqu'ils suppo-
saient tous que tu avais cessé de m'aimer, n'étais-tu
pas derrière une colonne, témoin de cette fatale
cérémonie ? Je crus alors que mon imagination seule
avait créé cette illusion ; mais s'il est vrai que c'était
toi-même que je voyais, comment ne t'es-tu pas jetée
dans mes bras ? pourquoi n'as-tu pas redemandé ton
amant à la face du ciel ? Ah ! j'aurais reconnu ta
voix ; ton accent eût suffi pour me convaincre de ton
innocence ; et, devant ce même autel, plaçant ta main
sur mon cœur, c'est à toi que j'aurais juré l'amour
que je ne ressentais que pour toi seule.

Mais qu'importe cette cérémonie ! elle est vaine,
puisque c'est à Matilde qu'elle m'a lié. Ce n'est pas
Delphine, dont l'esprit supérieur s'affranchit à son
gré de l'opinion du monde, ce n'est pas elle qui
repoussera l'amour par un timide respect pour les
jugements des hommes (49). Ton véritable devoir,
c'est de m'aimer ; ne suis-je pas ton premier choix ?
ne suis-je pas le seul être pour qui ton âme céleste ait
senti cette affection durable et profonde dont le sort
de ta vie dépendra ? Oh ! mon amie, quoique personne ne puisse te voir sans t'admirer, moi seul je
puis jouir avec délices de chacune de tes paroles ; moi
seul je ne perds pas le moindre de tes regards. Aime-
moi, pour être adorée dans toutes les nuances de tes

charmes. Aime-moi, pour être fière de toi-même ; car je t'apprendrai tout ce que tu vaux. Je te découvrirai des vertus, des qualités, des séductions que tu possèdes sans le savoir.

Oh Delphine ! les lois de la société ont été faites pour l'universalité des hommes ; mais quand un amour sans exemple dévore le cœur, quand une perfidie presque aussi rare a séparé deux êtres qui s'étaient choisis, qui s'étaient aimés, qui s'étaient promis l'un à l'autre, penses-tu qu'aucune de ces lois, calculées pour les circonstances ordinaires de la vie, doive subjuguer de tels sentiments ? Si, devant les tribunaux, je démontrais que c'est par l'artifice le plus infâme qu'on a extorqué mon consentement, ne décideraient-ils pas que mon mariage doit être cassé ? Et parce que je n'ai que des preuves morales à alléguer, et parce que l'honneur du monde ne me permet pas de les donner, ne puis-je donc pas prononcer dans ma conscience le jugement que confirmeraient les lois, si je les interrogeais ? Ne puis-je pas me déclarer libre au fond de mon cœur ?

Hélas ! je le sais, il m'est interdit de te donner mon nom, de me glorifier de mon amour en présence de toute la terre, de te défendre, de te protéger comme ton époux ; il faut que tu renonces pour moi à l'existence que je ne puis te promettre dans le monde, et que tant d'autres mettraient à tes pieds. Mais, j'en suis sûr, tu me feras volontiers ce sacrifice, tu ne voudras pas punir un malheureux de l'indigne fausseté dont il a été la victime. Ah ! s'il s'accusait, l'infortuné, d'avoir cru trop facilement la calomnie, s'il se reprochait sa conduite avec désespoir, s'il était prêt à détester son caractère, c'est alors surtout, c'est alors, Delphine, que tu sentirais le besoin de consoler cet ami, qui ne pourrait trouver aucun repos au fond de son cœur. Oui, je hais tour à tour les auteurs de mes maux et moi-même ; mes amères pensées me promènent sans cesse de l'indignation contre la conduite des autres, à l'indignation contre mes propres fautes.

Je ne veux te rien cacher, Delphine ; en te faisant connaître tous les sacrifices que je te demande, je n'effrayerai point ton cœur généreux. Notre union, quels que soient mes soins pour honorer et respecter ce que j'adore, nuira plus à ta réputation qu'à la mienne. Cette crainte t'arrêterait-elle ? J'aurais moins le droit qu'un autre de la condamner ; mais entends-moi, Delphine : que des motifs raisonnables ou puérils, nobles ou faibles, t'éloignent de moi, n'importe ! je ne survivrai point à notre séparation. Maintenant que tu le sais, c'est à toi seule qu'il appartient de juger quelle est la puissance de ta volonté ; a-t-elle assez de force pour te soutenir contre le regret de ma mort ? Delphine, en es-tu certaine ? prends garde, je ne le crois pas.

Si je t'avais rencontrée depuis que ma destinée est enchaînée à Matilde, j'aurais dû, j'aurais peut-être su résister à l'amour ; mais t'avoir connue quand j'étais libre ! avoir été l'objet de ton choix, et s'être lié à une autre ! c'est un crime qui doit être puni ; et je me prendrai pour victime, si tu attaches à ma faute des suites si funestes, que mon cœur soit à jamais dévoré par le repentir.

Quoi ! mon bonheur me serait ravi, non par la nécessité, non par le hasard, mais par une action volontaire, par une action irréparable ! Qu'ils vivent ceux qui peuvent soutenir ce mot *l'irréparable !* moi, je le crois sorti des enfers, il n'est pas de la langue des hommes ; leur imagination ne peut le supporter : c'est l'éternité des peines qu'il annonce ; il exprime à lui seul ses tourments les plus cruels.

Les emportements de mon caractère ne m'avaient jamais donné l'idée de la fureur qui s'empare de moi, quand je me dis que je pourrais te perdre, et te perdre par l'effet de mes propres résolutions, des sentiments auxquels je me suis livré, des mots que j'ai prononcés. Delphine, en exprimant cette crainte, qui me poursuit sans relâche, j'ai été obligé de m'interrompre ; j'étais retombé dans l'accès de rage où tu m'as vu, lorsque j'accusais sans pitié madame de Vernon. Je me suis répété, pour me calmer, que tu ne braverais pas mon désespoir. Oh ! ma Delphine, je te verrai, je te verrai sans cesse !

Demain, on m'assure que je serai en état de sortir, j'irai chez vous : votre porte pourrait-elle m'être refusée ? Mais d'où vient cette terreur ? ne connais-je pas ton cœur généreux, ton esprit éminemment doué de courage et d'indépendance ! Quel motif pourrait t'empêcher d'avoir pitié d'un malheureux qui t'est cher, et qui ne peut plus vivre sans toi ?

LETTRE II

Réponse de Delphine à Léonce

Quel motif pourrait m'empêcher de vous voir ? Léonce, des sentiments personnels ou timides n'exercent aucun pouvoir sur moi. Dieu m'est témoin que, pour tous les intérêts réunis, je ne céderais pas une heure, une heure qu'il me serait accordé de passer avec vous sans remords ; mais ce qui me donne la force de dédaigner toutes les apparences, et de m'élever au-dessus de l'opinion publique elle-même, c'est la certitude que je n'ai rien fait de mal : je ne crains point les hommes, tant que ma conscience ne me reproche rien ; ils me feraient trembler, si j'avais perdu cet appui.

Nous sommes bien malheureux : oh ! Léonce,

croyez-vous que je ne le sente pas ? Tout semblait d'accord, il y a quelques mois, pour nous assurer la félicité la plus pure. J'étais libre, ma situation et ma fortune m'assuraient une parfaite indépendance ; je vous ai vu, je vous ai aimé de toutes les facultés de mon âme, et le coup le plus fatal, celui que la plus légère circonstance, le moindre mot aurait pu détourner, nous a séparés pour toujours ! Mon ami, ne vous reprochez point notre sort ; c'est la destinée, la destinée seule, qui nous a perdus tous les deux.

Pensez-vous que je ne doive pas aussi m'accuser de mon malheur ? Souvent je me révolte contre cette destinée irrévocable, je m'agite dans le passé comme s'il était encore de l'avenir ; je me repens avec amertume de n'avoir pas été vous trouver, lorsque cent fois je l'ai voulu. Le désespoir me saisit, au souvenir de cette fierté, de cette crainte misérable, qui ont enchaîné mes actions, quand mon cœur m'inspirait l'abandon et le courage.

S'il vous est plus doux, Léonce, quand vous souffrez, de songer, à quelque heure que ce puisse être, que dans le même instant, Delphine, votre pauvre amie, accablée de ses peines, implore le ciel pour les supporter ; le ciel qui, jusqu'alors, l'avait toujours secourue, et qu'elle implore maintenant en vain : si cette idée tout à la fois cruelle et douce vous fait du bien, ah ! vous pouvez vous y livrer ! Mais que font nos douleurs à nos devoirs ? La vertu, que nous adorions dans nos jours de prospérité, n'est-elle pas restée la même ? Doit-elle avoir moins d'empire sur nous, parce que l'instant d'accomplir ce que nous admirions est arrivé ?

Le sort n'a pas voulu que les plus pures jouissances de la morale et du sentiment nous fussent accordées. Peut-être, mon ami, la Providence nous a-t-elle jugés dignes de ce qu'il y a de plus noble au monde, le sacrifice de l'amour à la vertu. Peut-être... Hélas !

j'ai besoin, pour me soutenir, de ranimer en moi tout ce qui peut exalter mon enthousiasme, et je sens avec douleur que pour toi, pour toi seul ! ô Léonce, j'éprouve ces élans de l'âme que m'inspirait jadis le culte généreux de la vertu.

Ce qui dépend encore de nous, c'est de commander à nos actions ; notre bonheur n'est plus en notre puissance, remettons-en le soin au ciel ; après beaucoup d'efforts, il nous donnera du moins le calme, oui, le calme à la fin ! Quel avenir ! de longues douleurs, et le repos des morts pour unique espoir ; n'importe, il faut, Léonce, il faut ou désavouer les nobles principes dont nous étions si fiers, ou nous immoler nous-mêmes à ce qu'ils exigent de nous.

Vous apercevrez aisément dans cette lettre à quels combats je suis livrée. Si vous en concevez plus d'espoir, vous vous tromperez. Je sais que les devoirs que j'aimais n'ont plus de charmes à mes yeux, que l'amour a décoloré tous les autres sentiments de ma vie, que j'ai besoin de lutter à chaque instant contre les affections de mon cœur, qui m'entraînent toutes vers vous ; je le sais, je consens à vous l'apprendre ; mais c'est parce que je suis résolue à ne plus vous voir. Vous dirais-je le secret de ma faiblesse, si, déterminée au plus grand, au plus cruel, au plus courageux des sacrifices, je ne me croyais pas dispensée de tout autre effort ?

Je suivrai le projet que j'avais formé avant votre retour d'Espagne ; qu'y a-t-il de changé depuis ce retour ? Je vous ai vu, et voilà ce qui me persuade que de nouveaux obstacles s'opposent à mon départ. Le plus grand des dangers, c'est de vous voir ; c'est contre ce seul péril, ce seul bonheur, qu'il faut s'armer. Ne vous irritez pas de cette détermination, songez à ce qu'elle me coûte ; ayez pitié de moi, que tout votre amour soit de la pitié !

Je m'essaye à roidir mon âme pour exécuter ma

résolution ; mais savez-vous quelle est ma vie, le savez-vous ?... Je ne me permets pas un instant de loisir, afin d'étourdir, s'il se peut, mon cœur. J'invente une multitude d'occupations inutiles, pour amortir sous leur poids l'activité de mes pensées ; tantôt je me promène dans mon jardin avec rapidité, pour obtenir le sommeil par la fatigue ; tantôt, désespérant d'y parvenir, je prends de l'opium le soir, afin de m'endormir quelques heures. Je crains d'être seule avec la nuit, qui laisse toute sa puissance à la douleur, et n'affaiblit que la raison.

Je serais déjà partie si vous ne m'aviez pas annoncé que vous me suivriez ; je vous demande votre parole de ne pas exécuter ce projet. Quel éclat qu'une telle démarche ! Quel tort envers votre femme, dont le bonheur, à plusieurs titres, doit m'être toujours sacré ! et que gagneriez-vous, si vous persistiez dans cette résolution insensée ? Au milieu de la route, dans quelques lieux glacés par l'hiver, je vous reverrais encore, et je mourrais de douleur à vos pieds, si je ne me sentais pas la force de remplir mon devoir en vous quittant pour jamais.

Léonce, il y a dans la destinée des événements dont jamais on ne se relève, et lutter contre leur pouvoir, c'est tomber plus bas encore dans l'abîme des douleurs. Méritons par nos vertus la protection d'un Dieu de bonté : nous ne pouvons plus rien faire pour nous qui nous réussisse ; essayons d'une vie dévouée, d'une vie de sacrifices et de devoirs ; elle a donné presque du bonheur à des âmes vertueuses. Regardez madame d'Ervins : victime de l'amour et du repentir, elle va s'enfermer pour jamais dans un couvent : elle a refusé la main de son amant, elle renonce à la félicité suprême, et cette félicité cependant n'aurait coûté de larmes à personne.

C'est moi qui résiste à vos prières, et c'est moi cependant qui emporterai dans mon cœur un sentiment que rien ne pourra détruire. Quand je me croyais dédaignée, insultée même par vous, je vous aimais, je cherchais à me trouver des torts pour excuser votre injustice. Ah ! ne m'oubliez pas ; y a-t-il un devoir qui vous commande de m'oublier ? Quand il existerait, ce devoir, qu'il soit désobéi. Si je me sentais une seconde fois abandonnée de votre affection, s'il fallait rentrer dans la ténébreuse solitude de la vie, je ne le supporterais plus.

Léonce, établissons entre nous quelques rapports qui nous soient à jamais chers. Tous les ans, le 2 de décembre, le jour où vous avez cessé de me croire coupable, allez dans cette église où je vous ai vu, car je ne puis me résoudre à le nier, dans cette église où je vous ai vu donner votre main à Matilde. Pensez à moi dans ce lieu même, appuyez-vous sur la colonne derrière laquelle j'ai entendu le serment qui devait causer ma douleur éternelle. Ah ! pourquoi mes cris ne se sont-ils pas fait entendre ! je n'aurais bravé que les hommes, et maintenant je braverais Dieu même, en me livrant à vous voir.

Léonce, jusqu'à ce jour je puis présenter une vie sans tache à l'Être suprême ; si tu ne veux pas que je conserve ce trésor, prononce que j'ai assez vécu, j'en recevrai l'ordre de ta main avec joie. Quand je me sentirai près de mourir, j'aurai encore un moment de bonheur qui vaut tout ce qui m'attend ; je me permettrai de t'appeler auprès de moi, de te répéter que je t'aime : le veux-tu ? dis-le-moi. Va, ce désir ne serait point cruel : ne te suffit-il pas que mon cœur, juge du tien, en fût reconnaissant ?

Je me perds en vous écrivant, je ne suis plus maîtresse de moi-même ; il faut encore que je m'interdise ce dernier plaisir. Adieu.

LETTRE III

Léonce à Delphine

Vous partirez sans me voir ! vous ! La terre manquerait sous mes pas, avant que je cessasse de vous
suivre ! Avez-vous pu penser que vous échapperiez à
mon amour ? il dompterait tout, et vous-même.
Respectez un sentiment passionné, Delphine, je vous
le répète, respectez-le ; vous ne savez pas, en le
bravant, quels maux vous attireriez sur nos têtes.

J'ai été ce matin à votre porte ; faible encore, je
pouvais à peine me soutenir ; on a refusé de me
recevoir ! j'ai fait quelques pas dans votre cour ; vos
gens ont persisté à m'interdire d'aller plus loin.
Madame d'Artenas était chez vous, je n'ai pas voulu
faire un éclat ; j'ai levé les yeux vers votre appartement, j'ai cru voir derrière un rideau votre élégante
figure ; mais l'ombre même de vous a bientôt disparu, et votre femme de chambre est venue m'apporter votre lettre, en me priant de votre part de la lire,
avant de demander à vous voir : j'ai obéi ; je ne sais
quel trouble que je me reproche a disposé de moi. Si
vous alliez quitter votre demeure ! si vous partiez à
mon insu ! si j'ignorais où vous êtes allée ! Non, vous
ne voulez pas condamner votre malheureux amant à
vous demander en vain dans chaque lieu, croyant
sans cesse vous voir ou sans cesse vous perdre, et se
précipitant par de vains efforts vers votre image,
comme dans ces songes funestes dont la douleur ne
pourrait se prolonger sans donner la mort.

Delphine ! vous qui n'avez jamais pu supporter le
spectacle de la souffrance, est-ce donc moi seul que
vous exceptez de votre bonté compatissante ? Parce

que je vous aime, parce que vous m'aimez aussi, ma douleur n'est-elle rien ? Ne regardez-vous pas comme un devoir de la soulager ? Oh ! qu'avais-je fait aux hommes, qu'avais-je fait à cette perfide qui m'a donné sa fille, quand je devais consacrer mon sort au vôtre ? Et vous, qui me demandiez de pardonner, de quel droit le demandiez-vous, si vous êtes plus inflexible pour moi que vous ne l'avez été pour mes persécuteurs ?

Vous refusez de m'entendre, et vous ne savez pas ce que j'ai besoin de vous dire. Jamais, Delphine, jamais je n'ai pu te parler du fond du cœur ; mille circonstances nous ont empêchés de nous voir librement : s'il m'est accordé de t'entretenir une fois, une fois seulement, sans craindre d'être interrompu, sans compter les heures, je sens que je te persuaderai. Tu verras que rien de pareil à notre situation ne s'est encore rencontré ; que nous nous sommes choisis, quand nous pouvions nous choisir, quand nous étions maîtres de disposer de nous-mêmes : il a fallu nous tromper pour nous désunir ; notre âme n'a pris aucun engagement volontaire : devant ton Dieu, nous sommes libres. O Delphine, toi qui respectes, toi qui fais aimer la Providence éternelle, crois-tu qu'elle m'ait donné les sentiments que j'éprouve, pour me condamner à les vaincre ? Quand la nature frémit à l'approche de la douleur, la nature avertit l'homme de l'éviter ; son instinct serait-il moins puissant dans les peines de l'âme ? Si la mienne se bouleverse par l'idée de te perdre, dois-je m'y résigner ? Non, non, Delphine, je sais ce que les moralistes les plus sévères ont exigé de l'homme ; mais lorsqu'une puissance inconnue met dans mon cœur le besoin dévorant de te revoir encore, cette puissance, de quelque nom que tu la nommes, défend impérieusement que je me sépare de toi.

Mon amie, je te le promets, dès que je t'aurai vue,

c'est à toi que je m'en remettrai pour décider de notre sort; mais il faut que je t'exprime les sentiments qui m'oppressent. Le jour, la nuit, je te parle, et il me semble que je te montre dans mes sentiments, dans notre situation, des vérités que tu ignorais, et que seul je puis t'apprendre : je ne retrouve plus, quand je t'écris, ce que j'avais pensé, je ne puis aussi, je ne puis communiquer à mes lettres cet accent que le ciel nous a donné pour convaincre; et s'il est vrai cependant que si je te parlais, tu consentirais à passer tes jours avec moi, dans quel état ne me jetteriez-vous pas, Delphine, en me condamnant sans m'avoir permis de plaider moi-même pour ma vie?

Vous êtes si forte contre mon malheur! vous devez vous croire certaine de me refuser, même après m'avoir écouté. Pourquoi donc ne pas me calmer un moment par ce vain essai, dont votre fermeté triomphera? Delphine, s'il fallait nous quitter, s'il le fallait, voudriez-vous me laisser un sentiment amer contre vous? ange de douceur, le voudriez-vous? Vous n'avez point refusé vos soins, vos consolations célestes à madame de Vernon, celle qui nous avait séparés; et moi, Delphine, et moi, me croyez-vous si loin de la mort, qu'au moins un adieu ne me soit pas dû?

Vous avez vu la violence de mon caractère dans ce jour funeste où, sans vous, je me serais montré plus implacable encore. Songez quel est mon supplice, maintenant que je suis renfermé dans ma maison, avec une femme qui a pris ta place! O Delphine! je suis à cinquante pas de toi, et je ne puis néanmoins obtenir de te voir! J'envoie dix fois le jour pour m'assurer que vous n'avez point ordonné les préparatifs de votre départ; je tressaille comme un enfant à chaque bruit; je fais des plus simples événements des présages; tout me semble annoncer que je ne te verrai plus. Tu parles de ta douleur, Delphine, ton âme douce n'a jamais éprouvé que des impressions qu'elle pouvait dominer : mais la douleur d'un homme est âpre et violente ; la force ne peut lutter longtemps sans triompher ou périr.

Comment as-tu la puissance de supporter l'état où je suis ? de refuser un mot qui le ferait cesser comme par enchantement ? Je ne te reconnais pas, mon amie ; tu permets à tes idées sur la vertu d'altérer ton caractère : prends garde, tu vas l'endurcir, tu vas perdre cette bonté parfaite, le véritable signe de ta nature divine (50). Quand tu te seras rendue inflexible à ce que j'éprouve, quelle est donc la douleur qui jamais t'attendrira ? C'est la sensibilité qui répand sur tes charmes une expression céleste ; quel échange tu feras, si, en accomplissant ce que tu nommes des devoirs, tu dessèches ton âme, tu étouffes tous ces mouvements involontaires qui t'inspiraient tes vertus et ton amour !

Ne va point, par de vaines subtilités, distinguer en toi-même ta conscience de ton cœur : interroge-le ce cœur, repousse-t-il l'idée de me voir, comme il repousserait une action vile ou cruelle ? non, il t'entraîne vers moi ; c'est ton Dieu, c'est la nature, c'est ton amant qui te parle ; écoute une de ces puissances protectrices de ta destinée ; écoute-les, car c'est au fond de ton âme qu'elles exercent leur empire : oublie tout ce qui n'est pas nous ; nos âmes se suffisent, anéantissons l'univers dans notre pensée, et soyons heureux.

Heureux ! — Sais-tu ce que j'appelle le bonheur ? c'est une heure, une heure d'entretien avec toi, et tu me la refuserais ! Je me contiens, je te cache ce que j'éprouve à cette idée ; ce n'est point en effrayant ton âme que je veux la toucher ; que ta tendresse seule te fléchisse ! Delphine, une heure ! et tu pourras après... Si ton cœur conserve encore cette barbare volonté, oui, tu pourras après... te séparer de moi.

LETTRE IV

Réponse de Delphine à Léonce

Si je vous revois, Léonce, jamais je n'aurai la force de me séparer de vous. Vous refuserais-je ce dernier entretien, le refuserais-je à mes vœux ardents, si je ne savais pas que vous revoir et partir est impossible ! Que parlez-vous de vertu, d'inflexibilité ? C'est vous qui devez plaindre ma faiblesse, et me laisser accomplir le sacrifice qui peut seul me répondre de moi. Quoi qu'il m'en coûte pour vous peindre ce que j'éprouve, il faut que vous connaissiez tout votre empire ; vous prononcerez vous-même alors que j'ai dû quitter ma maison pour me dérober à vous.

Vous m'aviez écrit que vous viendriez chez moi ce matin, et j'avais eu la force d'ordonner qu'on ne vous reçût pas. J'avais passé une partie de la nuit à vous écrire, je voulais être seule tout le jour ; j'avais besoin, quand je m'interdisais votre présence, de ne m'occuper que de vous. Madame d'Artenas se fit ouvrir ma porte d'autorité ; mais je l'engageai, sous un prétexte, à lire dans mon cabinet un livre qui l'intéressait, et je restai dans ma chambre, debout, derrière le rideau de ma fenêtre, les yeux fixés sur l'entrée de la maison, tenant à ma main la lettre que je vous avais écrite, et qui devait, du moins je l'espérais, adoucir mon refus.

Je demeurai ainsi, pendant près d'une heure, dans un état d'anxiété qui vous toucherait peut-être, si vous pouviez cesser d'être irrité contre moi. Quand je n'entendais aucun bruit, je me confirmais dans la résolution que m'impose le devoir ; mais quand ma porte s'ouvrait, je sentais mon cœur défaillir, et le besoin de revoir encore celui que je dois quitter pour toujours, triomphait alors de moi. Enfin vous paraissez, vous faites quelques pas vers l'homme qui devait vous dire que je ne pouvais pas vous recevoir : votre marche se ressentait encore de la faiblesse de votre maladie, vos traits me parurent altérés ; mais cependant, jamais, je vous l'avoue, jamais je n'ai trouvé dans votre visage, dans votre expression, un charme séducteur qui pénétrât plus avant dans mon âme.

Vous changeâtes de couleur au refus réitéré de mes gens ; il me sembla que je vous voyais chanceler, et dans cet instant vous l'emportâtes sur toutes mes résolutions : je m'élançai hors de ma chambre pour courir à vous, pour me jeter peut-être à vos pieds, aux yeux de tous, et vous demander pardon d'avoir pu songer à me défendre de votre volonté ; j'éprouvais comme un transport généreux, il me semblait que j'allais me dévouer à la vertu, en me livrant à ma passion pour vous ; j'étais enivrée de cette pitié d'amour, le plus irrésistible des mouvements de l'âme ; toute autre pensée avait disparu.

Je rencontrai madame d'Artenas comme je descendais dans cet égarement. « Mon Dieu, qu'avez-vous ? » me dit-elle. Cette question me fit rougir de moi-même. « Je vais envoyer une lettre, » lui répondis-je ; et, soutenue par sa présence, et par des réflexions qu'un moment avait fait renaître, je donnai l'ordre de vous porter ma lettre, et de vous demander de retourner chez vous pour la lire.

C'est alors que j'ai senti combien le péril de vous voir était plus grand encore que je ne le croyais : votre présence, dans aucun temps, n'avait produit un tel effet sur moi ; je tremblais, je pâlissais ; si j'avais entendu votre voix, si vous m'aviez parlé, j'aurais perdu la force de me soutenir. L'apparition d'un être surnaturel, portant à la fois dans le cœur l'enchantement et la crainte, ne donnerait point encore l'idée de ce que j'éprouvai, quand vos yeux se levèrent vers ma fenêtre comme pour m'implorer, quand devant ma maison, depuis si longtemps solitaire, je vis celui que j'ai tant pleuré. Léonce, je l'ai quittée cette maison que vous veniez de me rendre chère, je l'ai quittée à l'instant même ; il le fallait ; si vous étiez revenu, tout était dit, je ne partais plus.

Après le récit que je me suis condamnée, non sans honte, à vous faire, serez-vous indigné contre moi ? Vous inspirerai-je le sentiment amer dont vous m'avez menacée ? Ne me rendrez-vous pas enfin la liberté d'aller en Languedoc ? Je suis cachée dans un lieu où vous ne pouvez me découvrir ; et je n'attends, pour me mettre en route, que votre promesse de ne pas me suivre. Ah ! Léonce, quand je sacrifie toute ma destinée à Matilde, voulez-vous qu'un éclat funeste empoisonne sa vie, sans nous réunir !

Oui, Léonce, votre devoir et le mien, c'est de ne pas rendre Matilde infortunée. La morale, qui défend de jamais causer le malheur de personne, est au-dessus de tous les doutes du cœur et de la raison ; plus je souffre, plus je frémis de faire souffrir ; et ma sympathie pour la douleur des autres s'augmente avec mes propres douleurs : ne vous appuyez point de ce sentiment pour me reprocher vos peines. Votre malheur à vous, Léonce, c'est le mien ; je ne puis tromper assez ma conscience, pour me persuader que la bonté me commande de ne pas vous affliger. Ah ! c'est à moi, c'est à ma passion que je céderais en consolant votre cœur ; je ne ferai jamais rien pour toi qui ne soit inspiré par l'amour.

Léonce, pourquoi vous le cacherais-je ? je ne dois rien taire après ce que j'ai dit. Si je n'avais compromis que moi, en passant ma vie avec vous ; si je n'avais détruit que ma réputation et ce contentement intérieur dont je faisais ma gloire et mon repos, j'aurais livré mon sort à toutes les adversités qu'entraîne un sentiment condamnable ; j'aurais prosterné devant toi cette fierté, le premier de mes biens, quand je ne te connaissais pas : quoi qu'il pût en arriver, je te reverrais, et ce bonheur me ferait vivre, ou me consolerait de mourir. Mais il s'agit du sort d'une autre, et l'amour même ne pourrait triompher dans mon cœur des remords que j'éprouverais si j'immolais Matilde à mon bonheur. J'ai promis à sa mère mourante de la protéger, et quelque coupable que fût la malheureuse Sophie, c'est sur cette promesse que s'est reposée sa dernière pensée. Qui pourrait absoudre d'un crime envers les morts ? Quelle voix dirait qu'ils ont pardonné ?

Matilde elle-même n'est-elle pas la compagne de mon enfance ? Ne me suis-je pas liée à son sort en le protégeant ? Je recevrais votre vie qui lui est due ; je la dépouillerais à dix-huit ans de tout son avenir : non, Léonce, accordez à Matilde ce qui suffit à son repos, votre temps, vos soins ; elle ignore que vous m'aimez, elle me devra de l'ignorer toujours : cette idée me calmera, je l'espère, dans les moments de désespoir dont je ne puis encore me défendre. Léonce, vous serez heureux un jour par les affections de famille ; vous n'oublierez pas alors que j'ai renoncé à tout dans cette vie, pour vous assurer le bonheur des liens domestiques, et vous pourrez mêler un souvenir tendre de moi à vos jouissances les plus pures.

LETTRE V

Léonce à Delphine

Vous n'êtes plus dans votre maison, vous l'avez quittée pour me fuir ; je ne puis retrouver vos traces ;

je parcours, comme un furieux, tous les lieux où vous pouvez être. Non, ce n'est pas de la vertu qu'une telle conduite ; pour y persister, il faut être insensible. A quoi me servirait de vous peindre mes douleurs ? vous avez bravé tout ce que pouvait m'inspirer mon désespoir ! Cependant rassemblez tout ce que vous avez de forces, car je mettrai à votre âme à de rudes épreuves ; et s'il vous reste encore quelque bonté, votre résolution vous coûtera cher.

J'ai été à Bellerive, à Cernay chez madame de Lebensei ; elle m'a juré, d'un air qui me semblait vrai, qu'elle ignorait où vous étiez. Je suis revenu, j'ai été trouver votre valet de chambre Antoine ; vous raconterai-je ce que j'ai fait pour obtenir de lui votre secret ? Je crois qu'il le sait ; car il m'a presque promis de vous faire parvenir demain cette lettre ; mais rien n'a pu l'engager à me le dire. Je me suis promené le reste du jour, enveloppé de mon manteau, dans votre rue, ou dans celles qui y conduisent : j'étais là pour m'attacher aux pas d'Antoine ; malheureux que je suis ! réduit à me servir des plus odieux moyens, pour obtenir de vous, qui croyez m'aimer, une grâce que vous ne devriez pas refuser au dernier des hommes.

Chaque fois que de loin j'apercevais une femme qui pouvait me faire un instant d'illusion, j'approchais avec un saisissement douloureux, et je reculais bientôt, indigné d'avoir pu m'y méprendre. Je me sentais de l'irritation contre tous les êtres qui allaient, venaient, s'agitaient passaient à côté de moi, sans avoir rien à me dire de vous, sans s'inquiéter de mon supplice. Le soir, ne craignant plus enfin d'être reconnu, j'ai pu me reposer quelques moments sur un banc près de votre porte, et recevoir sur ma tête la pluie glacée qui tombait hier. Mais le douloureux plaisir de m'abandonner à mes réflexions ne m'était pas même accordé. J'écoutais, je regardais avec une attention soutenue tout ce qui pouvait se passer autour de votre maison ; mes pensées étaient sans cesse interrompues, sans que mon âme fût un instant soulagée. Je me levais à chaque moment, croyant voir Antoine qui revenait en cherchant à m'éviter ; quand je faisais quelques pas dans un sens, je retournais tout à coup, me persuadant que c'était du côté opposé que j'aurais découvert ce que je cherchais.

Des heures se passaient, je restais seul dans les rues ; il devenait à chaque instant plus invraisemblable qu'au milieu de la nuit je pusse rien apprendre. Mais dès que je me décidais à m'en aller, j'étais saisi d'un désir si vif de rester, que je le prenais pour un pressentiment ; et, quoique vingt fois trompé, je cédais aux agitations de mon cœur, comme à des avertissements surnaturels. Enfin le jour est arrivé ; j'ai pris, pour vous écrire, une chambre en face de votre maison ; j'y suis maintenant, appuyé sur la fenêtre d'où l'on voit votre porte, et mes yeux ne peuvent se fixer un instant de suite sur mon papier. Pourrez-vous lire ces caractères, tracés au milieu des convulsions de douleur que vous me causez ? Si je passe encore vingt-quatre heures dans cet état, je vous haïrai ; oui, les anges seraient haïs, s'ils condamnaient au supplice que vous me faites souffrir. Ce supplice dénature mon caractère, mon amour, ma morale elle-même. Si vous prolongez cette situation, savez-vous qui souffrira de ma douleur ? Matilde, oui, Matilde, à qui vous me sacrifiez (51).

J'aurais eu des soins pour elle, si vous m'aviez aimé, si je vous avais vue ; mais je déteste en elle l'hommage que vous lui faites de mon sort. Je la regarde comme l'idole devant laquelle il vous a plu de m'immoler, et du moins je jouis de penser que vos vertus imprudentes autant qu'obstinées n'auront fait que du mal à tous les trois.

Si vous me cachez où vous êtes, si vous continuez à refuser de me voir, ma résolution est prise (et vous savez si je suis capable de quelque fermeté) ; je révélerai à Matilde par quelle suite de mensonges l'on m'a fait son époux ; et, lui déclarant en même temps que dans le fond de mon cœur je regarde notre mariage comme nul, je lui abandonnerai la moitié de ma fortune, elle conservera mon nom, et ne me reverra jamais. Je passerai ce qu'il me restera de temps à vivre auprès de ma mère, en Espagne ; et celle à qui vous aviez jugé convenable de me dévouer, n'entendra parler de moi qu'à ma mort.

Que m'importe ce qu'on peut me dire sur le devoir ! Les tourments n'affranchissent-ils pas des devoirs ? Quand la fièvre vient assaillir un homme, on n'exige plus rien de lui ; on le laisse se débattre avec la douleur, et tous ses rapports avec les autres sont suspendus. N'ai-je pas aussi mon délire ? Peut-on rien attendre de moi ? Je n'ai qu'une idée, qu'une sensation ; parlez-moi de vous revoir, et je vous écouterai, et toutes les vertus rentreront dans mon âme ; sans cet espoir, qui pourra me faire renoncer à mes projets ? Qui découvrira un moyen d'agir sur ma volonté ? Personne, jamais personne. Et vous surtout, Delphine, de quel droit m'offririez-vous des conseils pour le malheur que vous m'imposez ? C'est le dernier degré de l'insulte que de vouloir être à la fois l'assassin et le consolateur.

— Vous le voyez, tout est dit. J'instruirai Matilde, par une lettre, des circonstances de notre mariage, de mon amour pour vous, et de la décision où je suis de vivre loin d'elle. Dans vingt-quatre heures elle saura tout, si vous ne m'écrivez pas que vos résolutions sont changées, ou seulement si vous gardez le silence. Ce que contiendra ma lettre une fois dit est irrévocable. Si les paroles que je prononcerai sont amères, vous saurez qui les a dictées ; et si je plonge la douleur dans le sein de Matilde, ce n'est pas ma main égarée qu'il faut en accuser, c'est le sang-froid, c'est la raison tyrannique qui vous sert à me rendre insensé.

LETTRE VI

Réponse de Delphine à Léonce

Vous avez cru m'effrayer par votre indigne menace : depuis que je vous connais, je me suis senti de la force contre vous une seule fois, c'est après avoir lu votre lettre. J'ai imaginé pendant quelques instants que vous pouviez faire ce que vous m'annonciez, et je pensais à vous sans trouble, car j'avais cessé de vous estimer.

Léonce, ce moment d'une tranquillité cruelle n'a pas duré ; j'ai rougi d'avoir craint que vous fussiez capable de l'action la plus dure et la plus immorale que jamais homme pût se permettre ! Vous, Léonce, vous condamneriez au plus cruel isolement une femme aussi vertueuse que Matilde ! Elle vient de perdre sa mère, et vous lui ôteriez son époux ! Vous lui laisseriez, dites-vous, votre nom et votre bien, c'est-à-dire que vous seriez sans reproches aux yeux du monde, qui juge si différemment les devoirs des maris et des femmes. Mais que feriez-vous réellement pour Matilde ? Avez-vous réfléchi au malheur d'une femme dont tous les liens naturels sont brisés ? Savez-vous que, par la dépendance de notre sort et la faiblesse de notre cœur, nous ne pouvons marcher seules dans la vie ? Matilde est très religieuse, mais sa raison a besoin de guide. S'il ne lui restait plus une seule affection sur la terre, les chagrins, exaltant sa dévotion déjà superstitieuse, la porteraient bientôt à un enthousiasme fanatique dont on ne peut prévoir les effets.

Quel crime a-t-elle commis envers vous, pour la punir ainsi ? Sa mère l'estimait assez pour n'avoir pas osé lui confier les ruses qui cependant avaient servi à son bonheur. Matilde vous a vu, Matilde vous a aimé. Elle savait qu'elle était destinée à vous épouser ; elle a cru suivre son devoir en se livrant à l'attachement que vous lui inspiriez. Et moi, juste ciel ! et moi, qui dois si bien comprendre ce que votre perte peut faire souffrir, je causerais à Matilde la douleur au-dessus de toutes les douleurs ! Car, ne vous y trompez pas, Léonce, si vous vous rendiez coupable de l'action dont vous me menacez, c'est moi que j'en accuserais ; non parce que j'aurais refusé de vous voir, non pour avoir tenté de triompher de ma faiblesse, mais pour vous avoir laissé lire dans ce cœur, qui devait se fermer pour jamais, du moment où vous n'étiez plus libre.

Je m'accuserais d'avoir inspiré un sentiment qui, loin de rendre meilleur l'objet que j'aime, lui aurait fait perdre ses vertus. Léonce, est-ce ainsi que nous sommes faits pour nous aimer ? Ce sentiment qui, je le crois, ne s'éteindra jamais, ne devait-il pas servir à perfectionner notre âme ? Oh ! qu'est-ce que l'amour sans enthousiasme ? et peut-il exister de l'enthousiasme sans que le respect des idées morales soit mêlé de quelque manière à ce qu'on éprouve ? Si je cessais d'estimer votre caractère, que seriez-vous pour moi, Léonce ? le plus aimable, le plus séduisant des hommes ; mais ce n'est point par ces charmes seuls que mon cœur eût été subjugué. Ce qui a décidé de ma vie, c'est que vos qualités, c'est que vos défauts même me semblaient appartenir à une âme noble et fière : j'ai reconnu en vous la passion de l'honneur, exagérée, s'il est possible, mais inséparable, je l'ima-

ginais, des véritables vertus ; je vous ai cru le besoin
de votre propre approbation, plus encore que celui
du suffrage des autres hommes. Jamais on n'a
prononcé devant vous une parole généreuse ou
sensible, sans que je vous aie vu tressaillir ; jamais
vous n'avez entendu raconter une belle action, sans
que vos regards aient exprimé cette émotion profonde qui désigne l'une à l'autre les âmes d'une
nature supérieure. Voudriez-vous abjurer tout ce qui
fut la cause de mon amour ?

Dans ce moment où je me condamne au sacrifice le
plus cruel que le devoir puisse exiger, l'idée que je
me suis faite de vous me soutient et me relève ; je
souffre pour mériter votre estime ; peut-être ce motif
a-t-il plus d'empire sur moi que je ne le crois encore.
Vous sacrifieriez l'amour et son bonheur à l'opinion
publique, Léonce, vous le feriez, je le sais ; et que
penseriez-vous donc de moi, si Dieu et ma conscience
avaient moins d'empire sur ma conduite, que l'honneur du monde sur la vôtre ? Il me reste encore
quelques forces, je dois m'en servir pour fuir le
remords. Si, malgré mes efforts les plus sincères,
vous parvenez à renverser mes résolutions, il n'y aura
point de terme aux malheurs qui nous poursuivront.
Ma réputation s'altérera bientôt, et peut-être m'en
aimerez-vous moins. Juste ciel ! pouvez-vous rien
imaginer qui alors égalât mon supplice ! Les sacrifices
que j'aurais faits à votre amour me flétriraient à vos
yeux mêmes. Et qui sait s'il serait temps encore de
ranimer votre cœur par une action désespérée, et de
reconquérir pour ma mémoire l'affection pure et vive
que le blâme du monde aurait ternie !

Léonce, des craintes, des réflexions sans nombre
se pressent dans ma pensée, et luttent contre le
sentiment qui m'entraîne vers toi. Ah ! que n'en
coûte-t-il pas pour s'arracher au bien suprême ! Mais
d'où vient donc l'effroi qui me saisit lorsque je me

sens prête à céder à vos vœux ? C'est la protection du ciel qui m'inspire cet effroi salutaire : peut-être l'ombre d'un ami que j'ai perdu fait-elle un dernier effort pour me sauver, et gémit-elle autour de moi, sans que mes sens puissent saisir ni ses paroles, ni son image.

Léonce, si j'ai cessé de vous entretenir de Matilde, dont j'étais d'abord uniquement occupée, c'est que je ne crains plus le projet que l'égarement d'un instant vous avait inspiré ; je n'ai pas besoin de votre réponse pour être sûre que vous y avez renoncé. Je ne sais dans quel endroit de cette lettre j'ai éprouvé tout à coup la certitude que je vous avais persuadé, mais cette impression ne m'a pas trompée. O Léonce ! nous ne sommes pas encore tout à fait séparés ; mes propres mouvements m'apprennent ce que vous ressentez. Il est resté dans mon cœur je ne sais quelle intelligence, quelle communication avec vous, qui me révèle vos pensées.

LETTRE VII

Léonce à Delphine

Oui, je vous obéirai, vous avez raison de n'en pas douter ; je cède à la vérité, quand c'est vous qui me l'annoncez. N'aurai-je donc pas le pouvoir de vous persuader à mon tour ?

Il est impossible que vous eussiez la force de vous montrer cruelle envers moi, si j'avais su vous convaincre que la plus parfaite vertu vous permettait, vous ordonnait même, peut-être, de condescendre à ma prière. Je ne sais si, dans le délire de la fièvre, j'ai conçu l'espérance que vous seriez l'épouse de mon choix, que vous tiendriez les serments que vous auriez prononcés, si dans ce jour affreux j'avais saisi votre main que vous tendiez vers moi, et que je l'eusse présentée à la bénédiction du ciel, mais j'en prends à témoin l'amour et l'honneur, je ne vous demande qu'un lien pur comme votre âme, un lien sans lequel je ne puis exercer aucune vertu, ni faire le bonheur de personne.

Vous m'ordonnez de rester auprès de Matilde, j'obéirai ; mais le spectacle de mon désespoir ne l'éclairera-t-il pas tôt ou tard sur mes sentiments ? Si vous m'ôtez l'émulation de vous plaire ; si des entretiens fréquents avec vous ne raniment pas mon esprit découragé, ne me rendent pas le libre usage des qualités et des talents que je possédais peut-être, mais que je perds sans vous, que ferai-je dans la vie ? comment serai-je distingué dans aucun genre ? comment avancerai-je vers un but glorieux, quel qu'il soit ? Aucun intérêt, aucun mouvement spontané ne me dira ce qu'il faut faire, et loin d'éprouver de l'ambition, je m'acquitterai des devoirs de la vie, comme une ombre qui se promènerait au milieu des êtres vivants.

Puis-je cultiver mon esprit, quand il n'est plus capable d'une attention suivie ? lorsqu'il ne saisit une idée que par un effort ? quand je ne puis rien concevoir, rien faire sans une lutte pénible contre la pensée qui me domine ? Quelle est la carrière que l'on peut suivre, quelle est la réputation qu'on peut atteindre par des efforts continuels ? Quand la nature n'inspire plus rien que de la douleur se fait-il jamais rien de bon et de grand ? Un revers éclatant peut donner de nouvelles forces à une âme fière, mais un chagrin continuel est le poison de toutes les vertus, de tous les talents, et les ressorts de l'âme s'affaissent entièrement par l'habitude de la souffrance (52).

Vous croyez que je serai plus capable de remplir

mes devoirs domestiques, si vous m'arrachez les jouissances que je voudrais trouver dans votre amitié ; eh bien, ce sont des devoirs constants et doux qui exigent une sorte de calme, qu'un peu de bonheur pourrait seul me donner. Oui, Delphine, je vous le devrais ce calme : votre figure enchanteresse enflamme et trouble souvent mon cœur ; mais votre esprit, mais votre âme me font goûter des délices pures et tranquilles. Quand, chez madame de Vernon, je vous entendais parler sur la vertu, sur la raison, analyser les idées les plus profondes, démêler les rapports les plus délicats, je m'éclairais en vous écoutant ; je comprenais mieux le but de l'existence, je pressentais avec plaisir l'utile direction que je pourrais donner à mes pensées. L'amour, quand c'est vous qui l'inspirez, ennoblit l'âme, développe l'esprit, perfectionne le caractère ; vous exercez votre pouvoir comme une influence bienfaisante, non comme un feu destructeur. Depuis que je ne vous vois plus, je me sens dégradé, je ne fais plus rien de moi-même ; je compare, en frémissant, la douleur qui m'attend à celle que j'ai déjà sentie ; j'essaye de recourir à des distractions impuissantes, et je me dis souvent qu'il vaudrait mieux se donner la mort qu'être occupé sans cesse à fuir la vie.

Delphine, ce ne sont pas là les peines ordinaires d'un amour malheureux, celles dont le temps, ou l'absence, ou la raison, peuvent triompher ; c'est un besoin de l'âme, toujours plus impérieux, plus on veut le combattre. Votre visage ne ferait pas l'enchantement de mes regards, la jeunesse ne prodiguerait pas tous ses charmes à votre taille ravissante, que j'éprouverais encore pour vous le sentiment le plus tendre. Vos idées et vos paroles auraient sur moi tant d'empire, qu'après vous avoir entendue, jamais je ne pourrais aimer une autre femme (53).

Ah ! mon amie, ne le sens-tu pas comme moi !

l'univers et les siècles se fatiguent à parler d'amour ; mais une fois, dans je ne sais combien de milliers de chances, deux êtres se répondent par toutes les facultés de leur esprit et de leur âme ; ils ne sont heureux qu'ensemble, animés que lorsqu'ils se parlent ; la nature n'a rien voulu donner à chacun des deux qu'à demi, et la pensée de l'un ne se termine que par la pensée de l'autre.

S'il en est ainsi de nous, ma Delphine, quels efforts insensés veux-tu donc essayer ? Tu me reviendras dans quelques années ; si je vis, si nous vivons, tu me reviendras, ne pouvant plus lutter contre la destinée du cœur ; mais alors il ne nous restera que des âmes abattues par une trop longue infortune. Nous n'aurons plus la force de nous relever, et de soutenir, sans en être accablés, cette masse de douleurs que la nature fait peser sur la fin de la vie.

Delphine ! Delphine ! crois-moi quand je te jure de respecter tous les devoirs, toutes les vertus que tu me commandes, après un tel serment, tu n'as pas le droit de me refuser. Tu parles de ta faiblesse, tu prétends la craindre ; ah, cruelle ! combien tu te trompes ! Mais enfin tu dirais vrai, que moi, l'amant qui t'adore, je te préserverai, si ton cœur se confie au mien ; je respecterai ta vertu, ta céleste délicatesse, tout ce qui fait de toi l'ange des anges ! Je veux que ton image reste en tout semblable à celle qui remplit maintenant mon cœur ; et la plus légère altération dans tes qualités me causerait une douleur que toutes les jouissances de l'amour ne pourraient racheter.

Vous protégez Matilde, je m'occuperai attentivement de son bonheur ; vous connaissez son caractère, son genre de vie, la nature de son esprit, vous savez combien il est aisé de lui cacher ce qui se passe dans le monde et même autour d'elle ; je la rendrai plus heureuse par les soins que je croirai lui devoir en compensation du bonheur que je goûterai sans elle ;

je la rendrai plus heureuse en réparant ainsi les torts qu'elle ignorera, que si, l'âme déchirée, je traînais quelque temps encore loin de vous une vie de désespoir. Delphine, tout est prévu, j'ai répondu à tout ; il ne reste plus de défense à votre cœur, mon innocente prière ne peut plus être refusée.

Me condamneriez-vous à repousser un soupçon que vous me faites entrevoir ? Vous avez le droit de m'accabler de mes défauts, après le malheur dans lequel ils m'ont précipité ; cependant deviez-vous me dire que je vous aimerais moins, si votre réputation était altérée, si elle l'était par votre condescendance même pour mon bonheur ? Mon amie, rejette loin de toi ces craintes indignes de nous deux, laisse-moi passer chaque jour une heure auprès de toi, le charme de cette heure se répandra sur le reste de ma vie ; je l'attendrai, je m'en souviendrai ; mon sang, en circulant dans mes veines, ne m'y causera plus une douleur brûlante. Je pourrai penser, agir, faire du bien aux autres, remplir les devoirs de ma vie, et mourir regretté de toi. Je vais porter cette lettre à votre porte, l'espérance me ranime ; si tu as dit vrai, Delphine, si nos cœurs se devinent encore, cette espérance est le présage assuré de ta réponse.

A onze heures du soir.

J'arrive chez vous, et j'apprends que vous êtes partie. Partie ! et l'on ne veut pas me dire par quelle route ! qu'espèrent-ils ceux qui s'obstinent à garder ce barbare silence ? pensent-ils que sur la terre je ne saurai pas vous trouver ? Si cette lettre vous arrive avant moi, préparez votre cœur, votre cœur, quelque dur qu'il soit, à beaucoup souffrir ; car vous serez inflexible, je dois le croire à présent, et néanmoins il est des événements funestes que vous ne verrez pas sans frémir. Adieu ; je ne m'arrête plus que je n'aie rencontré la mort ou vous.

DELPHINE

LETTRE VII

Delphine à mademoiselle d'Albémar

Paris, ce 14 décembre 1790.

Je reste, ma chère Louise ! Ce mot est peut-être bien coupable ; mais si vous le pardonnez, tout ce que j'ai à vous dire ne servira qu'à me justifier.

Vous savez dans quel état j'étais quand je me défendais de le voir ; je prenais ma douleur pour le trouble le plus coupable et le plus dangereux : maintenant que je suis résolue à ne plus le quitter, je suis calme, je ne me crains plus ; ce qu'il me fallait, c'était le voir et lui parler. Je ne forme pas un souhait, à présent que ce bonheur m'est assuré ; je suis certaine de passer ainsi toutes les années de ma jeunesse, sans avoir même à combattre un seul mouvement condamnable. Je serai son amie, tous les sentiments de mon cœur lui seront consacrés, mais cette union ne nous inspirera jamais que les plus nobles vertus.

Louise, je luttais contre la nature et la morale en me séparant de lui. Je voulais triompher de l'horreur que m'inspirait l'idée de le faire souffrir, je devais donc être agitée sans cesse par une incertitude déchirante ; ne sachant si j'étais vertueuse ou criminelle, barbare ou généreuse, tout était confondu dans mon esprit. Je crois comprendre à présent ce qu'il faut accorder à mes devoirs, et je les concilierai. Peut-être ne pourrai-je conserver ce qu'on appelle dans le monde une existence et de la réputation ; mais songez-vous pour quel prix je les expose ? c'est pour le voir et le voir sans remords ! Que les ennemis inventent à leur gré des calomnies, des persécutions, des peines, ils n'en trouveront point que je ne méprise au sein d'un tel bonheur. L'amour, tel que je le sens, ne me laisse craindre que le crime ou la mort : le reste des maux de la vie ne s'offre à moi que comme ces brouillards lointains et passagers qui fixent à peine un instant nos regards.

Il faut vous raconter, ma sœur, la scène terrible et douce qui a décidé de mon sort.

Madame d'Artenas, témoin, malgré moi, de mon refus de voir mon ami, et de la douleur que j'en éprouvais, s'était rendue maîtresse de mon secret, et m'avait emmenée chez elle à l'insu de Léonce, pour me dérober à ses recherches. J'étais convaincue, par ses lettres, que je ne pourrais jamais obtenir de lui la promesse de ne pas me suivre. Craignant que d'un instant à l'autre il ne découvrît ma retraite, je me décidai à partir, en faisant un détour, pour regagner la route du Midi. Le soir même où je vous le mandai, ma résolution fut prise et exécutée. J'étais soutenue, je crois, dans ce grand effort, par la fièvre que la solitude et la douleur m'avaient donnée ; une exaltation forcée m'animait, et j'étais si pressée d'accomplir mon cruel sacrifice, que je montai dans ma voiture un quart d'heure après m'être déterminée à m'en aller. Je laissai Antoine à Paris pour arranger mes affaires, et n'ayant avec moi que ma femme de chambre, je partis dans un état qui ressemblait bien plus à l'égarement du délire qu'au triomphe de la raison.

La nuit était noire et le froid assez vif ; je jetai mon mouchoir sur ma tête, et m'enfonçant dans ma voiture, son mouvement m'emporta pendant trois heures sans me faire changer d'attitude. Étourdie par cette course rapide, je ne suivais aucune idée, je les repoussais toutes successivement : néanmoins c'était en vain que je cherchais à confondre, dans mon trouble, les souvenirs et les regrets qui se présentaient à moi ; je parvenais à obscurcir ce qui se passait dans mon esprit, mais rien ne calmait ma douleur. Je m'imagine que l'état de mon âme avait quelque ressemblance alors avec celui des malheureux condamnés à mort, lorsque, ne se sentant pas la force d'envisager cette idée, ils essayent d'étouffer en eux toute faculté de réflexion.

Un air glacé, dont je ne m'étais point garantie, me causait de temps en temps des sensations assez pénibles, et cette souffrance me faisait un peu de bien. Je pressais quelquefois mon mouchoir sur ma bouche, jusqu'au point de m'ôter la respiration pendant un moment, afin de détourner par un autre genre de douleur la pensée que je redoutais comme un fantôme persécuteur. Je ne sais ce qui me serait arrivé, lorsque, après de vains efforts pour échapper à moi-même, j'aurais considéré dans son entier le sort que je m'imposais. Mais j'étais parvenue, je crois, à cet excès de malheur qui fait descendre sur nous le secours de la clémence divine.

Un événement que je pourrais appeler surnaturel, du moins par l'impression que j'en ai reçue, vint tout à coup changer mon état, et me délivrer des tourments du désespoir. J'entendis mes postillons qui criaient : *Pourquoi voulez-vous nous arrêter ? Qui êtes-vous ? Rangez-vous à l'instant, rangez-vous.* Je crus d'abord que des voleurs voulaient profiter de la nuit pour nous attaquer, et moi, que vous connaissez craintive, j'éprouvai une émotion presque douce. L'idée me vint que Dieu avait pitié de moi, et m'envoyait la mort. J'avançai précipitamment ma tête à la portière, avide du péril, quel qu'il fût, qui devait m'arracher aux impressions que j'éprouvais.

Je ne pouvais rien voir, mais j'entendis une voix qui, depuis la première fois qu'elle m'a frappée, n'est jamais sortie de mon cœur, prononcer ces mots : *Faites avancer vos chevaux si vous voulez ; écrasez-*

moi, mais je ne reculerai pas. « Arrêtez ! m'écriai-je,
arrêtez ! » Les postillons ne distinguaient point mes
paroles, et je crus qu'ils se préparaient à partir en
renversant celui qui s'était placé devant eux ; je fis
des efforts pour ouvrir la portière ; le tremblement de
ma main m'empêchait d'y réussir ; ce tremblement
augmentait à chaque seconde qu'il me faisait perdre.
Je sentais que si je ne parvenais pas à descendre, les
postillons, ne me comprenant pas, attribueraient mes
cris à l'effroi, et prenant Léonce pour un assassin,
pourraient l'écraser à l'instant sous les pieds des
chevaux et les roues de ma voiture. Non, jamais un
supplice de cette nature ne saurait se peindre ! Enfin
je m'élançai hors de cette fatale portière ; Léonce,
qui m'avait entendue, s'était jeté en bas de son
cheval, et courant vers moi, il me reçut dans ses bras.

Divinité des justes ! que ferez-vous de plus pour la
vertu ? Que réservez-vous pour elle dans les cieux,
quand sur la terre vous nous avez donné l'amour ? Je
le retrouvais le jour même où je m'étais condamnée à
le quitter pour toujours ; mon cœur reposait sur le
sien, au moment où j'avais cru sentir la voiture qui
me traînait se soulever en passant sur son corps :
non, je n'aurais pas été un être sensible et vrai, si je
n'avais pas été résolue dans cet instant à donner ma
vie à celui dont la présence venait de me faire goûter
de telles délices. Ah ! Louise, qui pourrait se replonger dans le désespoir, quand un coup du sort l'en a
retiré ? qui pourrait se rejeter volontairement dans
l'abîme, reprendre toutes les sensations douloureuses, suspendues, effacées par la confiance que le
bonheur inspire si rapidement ? Non, j'ose l'affirmer,
le cœur humain n'a pas cette force.

Léonce me porta pendant quelques pas ; il me
croyait évanouie, je ne l'étais point ; j'avais conservé
le sentiment de l'existence pour jouir de cet instant,
peut-être marqué par le ciel, comme le dernier et le

plus haut degré de la félicité qu'il me destine. Le premier mot que je dis à Léonce, fut la promesse de renoncer à mon projet de départ ; ce départ m'était devenu désormais impossible, et je ne voulais pas qu'il pût en douter un instant, après que ma décision était prise. Ah ! Louise, quelle reconnaissance il m'exprima ! quel sentiment délicieux le bonheur de ce qu'on aime ne fait-il pas éprouver ! Je ne sais quelle terreur, créée par l'imagination, avait effrayé, troublé mon esprit depuis quinze jours. Pourquoi donc, pourquoi voulais-je me séparer de Léonce ? N'existe-t-il pas des sœurs qui passent leur vie avec leurs frères ? des hommes dont l'amitié honore et console les femmes les plus respectables ? Pourquoi m'estimais-je si peu que de ne pas me croire capable d'épurer tous les sentiments de mon cœur, et de goûter à la fois la tendresse et la vertu ?

Dès que Léonce me vit résolue à ne pas me séparer de lui, il s'établit entre nous la plus douce intelligence ; il donna avec une grâce charmante des ordres tout autour de moi, plaça ma femme de chambre dans le cabriolet d'Antoine, qui était venu me rejoindre, et se mêla enfin de tous les détails, avec la vivacité la plus aimable, comme s'il eût cru prendre ainsi possession de ma vie.

Après m'avoir fait remonter dans ma voiture, il me montra, par les soins les plus tendres, son inquiétude sur l'état de tremblement où j'étais ; il m'entoura de son manteau, ouvrit et referma les glaces plusieurs fois, pour essayer ce qui pourrait me faire du bien : je voyais en lui une activité de bonheur, une sorte d'impossibilité de contenir sa joie, qui me jetait dans une rêverie enchanteresse ; je me taisais, parce qu'il parlait ; j'étais calme, parce que l'expression de ses sentiments était vive. Oh, Louise ! personne, personne au monde, se faisant l'idée de cette félicité, ne renoncerait à l'éprouver !

Il fut convenu entre Léonce et moi que je dirais, à mon retour à Paris, que la fièvre m'avait saisie en route et m'avait obligée de revenir. J'écoutai ses projets pour nous voir, chaque jour, sans jamais causer la moindre peine à Matilde ; ils étaient tels que je pouvais les désirer. Il revint souvent aussi à m'entretenir des ménagements qu'il aurait pour ma réputation. « Léonce, lui répondis-je, ne faites désormais rien pour moi qui ne soit nécessaire à vous ; je ne suis plus à présent qu'un être qui vit pour celui qu'elle aime, et n'existe que dans l'intérêt et la gloire de l'objet qu'elle a choisi. Tant que vous m'aimerez, vous aurez assez fait pour mon bonheur ; mon amour-propre, mes penchants, mes désirs sont tous renfermés dans ma tendresse. Ne tourmentez ni ma conscience ni mon amour, et décidez de ma vie sous tous les autres rapports ; je me mets, avec fierté comme avec joie, dans la dépendance absolue de votre volonté. »

Louise, avec quelle passion, avec quels transports Léonce me remercia ! Votre heureuse Delphine entendit pendant trois heures le langage le plus éloquent de l'amour le plus tendre. Léonce n'eut pas un instant, j'en suis sûre, l'idée de se permettre une expression, un regard qui pût me déplaire. Que le cœur est bon ! qu'il est pur ! qu'il est enthousiaste, alors qu'il est heureux !

Je trouvai, en arrivant chez moi, la dernière lettre que Léonce m'avait écrite, et que je n'avais point reçue : il me sembla qu'elle eût suffi pour m'entraîner ; mais qu'il était doux de la lire ensemble ! Les expressions de la douleur de Léonce me faisaient jouir encore plus de son bonheur actuel, et je me plaisais à lui faire répéter les prières qu'il m'avait adressées, pour m'en laisser toucher une seconde fois. Mais enfin, je m'aperçus qu'il était trois heures du matin ; au premier mot que je dis à Léonce, il obéit, et me quitta pour retourner chez lui.

J'avais perdu le repos depuis plusieurs mois ; j'ai dormi profondément le reste de cette nuit. Quand je me suis réveillée, un beau soleil d'hiver éclairait ma chambre ; il avait ses rayons de fête, et condescendait à mon bonheur. Je priai Dieu longtemps, je n'avais rien dans l'âme que je craignisse de lui confier ; après avoir prié, je vous ai écrit. Ma sœur, je l'espère, vous ne me condamnerez pas ; nous avons toujours eu tant de rapports dans notre manière de penser et de sentir ! comment se pourrait-il que je fusse contente de moi, et que vous trouvassiez ma conduite condamnable ? Cependant, Louise, hâtez-vous de me répondre. Adieu.

LETTRE IX

Léonce à Delphine

Mon amie, quoi qu'il puisse nous arriver, remercions le ciel de nous avoir donné la vie. Arrête ta pensée sur ce jour qui vient de s'écouler ; il a fait une trace lumineuse dans le cours de nos années, et nous tournerons nos regards vers lui, quelque avenir que le sort nous destine.

Dès mon enfance, un pressentiment assez vif, assez habituel, m'a persuadé que je périrais d'une mort violente : ce matin cette idée m'est revenue à travers les délices de mes sentiments, mais elle avait pris un caractère nouveau ; je n'étais plus effrayé du présage, je ne désirais plus de le détourner ; je ne voyais plus la vie que dans l'amour, et je me plaisais à penser que si je périssais foudroyé dans la jeunesse par quelqu'un des événements qui menacent un caractère tel que le mien, je périrais dans l'ardeur de ma passion pour toi, et longtemps avant que l'âge eût refroidi mon cœur.

Dis-moi, Delphine, pourquoi la pensée de la mort se mêle avec une sorte de charme aux transports de l'amour ? Ces transports vous font-ils toucher aux limites de l'existence ? Est-ce qu'on éprouve en soi-même des émotions plus fortes que les organes de la nature humaine, des émotions qui font désirer à l'âme de briser tous ses liens pour s'unir, pour se confondre plus intimement encore avec l'objet qu'elle aime ? Ah ! Delphine, que je suis heureux ! que je suis attendri ! Mes yeux sans cesse remplis de larmes, ma voix émue, mes pas lents et rêveurs, pourraient me donner l'apparence du plus faible des êtres. Mon caractère, cependant, est loin d'être amolli, mais c'est un état extraordinaire que cette inépuisable source d'impressions sensibles qui se répand dans tout mon être. L'air déchirait hier ma poitrine oppressée, ce matin il me semble que je respire l'amour et le bonheur.

Ah ! que j'aime la vie ! chaque mouvement, chaque pensée qui me rappelle l'existence est un plaisir que je voudrais prolonger ; je retiens le temps comme un bienfaiteur.

Delphine, nous serons une fois malheureux, ainsi le veut la destinée ; mais nous n'aurons jamais le droit de nous plaindre. J'ai senti les battements de ton cœur sur le mien, tes bras m'ont serré de toute la puissance de ton âme ; ces peines, ces inquiétudes, ces doutes qui pèsent toujours au-dedans de nous-mêmes, et troublent en secret nos meilleurs senti-ments, ces infirmités de l'être moral enfin avaient disparu tout à coup en moi. J'étais libre, généreux, fier, éloquent ; s'il eût fallu dans ce moment étonner les hommes par le plus intrépide courage, les entraîner par des expressions enflammées, j'en étais capable, j'en étais digne, et nul génie mortel n'aurait pu s'égaler à ton heureux amant. C'est avec cet enthousiasme d'amour, que toi seule au monde peux inspirer, que je saurai tromper l'ivresse où me jette ta beauté ; si quelquefois cet effort m'est pénible, rappelle-moi que tu tiens de mon aveu même qu'hier, hier ! rien ne manquait à mon bonheur.

Delphine, je te verrai ce soir, je le puis sans le moindre inconvénient : tout s'arrange, tout est facile, les plus petites circonstances secondent mes désirs ; je suis un être favorisé du ciel à cause de toi. Tu m'instruiras dans ta religion, je ne m'en étais pas occupé jusqu'à ce jour ; mais j'ai tant de bonheur, qu'il me faut où porter ma reconnaissance ! ce n'est pas assez du culte que je te rends, il faut me dire à qui je dois ta vie, qui te l'a donnée, qui te la conserve. Impose-moi quelques sacrifices, quelques peines ; mais il n'y en a plus au monde. Comment faire pour découvrir quelques devoirs qui me coûtent, quelques actions qui puissent m'être comptées, quand je te verrai tous les jours ? Oh, Delphine ! calme-toi, s'il est possible, sur l'excès de mon bonheur, sur sa durée. Dis-moi que le ciel t'a permis de me donner un sort qui n'était pas fait pour les hommes ; je puis tout espérer, je puis tout croire ! Quel miracle m'étonnerait, quand un moment a changé la nature entière à mes yeux.

Oui, je possède cette félicité, la mort seule la terminera ; il n'y en aura plus de ces terribles jours, pendant lesquels je ne te voyais pas. Mon amie, la force de les concevoir et de les supporter n'existe plus en moi ; j'ai perdu en un instant toute puissance sur mon âme ; le bonheur est devenu mon habitude, mon droit ; il faut me ménager avec bien plus de soin que dans le temps de mon désespoir. Je suis heureux, mais tout mon être est ébranlé ; les palpitations de mon cœur sont rapides ; je sens dans mon sein une vie tremblante, que la moindre peine anéantirait à l'instant. Oh, Delphine ! le bonheur parfait étonne la nature humaine ; ma tête se trouble, et je suis prêt à devenir misérablement superstitieux, depuis que je possède tous les biens du cœur.

Adieu, Delphine, adieu ; je veux en vain m'exprimer : il y a dans les passions violentes une ardeur, une intensité dont l'âme seule a le secret. Une sympathie céleste, une étincelle d'amour te révélera peut-être ce que j'éprouve.

LETTRE X

Mademoiselle d'Albémar à Delphine

Montpellier, 20 décembre.

Je le crois, j'en suis sûre, ma chère Delphine, puisque vous êtes heureuse, vous n'avez pas dans le cœur un seul désir, une seule pensée que la vertu la plus parfaite ne puisse approuver : mais, hélas ! vous ne vous doutez pas de tous les périls de votre situation ; faut-il que je sois forcée par les devoirs de l'amitié à ne pas partager avec vous le premier sentiment de joie que vous m'avez confié depuis six mois !

Je ne vous demande point ce qu'il n'est plus temps d'obtenir ; en lisant vos expressions passionnées, je me suis convaincue que vous n'êtes plus capable du grand sacrifice pour lequel vous avez courageusement lutté ; mais du moins réfléchissez sur les chagrins dont vous êtes menacée, afin qu'une crainte salutaire vous serve de guide encore, s'il est possible.

Vous croyez que Léonce n'exigera jamais de vous de renoncer aux principes de vertu dans lesquels une âme comme la vôtre ne pourrait trouver aucun bonheur ; je crois que dans ce moment son cœur est satisfait par un bien inespéré ; mais si vous ne pouvez supporter son malheur, pensez-vous qu'il n'essayera pas de ce moyen puissant pour tourmenter votre vie ? Vous triompherez, je le crois ; mais au prix de quelle douleur ! l'avez-vous prévu ?

Quand vous parviendriez à guider les sentiments de Léonce dans ses rapports avec vous, pouvez-vous oublier son caractère ? Il ne s'en souvient plus lui-même à présent, il ne sent que son amour : mais ne savez-vous pas que les défauts qui tiennent à notre nature ou aux habitudes de toute notre vie renaissent toujours dès qu'il existe une circonstance qui les blesse ? Vous abandonnez, dites-vous, le soin de votre réputation, il vous suffit de veiller à la rectitude de votre conduite ; mais s'il arrive, ce qui ne peut manquer d'arriver, si l'on soupçonne et si l'on blâme votre liaison avec Léonce, il souffrira lui-même beaucoup du tort qu'elle vous fera, et vous retrouverez peut-être avec amertume son irritabilité sur tout ce qui tient à l'opinion.

Enfin, pouvez-vous vous flatter que Matilde, malgré tous vos ménagements pour elle, ne découvre pas une fois les sentiments que vous inspirez à Léonce ? et croyez-vous qu'elle fût heureuse, en apprenant qu'elle vous doit jusqu'aux soins mêmes de son époux, et que sa conduite envers elle dépend entièrement de votre volonté ?

Je vous le répète, je ne vous donne point les conseils rigoureux qui seraient maintenant inutiles ; mais songez que c'est dans le bonheur qu'il est aisé de fortifier sa raison. Je n'exige rien des malheureux, ils ont assez à faire de vivre ; il n'en est pas de même de vous, Delphine : vous jouissez maintenant d'une situation qui vous enchante ; c'est ce moment qu'il faut saisir pour vous accoutumer, par la réflexion, à supporter un avenir peut-être, hélas ! trop vraisemblable. Il m'en coûte de vous le dire, mais je n'ai pas vu un seul exemple de bonheur et de vertu dans le genre de liaison que vous projetez. L'exemple de la vertu, vous le donnerez, mais non celui du bonheur. Ce qu'on prévoit et ce qu'on ne prévoit pas brise des nœuds trop chers et trop peu garantis ; la société étant tout entière ordonnée d'après des principes contraires à ces relations de simple choix, elle pèse sur elles de toute sa force, et finit toujours par les rompre : alors le reste des années est dévoré d'avance ; on ne peut plus reprendre à ces intérêts, à ces goûts simples qui font passer doucement les jours que la Providence nous destine. L'on a connu, l'on a éprouvé cette existence animée que donnent les sentiments passionnés, et l'on n'est plus accessible à aucune des jouissances communes de la vie. La puissance de la raison sert à supporter le malheur, mais la raison ne peut jamais nous créer un seul plaisir ; et quand l'amour a consumé le cœur, il faudrait un miracle pour faire rejaillir de ce cœur ainsi consumé, la source des plaisirs doux et tranquilles.

Oh ! Delphine, pauvre Delphine ! vous immolez tout à quelques années, à moins encore, peut-être. Je vous en conjure, regardez votre séjour ici comme un asile, ne renoncez pas à y venir, n'ajoutez pas l'imprévoyance et l'aveugle sécurité à tous les sentiments qui vous captivent. Reposez-vous un moment dans le bonheur, mais afin de reprendre des forces pour continuer la route de la vie. Hélas ! vous n'avez pas fini de souffrir, ne relâchez pas tous les liens qui vous soutenaient ; tous ces liens qui sont plus souvent encore un appui qu'une gêne, ils ne vous seront que trop nécessaires. Mon amie, nous l'avons dit souvent ensemble, la société, la Providence même, peut-être, n'a permis qu'un seul bonheur aux femmes, l'amour dans le mariage ; et quand on en est privé, il est aussi impossible de réparer cette perte que de retrouver la jeunesse, la beauté, la vie, tous les dons immédiats de la nature, et dont elle dispose seule.

Il en coûte, je le sens, de se prononcer que l'on ne peut plus être heureux ; mais il serait plus amer encore de se faire illusion sur cette vérité ; et, dans de certaines situations, c'est un grand mal que l'espérance ; sans elle le repos naîtrait de la nécessité. Delphine, l'amitié doit réserver ses faiblesses pour l'instant de la douleur ; au milieu des prospérités, il faut qu'elle fasse entendre une voix sévère.

Je ne vous ai parlé que des peines qui menacent le sentiment auquel vous vous livrez ; je ne me suis pas permis de craindre pour vous le plus grand des malheurs, le remords. Ah ! vous avez fait une cruelle expérience de la douleur, et cependant vous ne connaissez pas encore tout ce que le cœur peut souffrir ; vous l'apprendriez, si vous aviez manqué à vos devoirs. Aussi longtemps que vous les respecterez, mon amie, la faveur du ciel peut encore vous protéger.

LETTRE XI

Léonce à Delphine

Paris, ce 29 décembre

Vous êtes heureuse, ma Delphine, mon cœur ne devrait plus rien désirer : il y a quinze jours que je ne croyais pas même à la possibilité de la peine ; il me semblait qu'elle ne rentrerait jamais dans mon cœur ; cependant je suis inquiet, presque triste : je voulais te le cacher, mais j'ai senti que j'offenserais cette intimité parfaite qui confond nos âmes, si je laissais s'établir le moindre secret entre nous.

Je vous en conjure, Delphine, n'interprétez pas mal ce que je vais vous dire. Ce ne sont point des sentiments réprimés, quoique invincibles, qui troublent déjà mon bonheur ; ce n'est pas non plus la jalousie qui s'empare de moi : comment pourrait-elle m'atteindre ? mon cœur en est préservé par mon estime, par mon admiration pour toi : mais je hais cette vie du monde dans laquelle vous avez reparu avec tant d'éclat. Quand je vais chez vous, j'y rencontre sans cesse des visites, je ne suis jamais sûr d'un instant de conversation tête à tête ; plusieurs fois les importuns pour qui vous êtes charmante, sont demeurés à causer avec vous jusqu'à l'heure où la prudence ne me permettait plus de rester.

Hier au soir, par exemple, hier j'ai passé quatre heures avec vous, et pendant ces quatre heures, qui pourrait le croire ! je n'ai éprouvé que des sentiments pénibles. Madame d'Artenas vous avait persécutée pour souper chez elle, vous aviez cru devoir y consentir : c'était, m'avez-vous dit, afin de prouver par l'accueil même que vous receviez au milieu de la meilleure société de Paris, que l'impression des bruits répandus contre vous était entièrement effacée ; car vous aussi, Delphine, vous vous occupez de captiver l'opinion du monde, et vous y réussissez parfaitement. Je vous ai suivie dans ce tourbillon, et si je n'y avais pas été, je ne vous aurais pas vue de tout le jour.

J'arrivai avant vous, vous entrâtes ; jamais je ne vous avais vue si belle ! cet habit noir sur lequel retombaient vos cheveux blonds, ce crêpe qui environnait votre taille et faisait ressortir la plus éclatante blancheur, toute votre parure enfin contribuait à vous rendre éblouissante. J'entendis des murmures d'admiration de toutes parts, et je ne sais pourquoi je ne me sentis pas fier de votre succès ; il me semblait que vous deviez votre éclat au désir de plaire généralement, et non à votre attachement pour moi seul ; cette impression fut la première que j'éprouvai en vous voyant, et le reste de la soirée ne fut que trop d'accord avec ce pénible sentiment.

Jamais vous n'avez produit tant d'effet par votre présence et par votre conversation ! jamais vous n'avez montré un esprit plus séduisant et plus aimable ! Trois rangs d'hommes et de femmes faisaient cercle autour de vous, pour vous voir et vous entendre. La jalousie, la rivalité étaient pour un moment suspendues ; on était avec vous comme les courtisans avec la puissance : ils cherchent à s'en approcher sans se comparer avec elle : chacun était glorieux de bien comprendre tout le charme de vos expressions, et pour un moment les amours-propres luttaient seulement ensemble à qui vous admirerait le plus. Moi, je me tins à quelque distance de vous, sans perdre un mot de votre entretien. J'entendis aussi les exclamations d'enthousiasme, je dirais presque d'amour, de tous ceux qui vous entouraient. Tandis que votre esprit se montrait plus libre, plus brillant que jamais, il m'était impossible de me mêler à la conversation ; vous étiez gaie et j'étais sombre. Cependant, moi aussi, Delphine, moi aussi je suis heureux. Pourquoi donc étais-je si embarrassé, si triste ? expliquez-moi la raison de cette différence : oh ! si vous alliez découvrir que c'est parce que je vous aime mille fois plus que vous ne m'aimez !

Certainement la vie de Paris ne peut convenir à l'amour ; le sentiment que vous avez daigné m'accorder s'affaiblirait au milieu de tant d'impressions variées. Je le sais, votre cœur est trop sensible pour que l'amour-propre puisse le distraire des affections véritables ; mais enfin ces succès inouïs que vous obtenez toujours, dès que vous paraissez, ne vous causent-ils pas quelques plaisirs ? et ces plaisirs ne viennent pas de moi ; ce seraient eux, au contraire, qui pourraient vous dédommager de mon absence. Je suis glorieux de votre beauté, de votre esprit, de tous vos charmes, et cependant ils me font éprouver cette jalousie délicate qui ne se fixe sur aucun objet, mais s'attache aux moindres nuances des sentiments du cœur ; ces suffrages qui se pressent autour de vous, il me semble qu'ils nous séparent ; ces éloges que l'on vous prodigue donnent à tant d'autres l'occasion de vous nommer, de s'entretenir de vous, de prononcer des paroles flatteuses, des paroles que moi-même je vous ai dites souvent, et que je serai sans doute entraîné à vous redire encore (54).

Oh ! mon amie, puisque vous ne m'appartiendrez jamais entièrement, puisque ces charmes qui enivrent tous les regards ne seront jamais livrés à mon amour, il faut me pardonner d'être prêt à m'irriter, quand on vous voit, quand on vous entend, quand on goûte presque alors les mêmes jouissances que moi. Pardon, ma Delphine, j'ai blasphémé ; tu m'aimes, à qui donc puis-je me comparer sur la terre ? Mais je ne puis jouir de mon sort au milieu du monde ; l'observation qui nous environne m'importune ; je ne suis bien que seul avec toi ; dans toute autre situation je souffre, je sens avec une nouvelle amertume le désespoir de n'être pas ton époux. Tu veux que je sois heureux, eh bien, j'ose te supplier de retourner à Bellerive : la saison est rude encore ; mais n'est-il pas vrai que tu ne compteras pour rien ce qui pourrait déplaire à d'autres femmes ?

Les devoirs que tu m'imposes envers Matilde ne me permettront pas de te voir avant sept heures du soir ; tu seras souvent seule jusqu'alors, mais tu goûteras quelque plaisir par les pensées solitaires qui gravent plus avant toutes les impressions dans le cœur. Je demande à la femme de France qui voit à ses pieds le plus d'hommages et de succès, de s'enfermer dans une campagne, au milieu des neiges de l'hiver ; mais cette femme sait aimer, cette femme quittait tout pour me fuir, quand un scrupule insensé l'égarait ; ne quittera-t-elle pas tout plus volontiers, pour satisfaire mon cœur avide d'amour, de solitude, d'enthousiasme, de toutes ces jouissances que le monde ravit à l'âme en la flétrissant ? Je déteste ces heures que consume une vie oiseuse. Depuis six mois, j'ai perdu l'habitude de l'occupation ; si tu le veux, nous donnerons quelques moments à des lectures communes ; j'aime cette douce manière de tromper. s'il est possible, les sentiments qui me dévorent.

Les pratiques religieuses et la société des dévotes remplissent presque toutes les soirées de madame de Mondoville ; elle ne m'a jamais demandé de venir avec elle aux assemblées qui se tiennent chez l'évêque de M., et je crois même qu'elle serait fort embarrassée de m'y mener ; elle ne se permet jamais d'aller au spectacle ; elle fait des difficultés sur les trois quarts des femmes que nous serions appelés à voir ; il arrive donc tout simplement que je deviens chaque jour plus étranger à sa société. Elle m'aime, et cependant elle ne souffre point de cette sorte de séparation. Quand les principes rigoureux du catholicisme s'emparent d'un caractère qui n'est pas naturellement très sensible, ils régularisent tout, décident de tout, et ne laissent ni assez de loisir, ni assez de connaissance du monde pour être susceptible de jalousie : je ferai donc plutôt du plaisir que de la peine à Mathilde, en la laissant libre de se réunir tous les soirs avec les personnes de son opinion ; et pourvu que je ne dîne pas hors de chez elle, elle sera contente de moi.

Tous les jours donc, quand six heures sonneront, je monterai à cheval pour aller à Bellerive ; ma vie ne commencera qu'alors ; j'arriverai à sept heures, je reviendrai à minuit : quoique je pusse être censé veiller plus tard dans les sociétés de Paris, je serai exact à ce moment, pour ne pas inquiéter madame de Mondoville. Delphine, vous voyez avec quel soin je vais au-devant de vos généreuses craintes : je ne vivrai que quatre heures ; mais pendant le reste du temps j'aurai ces quatre heures en perspective, et je traînerai ma chaîne pour y arriver. O mon amie ! ne vous opposez point à ce projet, il m'enchante : j'avais commencé cette lettre dans le plus grand abattement ; en traçant notre plan de vie, j'ai senti mon cœur se ranimer. Je t'enlève au monde, je te garde pour moi seul ; je ne te laisse pas même la disposition des moments que je passerai sans te voir ; je suis exigeant, tyrannique ; mais je t'aime avec tant d'idolâtrie que je ne puis jamais avoir tort avec toi.

LETTRE XII

Delphine à Léonce

30 décembre 1790.

Léonce, après-demain, le premier jour de l'année qui va commencer, je vous attendrai à Bellerive ; j'aime à fêter avec vous une de ces époques du temps, elles me serviront, je l'espère, à compter les années de mon bonheur : toutes les solennités qui signalent le cours de la vie ont du charme quand on est heureux ; mais que le retour serait amer, s'il ne rappelait que des regrets !

Mon ami, j'ai voulu que mes premières paroles fussent un consentement à ce que vous souhaitez ; maintenant, qu'il me soit permis de vous le dire, votre lettre m'a fait de la peine. Que de motifs vous me donnez pour le plus simple désir ! pensiez-vous qu'il m'en coûterait de quitter le monde ? ai-je un intérêt, une jouissance, un but indépendant de vous ? Quelle inquiétude, quelle agitation se fait sentir, comme malgré vous, dans ce que vous m'avez écrit ! J'avais reçu, peu d'heures auparavant, une lettre de ma belle-sœur, qui cherchait à m'éclairer sur les périls auxquels je m'expose, et j'ai cru déjà voir dans quelques-unes de vos plaintes détournées, le présage des malheurs dont elle me menaçait.

Quoi ! Léonce, il n'y a pas un mois que d'une séparation absolue, d'un long supplice, nous sommes passés à nous voir tous les jours ; et déjà votre cœur est tourmenté, et me cache peut-être ce qu'il éprouve, ce qu'il ne lui est pas permis d'avouer. A peine ai-je assez de mes pensées, de mes sentiments pour connaître, pour goûter tout mon bonheur, et vous, vous paraissez mécontent, vous vous plaignez de votre sort ; dans ces entretiens tête à tête que vous désirez, vous ne cessez de me parler de vos sacrifices. O Léonce, Léonce ! les délices du sentiment seraient-elles épuisées pour vous ? ne me dites pas que votre cœur a plus de passion que le mien ; croyez-moi, dans notre situation, le plus heureux des deux est sûrement le plus sensible.

Je veux me persuader, néanmoins, que c'est uniquement l'importunité du monde qui vous a déplu ; je vais vous expliquer les motifs qui m'y avaient condamnée. Je savais que pendant quelque temps on avait dit assez de mal de moi, et je croyais utile de ramener ceux sur l'esprit desquels ces propos injustes avaient produit quelque effet. Madame d'Artenas jugeait convenable que je reparusse dans la société, et c'est par bonté qu'elle rassembla chez elle hier ce que l'on appelle à Paris les *chefs de bande* de l'opinion, afin que j'eusse l'occasion, non de me justifier, je ne m'y serais pas soumise, mais de me remettre à ma place dans une réunion d'éclat. Ai-je besoin de vous le dire, Léonce ? c'est pour vous que je prends soint de désarmer la calomnie ; j'y serais insensible, si elle ne m'arrivait pas à travers l'impression qu'elle peut vous faire. Le secret de ma conduite depuis quinze jours était peut-être le désir d'offrir à vos yeux celle que votre mère n'avait pas jugée digne de vous, entourée de considération et d'hommages.

Vous me reprochez presque ma gaieté : hélas ! hier, en entrant dans le salon de madame d'Artenas, j'éprouvai d'abord une impression de tristesse ; je revoyais le monde pour la première fois depuis la mort de madame de Vernon, et, pardonnez-le-moi, je ne puis penser à elle sans attendrissement ; cependant je sentis la nécessité de cacher cette disposition. Si j'avais montré de la tristesse au milieu du monde, loin de l'attribuer aux regrets qui la causaient, on aurait dit que j'étais inquiète de ce qui s'était répandu sur M. de Serbellane et moi, et j'aurais manqué le but que je m'étais proposé : il faut fuir le monde, ou ne s'y montrer que triomphante ; la société de Paris est celle de toutes dont la pitié se change le plus vite en blâme.

Ce fut donc par un effort que je débutai dans cette carrière de succès, que vous vous plaisiez à peindre avec amertume ; cependant, j'en conviens, je m'animai par la conversation ; je m'animai, faut-il vous le dire ? par le plaisir de briller devant vous ; je vous sentais près de moi, je vous regardais souvent pour deviner votre opinion ; un sourire de vous me persuadait que j'avais parlé avec grâce, et le mouvement que cause la société quand on s'y livre, était singulièrement excité par votre présence. L'émotion qu'elle me faisait éprouver m'inspirait les pensées et les paroles qui plaisaient autour de moi. Je m'adressais à vous par des allusions détournées, et, dans les questions les plus générales, je ne disais pas un mot qui n'eût un rapport avec vous, un rapport que vous seul pouviez saisir, et que vous avez feint de ne pas remarquer.

N'importe, vous pouvez m'en croire, celle qui ne voit que vous dans le monde doit se plaire mille fois davantage dans la retraite avec vous ; et j'aurais eu la première l'idée d'aller à Bellerive, si je n'avais pas craint qu'en m'établissant au milieu de l'hiver à la campagne, je n'attirasse l'attention sur mes sentiments. Les habitués du monde de Paris ne conçoivent pas comment il est possible de supporter la solitude, et s'acharnent à dénigrer les motifs de ceux qui prennent le parti de la retraite. Je vous en préviens, afin que si la résolution que je vais prendre nuit à ma réputation, vous y soyez préparé, et que vous n'oubliiez point que vous l'avez voulu. Dans les malheurs qui peuvent m'atteindre, je ne crains que ce qui pourrait blesser votre caractère.

Le genre de vie que vous me proposez a mille fois plus de charmes encore pour moi que pour vous. Je hais la dissimulation qui me serait commandée au milieu du monde ; je croirai respirer un air plus pur, quand je ne verrai personne devant qui je doive cacher l'unique intérêt qui m'occupe. Je ne mets qu'une condition à ma condescendance (condition toujours la même, quoi qu'il puisse nous arriver), c'est que vous ne me laisserez point ignorer ce que Matilde pourrait savoir de notre affection l'un pour l'autre, et que si jamais elle en était malheureuse, je partirais à l'instant, sans que vous me suivissiez ; j'en ai votre parole : c'est cette assurance qui me permet de goûter sans un remords trop amer le plaisir de vous voir. Hélas ! me contenter de cette promese, ce n'est pas être trop sévère envers moi-même. — Adieu, Léonce; oui, chaque soir vous viendrez donc à Bellerive; ah! quelle douce espérance! Souvenez-vous cependant que de toutes les situations de la vie, la nôtre est la plus incertaine; nous sommes heureux, mais nous avons tout à craindre : mon ami, ménagez bien notre sort.

LETTRE XIII

Léonce à Delphine

2 janvier 1791.

Unutterable happiness!
Which love alone bestows, and on a favoured few*.

O Delphine! que j'avais raison de désirer ce que ton cœur m'a si généreusement accordé! Combien j'ai été plus heureux hier à Bellerive qu'à Paris, dans aucun des jours où je t'y ai vue! je te trouvais seule, et j'avais la certitude que ce bonheur ne serait point interrompu; cette pensée mêlait un calme délicieux à mes transports.

Quel charme tu as su répandre sur les détails de la vie, qui échappent au milieu du mouvement des villes! quels soins n'as-tu pas pris de moi! la neige en route m'avait un peu saisi, tes jolies mains furent longtemps occupées à ranimer le feu pour me réchauffer; combien il eût été moins aimable d'appeler tes gens pour nous servir! tu prenais aussi un

---

* *Bonheur inexprimable! que l'amour seul peut donner, et qu'il n'accorde encore qu'à un petit nombre de favorisés!*

THOMPSON.

414

plaisir extrême à me montrer les changements que tu comptais faire pour embellir ta maison. Toi, que j'avais vue jusqu'alors si indifférente pour ce genre de goût et d'occupation, il me semblait, et tu en es convenue, que le bonheur te faisait prendre intérêt à tout, et que tu te plaisais à parer les lieux que nous devions parcourir ensemble. Mon cœur n'a pas négligé la moindre observation qui pût me prouver ta tendresse ; j'ai remarqué jusqu'à ces arbustes couverts de fleurs, nouvellement placés dans ton cabinet : cet appartement était presque négligé quand tu le destinais à recevoir la plus brillante compagnie de la France ; tu lui as donné un air de fête pour Léonce, pour ton ami.

Oh ! combien je jouissais de la vivacité pleine de charmes que tu mettais à me raconter les plus légères bagatelles ! Une joie touchante t'animait, et la gaieté n'était point alors un jeu de ton esprit, mais un besoin de ton cœur. J'ai ri de cette sérieuse occupation du souper, toi qui n'y as songé de ta vie ! tu voulais t'assurer qu'on me donnerait ce qui pouvait me faire du bien, après le froid que j'avais éprouvé. Je t'ai vu hier des agréments nouveaux que je ne te connaissais pas encore ; les soins de la vie domestique ont une grâce singulière dans les femmes ; la plus ravissante de toutes, la plus remarquable par son esprit et sa beauté, ne dédaigne point ces attentions bonnes et simples qu'il est doux quelquefois de retrouver dans son intérieur (55). Oh ! quelle femme j'aurais possédée ! et j'ai pu m'unir à elle ! je l'ai pu !... Malheureux ! qu'ai-je dit ?... Non, je ne suis pas malheureux ; mais en t'aimant chaque jour davantage, chaque jour aussi cependant mes regrets deviennent plus cruels. Enfin, apprends-moi, s'il est possible, à te soumettre jusqu'à mon amour.

Avec quelle insistance vous avez voulu que nous fussions fidèles au projet formé de remplir notre

temps par des lectures communes ! Ah ! vous avez
craint ces douces rêveries d'amour qui suffisaient si
bien à mon cœur ! Je voulais du moins que nous
choisissions l'un de ces livres où j'aurais pu retrouver
quelques peintures des sentiments qui m'animent,
mais vous vous y êtes obstinément refusée. N'importe, ma Delphine, ta voix, quoi qu'elle me lise, ne
m'inspirera que l'amour : parle en ton nom, parle au
nom de Dieu même, si tu le veux mais que ta main
soit dans la mienne, et que je puisse souvent la
presser sur mon cœur. Ange tutélaire de ma vie,
adieu jusqu'à ce soir.

LETTRE XIV

Delphine à Léonce

Je n'ai pas été contente de vous hier, mon cher
Léonce ; je ne vous croyais pas cette indifférence
pour les idées religieuses, j'ose vous en blâmer.
Votre morale n'est fondée que sur l'honneur ; vous
auriez été bien plus heureux si vous aviez adopté les
principes simples et vrais qui, en soumettant nos
actions à notre conscience, nous affranchissent de
tout autre joug. Vous le savez, l'éducation que j'ai
reçue, loin d'asservir mon esprit, l'a peut-être rendu
trop indépendant : il serait possible que les superstitions mêmes convinssent à la destinée des femmes ;
ces êtres chancelants ont besoin de plusieurs genres
d'appui, et l'amour est une sorte de crédulité qui se
lie peut-être avec toutes les autres ; mais le généreux
protecteur de mes premières années estimait assez
mon caractère pour vouloir développer ma raison, et
jamais il ne m'a fait admettre aucune opinion, sans

l'approfondir moi-même d'après mes propres lumières. Je puis donc vous parler sur la religion que
j'aime, comme sur tous les sujets que mon cœur et
mon esprit ont librement examinés ; et vous ne
pouvez attribuer ce que je vous dirai aux habitudes
commandées, ni aux impressions irréfléchies de l'enfance. Jamais, je vous le jure, depuis que mon esprit
est formé, je n'ai pu voir, sans répugnance et sans
dédain, l'insouciance et la légèreté qu'on affecte dans
le monde sur les idées religieuses. Qu'elles soient
l'objet de la conviction, de l'espoir, ou du doute,
n'importe ; l'âme se prosterne devant une chance
comme devant la certitude, quand il s'agit de la seule
grande pensée qui plane encore sur la destinée des
hommes.

J'étais pénétrée de ces sentiments, Léonce, avant
de connaître l'amour ; ah ! que ne dois-je pas éprouver maintenant que cette passion profonde remplit
mon cœur d'idées sans bornes et de vœux sans fin ! Je
ne prétends point vous retracer les preuves de tout
genre dont vous vous êtes sans doute occupé ; mais
dites-moi si, depuis que vous m'aimez, votre cœur ne
sent rien qui lui révèle l'espérance de l'immortalité.

Quand M. d'Albémar mourut, je croyais aux idées
religieuses, mais sans avoir jamais eu le besoin d'y
recourir. J'étais si jeune alors, qu'aucun sentiment de
peine ne m'avait encore atteinte ; et quand on n'a
point souffert, on a bien peu réfléchi ; mais, à la mort
de mon bienfaiteur, je me persuadai que je n'avais
point assez fait pour son bonheur, et j'en éprouvai les
remords les plus cruels. Depuis que j'étais devenue
son épouse, l'extrême différence de nos âges m'inspirait souvent des réflexions tristes sur mon sort ; je
craignis de les avoir quelquefois exprimées avec
humeur, et je me le reprochai douloureusement dès
qu'il eut cessé de vivre. Rien ne peut donner l'idée du
repentir qu'on éprouve, quand il n'est plus possible

de rien expier, quand la mort a fermé sur vous tout espoir de réparer les torts dont on s'accuse. Cette douleur me poursuivait tellement qu'elle aurait altéré ma raison, si l'excellente sœur de M. d'Albémar ne m'eût calmée, en me rappelant avec une nouvelle force l'existence de Dieu et l'immortalité de l'âme. Je sentis enfin que mon généreux ami, témoin de mes regrets, les avait acceptés, et que son pardon avait soulagé mon cœur.

J'exécutai ses derniers ordres avec un scrupule religieux ; chaque fois que je remplissais une de ses volontés, j'éprouvais une douce consolation qui m'assurait que nos âmes communiquaient encore ensemble. Que serais-je devenue si j'avais pensé qu'il n'existât plus rien de lui ? Qu'aurais-je fait de mon repentir ? Comment se serait-il adouci ? Comment me serais-je consolée du moindre tort, s'il avait reçu le sceau de l'éternité ? Ces sentiments, ces regrets qui s'attachent aux morts, seraient-ils le seul mensonge de la nature, l'unique douleur sans objet, l'unique désir sans but ? et la plus noble faculté de l'âme, le souvenir, ne serait-elle destinée qu'à troubler nos jours, en nous faisant donner des regrets à la poussière dispersée que nous aurions appelée nos amis ?

Sans doute, cher Léonce, je ne crains point de te survivre ; jamais je n'invoquerai ta tombe, ma vie est inséparable de la tienne : mais si tout à coup l'affreux système dont l'anéantissement est le terme s'emparait de mon âme, je ne sais quel effroi se mêlerait même à mon amour. Que signifierait la tendresse profonde que je ressens pour toi, si tes qualités enchanteresses n'étaient qu'une de ces combinaisons heureuses du hasard, que le temps amène et qu'il détruit ? Pourrions-nous, dans l'intimité de nos âmes, rechercher nos pensées les plus secrètes pour nous les confier, quand au fond de toutes nos réflexions serait le désespoir ? Un trouble extraordinaire obscurcit ma pensée quand on lui ravit tout avenir, quand on la renferme dans cette vie ; je sens alors que tout est prêt à me manquer ; je ne crois plus à moi, je frémis de ne plus retrouver ce que j'aime ; il me semble que ses traits pâlissent, que sa voix se perd dans les ombres dont je suis environnée ; je le vois placé sur le bord d'un abîme : chaque instant où je lui parle me paraît comme le dernier, puisqu'il doit en arriver un qui finira tout pour jamais, et mon âme se fatigue à craindre, au lieu de jouir d'aimer (56).

Oh ! combien le sentiment se raffermit et nous élève lorsqu'on s'anime mutuellement à se confier dans l'Etre suprême ! Ne résistez pas, Léonce, aux consolations que la religion naturelle nous présente. Il n'est pas donné à notre esprit de se convaincre sur un tel sujet par des raisonnements positifs ; mais la sensibilité nous apprend tout ce qu'il importe de savoir. Jetez un regard sur la destinée humaine : quelques moments enchanteurs de jeunesse et d'amour, et de longues années toujours descendantes, qui conduisent de regrets en regrets, et de terreurs en terreurs, jusqu'à cet état sombre et glacé qu'on appelle la mort. L'homme a surtout besoin d'espérance, et cependant son sort, dès qu'il a atteint vingt-cinq ans, n'est qu'une suite de jours dont la veille vaut encore mieux que le lendemain : il se retient dans la pente, il s'attache à chaque branche, pour que ses pas l'entraînent moins vite vers la vieillesse et le tombeau ; il redoute sans cesse le temps pour lequel l'imagination est faite, le seul dont elle ne peut jamais se distraire, l'avenir. O Léonce ! et ce serait là tout ! et cette âme de feu ne nous aurait été donnée que pour s'éteindre lentement dans l'agonie de l'âge !

La puissance d'aimer me fait sentir en moi la source immortelle de la vie. Quoi ! mes cendres seraient près des tiennes sans se réveiller ! Nous serions pour jamais étrangers à cette nature qui parle si vivement à notre âme ! Ce beau ciel, dont l'aspect fait naître tant de sentiments et de pensées, ces astres de la nuit et du jour se lèveraient sur notre tombe, comme ils se sont levés sur nos heures trop heureuses, sans qu'il restât rien de nous pour les admirer ! Non, Léonce, je n'ai pas moins d'horreur du néant que du crime, et la même conscience repousse loin de moi tous les deux.

Mais que ferai-je de mon espérance si tu ne la partages pas ? Livrerai-je mon âme à un avenir que tu n'as pas reconnu pour le tien ? Quelle idée mon imagination peut-elle me donner du bonheur, si ce n'est pas avec toi que je dois en jouir ? Comment entretenir ces méditations solitaires que ta voix n'encouragerait pas ? Je ne puis plus rien à moi seule, j'ai besoin de t'interroger sur toutes mes pensées, pour les juger, pour les admettre, pour les rattacher à mon amour. O Léonce, Léonce ! viens croire avec moi, pour que j'espère en paix, pour que je suive ta trace brillante dans le ciel, où mes regards cherchent ta place, avant d'aspirer à la mienne.

Oui, Léonce, il existe un monde où les liens factices sont brisés, où l'on n'a rien promis que d'aimer ce qu'on aime : ne sois pas impie envers cette espérance. Le bonheur que la sensibilité nous donne, loin de distraire comme tous les autres de la reconnaissance envers le Créateur, ramène sans cesse à lui ; plus notre être se perfectionne, plus un Dieu lui devient nécessaire ; et plus les jouissances du cœur sont vives et pures, moins il nous est possible de nous résigner aux bornes de cette vie. Léonce, je vous en conjure, ne plaisantez jamais sur le besoin que j'ai d'occuper votre âme des idées religieuses. Je douterais de votre amour pour moi, si je ne pouvais réussir à vous donner au moins du respect pour ces grandes questions qui ont intéressé tant d'esprits éclairés, et calmé tant d'âmes souffrantes.

La légèreté dans les principes conduirait bientôt à la légèreté dans les sentiments ; l'art de la parole peut aisément tourner en dérision ce qu'il y a de plus sacré sur la terre ; mais les caractères passionnés repoussent ce dédain superficiel qui s'attaque à toutes les affections fortes et profondes. L'enthousiasme que l'amour nous inspire est comme un nouveau principe de vie. Quelques-uns l'ont reçu ; mais il est aussi inconnu à d'autres que l'existence à venir dont tu ne veux pas t'occuper. Nous sentons ce que le vulgaire des âmes ne peut comprendre ; espérons donc aussi ce qui ne se présente encore à nous que confusément. Les pensées élevées sont aussi nécessaires à l'amour qu'à la vertu.

Hélas ! m'est-il permis de parler de vertu ! la parfaite morale pourrait déjà, je le sais, réprouver ma conduite ; et ma conscience me juge plus sévèrement que ne le feraient les opinions reçues dans le monde : mais j'aime mieux la justice du ciel que l'indulgence des hommes ; et quoique je n'aie pas la force de renoncer à te voir, il me semble que j'altère moins mes qualités naturelles, en portant chaque jour mon repentir aux pieds de l'Être suprême, qu'en cherchant à douter de la puissance qui me condamne.

Léonce, l'éducation que vous avez reçue, l'exemple et le souvenir des antiques mœurs espagnoles, les idées militaires et chevaleresques qui vous ont séduit dès votre enfance, vous semblent devoir tenir lieu des principes les plus délicats de la religion et de la morale. Tous les caractères généreux se plaisent dans les sacrifices, et vous vous êtes fait du sentiment de l'honneur, du respect presque superstitieux pour l'opinion publique, un culte auquel vous vous immoleriez avec joie. Mais si vous aviez eu des idées religieuses, vous auriez été moins sensible au blâme ou à la louange du monde ; et peut-être, hélas ! la calomnie ne serait-elle pas si facilement parvenue à vous irriter et à vous convaincre. O mon ami ! rendez au ciel un peu de ce que vous ôterez aux hommes. Vous trouverez alors dans le contentement de vous-même un asile que personne n'aura le pouvoir de troubler, et moi-même aussi je serai plus tranquille sur mon sort. Les idées religieuses, alors même qu'elles condamnent l'amour, n'en tarissent jamais entièrement la source, tandis que les mensonges perfides du monde dessèchent sans retour les affec-tions de celui qui les craint et les écoute.

Vous le voyez, Léonce, en méditant avec vous sur les pensées les plus graves, je reviens sans cesse à l'intérêt qui me domine, à votre sentiment pour moi. Non, cette lettre, non, aucune action de ma vie ne peut désormais m'être comptée comme vertu, et l'amour seul m'inspire le bien comme le mal. Adieu.

LETTRE XV

Réponse de Léonce à Delphine

God is thy law, thou mine *

Ma Delphine, je ne voulais répondre à ta lettre qu'en te revoyant ; je me serais jeté à tes genoux, je t'aurais dit : N'es-tu pas la maîtresse absolue de mon âme ? fais-en, si tu veux, hommage à l'Être suprême, dispose de ce qui est à toi ; adore en mon nom la Providence qui se manifeste mieux sans doute à la plus parfaite de ses créatures : moi, c'est pour toi

* *Dieu est ta loi, tu es la mienne.*   MILTON.

seule que j'éprouve de l'enthousiasme ; ces pensées mélancoliques, ces idées élevées qui te font sentir le besoin de la religion, c'est vers ton image qu'elles m'entraînent ; et tu remplis entièrement pour moi ce vide du cœur qui t'a rendu l'idée d'un Dieu si nécessaire. Cependant j'ai résolu de t'écrire avant de te parler, afin de te répondre avec un peu plus de calme.

Je vais m'efforcer, non de combattre tes angéliques espérances, puissent-elles être vraies ! mais de me justifier une fois des défauts dont tu m'accuses, et dont tu redoutes à tort la funeste influence. Hélas ! je n'ai point oublié le jour qui a versé ses poisons sur toute ma vie. Néanmoins je ne pense pas qu'il faille en accuser mon caractère : c'est la jalousie qui m'a troublé ; sans elle, tout se serait promptement éclairci. Je mets de l'importance, il est vrai, à ma réputation, et je ne pourrais pas supporter la vie si je croyais mon nom souillé par le moindre tort envers les lois de l'honneur ; mais que peut craindre celle que j'aime, de ce sentiment ? ne me donnera-t-il pas le droit, le bonheur de la défendre contre ceux qui oseraient la calomnier ? On a dit souvent que les femmes devaient ménager l'opinion publique avec beaucoup plus de soin que les hommes, je ne le pense pas : notre devoir à nous, c'est de protéger ce que nous aimons, de couvrir de notre gloire personnelle la compagne de notre vie ; si nous perdions cette gloire, rien ne pourrait nous la rendre : mais, quand même une femme serait attaquée dans l'opinion, ne pourrait-elle pas se relever en prenant le nom d'un homme honorable, en associant son existence à la sienne, et recevant sous son appui tutélaire les hommages qu'il saurait lui ramener ?

Les femmes ont toutes de l'enthousiasme pour la valeur ; cette qualité, dont on ne suppose pas qu'un homme puisse manquer, n'assure point assez encore sa considération si elle n'est pas jointe à un caractère imposant. Il ne suffit pas d'une bravoure intrépide, pour obtenir le degré d'estime et de respect dont une âme fière a besoin ; il n'y va pas de la mort ou de la vie dans les circonstances journalières dont se compose l'ensemble de la considération ; mais lorsque l'on a dans sa conduite habituelle une dignité convenable, des égards scrupuleux pour toutes les opinions délicates, pour tous les préjugés même de l'honneur, le public ne se permet pas le moindre blâme, et l'on conserve cette réputation intacte qui fonde véritablement l'existence d'un homme, en lui donnant le droit de punir par son mépris, ou de récompenser par son suffrage.

Si je ne puis dérober aux regards du monde votre sentiment pour moi, j'espère au moins que ma réputation vous servira d'excuse. Vous ne voudriez pas, dites-vous, que je dépendisse de l'opinion des hommes ; je n'ai jamais besoin de leur société, vous le savez ; je veux passer ma vie à vos pieds, et c'est moi qui plus que vous encore chéris la solitude ; mais je me sentirais importuné par la censure de ces mêmes hommes, qui, sous tout autre rapport, me sont complètement indifférents. Pourquoi cette manière de penser vous déplairait-elle ? La même ardeur de sang qui inspire les affections passionnées, fait ressentir vivement la moindre offense ; les vertus fortes et guerrières, qui ont illustré les chevaliers de l'ancien temps, s'alliaient bien avec l'amour ; les idées religieuses ne sont pas les seules qui inspirent de l'enthousiasme ; si nos ancêtres nous ont transmis un nom respecté, le désir de les imiter est honorable. Les jouissances de la fierté remuent l'âme tout aussi profondément que les pieuses espérances des fidèles ; et si je ne me livre pas au bonheur inconnu de te retrouver dans le ciel, je sens avec énergie que je te ferai respecter sur la terre, et qu'il me serait doux d'exposer mille fois ma vie, pour écarter de toi l'ombre du blâme, ou la plus légère peine.

Delphine, ne dis pas que mon caractère t'inquiète et t'afflige ; je ne sais si mon cœur s'est abusé, mais il m'a semblé que tu m'avais aimé pour les défauts mêmes que tu crains. Ne te présentent-ils pas un appui sur lequel tu te plais à te reposer ? Tes qualités adorables, ta beauté, ton esprit, excitent l'envie, et l'envie te crée des ennemis ; tu prends peu de soin de ces convenances de société qui en imposent aux esprits communs ; ta grâce est dans l'abandon et le naturel ; tu parles du premier mouvement, et ce premier mouvement est le vrai génie qui t'inspire : mais ce qui fait ton charme pour qui sait te connaître, est ton danger dans la conduite de la vie. Dis-le-moi donc, Delphine, n'était-ce pas moi, précisément moi, qu'il te fallait pour ami ? Mon caractère assez contenu, assez froid en apparence, pourra servir de guide à ta bonté toujours entraînée ; tu te hasardes, je te défendrai ; tu appelles autour de toi, par les mêmes causes, l'admiration et la jalousie ; ton esprit devrait intimider, mais ta douceur et ta bienveillance rassurent trop souvent ceux qui veulent te nuire ; on verra près de toi un homme irritable et fier, qui ne permettra pas aux méchants du monde le double plaisir de jouir de tes agréments et de dénigrer tes qualités. Oh ! si j'avais été ton époux, si j'avais acquis le droit de m'enorgueillir de mon amour aux yeux de tous, jamais la malignité n'aurait osé s'approcher de la trace de tes pas ! et maintenant, quoi qu'il arrivât, faudrait-il dissimuler, le faudrait-il ? Non ; j'ai reçu de ton amour le dépôt de ta gloire et de ton bonheur, c'est à moi de le conserver.

Tu es convaincue que les idées religieuses sont un meilleur appui pour la morale que le culte de l'honneur et de l'opinion publique. Crois-moi, l'honneur a sa conscience comme la religion ; et rougir à ses propres yeux, est une douleur plus insupportable que tous les remords causés par la crainte ou l'espérance d'une vie à venir. Le frein du sentiment qui me domine est le plus impérieux de tous : j'ai lu dans un poète anglais ces paroles que je ne puis jamais oublier : *Les larmes peuvent effacer le crime, mais jamais la honte* *.

Le repentir absout les âmes religieuses ; mais pour l'honneur, point de repentir : quelle pensée ! et combien, dès l'enfance, elle donne l'habitude de ne jamais céder à des mouvements de faiblesse, et de ne point repousser les avertissements les plus secrets, quand la délicatesse les suggère !

Si l'honneur cependant n'embrasse point toutes les parties de la morale, la sensibilité n'achève-t-elle pas ce qu'il laisse imparfait ? A quel devoir pourrait-il donc manquer, l'homme qui se respecte et qui t'aime ? Delphine, pardonne-moi de ne rien concevoir, de ne rien désirer de plus. Je n'ignore pas, toutefois, combien ce que mon caractère a de sombre, de susceptible, de violent, peut empoisonner les qualités que je crois bonnes en elles-mêmes ; ton empire sur moi modifiera mes défauts, mais il ne pourrait changer entièrement leur nature.

J'ai dû me justifier, pour calmer tes inquiétudes ; j'ai dû me justifier enfin, pour me présenter à toi, si je le pouvais, avec plus d'avantage. L'opinion du monde entier, quelque prix que j'y attache, ne m'eût jamais inspiré tant d'ardeur pour ma défense.

---

* *Nor, tears, that wash out guilt, can wash out shame.*

Prior.

LETTRE XVI

Madame d'Artenas à Delphine

Paris, ce 6 février 1791.

Pourquoi prolongez-vous votre séjour à la campagne, ma chère Delphine ? on s'étonne de vous voir quitter Paris au milieu de l'hiver, dans le moment même où vous vous étiez montrée d'une manière si brillante dans le monde. Quelques personnes commencent à dire tout bas que votre sentiment pour Léonce est l'unique cause de ce sacrifice : vous avez tort de vous éloigner ; je vous l'ai dit plusieurs fois, votre grand moyen de succès, c'est la présence. Vous avez des manières si simples et si aimables qu'elles vous font pardonner tout votre éclat ; mais quand on ne vous voit plus, les amis se refroidissent, ce qui est dans la nature des amis ; et les ennemis, au contraire, se raniment par l'espérance de réussir.

Vous aviez entièrement réparé en quinze jours le tort que vous avaient fait les propos tenus sur M. de Serbellane ; et tout à coup vous cédez le terrain aux femmes envieuses, et aux hommes qu'elles font parler.

Vous me répondrez qu'on jouit mieux de ses sentiments à la campagne, etc. Le hasard et votre confiance m'ayant instruit de votre attachement pour Léonce, je devrais vous faire de la bonne morale sur le tort que vous avez de vous exposer ainsi à passer la moitié de votre vie seule avec lui ; mais je m'en fie aux principes que je vous connais, et m'en tenant à mes avis purement mondains, je vous dirai que, même pour entretenir l'enthousiasme que vous inspirez à Léonce, il faut continuer à l'éblouir par vos succès. Il était amoureux à en devenir fou, le soir que vous avez passé chez moi ; et quoique, sans doute, il vous vante le charme des conversations tête à tête, croyez-moi, quand il a entendu répéter à tout Paris que vous êtes charmante, qu'aucune femme ne peut vous être comparée, il rentre chez lui plus flatté d'être aimé de vous, et par conséquent plus heureux. N'allez pas vous écrier qu'il n'y a rien de romanesque dans toute cette manière de voir ; il faut conduire avec sagesse le bonheur du sentiment, comme tout autre bonheur ; et pour conserver le plus longtemps possible le plaisir toujours dangereux d'être adorée, la raison même est encore nécessaire. Quoi qu'il en soit, il ne s'agit pas de ce qui vaut le mieux pour être aimée, vous vous y entendez assez bien pour n'avoir pas besoin de mes conseils ; mais ce qui importe, c'est votre existence dans le monde, et le murmure qui précède l'attaque s'est déjà fait entendre depuis quelques jours.

Avant-hier, madame de Croisy, qui jusqu'à présent avait mis son amour-propre à vous admirer disait avec une voix aiguë, qu'elle monte toujours d'une octave pour les discours de sentiment : « Mon Dieu, que je suis fâchée que madame d'Albémar s'établisse à Bellerive ! personne ne sait mieux que moi que c'est son goût pour l'étude qui l'a fixée dans la retraite ; mais on dira toute autre chose, et il ne fallait pas s'y exposer. » Cette maligne preuve de l'intérêt de madame de Croisy fut le premier signal du mal qu'on essaya de dire de vous. M. de Verneuil, qui a tant de peine à pardonner à votre esprit, à vos charmes et à votre bonté, reprit : « C'est une excellente personne que madame d'Albémar ; mais j'ai peur qu'elle n'ait une mauvaise tête. Ces femmes d'esprit, je l'ai répété cinquante fois à ma pauvre sœur quand elle vivait, il leur arrive toujours quelque malheur ; j'en ai plusieurs exemples dans ma famille ;

aussi me suis-je voué au bon sens : personne ne dit
que j'ai de l'esprit, parce que je ne veux pas qu'on le
dise ; et cependant quelle différence entre un homme
et une femme ! Il y a des occasions où il peut être
utile à un homme de montrer à ceux qui en sont
dupes ce qu'on appelle de l'esprit. Mais une femme,
une femme ! ah ! mon Dieu, il ne lui sert qu'à faire
des sottises. Quand je dis cela, ce n'est pas que je
n'aime madame d'Albémar, mais je m'attends à
quelque éclat fâcheux pour son repos. Sa conversation, quant à moi, m'amuse toujours beaucoup ;
néanmoins il ne serait pas sage de s'attacher à elle,
car je suis persuadé qu'un jour ou l'autre il lui
arrivera quelques peines, et je n'ai pas envie de me
trouver là pour les partager. » Madame de Tésin,
dont vous connaissez la double prétention à la
sagesse et à l'esprit, interrompit M. de Verneuil, et
lui dit : « Ce n'est point, monsieur, l'esprit qu'il faut
blâmer ; on connaît des personnes qui peuvent hardi-
ment se comparer à madame d'Albémar sous ce
rapport, mais qui ont beaucoup plus de connaissance
du monde, et d'habitude de se conduire. Ces personnes ne se contentent pas de briller dans un salon, et
se servent de leurs lumières pour éviter toutes les
occasions de faire dire du mal d'elles. Distinguez
donc, je vous en prie, monsieur, les torts de légèreté
de madame d'Albémar, des inconvénients de l'esprit
en général. L'esprit est ce qui distingue éminemment
les femmes citées pour leur raison. » Je me préparais
à exciter une dispute sur ce sujet entre madame de
Tésin et M. de Verneuil, lorsque madame du Marset
et M. de Fierville, prévoyant mon intention, cherchè-
rent à ramener la conversation sur vous, et le firent
avec une adresse vraiment perfide. Je voulais éviter
même de vous défendre, parce que je sentais que
c'était constater que vous aviez été attaquée ; mais il
fallut enfin arrêter leurs discours ; j'eus au moins le

bonheur de persuader entièrement ceux qui nous
écoutaient : ce qui me le prouva, c'est que M. de
Fierville, qui donne toujours à madame du Marset le
signal de la retraite, parce qu'il a beaucoup moins
d'amertume et de persistance dans ses méchancetés,
se hâta de se replier, en vous donnant les plus grands
éloges.

J'aurais pu lui faire sentir combien il y avait de
contraste entre le commencement de sa conversation
et la fin ; mais je ne voulais pas intéresser son amour-
propre à se montrer conséquent. J'ai remarqué
plusieurs fois dans la société que l'on fait beaucoup
de mal à ses amis, même en les justifiant, quand on
irrite l'amour-propre de ceux qui les ont attaqués. Il
faut encore plus veiller sur soi quand on loue que
quand on blâme ; si l'on veut se faire honneur en
défendant ses amis, si l'on cherche à faire remarquer
son caractère en vantant le leur, on leur nuit au lieu
de les servir.

Je croyais avant-hier que tout était fini ; mais hier
madame du Marset (je suis sûre que c'est elle) a mis
en avant une femme tout insignifiante, mais dont elle
dispose, et s'en est servie pour parler contre vous,
tandis qu'elle-même, madame du Marset, n'aurait
pas été écoutée. Cette femme donc, après un long
soupir, s'est écriée tout à coup : « La pauvre
madame de Mondoville ! » On lui a demandé la
raison de sa pitié ; elle a répondu qu'elle la croyait
bien malheureuse du sentiment que Léonce avait
pour vous. A l'instant M. de Fierville, que vous
connaissez pour l'homme le plus insouciant de la
terre, a pris un air de componction vraiment risible.
Madame du Marset a levé les yeux au ciel, espérant
donner ainsi à sa figure un air de bonté ; et ce qu'il y
avait dans la chambre de plus frivole et de moins
scrupuleux, s'est empressé de débiter des maximes

sévères sur les ménagements que vous deviez à madame de Mondoville.

Quand la société de Paris se met à vouloir se montrer morale *contre* quelqu'un, c'est alors surtout qu'elle est redoutable. La plupart des personnes qui composent cette société sont en général très indulgentes pour leur propre conduite, et souvent même aussi pour celle des autres, lorsqu'elles n'ont pas intérêt à la blâmer ; mais si, par malheur, il leur convient de saisir le côté sévère de la question, elles ne tarissent plus sur les devoirs et les principes, et vont beaucoup plus loin en rigueur que les femmes véritablement austères, résolues à se diriger elles-mêmes d'après ce qu'elles disent sur les autres. Les développements de vertu qui servent à la jalousie ou à la malveillance sont le sujet de rhétorique sur lequel les libertins et les coquettes font le plus de *pathos*, dans de certaines occasions.

Je le supportai quelque temps ; mais enfin, appuyée de plusieurs de vos amis, je démontrai ce que je sais positivement ; c'est que madame de Mondoville est très heureuse, et les mauvaises intentions furent encore déjouées. Mais, dans ce genre, plusieurs victoires valent une défaite. Je vous en conjure donc, ma chère Delphine, revenez à Paris, et montrez-vous, afin d'étouffer ces haines obscures, par l'admiration que vous faites éprouver à tous ceux qui vous voient. Au milieu des plus brillantes sociétés, il y a beaucoup de personnes impartiales qui se laissent aller tout simplement à leurs impressions, sans les soumettre ni à leurs prétentions, ni à celles des autres : ce grand nombre, car le grand nombre est bon, sera pour vous ; mais ces mêmes gens, la plupart faibles et indifférents, laissent dire les méchants, quand vous n'êtes pas là pour leur en imposer. Ils ne les écoutent pas d'abord, ils sont ensuite quelque temps sans les croire ; mais ils finissent par se persuader que tout le monde dit du mal de vous, et se rangent alors à l'avis qu'ils supposent général, et qu'ils ont rendu tel, sans l'avoir un moment sincèrement partagé.

Cette histoire des progrès de la calomnie pourrait s'appliquer aux plus grands intérêts publics, comme aux détails de la société privée ; mais puisqu'elle nous est connue, tâchons de nous en garantir. Je finis en vous priant de nouveau, ma chère Delphine, d'en croire mes vieux conseils ; ils sont inspirés par une amitié digne d'être jeune, car elle est vive et dévouée.

LETTRE XVII

Réponse de Delphine à madame d'Artenas

Bellerive, ce 8 février.

Tout ce que vous me dites, madame, est plein de justesse et d'esprit ; et, ce qui me touche plus encore, votre amitié parfaite se retrouve à chaque ligne de votre lettre. Je me conformerais à vos conseils, si je n'étais pas résolue à passer ma vie dans la solitude : je sais combien je m'expose à la calomnie que vous essayez de combattre avec tant de bonté ; mais quand j'immole au bonheur de Léonce le devoir qui me défendrait peut-être de continuer à le voir, il suffit du moindre de ses désirs pour obtenir de moi le sacrifice de mon existence dans le monde. Il m'a demandé de rester à Bellerive ; si je retournais à Paris, il en serait malheureux ; jugez si je puis songer à revenir. Ah ! je devrais braver sa peine, pour me retirer en Languedoc, pour m'arracher au danger de sa présence, au tort que j'ai de partager un sentiment que je devrais repousser ; mais lui causer un instant de chagrin pour m'occuper de ce qu'on pourrait appeler mes intérêts, c'est ce que jamais je ne ferai.

Je suis sûre que Matilde est heureuse ; je m'informe jour par jour de sa vie, je sais jusqu'aux moindres nuances de ses impressions : si elle découvrait mon attachement pour Léonce ; si cet attachement, resté pur, l'offensait, je partirais à l'instant ; je partirai peut-être même sans ce motif, si mes sentiments ne suffisent pas à Léonce, si, dans un moment de courage, je puis renoncer à une situation que je condamne. Jamais alors je ne reverrais Paris ; ceux qui s'occupent de me juger ne me rencontreraient de leur vie, et rien ne pourrait me donner ni des consolations ni de la douleur.

Ce que je n'oublierai point, quoi qu'il m'arrive c'est l'amitié protectrice dont vous n'avez cessé de me donner des preuves. Au moment où j'ai reçu votre lettre, je me proposais d'aller passer quelques heures à Paris, pour vous exprimer ma reconnaissance ; mais madame de Mondoville s'étant renfermée, à cause du carême, dans le couvent où elle a été élevée, j'ai choisi demain pour proposer à Léonce de visiter avec moi une famille du Languedoc établie dans mon voisinage, et que depuis longtemps je veux aller voir. Dans peu de jours, je réparerai ce que je perds en ne vous voyant pas ; c'est pour vous seule que je puis quitter ma retraite, pardonnez-moi de ne regretter à Paris que vous.

DELPHINE

LETTRE XVIII

Léonce à M. Barton

Paris, ce 10 février.

Vous me demandez, mon ami, si je suis heureux ;
et, déposant la sévérité d'un maître, ce qui vous
importe avant tout, m'écrivez-vous, c'est de lire au
fond de mon cœur. Pourquoi ne l'avez-vous pas
interrogé il y a quelques jours ? j'étais plus content de
moi ; je crains que la soirée d'hier ne m'ait jeté dans
un trouble dont je ne pourrai plus sortir. Vous
jugerez mieux de mes sentiments, si je vous raconte
ce qui s'est passé ; il m'est amer et doux de me le
retracer.

Depuis plus d'un mois je goûtais le bonheur de voir
tous les jours cet être angélique que vous aviez choisi
pour la compagne de ma vie : des désirs impétueux,
des regrets invincibles me saisissaient quelquefois,
dans les moments les plus délicieux de nos entretiens ; mais enfin, le bonheur l'emportait sur la
peine : je ne sais si maintenant la lutte n'est pas trop
forte, si je pourrai jamais retrouver ces impressions
douces, qui me permettaient de goûter les imparfai-
tes jouissances de ma destinée.

Hier, madame de Mondoville était absente, je
pouvais passer la journée entière à Bellerive :
madame d'Albémar me proposa une promenade
après dîner ; elle me dit qu'il s'était établi près de
chez elle une famille du Languedoc, dont elle croyait
connaître le nom, et qu'elle serait bien aise que nous
allassions nous en informer. Nous partîmes, et
madame d'Albémar donna rendez-vous à sa voiture à
une demi-lieue de Bellerive.

Lorsque nous approchâmes de l'endroit qu'on nous avait désigné, nous vîmes de loin une maison de paysan, petite, mais agréable, et nous entendîmes des voix et des instruments, dont l'accord nous parut singulièrement harmonieux. Nous approchâmes : un enfant, qui était sur la porte à faire des boules de neige, nous offrit de monter ; sa mère l'entendant, sortit de chez elle, et vint au-devant de nous. Madame d'Albémar reconnut d'abord, quoiqu'elle ne l'eût pas vue depuis dix ans, mademoiselle de Senanges qu'elle avait rencontrée quelquefois dans la société de M. d'Albémar. Mademoiselle de Senanges, à présent madame de Belmont, accueillit Delphine de l'air le plus aimable et le plus doux. Nous la suivîmes dans la petite chambre dont elle faisait son salon, et nous vîmes un homme d'environ trente ans, placé devant un piano, et faisant chanter une petite fille de huit ans : il se leva à notre arrivée ; sa femme s'approcha de lui aussitôt, et lui donna le bras pour avancer vers nous. Nous aperçûmes alors qu'il était aveugle ; mais sa figure avait conservé de la noblesse et du charme, malgré la perte de la vue : il régnait dans tous ses traits une expression de calme qui en imposait à la pitié même (57).

Delphine, dont le cœur est si accessible aux émotions de la bonté, se troubla visiblement, malgré ses efforts pour le cacher. Elle fit une question à madame de Belmont sur les motifs de son départ du Languedoc. « Un procès que nous avons perdu, M. de Belmont et moi, nous a ruinés tout à fait, répondit-elle : j'avais été déjà privée de la moitié de ma fortune, parce qu'une tante m'avait déshéritée à cause de mon mariage. Il ne nous reste plus à mon mari, mes deux enfants et moi, que quatre-vingts louis de rente ; nous avons mieux aimé vivre dans un pays où personne ne nous connaissait, que de nous trouver engagés à conserver, sans fortune, nos anciennes habitudes de société. Ce climat, d'ailleurs, convient mieux à la santé de mon mari que les chaleurs du midi ; et depuis quinze jours que nous sommes ici, nous nous y trouvons parfaitement bien. »

M. de Belmont prit la parole pour se féliciter de connaître une personne telle que madame d'Albémar ; il s'exprima avec beaucoup de grâce et de convenance, et sa femme, se rappelant avec plaisir qu'elle avait vu madame d'Albémar encore enfant chez ses parents, lui parla de leurs relations communes avec une simplicité et une sérénité parfaites. Je la regardais attentivement, et je ne voyais pas dans toute sa manière la moindre trace d'une peine quelconque, elle ne paraissait pas se douter qu'il y eût rien dans sa situation qui pût exciter un intérêt extraordinaire, et fut longtemps sans s'apercevoir de celui qu'elle nous inspirait.

Son mari voulut nous montrer son jardin ; il donna le bras à sa femme pour y aller ; elle paraissait avoir tellement l'habitude de le conduire, que, pendant un moment qu'elle le remit à Delphine pour aller donner quelques ordres, elle marchait avec inquiétude, se retournait plusieurs fois, et paraissait, non pas troublée, c'est une personne trop simple pour s'inquiéter sans motif, mais tout à fait déshabituée de faire un pas sans servir de guide à son mari.

M. de Belmont nous intéressait à tous les instants davantage par son esprit et sa raison ; nous le ramenâmes plusieurs fois à parler de ses occupations, de ses intérêts ; il nous répondit toujours avec plaisir, paraissant oublier complètement qu'il était aveugle et ruiné, et nous donnant l'idée d'un homme heureux et tranquille, qui n'a pas dans sa vie la moindre occasion d'exercer le courage, ni même la résignation : seulement, en prononçant le nom de sa femme, en l'appelant ma chère amie, il avait un accent que je ne puis définir, mais qui retentissait à tous les souvenirs de sa vie, et nous les indiquait sans nous les exprimer.

Nous rentrâmes dans la maison, le piano était encore ouvert ; Delphine témoigna à M. et à madame de Belmont le désir d'entendre de près la musique qui nous avait charmés de loin ; ils y consentirent, en nous prévenant que, chantant presque toujours des trios avec leur fille, ils allaient exécuter de la musique très simple. Le père se mit à préluder au clavecin avec un talent supérieur et une sensibilité profonde. Je ne connais rien de si touchant qu'un aveugle qui se livre à l'inspiration de la musique ; on dirait que la diversité des sons et des impressions qu'ils font naître lui rend la nature entière dont il est privé. La timidité, naturellement inséparable d'une infirmité si malheureuse, défend d'entretenir les autres de la peine que l'on éprouve, et l'on évite presque toujours d'en parler ; mais il semble, quand un aveugle vous fait entendre une musique mélancolique, qu'il vous apprend le secret de ses chagrins ; il jouit d'avoir trouvé enfin un langage délicieux, qui permet d'attendrir le cœur, sans craindre de le fatiguer.

Les beaux yeux de ma Delphine se remplirent de larmes, et je voyais à l'agitation de son sein, combien son âme était émue : mais quand M. de Belmont et sa femme chantèrent ensemble, et que leur fille, âgée de huit ans, vint joindre sa voix enfantine et pure à celle de ses parents, il devint impossible d'y résister. Ils nous firent entendre un air des moissonneurs du Languedoc, dont le refrain villageois est ainsi :

> Accordez-moi donc, ma mère,
> Pour mon époux, mon amant ;
> Je l'aimerai tendrement,
> Comme vous aimez mon père.

La petite fille levait ses beaux yeux vers sa mère en chantant ces paroles ; son visage était toute innocence, mais, élevée par des parents qui ne vivaient que d'affections tendres, elle avait déjà dans le regard et dans la voix cette mélancolie si intéressante à cet âge, cette mélancolie pressentiment de la destinée qui menace l'enfant à son insu. La mère reprit le même refrain, en disant :

> Elle t'accorde, ta mère,
> Pour ton époux, ton amant ;
> Tu l'aimeras tendrement,
> Ainsi qu'elle aime ton père.

A ces derniers mots, il y eut dans le regard de madame de Belmont quelque chose de si passionné, et tant de modestie succéda bientôt à ce mouvement, que je me sentis pénétré de respect et d'enthousiasme pour ces nobles liens de famille, dont on peut à la fois être si fier et si heureux. Enfin, le père chanta à son tour :

> Ma fille, imite ta mère,
> Prends pour époux ton amant ;
> Et chéris-le tendrement,
> Comme elle a chéri ton père.

La voix de M. de Belmont se brisa tout à fait en prononçant ces paroles, et ce fut avec effort qu'il la retrouva, pour répéter tous les trois ensemble le refrain, sur un air de montagne qui semblait faire entendre encore les échos des Pyrénées.

Leurs voix étaient d'une parfaite justesse ; celle du mari, grave et sonore, mêlait une dignité mâle aux doux accents des femmes ; leur situation, l'expression de leur visage, tout était en harmonie avec la sensibilité la plus pure ; rien n'en distrayait, rien ne manquait même à l'imagination. Delphine me l'a dit depuis ; l'attendrissement que lui faisait éprouver une réunion si parfaite de tout ce qui peut émouvoir, cet attendrissement était tel, qu'elle n'avait plus la force de le supporter. Ses larmes la suffoquaient, quand madame de Belmont, se jetant presque dans ses bras, lui dit : « Aimable Delphine, je vous reconnais ; mais nous croiriez-vous malheureux ? Ah ! combien vous vous tromperiez ! » Et comme si tout à coup la musique avait fondé notre intimité, elle se plaça près de madame d'Albémar, et lui dit :

« Quand je vous ai connue, il y a dix ans, M. de Belmont m'aimait déjà depuis quelques années, mais comme on craignait qu'il ne perdît la vue, mes parents s'opposaient à notre mariage : il devint entièrement aveugle, et je renonçai alors à tous les ménagements que j'avais conservés avec ma famille. Chaque moment de retard, quand je lui étais devenue si nécessaire, me paraissait insupportable ; et n'ayant ni père ni mère, je me crus permis de me décider seule. Je me mariai à l'insu de mes parents, et j'eus pendant quelque temps assez à souffrir des menaces qu'ils me firent de rompre mon mariage : quand il fut bien prouvé qu'ils ne le pouvaient pas, ils travaillèrent à nous ruiner, ils y réussirent ; mais comme j'avais craint d'abord qu'ils ne parvinssent à me séparer de M. de Belmont, je ne fus presque pas sensible à la perte de notre fortune ; mon imagination n'était frappée que du malheur que j'avais évité.

« Mon mari, continua-t-elle, donne des leçons à son fils ; moi, j'élève ma fille ; et notre pauvreté, nous rapprochant naturellement beaucoup plus de nos enfants, nous donne de nouvelles jouissances. Quand on est parfaitement heureux par ses affections, c'est peut-être une faveur de la Providence que certains revers qui resserrent encore vos liens par la force même des choses. Je n'oserais pas le dire devant

M. de Belmont, si je ne savais pas que sa cécité ne le rend point malheureux ; mais cet accident fixe sa vie au sein de sa famille, cet accident lui rend mon bras, ma voix, ma présence à tous les instants nécessaires ; il m'a vue dans les premiers jours de ma jeunesse ; il conservera toujours le même souvenir de moi, et il me sera permis de l'aimer avec tout le charme, tout l'enthousiasme de l'amour, sans que la timidité causée par la perte des agréments du visage en impose à l'expression de mes sentiments. Je le dirai devant M. de Belmont, madame, il faut qu'il entende ce que je pense de lui, puisque je ne veux pas le quitter un instant, même pour me livrer au plaisir de le louer : le premier bonheur d'une femme, c'est d'avoir épousé un homme qu'elle respecte autant qu'elle l'aime ; qui lui est supérieur par son esprit et son caractère ; qui décide de tout pour elle, non parce qu'il opprime sa volonté, mais parce qu'il éclaire sa raison et soutient sa faiblesse. Dans les circonstances mêmes où il aurait un avis différent du sien, elle cède avec bonheur, avec confiance, à celui qui a la responsabilité de la destinée commune, et peut seul réparer une erreur, quand même il l'aurait commise. Pour que le mariage remplisse l'intention de la nature, il faut que l'homme ait par son mérite réel un véritable avantage sur sa femme, un avantage qu'elle reconnaisse et dont elle jouisse : malheur aux femmes obligées de conduire elles-mêmes leur vie, de couvrir les défauts et les petitesses de leur mari, ou de s'en affranchir, en portant seules le poids de l'existence ! Le plus grand des plaisirs, c'est cette admiration du cœur qui remplit tous les moments, donne un but à toutes les actions, une émulation continuelle au perfectionnement de soi-même, et place auprès de soi la véritable gloire, l'approbation de l'ami qui vous honore en vous aimant. Aimable Delphine, ne jugez pas le bonheur ou le malheur des familles par toutes les prospérités de la fortune ou de la nature ; connaissez le degré d'affection dont l'amour conjugal les fait jouir, et c'est alors seulement que vous saurez quelle est leur part de félicité sur la terre !

— Elle ne vous a pas tout dit, ma douce amie, reprit M. de Belmont ; elle ne vous a pas parlé du plaisir qu'elle a trouvé dans l'exercice d'une générosité sans exemple ; elle a tout sacrifié pour moi, qui ne lui offrais qu'une suite de jours pendant lesquels il fallait tout sacrifier encore. Riche, jeune, brillante, elle a voulu consacrer sa vie à un aveugle sans fortune, et qui lui faisait perdre toute celle qu'elle possédait. Dans quelque trésor du ciel il existait un bien inestimable ; il m'a été donné, ce bien, pour compenser un malheur que tant d'infortunés ont éprouvé dans l'isolement. Et telle est la puissance d'une affection profonde et pure, qu'elle change en jouissances les peines les plus réelles de la vie ; je me plais à penser que je ne puis faire un pas sans la main de ma femme, que je ne saurais pas même me nourrir, si elle n'approchait pas de moi les aliments qu'elle me destine. Aucune idée nouvelle ne ranimerait mon imagination, si elle ne me lisait pas les ouvrages que je désire connaître ; aucune pensée ne parvient à mon esprit sans le charme que sa voix lui prête ; toute l'existence morale m'arrive par elle, empreinte d'elle, et la Providence, en me donnant la vie, a laissé à ma femme le soin d'achever ce présent, qui serait inutile et douloureux sans son secours.

« Je le crois, dit encore M. de Belmont, j'aime mieux que personne ; car tout mon être est concentré dans le sentiment : mais comment se fait-il que tous les hommes ne cherchent pas à trouver le bonheur dans leur famille ? Il est vrai que ma femme, et ma femme seule pouvait faire du mariage un sort si délicieux. Cependant, il me manque de n'avoir jamais vu mes enfants, mais je me persuade qu'ils ressemblent à leur mère : de toutes les images que mes yeux ont autrefois recueillies, il n'en est qu'une qui soit restée parfaitement distincte dans mon souvenir, c'est la figure de ma femme ; je ne me crois pas aveugle près d'elle, tant je me représente vivement ses traits ! Avez-vous remarqué combien sa voix est douce ? quand elle parle, elle accentue gracieusement et mollement, comme si elle aimait à soigner les plaisirs qui me restent ; je sens tout, je n'oublie rien ; un serrement de main, une voix émue ne s'effacent jamais de mon souvenir. Ah ! c'est une existence heureuse que de savourer ainsi les affections et leur charme ; d'en jouir sans éprouver jamais une de ces inconstances du cœur, qu'amènent quelquefois les splendeurs éclatantes de la fortune, ou les dons brillants de la nature.

« Néanmoins, quoique mon sort ne puisse se comparer à celui de personne, je le dis, continua-t-il, aux grands de la terre, aux plus beaux, aux plus jeunes, il n'est de bonheur pendant la vie que dans cette union du mariage, que dans cette affection des enfants, qui n'est parfaite que quand on chérit leur mère. Les hommes, beaucoup plus libres dans leur sort que les femmes, croient pouvoir aisément suppléer aux jouissances de la vie domestiques ; mais je ne sais quelle force secrète la Providence a mise dans la morale ; les circonstances de la vie paraissent indépendantes d'elle, et c'est elle seule cependant qui finit par en décider. Toutes les liaisons hors du mariage ne durent pas ; des événements terribles, ou des dégoûts naturels brisent les liens qu'on croyait les plus solides ; l'opinion vous poursuit, l'opinion, de quelque manière, insinue ses poisons dans votre bonheur. Et quand il serait possible d'échapper à son empire, peut-on comparer le plaisir de se voir quelques heures au milieu du monde, quelques heures interrompues, avec l'intimité parfaite du mariage ? Que serais-je devenu sans elle, moi qui ne devais porter mes malheurs qu'à celle qui pouvait s'enorgueillir de les partager ? Comment aurais-je fait pour lutter contre l'ordre de la société, moi que la nature avait désarmé ? Combien l'abri des vertus constantes et sûres ne m'était-il pas nécessaire à moi qui ne pouvais rien conquérir, et qui n'avais pour espoir que le bonheur qui viendrait me chercher ! Mais ce ne sont point des consolations que je possède, c'est la félicité même ; et je le répète avec assurance, celui qui n'est point heureux par le mariage est seul, oui, partout seul ; car il est tôt ou tard menacé de vivre sans être aimé. »

M. de Belmont prononça ces paroles avec tant de chaleur, qu'elles jetèrent mon âme dans une situation violente ; je vous l'avoue, ce que j'éprouve, quand une circonstance anime en moi la douleur de n'avoir pas épousé madame d'Albémar, ce que j'éprouve tient beaucoup de cet état que les anciens auraient expliqué par la vengeance des furies. Quelquefois cette douleur semble dormir dans mon sein ; mais quand elle se réveille, je sens qu'elle ne m'a jamais quitté, et que tous les jours écoulés me sont retracés par les regrets les plus amers.

Madame d'Albémar s'aperçut que j'étais saisi par ces mouvements impétueux et déchirants. En effet, j'avais résisté longtemps ; mais tant d'émotions, qui portaient sur la même blessure, l'avaient enfin rendue trop douloureuse. Delphine se leva, et dit qu'elle voulait partir ; le temps menaçait de la neige, monsieur et madame de Belmont voulurent l'engager à rester ; elle me regarda, et vit, je crois, que mon visage était entièrement décomposé ; car elle répéta vivement que sa voiture l'attendait à quatre pas de la maison, et qu'elle était forcée de s'en aller. Elle promit de revenir ; monsieur et madame de Belmont et leurs deux enfants la reconduisirent jusqu'à la porte, avec cette affection qu'elle inspire si vite à quiconque est digne de l'apprécier.

Je lui donnai le bras sans rien dire, et nous marchâmes ainsi quelque temps. Arrivés à l'endroit où sa voiture devait l'attendre, nous ne la trouvâmes point ; on avait mal entendu nos ordres, et la neige commençait à tomber avec une grande abondance. « J'ai bien froid », me dit-elle. Ce mot me tira des pensées qui m'absorbaient ; je la regardai, elle était fort pâle, et je craignis que sa santé ne souffrît du chemin qui lui restait encore à faire ; je la suppliai de me permettre de la porter, pour que ses pieds au moins ne fussent pas dans la neige. Elle s'y refusa d'abord ; mais son état étant devenu plus alarmant, j'insistai peut-être avec amertume, car j'étais agité par les sentiments les plus douloureux. Delphine consentit alors à ce que je désirais ; elle espérait, j'ai cru le voir, que mes impressions s'adouciraient par le plaisir de lui rendre au moins ce faible service.

Mon ami, je la portai pendant une demi-lieue, avec des émotions d'une nature si vive et si différente, que mon âme en est restée bouleversée. Tantôt la fièvre de l'amour me saisissait en la pressant sur mon cœur, et je lui répétais qu'il fallait qu'elle fût à moi comme mon épouse, comme ma maîtresse, comme l'être enfin qui devait confondre sa vie avec la mienne ; elle me repoussait, soupirait, et me menaçait de refuser mon secours. Une fois la rigueur du froid la saisit tellement, qu'elle pencha sa tête sur moi, et je la soulevai comme si elle eût été sans vie : je regardai le ciel dans un mouvement inexprimable ; je ne sais ce que je voulais ; mais si elle était morte dans mes bras, je l'aurais suivie, et je ne sentirais plus la douleur qui me poursuit. Enfin nous arrivâmes, et mes soins la rétablirent entièrement. J'étais impatient de la quitter ; je ne me trouvais plus bien à Bellerive, dans ces lieux qui faisaient mes délices : malheureux que je suis ! pourquoi fallait-il que je visse le spectacle d'une union si heureuse !

Aveugles, ruinés, relégués dans un coin de la terre, ils sont heureux par l'amour dans le mariage ; et moi, qui pouvais goûter ce bien au sein de toutes les prospérités humaines, j'ai livré mon cœur à des regrets dévorants, qui n'en sortiront qu'avec la vie.

LETTRE XIX

Delphine à Léonce

Hier vous n'êtes resté qu'un quart d'heure avec moi ; à peine m'avez-vous parlé : en me quittant, j'ai vu que vous alliez dans la forêt au lieu de retourner à Paris ; j'ai su depuis que vous n'êtes rentré chez vous qu'au jour. Vous avez passé cette nuit glacée seul, à cheval, non loin de ma demeure ; c'était vous pourtant qui aviez voulu abréger notre soirée. Inquiète, troublée, je suis restée à ma fenêtre pendant cette même nuit. Léonce, occupés ainsi l'un de l'autre, nous craignions de nous parler : que me cachez-vous ? juste ciel ! ne pouvons-nous plus nous entendre ?

LETTRE XX

Léonce à Delphine

J'ai passé une nuit plus douce que tous les jours qui me sont destinés : cette tristesse de l'hiver me plaisait, je n'avais rien à reprocher à la nature. Mais vous, vous qui voyez dans quel état je suis, daignez-vous en avoir pitié ? Ce frisson que les longues heures de la nuit me faisaient éprouver m'était assez doux ; n'est-ce pas ainsi que s'annonce la mort ? et ne sentez-vous pas qu'il faudra bientôt y recourir ? Vous me demandez si je vous cache un secret ! l'amour en a-t-il ? Si vous partagiez ce que j'éprouve, ne me comprendriez-vous pas ? Cependant vous me le demandez, ce secret ; le voici : je suis malheureux ; n'exigez rien de plus.

LETTRE XXI

Delphine à Léonce

Vous êtes malheureux, Léonce ! ah ! le ciel m'inspirait bien, quand je voulais partir, quand je refusais de croire à vos serments ; vous me juriez qu'en restant, je comblerais tous les vœux de votre cœur ; vous m'avez séduite par cet espoir, et déjà vous ne craignez plus de me le ravir. Autrefois les mêmes sentiments nous animaient, et maintenant, hélas ! qu'est devenu cet accord ? Savez-vous ce que j'éprouvais ? je jouissais avec délices de notre situation. Insensée que je suis ! j'étais heureuse, je vous l'aurais dit ; oh ! que vous avez bien réprimé cette confiance imprudente !

Mais d'où vient donc, Léonce, cette funeste différence entre nous ? Vous croiriez-vous le droit de me dire que vous êtes plus capable d'aimer que moi ? avec quel dédain je recevrais ce reproche ! je connais des sacrifices que vous ne pourriez pas me faire ; il n'en est pas un au monde qui me parût mériter

seulement votre reconnaissance, tant il me coûterait
peu ! Vous ai-je parlé du tort que me faisait mon
séjour à Bellerive ? loin de redouter les peines que
mon amour pourra me causer, quand je m'égare dans
les chimères qui me plaisent, j'aime à supposer des
dangers, des malheurs de tout genre, que je braverais
avec transport pour vous.

Oseriez-vous prétendre que le don, ou plutôt
l'avilissement de moi-même, est le sacrifice que je
dois à ce que j'aime ? Mon ami, ce serait notre amour
que j'immolerais, si je renonçais à cet enthousiasme
généreux qui anime notre affection mutuelle. Si je
cédais à vos désirs, nous ne serions bientôt plus que
des amants sans passion, puisque nous serions sans
vertu ; et nous aurions ainsi bientôt désenchanté tous
les sentiments de notre cœur.

Si je pouvais manquer maintenant aux derniers
devoirs que je respecte encore, quelle serait ma
conduite à mes propres yeux ? Je me serais établie
dans une solitude, pour y passer une vie seule avec
l'homme que j'aime, avec l'époux d'une autre ; j'y
resterais sans combats, sans remords ; j'aurais été
moi-même au-devant de ma honte : oh ! Léonce, je
ne suis déjà peut-être que trop coupable ; veux-tu
donc dégrader l'image de Delphine ? veux-tu la
dégrader dans ton propre souvenir ? qu'elle parte, et
tu ne l'oublieras jamais ; qu'elle meure, et tu verseras
des larmes sur sa tombe : mais si tu la rendais
criminelle, tu la chercherais vainement telle qu'elle
était, dans le monde, dans ta mémoire, dans ton
cœur ; elle n'y serait plus ; et sa tête humiliée se
pencherait vers la terre, n'osant plus regarder ni le
ciel ni Léonce.

Hier, n'étais-tu pas égaré, quand tu me reprochais
d'être insensible à l'amour ? ton accent était âpre et
sombre ; tu m'accusais de ne pas savoir aimer ! Ah !
crois-tu que mon amour n'ait pas aussi sa volupté,

son délire ? la passion innocente a des plaisirs que ton cœur blasphème. Quand tu n'avais pas encore troublé mes espérances, quand je me flattais de passer ma vie entière avec toi, il n'existait pas dans l'imagination un bonheur que l'on pût comparer au mien ; aucun chagrin, aucune inquiétude ne me rendaient les heures difficiles ; je me sentais portée dans la vie commune sur un nuage ; à peine touchais-je la terre de mes pas ; j'étais environnée d'un air azuré, à travers lequel tous les objets s'offraient à moi sous une couleur riante : si je lisais, mes yeux se remplissaient des plus douces larmes, à chaque mot que je rapportais à toi ; je m'attendrissais en faisant de la musique, car je t'adressais toujours ce langage mystérieux, ces émotions indéfinissables que l'harmonie nous fait éprouver ; j'avais en moi une existence surnaturelle que tu m'avais donnée, une inspiration d'amour et de vertu, qui faisait battre mon cœur plus vite à tous les moments du jour.

J'étais heureuse ainsi, même dans ton absence : l'heure de te voir approchait, et la fièvre de l'espérance m'agitait ; cette fièvre se calmait, quand tu entrais dans ma chambre ; elle faisait place aux sentiments délicieux qui se répandaient dans mon cœur : je te regardais, je considérais de nouveau tous les objets qui m'entourent, étonnée de la magie, de l'enchantement de ta présence, et demandant au ciel si c'était bien la vie qu'un tel bonheur, ou si mon âme déjà n'avait pas quitté la terre. N'y avait-il donc point d'amour dans cette ivresse ? et quand tu m'environnais de tes bras, quand je reposais ma tête sur ton épaule, si je renfermais dans mon cœur quelques-uns de mes mouvements, ce cœur en devenait plus tendre ; il eût perdu de sa sensibilité même, s'il n'avait su rien réprimer.

J'ai voulu, Léonce, ne voir dans votre peine que vos inquiétudes sur mon sentiment pour vous ; j'ai dissipé ces inquiétudes : si vous vous permettiez encore les mêmes plaintes, il ne serait plus digne de moi d'y répondre.

LETTRE XXII

Léonce à Delphine

Ma volonté est soumise à la vôtre ; mais je ne sais quel accablement douloureux altère en moi les principes de la vie : hier, en revenant de chez vous, je pouvais à peine me soutenir sur mon cheval. J'essayerai d'aller à Bellerive ce soir ; mais j'ai à peine la force d'écrire. Adieu.

LETTRE XXIII

Delphine à Léonce

Léonce, je vous crois généreux, pourquoi donc vous cacherais-je ce qui est dangereux pour moi ? Vous savez, vous devez savoir, que si vous me rendiez coupable, je n'y survivrais pas ; et vous me connaissez assez pour ne pas imaginer que j'imite ces femmes dissimulées qui veulent se laisser vaincre après avoir longtemps résisté. Si vous ne voulez pas que je meure de douleur ou de honte, je dois obtenir, en vous confiant le secret de ma faiblesse, que votre propre vertu m'en défende, O Léonce ! si vous souffrez, si vos peines altèrent quelquefois votre santé, ne vous montrez pas à moi dans cet état.

Hier, en vous voyant si pâle, si chancelant, je me sentis défaillir ; quand l'image de votre danger se présente à moi, toute autre idée disparaît à mes yeux. Il se passait hier dans mon cœur une émotion inconnue qui affaiblissait ma raison, ma vertu, toutes mes forces ; et j'éprouvais un désir inexprimable de ranimer votre vie aux dépens de la mienne, de verser mon sang pour qu'il réchauffât le vôtre, et que mon dernier souffle rendît quelque chaleur à vos mains tremblantes.

Léonce, en vous avouant l'empire de la souffrance sur mon coeur, c'est vous interdire à jamais de m'en rendre témoin ; dérobez-la-moi, s'il est possible : cette prière n'est pas d'une âme dure, et vous l'adresser, c'est vous estimer beaucoup. Ne répondez pas à cette lettre ; en l'écrivant, mon front s'est couvert de rougeur. Je vous ai imploré, protégez-moi, mais sans me rappeler que je vous l'ai demandé.

LETTRE XXIV

Léonce à Delphine

Delphine, je veux respecter vos volontés, je le veux ; cette résignation est tout ce que je puis vous promettre. Vous ne connaissez pas les sentiments qui m'agitent ; je leur impose silence, je ne puis vous les confier. Je vous adore, et je crains de vous parler d'amour ! que deviendrai-je ? et cependant tu m'aimes, et tu voudrais que je fusse heureux ! J'ai cru que je le serais, je me suis trompé. Essayons de ne pas nous parler de nous, de transporter notre pensée sur je ne sais quel sujet étranger, dont nous ne nous occuperons qu'avec effort ; oui, avec effort. Puis-je ne pas me contraindre ? puis-je m'abandonner à ce que j'éprouve ? Si je m'y livre un jour, dans l'état où m'ont jeté mes désirs et mes regrets, si je m'y livre un jour, l'un de nous deux est perdu.

LETTRE XXV

Delphine à Léonce

L'homme d'affaires de madame de Mondoville est venu voir le mien, pour lui parler de soixante mille livres que j'ai cautionnées pour madame de Vernon, et de quarante autres que je lui avais prêtées, il y a deux ou trois ans : vous sentez bien que je ne veux pas que vous acquittiez ces dettes, surtout à présent que vos affaires sont en désordre ; mais il serait tout à fait inconvenable pour moi d'avoir l'air de rendre un service à madame de Mondoville. Hélas ! j'ai des torts envers elle, et si jamais elle les découvre, je ne veux pas qu'elle puisse penser que j'aie cherché à enchaîner son ressentiment par des obligations de cette nature. Ayez donc la bonté de dire à madame de Mondoville, que je ne veux pas que de dix ans il soit question en aucune manière des dettes que sa mère a contractées avec moi ; mais persuadez-lui bien que je me conduis ainsi par amitié pour vous, ou à cause d'une promesse faite à sa mère : supposez tout ce que vous voudrez ; seulement arrangez tout, pour que madame de Mondoville ne puisse pas se croire liée personnellement envers moi par la reconnaissance.

DELPHINE

LETTRE XXVI

Léonce à Delphine

J'ai exécuté fidèlement vos ordres auprès de madame de Mondoville. Que parlez-vous de lui épargner de la reconnaissance ? avez-vous donc oublié que c'est vous qui l'avez dotée, que sans votre générosité fatale je serais peut-être libre encore : ah Dieu ! ne puis-je donc repousser ce souvenir, et tout dans la vie doit-il me le rappeler !

Je n'ai pu empêcher Matilde de vous aller voir demain ; elle est touchée de vos procédés envers nous, quoique j'en aie diminué le mérite, selon vos intentions. Elle voulait que je l'accompagnasse à Bellerive, cela m'est impossible ; je ne veux pas vous voir ensemble, je ne veux pas la trouver dans les lieux que vous habitez, il me semble que son image y resterait... Permettez-moi de vous prier, ma Delphine, de recevoir Matilde comme vous l'auriez fait avant la mort de sa mère : vous êtes capable de vous troubler en la voyant, comme si vous aviez des torts envers elle : hélas ! ne lui offrez-vous pas ma peine en sacrifice ? n'est-ce point assez ? conservez avec elle la supériorité qui vous convient. Il serait difficile de lui donner des soupçons, jamais elle n'a été plus calme, plus heureuse ; mais la seule personne qu'elle observe avec soin, c'est vous ; non par jalousie, mais pour se démontrer à elle-même qu'il n'y a de bonheur que dans la dévotion, et que toutes vos qualités et vos agréments vous sont inutiles, parce que vous n'êtes pas dans les mêmes opinions qu'elle.

Ne lui montrez donc, je vous prie, ni tristesse, ni timidité ; et souvenez-vous qu'elle vous doit, et uniquement à vous, la conduite que je tiens envers elle. C'est une personne à laquelle je n'ai rien à reprocher, mais qui me convient si peu, que j'aurais cherché des prétextes pour m'éloigner, si vous ne m'aviez pas imposé son bonheur pour prix de votre présence ; je le fais, ce bonheur, sans qu'il m'en coûte, grâce au ciel ! la moindre dissimulation. Elle ne compte dans la vie que les procédés, comme elle ne voit dans la religion que les pratiques ; elle ne s'inquiète ni du regard, ni de l'accent, ni des paroles, qui sont mille fois plus involontaires que les actions : elle m'aime, je le crois ; et si quelques circonstances éclatantes excitaient sa jalousie, elle pourrait être très vive et très amère ; mais tant que je ne manquerai pas à la voir chaque jour, elle n'imaginera pas que mon cœur puisse être occupé d'un autre objet. Il importe donc à son repos comme à votre dignité, ma chère Delphine, que vous ne changiez rien à votre manière d'être avec elle. Adieu : vous triomphez ; sais-je assez me contenir ? Je parle comme si mon cœur était calme... Delphine, un jour, un jour ! si tous ces efforts étaient vains, s'il fallait choisir entre ma vie et mon amour, ah ! que prononceriez-vous ?

LETTRE XXVII

Delphine à Léonce

Quels cruels moments je viens de passer ! Matilde est venue à six heures du soir, et ne m'a quittée qu'à neuf : je crois qu'elle s'était prescrit à l'avance ces trois heures, les plus pénibles dont je puisse me faire l'idée. Je craignais d'être fausse en lui montrant de l'amitié ; je trouvais imprudent et injuste de la traiter avec froideur, et chaque mot que je disais me coûtait une délibération et une incertitude. Je ne pouvais me défendre aussi de l'observer, de la comparer à moi, et j'étais mécontente des diverses impressions que me causaient tour à tour la beauté qu'elle possède, et les grâces dont elle est privée. Enfin ce qui a fini par dominer en moi, c'est l'amitié d'enfance que j'ai toujours eue pour elle, et je me sentais attendrie par sa présence, sans qu'elle eût provoqué d'aucune manière cette disposition.

Elle m'a demandé mes projets ; je lui ai dit que je retournais ce printemps en Languedoc : il m'a été impossible de lui répondre autrement ; je ne sais quelle voix a parlé pour moi, sans qu'aucune réflexion précédente m'eût suggéré ce dessein.

Matilde m'a témoigné plus d'intérêt que jamais, et sa bienveillance me faisait tellement souffrir que, s'il eût été dans son caractère de s'exprimer avec plus de sensibilité, je me serais peut-être jetée à ses pieds par mouvement plus fort que ma volonté et ma raison : mais vous connaissez sa manière, elle éloigne la confiance, elle oblige les autres à se contenir comme elle se contient elle-même ; le seul moment où je lui ai trouvé un accent animé, et qui sortait de ce ton uniforme et mesuré qu'elle conserve presque toujours, c'est lorsqu'elle m'a parlé de vous. « Tout mon bonheur est en lui, m'a-t-elle dit, et je n'ai point d'autre affection sur cette terre ! » Ces mots m'ont ébranlée ; mes yeux se sont remplis de larmes ; mais alors Matilde, craignant, comme sa mère, tout ce qui peut conduire à l'émotion, s'est levée subitement, et m'a fait des questions sur l'arrangement de ma maison.

Nous ne nous sommes entretenues depuis ce moment que sur les sujets les plus indifférents ; et nous nous sommes quittées après trois heures de tête-à-tête, comme si nous avions eu une conversation de

quelques minutes au milieu d'un cercle nombreux.
Mais pendant ces heures elle était calme, et moi,
combien j'étais loin de l'être ! Ah ! Léonce, je suis
coupable, je le suis sûrement ; car j'éprouvais tout ce
qui caractérise le remords, le trouble, les craintes, la
honte. Je redoutais de me trouver seule après son
départ ; puis-je méconnaître dans ce que je souffrais,
les cruels symptômes du mécontentement de soi-
même !

J'ai reçu ce matin une lettre de madame d'Ervins,
qui m'annonce son arrivée dans un mois, et me parle
avec estime et confiance de la sécurité qu'elle
éprouve en me remettant l'éducation de sa fille :
dites-le-moi, mon ami, puis-je accepter un tel dépôt ?
quel exemple Isore aura-t-elle sous les yeux ? comment pourrai-je la convaincre de mon innocence,
lorsque je dois surtout lui conseiller de ne pas imiter
ma conduite ? Sur mille femmes, à peine une échap-
perait-elle aux séductions auxquelles je m'expose.
Léonce, je ne suis pas encore criminelle, mais déjà je
rougis quand on parle des femmes qui le sont ;
j'éprouve un plaisir condamnable quand j'apprends
quelques traits des faiblesses du cœur ; je me sur-
prends à désirer de croire que la vertu n'existe plus.
J'étais d'accord avec moi-même autrefois ; maintenant, je me raisonne sans cesse, comme si j'avais
quelqu'un à convaincre ; et quand je me demande à
qui j'adresse ces discours continuels, je sens que c'est
à ma conscience dont je voudrais couvrir la voix.

Mon ami, si je persiste longtemps dans cet état,
j'émousserai dans mon cœur cette délicatesse vive et
pure dont le plus léger avertissement disposait souverainement de moi. Quel intérêt mettrai-je aux derniers restes de la morale que je conserve encore, si je
flétris mon âme en cessant d'aspirer à cette vertu
parfaite qui avait été jusqu'à ce jour l'objet de mes
espérances ? Léonce, je t'aime avec idolâtrie ; quand

je te vois, je me sens comme transportée dans un monde de félicités idéales, et cependant je voudrais avoir la force de me séparer de toi : je voudrais avoir fait à la morale, à l'Être suprême cet héroïque sacrifice, et que ton souvenir et que l'amour que tu m'inspires fussent à jamais gravés dans mon âme, devenue sublime par son courage.

O mon ami! que ne me soutiens-tu dans ces élans généreux! un jour, nous tenant par la main, nous nous présenterions avec confiance au Créateur de la nature : si l'homme juste luttant contre l'adversité est un spectacle digne du ciel, des êtres sensibles triomphant de l'amour méritent plus encore l'approbation de Dieu même! Aide-moi, je puis me relever encore ; mais si tu persistes, je ne serai bientôt plus qu'un caractère abattu sous le poids du repentir, une âme douce, mais commune ; et la plus noble puissance du coeur, celle des sacrifices, s'affaiblira tout à fait en moi.

Sais-je enfin si je ne devrais pas m'éloigner de vous, pour vous-même ? Depuis quelque temps n'êtes-vous pas cruellement agité ? puis-je, hélas! puis-je me dire du moins que c'est pour votre bonheur que votre amie dégrade son coeur en résistant à ses remords ?

LETTRE XXVIII

Léonce à Delphine

J'ai peut-être mérité, par le trouble où m'ont jeté des sentiments trop irrésistibles, la cruelle lettre que vous m'écrivez ; cependant je ne m'y attendais pas. Je vous ai parlé de ce qui manquait à mon bonheur, et vous me proposez de vous séparer de moi ! Quelle faible idée vous ai-je donc donnée de mon amour ! Avez-vous pu penser que j'existerais un instant après vous avoir perdue ? Je ne sais si vous avez raison d'éprouver les regrets et les remords qui vous agitent : je ne demande rien, je n'exige rien ; mais je veux seulement que vous lisiez dans mon âme. Aucune puissance humaine, aucun ordre de vous ne pourrait me faire supporter la vie, si je cessais de vous voir. C'est à vous d'examiner ce que vaut cette vie, quels intérêts peuvent l'emporter sur elle ! Je ne murmurerai point contre votre décision, quand vous saurez clairement ce que vous prononcez.

Je sens presque habituellement, à travers le bonheur dont je jouis près de toi, que la douleur n'est pas loin, qu'elle peut rentrer dans mon âme avec d'autant plus de force que des instants heureux l'ont suspendue. Delphine, j'ai vingt-cinq ans ; déjà je commence à voir l'avenir comme une longue perspective, qui doit se décolorer à mesure que l'on avance. Veux-tu que j'y renonce ? je le ferai sans beaucoup de peine ; mais je te défends de jamais parler de séparation. Dis-moi : *Je crois ta mort nécessaire,* mon cœur n'en sera point révolté ; mais j'éprouve une sorte d'irritation contre toi, quand tu peux me parler de ne plus se voir, comme d'une existence possible.

Mon amie, j'ai eu tort de t'entretenir de mes chagrins, pardonne-moi mon égarement ; en me présentant une idée horrible, tu m'as fait sentir combien j'étais insensé de me plaindre. Hélas ! n'est-ce donc que par la douleur que la raison peut rentrer dans le cœur de l'homme ! et n'apprend-on que par elle à se reprocher des désirs trop ambitieux ! Eh bien, eh bien, ne me parle plus d'absence, et je me tiens pour satisfait.

Pourrais-je oublier quel charme je goûte en te confiant mes pensées les plus intimes, lorsque nous regardons ensemble les événements du monde comme nous étant étrangers, comme nous faisant spectacle de loin, et que, nous suffisant l'un à l'autre, les circonstances extérieures ne nous paraissent qu'un sujet d'observations ! Ah ! Delphine, j'accepterais avec toi l'immortalité sur cette terre ; les générations qui se succéderaient devant nous ne rempliraient mon âme que d'une douce tristesse ; je renouvellerais sans cesse avec toi mes sentiments et mes idées ; je revivrais dans chaque entretien.

Mon amie, écartons de notre esprit toutes les inquiétudes que notre imagination pourrait exciter en nous ; il n'y a rien de réel au monde qu'aimer ; tout le reste disparaît, ou change de forme et d'importance, suivant notre disposition : mais le sentiment ne peut être blessé sans que la vie elle-même soit attaquée. Il réglait, il inspirait tous les intérêts, toutes les actions ; l'âme qu'il remplissait ne sait plus quelle route suivre, et, perdue dans le temps, toutes les heures ne lui présentent plus ni occupations, ni but, ni jouissances.

Crois-moi, Delphine, il y a de la vertu dans l'amour, il y en a même dans ce sacrifice entier de soi-même à son amant, que tu condamnes avec tant de force ; mais comment peux-tu te croire coupable, quand la pure innocence guide tes actions et ton cœur ? comment peux-tu rougir de toi, lorsque je me sens pénétré d'une admiration si profonde pour ton caractère et ta conduite ? Juge de tes vertus comme de tes charmes, par l'amour que je ressens pour toi. Ce n'est pas la beauté seule qui l'a fait naître ; tes perfections morales m'ont inspiré cet enthousiasme qui, tour à tour, exalte et combat mes désirs. O mon amie, abjure ta lettre, sois fière d'être aimée, et ne te repens pas de me consacrer ta vie.

LETTRE XXIX

Delphine à mademoiselle d'Albémar

Bellerive, ce 2 avril 1791.

Vous m'écrivez moins souvent, ma chère Louise, et vous évitez de me parler de Léonce ; il n'y a pas moins de tendresse dans vos lettres, mais un sentiment secret de blâme s'y laisse entrevoir : ah ! vous avez raison, je le mérite, ce blâme ; j'ai perdu le moment du courageux sacrifice, jugez vous-même à présent s'il est possible : je vous envoie la dernière lettre que j'ai reçue de Léonce ; puis-je partir après ces menaces funestes, le puis-je ? Toutes les femmes qui ont aimé, je le sais, se sont crues dans une situation qui n'avait jamais existé jusqu'alors ; mais, néanmoins, ne trouvez-vous pas que le sentiment de Léonce pour moi n'a point d'exemple au monde ?

Cette tendresse profonde dans une âme si forte, cet oubli de tout dans un caractère qui semblait devoir se livrer avec ardeur aux distinctions qui l'attendaient dans la vie (et quel homme était plus fait que Léonce pour aspirer à tous les genres de gloire ?), la noblesse de ses expressions, la dignité de ses regards, m'en imposent quelquefois à moi-même ; je jouis de me sentir inférieure à lui. Jamais aucun triomphe n'a fait goûter autant de jouissances que j'en éprouve en abaissant mon caractère devant celui de Léonce. Qui pourrait mesurer tout ce qu'il est déjà, et tout ce qu'il peut devenir ? Par-delà les perfections que j'admire, j'en soupçonne de nouvelles qui me sont inconnues ; et lorsqu'il se sert des expressions les plus ardentes, quelque chose de contenu dans son accent, de voilé dans ses regards, me persuade qu'il garde en lui-même des sentiments plus profonds encore que ceux qu'il consent à m'exprimer. Léonce exerce sur moi la toute-puissance que lui donnent à la fois son esprit, son caractère et son amour. Il me semble que je suis née pour lui obéir autant que pour l'adorer : seule, je me reproche la passion qu'il m'inspire ; mais en sa présence, le mouvement involontaire de mon âme est de me croire coupable quand j'ai pu le rendre malheureux. Il me semble que son visage, que sa voix, que ses paroles portent l'empreinte de la vertu même, et m'en dictent les lois. Ces récompenses célestes qu'on éprouve au fond de son cœur, quand on se livre à quelque généreux dessein, je crois les goûter quand il me parle ; et lorsque, dans un noble transport, il me dit qu'il faut immoler sa vie à l'amour, je rougirais de moi-même si je ne partageais pas son enthousiasme.

Ne craignez pas, cependant, que son empire sur moi me rende criminelle ; le même sentiment qui me soumet à ses volontés me défend contre la honte. Léonce commande à mon sort, parce que j'admire son caractère, parce qu'il réunit toutes les vertus que vous m'avez apprise à chérir ; je ne puis le quitter, s'il ne consent pas lui-même à ce sacrifice ; mais lorsque, oubliant la différence de nos devoirs, il veut me faire manquer aux miens, je m'arme contre lui de ses qualités mêmes, et, certaine qu'il ne sacrifierait pas son honneur à l'amour, le désir de l'égaler m'inspire le courage de lui résister. Ah ! Louise, c'est bien peu, sans doute, que de conserver une dernière vertu, quand on a déjà bravé tant d'égards, tant de devoirs, qui me paraissaient jadis aussi sacrés que ceux que je respecte encore ; mais ne gardez pas sur ma situation ce silence cruel ! ne croyez pas qu'il ne soit plus temps de me donner des conseils, que je n'en puisse recevoir aucun ! une fois, peut-être, je les suivrai, je n'en sais rien ; mais aimez-moi toujours.

Hélas ! notre situation peut à chaque instant être bouleversée. Je partirais, si Matilde, découvrant nos sentiments, désirait que je m'éloignasse ; je partirais, si Léonce cessait un seul jour de me respecter, ou si l'opinion me poursuivait au point de le rendre malheureux lui-même. Ah ! de combien de manières prévues et imprévues le bonheur dont je ne jouis qu'en tremblant ne peut-il pas m'être arraché ! Louise, ne vous hâtez donc pas de prendre avec moi ce ton de froideur et de réserve, qu'il ne faut adresser qu'aux amis dont le sort est trop prospère ; n'oubliez pas la pitié, je vous la demanderai peut-être bientôt.

Déjà vous m'inquiétez en m'annonçant que M. de Valorbe, ayant perdu sa mère, se prépare à partir pour Paris ; il faudra que j'instruise Léonce, et de ses sentiments pour moi, et de ses droits à ma reconnaissance ; mais de quelque manière que je les lui fasse connaître, sa présence lui sera toujours importune. Ne pouvez-vous donc pas détourner M. de Valorbe de venir ici ? Vous savez que, sous des formes timides et contraintes, il a un amour-propre très sombre et très amer, et que tout ce qu'il dit de son dégoût de la vie vient uniquement de ce qu'il a une opinion de lui qu'il ne peut faire partager aux autres ; il a plus d'esprit qu'il n'en sait montrer, ce qui est précisément le contraire de ce qu'il faut pour réussir à Paris, où l'on n'a pas le temps de découvrir le mérite de personne. Quand il ne devinerait pas mes véritables sentiments, il suffirait de la supériorité de Léonce pour lui donner de l'humeur ; et que de malheurs ne peut-il pas en arriver ! Essayez de lui persuader, ma chère Louise, que rien ne pourra jamais me décider à me remarier. Je ne puis vous exprimer assez combien il me sera pénible de revoir M. de Valorbe, s'il me faut supporter qu'il me parle encore de son amour. D'ailleurs ma société est maintenant si resserrée, qu'en y admettant M. de Valorbe je m'expose à faire croire qu'il m'intéresse.

Je ne vois habituellement que M. et madame de Lebensei, et quelquefois, mais plus rarement, M. et madame de Belmont ; l'esprit de M. de Lebensei me plaît extrêmement, sa conversation m'est chaque jour plus agréable ; il n'a de prévention ni de parti pris sur rien à l'avance, et sa raison lui sert pour tout examiner. La société d'un homme de ce genre vous promet toujours de la sécurité et de l'intérêt ; on ne craint point de lui confier sa pensée, l'on est sûr de la confirmer ou de la rectifier en l'écoutant.

Sa femme a moins d'esprit et surtout moins de calme que lui ; sa situation dans la société la rend malheureuse, sans qu'elle consente même à se l'avouer. Ce chagrin est fort augmenté par une inquiétude très naturelle et très vive qu'elle éprouve dans ce moment ; elle est près d'accoucher, et elle a des raisons de craindre que sa grand-mère et sa tante, qui sont toutes les deux dévotes, ne veuillent pas reconnaître son enfant. Elle m'a dit, sans vouloir s'expliquer davantage, qu'elle avait un service à me demander auprès de ses parents, qui sont un peu les miens ; je serais trop heureuse de le lui rendre. Je voudrais lui faire quelque bien. Elle est souvent honteuse de ses peines, et mécontente de sa sensibilité, dont les jouissances ne lui font pas oublier tout le reste ; elle craint que son mari ne s'aperçoive de ses chagrins, et reprend un air gai chaque fois qu'il la regarde. Madame de Belmont, avec un mari aveugle et ruiné, jouit d'une félicité bien plus pure ; elle ne vit pas plus dans le monde que madame de Lebensei, mais elle n'a pas l'idée qu'elle en soit écartée ; elle choisit la solitude, et la pauvre Élise y est condamnée : je la plains, parce qu'elle souffre, car, à sa place, je serais parfaitement heureuse ; elle se croit, et a raison de se croire innocente ; elle a épousé ce qu'elle aime ; et l'opinion la tourmente ! quelle faiblesse !

Adieu, ma sœur, ne m'abandonnez pas ; reprenons l'habitude de nous écrire chaque jour tout ce que nous éprouvons ; je ne me crois pas un sentiment dont votre cœur indulgent et tendre ne puisse accepter la confidence.

LETTRE XXX

Léonce à Delphine

Le neveu de madame du Marset est menacé de perdre son régiment, pour avoir montré, dit-on, une opinion contraire à la révolution (58). M. de Lebensei a beaucoup de crédit auprès des députés démocrates de l'assemblée constituante ; madame du Marset est venue me demander de vous engager à le prier de sauver son neveu. Si M. d'Orsan perdait son régiment, il manquerait un mariage riche qui, dans son état de fortune, lui est indispensablement nécessaire. Je sais quelle a été la conduite de madame du Marset envers vous, envers moi ; mais je trouve plaisir à vous donner l'occasion d'une vengeance qui satisfait assez bien la fierté : car ce n'est point par bonté pure qu'on rend service à ceux dont on a raison de se plaindre ; on jouit de ce qu'ils s'humilient en vous sollicitant, et l'on est bien aise de se donner le droit de dédaigner ceux qui avaient excité notre ressentiment. Cette raison, d'ailleurs, n'est pas la seule qui me fasse désirer que vous soyez utile à madame du Marset.

Vous savez, quoique nous en parlions rarement ensemble, combien les querelles politiques s'aigrissent à présent ; on a dit assez souvent, et madame du

Marset a singulièrement contribué à le répandre, que vous étiez très enthousiaste des principes de la révolution française : il me semble donc qu'il vous convient particulièrement d'être utile à ses ennemis ; cette conduite peut faire tomber ce qu'on a dit contre vous à cet égard. En voyant le cours que prennent les événements politiques de France, je souhaite tous les jours plus que l'on ne vous soupçonne pas de vous intéresser aux succès de ceux qui les dirigent.

Vous avez exigé de moi, mon amie, que j'accompagnasse Matilde à Mondoville ; j'aurais plutôt obtenu d'elle que de vous la permission de m'en dispenser : savez-vous que ce voyage durera plus d'une semaine ? avez-vous songé à ce qu'il m'en coûte pour vous obéir ? toutes les peines de l'absence, oubliées depuis trois mois, se sont représentées à mon souvenir. Je vous en prie, soyez fidèle à la promesse que vous m'avez faite de m'écrire exactement. Je sais d'avance les journées qui m'attendent ; elles n'auraient point de but ni d'espérance si je ne devais pas recevoir une lettre de vous. Shakespeare a dit que *la vie était ennuyeuse comme un conte répété deux fois.* Ah ! combien cela est vrai des moments passés loin de Delphine ! quel fastidieux retour des mêmes ennuis et des mêmes peines !

Adieu, mon amie ; j'éprouve une tristesse profonde, et quand je m'interroge sur la cause de cette tristesse, je sens que ce sont ces huit jours qui me voilent le reste de l'avenir ; et vous osiez penser à me quitter ! N'en parlons plus ; cette idée, je l'espère, ne vous est jamais venue sérieusement ; vous vous en êtes servie pour m'effrayer de mes égarements, et peut-être avez-vous réussi. Adieu.

DELPHINE

LETTRE XXXI

Delphine à Léonce

M. de Lebensei, quelques heures après avoir reçu
ma lettre, a terminé l'affaire de M. d'Orsan ; vous
pouvez, mon cher Léonce, en instruire madame du
Marset ; je ne me soucie pas le moins du monde d'en
avoir le mérite auprès d'elle, car il serait usurpé. Je
l'ai servie parce que vous le désiriez, et non par les
motifs que vous m'avez présentés. Sans doute, je
pense comme vous qu'il faut être utile même à ses
ennemis, quand on en a la puissance ; mais, comme
les moyens de rendre service sont très bornés pour les
particuliers, je ne m'occupe de faire du bien à mes
ennemis que quand il ne me reste pas un seul de mes
amis qui ait besoin de moi : c'est un plaisir d'amour-
propre que de condamner à la reconnaissance les
personnes dont on a de justes raisons de se plaindre ;
il ne faut jamais compter parmi les bonnes actions les
jouissances de son orgueil.

Quant à l'intérêt que je puis avoir à me faire aimer
de ceux qui n'ont pas les mêmes opinions que moi, je
n'y mettrais pas le moindre prix sans vous. Je déteste
les haines de parti, j'en suis incapable ; et quoique
j'aime vivement et sincèrement la liberté, je ne me
suis point livrée à cet enthousiasme, parce qu'il
m'aurait lancée au milieu de passions qui ne conviennent point à une femme ; mais, comme je ne veux en
aucune manière désavouer mes opinions, je me
sentirais plutôt de l'éloignement que du goût pour un
service qui aurait l'air d'une expiation : je dirai plus,
il n'atteindrait pas son but ; toutes les fois qu'on mêle
un calcul à une action honnête, le calcul ne réussit
pas.

Je veux vous transcrire à ce sujet un passage de la lettre que m'a répondue M. de Lebensei : « Il faut, me dit-il, se dévouer, quand on le peut, à diminuer les malheurs sans nombre qu'entraîne une révolution, et qui pèsent davantage encore sur les personnes opposées à cette révolution même ; mais il ne faut pas compter en général sur le souvenir qu'elles en conserveront. Je me suis donné, il y a deux mois, beaucoup de peine pour faire sortir de prison un homme que je ne connais pas, mais qui aurait risqué de perdre la vie pour un fait politique dont il était accusé : j'ai appris hier qu'il disait partout que j'étais un homme d'une activité très dangereuse ; j'ai chargé un de mes amis de lui rappeler que, sans cette prétendue activité, il n'existerait plus, et qu'elle devait au moins trouver grâce à ses yeux. Un tel *désappointement* m'est fort égal, à moi qui suis tout à fait indifférent à ce que disent et pensent les personnes que je n'aime pas. Seulement je vous cite cet exemple, pour vous prouver qu'un homme de parti est ingénieux à découvrir un moyen de haïr à son aise celui qui lui a fait du bien, lorsqu'il n'est pas de la même opinion que lui ; et peut-être arrive-t-il souvent que l'on invente, pour se dégager d'une reconnaissance pénible, mille calomnies auxquelles on n'aurait pas pensé si l'on était resté tout à fait étrangers l'un à l'autre (59). » M. de Lebensei va peut-être un peu loin en s'exprimant ainsi ; mais j'ai voulu que vous sussiez bien, cher Léonce, que j'avais servi madame du Marset pour vous plaire, et sans aucun autre intérêt. Il m'a paru que dans cette affaire, M. de Lebensei accordait une grande influence à votre nom ; je crois qu'il serait bien aise de se lier avec vous : voulez-vous qu'à votre retour je vous réunisse ensemble à dîner chez moi ?

Voilà une lettre, mon ami, qui ne contient rien que des affaires ; vous l'avez voulu, en m'occupant de madame du Marset : j'aurais pu vous entretenir cependant de la douleur que me cause votre absence ; quand il me faut passer la fin du jour seule, dans ces mêmes lieux où j'ai goûté le bonheur de vous voir, je me livre aux réflexions les plus cruelles. Hélas ! ceux qui n'ont rien à se reprocher supportent doucement une séparation momentanée ; mais quand on est mécontent de soi, l'on ne peut se faire illusion qu'en présence de ce qu'on aime. Gardez-vous cependant d'affliger Matilde en revenant avant elle : songez que, pour calmer mes remords, j'ai besoin de me dire sans cesse que mes sentiments ne nuisent point au bonheur de Matilde, et qu'à ma prière même vous lui rendez souvent des soins que peut-être sans moi vous négligeriez.

LETTRE XXXII

Léonce à Delphine

Mondoville, ce 20 avril.

Avant de quitter Mondoville, mon amie, je veux m'expliquer avec vous sur un mot de votre dernière lettre qui l'exige ; car je ne puis souffrir d'employer les moments que nous passons ensemble à discuter les intérêts de la vie. Je ferai toujours tout ce que vous désirerez ; mais si vous ne l'exigez pas, je préfère ne pas me lier avec M. de Lebensei. Je puis, au milieu des événements actuels, me trouver engagé, quoique à regret, dans une guerre civile ; et certainement je servirais alors dans un parti contraire à celui de M. de Lebensei.

Je vous l'ai dit plusieurs fois, les querelles politiques de ce moment-ci n'excitent point en moi de colère ; mon esprit conçoit très bien les motifs qui peuvent déterminer les défenseurs de la révolution, mais je ne crois pas qu'il convienne à un homme de mon nom de s'unir à ceux qui veulent détruire la noblesse. J'aurais l'air, en les secondant, ou d'être dupe, ce qui est toujours ridicule ; ou de me ranger par calcul du parti de la force, et je déteste la force, alors même qu'elle appuie la raison. Si j'avais le malheur d'être de l'avis du plus fort, je me tairais.

D'autres sentiments encore doivent me décider dans la circonstance présente ; je conviens que, de moi-même, je n'aurais pas attaché le point d'honneur au maintien des privilèges de la noblesse ; mais, puisqu'il y a de vieilles têtes de gentilshommes qui ont décidé que cela devait être ainsi, c'en est assez pour que je ne puisse pas supporter l'idée de passer pour démocrate ; et, dussé-je avoir mille fois raison en m'expliquant, je ne veux pas même qu'une explication soit nécessaire, dans tout ce qui tient à mon respect pour mes ancêtres, et aux devoirs qu'ils m'ont transmis. Si j'étais un homme de lettres, je chercherais en conscience les vérités philosophiques qui seront peut-être un jour généralement recon-nues ; mais, quand on a un caractère qui supporte impatiemment le blâme, il ne faut pas s'exposer à celui de ses contemporains, ni des personnes de sa classe. La gloire même qu'on pourrait acquérir dans la prospérité ne saurait en dédommager : certes, il n'est pas question de gloire maintenant dans le parti de la liberté ; car les moyens employés pour arriver à ce but sont tellement condamnables, qu'ils nuisent aux individus, quand il se pourrait, ce que je ne crois pas, qu'ils servissent la cause.

Vous aimez la liberté par un sentiment généreux, romanesque même, pour ainsi dire, puisqu'il se rapporte à des institutions politiques. Votre imagina-tion a décoré ces institutions de tous les souvenirs historiques qui peuvent exciter l'enthousiasme. Vous aimez la liberté, comme la poésie, comme la religion, comme tout ce qui peut ennoblir et exalter l'humanité ; et les idées que l'on croit devoir être étrangères aux femmes, se concilient parfaitement avec votre aimable nature, et semblent, quand vous les développez, intimement unies à la fierté et à la délicatesse de votre âme. Cependant je suis toujours affligé quand on vous cite pour aimer la révolution : il me semble qu'une femme ne saurait avoir trop d'aristocratie dans ses opinions comme dans le choix de sa société ; et tout ce qui peut établir une distance de plus me paraît convenir davantage à votre sexe et à votre rang. Il me semble aussi qu'il vous sied bien d'être toujours du parti des victimes ; enfin, et c'est de tous les motifs celui qui influe le plus sur moi, on se fait trop d'ennemis dans la société où nous vivons, en adoptant les opinions politiques qui dominent aujourd'hui ; et je crains toujours que vous ne souffriez une fois de la malveillance qu'elles excitent.

N'ai-je pas trop abusé, ma Delphine, de la déférence que vous daignez avoir pour moi, en vous donnant presque mes conseils ? Mais vous m'inspirez je ne sais quel mélange, quelle réunion parfaite de tous les sentiments que le cœur peut éprouver. Je voudrais être à la fois votre protecteur et votre amant ; je voudrais vous diriger et vous admirer en même temps : il me semble que je suis appelé à conduire dans le monde un ange qui n'en connaît pas encore parfaitement la route, et se laisse guider sur la terre par le mortel qui l'adore, loin des pièges inconnus dans le ciel dont il descend. Adieu ; déjà je suis délivré de trois jours sur les dix qu'il faut passer loin de vous.

LETTRE XXXIII

Delphine à Léonce

Bellerive, ce 24 avril.

Je ne veux point combattre vos raisonnements ; mon respect pour vos qualités, pour vos défauts même, m'interdit d'insister jamais, dès que vous croyez votre bonheur intéressé le moins du monde dans une opinion quelconque. Mais quand vous prononcez l'horrible mot de *guerre civile,* puis-je ne pas m'affliger profondément du peu d'importance que vous attachez à la conviction individuelle, dans les questions politiques ? Vous parlez de se décider entre les deux partis, comme si c'était une affaire de choix, comme si l'on n'était pas invinciblement entraîné dans l'un ou l'autre sens, par sa raison et par son âme.

Je n'ai point d'autre destinée que celle de vous plaire, je n'en veux jamais d'autre ; vous êtes donc certain que j'éviterai avec soin de manifester une opinion que vous ne voulez pas que je témoigne : mais si j'étais un homme, il me serait aussi impossible de ne pas aimer la liberté, de ne pas la servir, que de fermer mon cœur à la générosité, à l'amitié, à tous les sentiments les plus vrais et les plus purs. Ce ne sont pas seulement les lumières de la philosophie qui font adopter de semblables idées ; il s'y mêle un enthousiasme généreux, qui s'empare de vous, comme toutes les passions nobles et fières, et vous domine impérieusement. Vous éprouveriez cette impression, si les opinions de votre mère et celles des grands seigneurs espagnols avec qui vous avez vécu dès votre enfance, ne vous avaient point inspiré, pour la défense de la noblesse, les sentiments que vous deviez consacrer, peut-être, à la dignité et à l'indépendance de la nation entière. Mais c'est assez vous parler de votre manière de voir ; avant tout, il s'agit de votre conduite.

Quoi ! Léonce, seriez-vous capable de faire la guerre à vos concitoyens, en faveur d'une cause dont vous n'êtes pas réellement enthousiaste ? Je vous en donne pour preuve l'objection même que vous faites contre le parti qui soutient la révolution : *Il est le plus fort*, dites-vous, *et je ne veux pas être soupçonné de céder à la force ;* et ne craignez-vous pas aussi qu'on ne vous accuse d'être déterminé par votre intérêt personnel, en défendant les privilèges de la noblesse ? Croyez-moi, quelle que soit l'opinion que l'on embrasse, les ennemis trouvent aisément l'art de blesser la fierté par les motifs qu'ils vous supposent ; il faut en revenir aux lumières de son esprit et de sa conscience. Nos adversaires, quoi que l'on fasse, s'efforcent toujours de ternir l'éclat de nos sentiments les plus purs. Ce qui est surtout impossible, c'est de concilier entièrement en sa faveur l'opinion générale, lorsqu'un fanatisme quelconque divise nécessairement la société en deux bandes opposées. Tout vous prouvera ce que j'ai souvent osé vous dire, c'est qu'on ne peut jamais être sûr de sa conduite ni de son bonheur quand on fait dépendre l'une et l'autre des jugements des hommes. Quoi qu'il en soit, ce que j'ai voulu vous démontrer, c'est que vous n'étiez pas profondément persuadé de la justice de la cause que vous voulez soutenir, et qu'ainsi vous n'avez pas le droit d'exposer une goutte de votre sang, de ce sang qui est le mien, pour une opinion que vous avez jugée convenable, mais qu'une conviction vive ne vous a point inspirée : votre devoir, dans votre manière de penser, c'est l'inaction politique, et tout mon bonheur tient à l'accomplissement de ce devoir. Ah ! mon ami, renoncez à ces passions qui paraissent factices auprès de la seule naturelle, de la seule qui pénètre l'âme tout entière, et change, comme par une sorte d'enchantement, tout ce qu'on voit en une source d'émotions heureuses ! Soumettez les intérêts de convention à la puissance de l'amour ; oubliez la destinée des empires pour la nôtre. L'égoïsme est permis aux âmes sensibles ; et qui se concentre dans ses affections peut, sans remords, se détacher du reste du monde.

LETTRE XXXIV

Delphine à Léonce

Bellerive, ce 26 avril.

Mon ami, je ne veux faire aucune démarche sans vous consulter ; hélas ! je sais trop ce qu'il m'en a coûté.

Madame de Lebensei est accouchée, il y a huit jours, d'un fils ; j'ai été chez elle ce matin, et je m'attendais à la trouver dans le plus heureux moment de sa vie ; mais les fortes raisons qu'elle a de craindre que sa famille ne veuille pas reconnaître son enfant, changent en désespoir les pures jouissances de la maternité ; elle veut faire une démarche simple, mais noble, aller elle-même chez sa grand-mère et chez sa tante, pour mettre son fils à leurs pieds ; mais elle désire que je l'accompagne. Ces vieilles dames sont de mes parentes, et comme je leur ai toujours montré des égards, elles sont bien disposées pour moi. Madame de Lebensei m'a fait cette demande en tremblant, et j'ai vu, par l'état où elle était en me l'adressant, quelle importance elle y attachait. Un mouvement tout à fait involontaire m'a entraînée à lui dire que j'y consentais : je la voyais souffrir, et j'avais besoin de la soulager ; l'instant d'après, j'ai cru découvrir, en y réfléchissant, un rapport éloigné entre la résolution prompte que je venais de prendre, et ma facile condescendance pour Thérèse. A ce souvenir, j'ai frissonné ; mais il m'a été impossible de détourner madame de Lebensei d'un espoir qu'elle avait saisi si vivement, qu'il était presque devenu son droit ; et j'ai continué à lui parler de choses indifférentes, pour qu'elle ne crût pas que je m'occupais de la promesse que je lui avais faite. En rentrant chez moi, cependant, j'ai résolu de soumettre cette promesse elle-même à votre volonté. Répondez-moi positivement avant votre retour. Je ne vous cache pas qu'il m'en coûterait extrêmement de manquer de générosité envers madame de Lebensei, et de me perdre dans l'estime de son mari, que je considère beaucoup. Il vient de mettre une grâce parfaite à terminer l'affaire de madame du Marset, que je lui avais recommandée en votre nom. Me montrer froide, égoïste, quand je suis naturellement le contraire, serait de tous les sacrifices le plus pénible pour moi. C'est presque refuser un bienfait du ciel, que d'éloigner l'occasion simple qui se présente de rendre un service essentiel, de causer un grand bonheur ; néanmoins, jusqu'à la sympathie même, jusqu'à ce sentiment que je n'ai jamais repoussé, je suis prête à tout vous immoler. Si vous exigez que je me dégage avec M. et madame de Lebensei, je le ferai.

Comment se peut-il faire qu'il vous échappe encore des plaintes amères dans votre dernière lettre* ! Léonce, notre bonheur se conservera-t-il ?

* Cette lettre ne s'est pas trouvée.

DELPHINE

Je crois voir approcher l'orage qui nous menace. Ah !
que je meure avant qu'il éclate !

LETTRE XXXV

Léonce à Delphine

Mondoville, ce 29 avril.

Je ne veux pas contrarier les mouvements généreux de votre âme, ma noble amie ; j'espère qu'il ne
résultera aucun mal de cette démarche. J'aurais
désiré que madame de Lebensei vous l'eût épargnée ;
mais puisque vous avez donné votre parole, je pense
comme vous, qu'il n'existe plus aucun moyen honorable de vous en dégager. Adieu, ma Delphine !
malgré mes instances, madame de Mondoville ne
veut partir que dans quatre jours ; je serai à Bellerive
seulement le 4 mai, à sept heures.

LETTRE XXXVI

Madame de Lebensei à madame d'Albémar

Cernay, ce 2 mai 1791.

Vous m'avez rendu, madame, le bonheur que
j'étais menacée de perdre sans retour ! je ne pouvais
supporter l'idée que mon fils ne serait pas reconnu
dans ma famille, et j'avais épuisé, pour y réussir, tous
les moyens qu'un caractère assez fier pouvait me
suggérer. Vous avez paru, et tout a été changé ; la

DELPHINE

vieillesse, les préjugés, l'embarras d'une longue injustice, rien n'a pu lutter contre la puissance irrésistible de votre éloquence et de la vraie sensibilité qui vous inspirait.

Je n'oublierai jamais cet instant où, vous mettant à genoux devant ma grand-mère, pour lui présenter mon enfant, elle a posé ses mains desséchées sur les cheveux charmants qui couvraient votre tête, et vous a bénie comme sa fille. Ah! que je voudrais vous voir heureuse! Les prières de tous ceux que votre bonté a protégés ne seront-elles donc jamais efficaces?

M. de Lebensei est profondément reconnaissant de ce que vous venez de faire pour nous; il ne parle de vous, depuis qu'il vous connaît, qu'avec l'admiration la plus parfaite; permettez-moi de vous le dire, nous ne passons pas un jour sans nous affliger ensemble de ce que Léonce est l'époux de Matilde. Si M. de Mondoville, au milieu des événements que prépare la révolution, pouvait un jour trouver comme moi le moyen de rompre une union si mal assortie, mon mari serait bien ardent à le lui conseiller. Mais à quoi servent nos inutiles vœux? qu'ils vous prouvent seulement combien nous nous occupons de vous! Pensez avec quelque douceur, madame, au ménage de Cernay; vous lui avez rendu la paix intérieure: ce bien qui devait nous consoler de la perte de tous les autres, nous était ravi sans vous.

LETTRE XXXVII

Delphine à mademoiselle d'Albémar

Bellerive, ce 5 mai 1791.

J'ai joui jusqu'au fond du cœur, ma chère Louise, d'avoir réussi à réconcilier madame de Lebensei avec

475

sa famille ; mais ce sentiment est troublé maintenant par une inquiétude vive : Léonce est arrivé hier matin de Mondoville ; je m'attendais à le voir dans la journée, lorsqu'à huit heures du soir un homme à cheval est venu m'annoncer, de sa part, qu'il ne pourrait pas venir ; et cet homme, à qui j'ai parlé, m'a dit qu'il avait laissé Léonce dans une assemblée très nombreuse, chez madame du Marset : madame de Mondoville n'y était pas, et cependant, en envoyant chez moi, il a donné l'ordre qu'on ne lui amenât sa voiture qu'à une heure du matin. Comment se peut-il qu'il se soit si facilement résolu à ne pas me revoir, après quinze jours d'absence ? comment ne m'a-t-il pas écrit un seul mot ? Serait-il fâché de ma démarche pour madame de Lebensei, quand il y a consenti, quand il en sait l'heureux succès ?

Louise, j'ai déjà beaucoup souffert ; mais si le cœur de Léonce se refroidissait pour moi, vous qui blâmez ma conduite, trouveriez-vous que le ciel me punît justement ? Non, vous ne le penseriez pas ; non, le plus grand des crimes, si je l'avais commis, serait ainsi trop expié. Mais pourquoi ces douloureuses craintes ? ne peut-il pas avoir été retenu par une difficulté, par une affaire ? Ah ! s'il commence à calculer les affaires et les obstacles, si je ne suis plus pour lui qu'un des intérêts de sa vie, placé comme les autres à son temps, dans la mesure de ses droits, je ne consentirai point à ce prix au genre d'existence qu'il m'a forcée d'adopter. C'est en inspirant un sentiment enthousiaste et passionné que je puis me relever à mes propres yeux, malgré le blâme auquel je m'expose ; si Léonce me réduisait à son estime, à ses soins, à son affection raisonnée, non, la douleur et la gloire des sacrifices vaudraient mille fois mieux. Louise, je me fais mal en développant cette idée, et je m'efforce en vain de m'occuper d'aucune autre.

Madame d'Ervins m'écrit qu'elle sera de retour à

Bellerive avant trois semaines, pour me remettre sa fille et prendre le voile. M. de Serbellane, n'espérant plus la faire changer de dessein, s'est établi en Angleterre, où il vit plongé dans la tristesse la plus profonde : homme généreux et infortuné ! Louise, quelquefois je me persuade que l'Être suprême a abandonné le monde aux méchants, et qu'il a réservé l'immortalité de l'âme seulement pour les justes : les méchants auront eu quelques années de plaisir, les cœurs vertueux de longues peines ; mais la prospérité des uns finira par le néant, et l'adversité des autres les prépare aux félicités éternelles. Douce idée ! qui consolerait de tout, hors de n'être plus aimée ; car l'imagination elle-même alors ne pourrait se former l'idée d'aucun bonheur à venir.

Mon amie, combien je suis touchée de la dernière lettre que vous m'avez écrite ! vous revenez à me demander avec instance tous les détails de ma vie, de cette vie que vous désapprouvez, et qui retarde sans cesse le moment où je dois vous rejoindre : ah ! c'est vous qui savez aimer, c'est vous qui vous montrez toujours la même, qui n'avez ni caprices, ni préventions, ni négligences ; c'est vous... Hélas ! croirais-je déjà que ce n'est plus lui !

LETTRE XXXVIII

Madame d'Artenas à madame d'Albémar

Paris, ce 5 mai.

Il m'est vraiment douloureux, ma chère Delphine, d'être toujours chargée de vous inquiéter ; mais la délicatesse de M. de Mondoville l'engagerait peut-être à vous cacher ce qui s'est passé hier au soir, et il faut absolument que vous le sachiez. Ma nièce, qui va dîner dans la vallée de Montmorency, remettra cette lettre à votre porte.

Je suis arrivée hier chez madame du Marset, à peu près dans le même moment que Léonce : il venait pour annoncer à la maîtresse de la maison que son neveu conserverait son régiment ; elle lui en fit de vifs remerciements, et le pria de passer la soirée chez elle ; il s'y refusa : pendant ce temps on m'établit à une partie qui m'empêcha de me mêler de la conversation. Il y avait dans la chambre un vrai rassemblement des femmes de Paris les plus redoutables par leur âge, leur aristocratie, ou leur dévotion ; et l'on n'y voyait aucune de celles qui s'affranchissent de ces trois grandes dignités, par le désir d'être aimables. Léonce s'ennnuyait assez, à ce que je crois, en attendant que le quart d'heure qu'il destinait à cette visite fût écoulé ; il était debout devant la cheminée, à causer avec quatre ou cinq hommes, lorsque votre nom prononcé à demi-voix dans les chuchotements des femmes, attira son attention ; il ne se retourna pas d'abord, mais il cessa de parler pour mieux écouter, et il entendit très distinctement ces mots prononcés par madame du Marset : « Savez-vous que madame d'Albémar a été présenter elle-même à madame de Cernay le bâtard de sa petite-fille, de madame de Lebensei ? Singulier emploi pour une femme de vingt ans ! »

M. de Mondoville se retourna d'abord avec impétuosité, mais se retenant ensuite, pour mieux offenser par son mépris, il pria lentement madame du Marset de répéter ce qu'elle venait de dire ; il articula cette demande avec un accent d'indignation et de hauteur qui fit trembler madame du Marset et les témoins d'une scène qui commençait ainsi. Madame du Marset se déconcerta ; madame de Tesin, qui la protège dans sa carrière de méchanceté, et dont le caractère a plus d'énergie que le sien, la regarda pour lui faire sentir qu'elle devait répondre. Madame du Marset reprit en disant : « Vous savez bien, monsieur, qu'on ne peut pas regarder madame de Lebensei comme légitimement mariée ; ainsi, ainsi... — Je sais, interrompit M. de Mondoville, par quelles bizarres idées vous imaginez qu'une femme qui a fait divorce selon les lois établies dans le pays de son premier mari, n'a pas le droit de se regarder comme libre ; mais ce que je sais, c'est qu'il doit vous suffire que madame d'Albémar reçoive madame de Lebensei, pour vous tenir pour honorée si madame de Lebensei venait chez vous. »

Madame du Marset n'avait plus la force de se défendre ; elle pâlissait et cherchait des yeux un appui. Madame de Tesin sentit, avec son esprit ordinaire, que pour intéresser une partie de la société qui était présente à la cause de madame du Marset, il fallait y faire intervenir l'esprit de parti. « Quant à moi, dit-elle alors, ce que je ne concevrai jamais, c'est pourquoi madame d'Albémar reçoit habituellement un homme qui a des opinions politiques aussi détestables que celles de M. de Lebensei. — Madame du Marset, reprit vivement M. de Mondoville, sait mieux que personne les motifs qu'on peut avoir pour se lier avec M. de Lebensei ; c'est à lui qu'elle doit que M. d'Orsan, son neveu, conserve son régiment ; et c'est à la prière seule de madame d'Albémar que M. de Lebensei s'en est mêlé, car il ne connaît point madame du Marset : j'ai reçu vingt billets d'elle pour engager ma cousine, madame d'Albémar, à solliciter M. de Lebensei ; elle l'a fait, elle y a réussi, et quand son adorable bonté l'engage à réunir une famille divisée, c'est madame du Marset qui se hasarde à blâmer la conduite de ma cousine. Mais je m'arrête, dit-il, c'en est assez ; il me suffit d'avoir prouvé à ceux qui m'écoutent que les propos inspirés par l'ingratitude et l'envie méritent à peine qu'un honnête homme y réponde. »

M. de Fierville sentit alors une sorte de honte de laisser ainsi humilier son amie, madame du Marset ; il avait jeté un coup d'œil sur M. d'Orsan, pour l'engager à protéger sa tante ; mais, comme il persistait à se taire, M. de Fierville lui-même, quoique âgé de soixante et dix ans, ne put s'empêcher de dire à Léonce : « Vous aurez un peu de peine, monsieur, si vous voulez empêcher qu'on ne parle des imprudences sans nombre de madame d'Albémar ; il ne suffit pas pour cela de faire taire les femmes. » Léonce à ce mot rougit et pâlit de colère : impatient de s'en prendre à quelqu'un de son âge, il s'avança au milieu du cercle, et quoiqu'il parlât à M. de Fierville, il fixait M. d'Orsan. « Vous avez raison, dit-il, les vieillards et les femmes n'ont rien à faire dans cette occasion, et j'attends qu'un jeune homme soutienne ce que la faiblesse de votre âge vous a permis d'avancer. » Ces paroles furent prononcées avec un geste de tête d'une fierté inexprimable ; un profond silence y succéda : ce silence était embarrassant pour tout le monde ; mais personne n'osait le rompre.

M. d'Orsan, quoique brave, ne se souciait point de se battre avec Léonce, et probablement ensuite avec M. de Lebensei, pour les propos de sa tante ; il prit un air distrait, caressa le petit chien de madame du Marset, le seul qui au milieu de cette scène osât faire du bruit comme à l'ordinaire, et s'approcha avec empressement de la partie où j'étais, comme s'il eût été très curieux de mon jeu. Madame de Tesin, vivement irritée du triomphe de Léonce, se leva brusquement, et traversa le cercle pour aller parler à M. d'Orsan : son mouvement fut si remarquable, que tout le monde comprit qu'elle voulait décider le neveu de madame du Marset à répondre à Léonce.

Une femme qui s'intéresse à M. d'Orsan tendit les bras involontairement, comme pour arrêter madame de Tesin ; elle ne s'en aperçut seulement pas, et prenant M. d'Orsan à part, elle lui parla bas avec une grande activité. Léonce, qui ne perdait de vue rien de ce qui se passait, se retourna vers madame du Marset, et lui dit avec un sourire d'une orgueilleuse amertume : « J'accepte, madame, l'invitation que vous m'avez faite, je reste ici ce soir ; je veux laisser du temps, ajouta-t-il d'une voix plus haute, à tous ceux qui délibèrent. » Il sortit alors pour donner un ordre à ses gens, et salua, en allant vers la porte, le tête-à-tête de madame de Tesin et de M. d'Orsan avec un dédain qui véritablement devait les offenser.

Pendant l'absence momentanée de Léonce, quelques femmes enhardies parlèrent un peu plus haut, et se hâtèrent de dire : « *Vous voyez que M. de Mondoville aime madame d'Albémar : il est bien clair qu'elle répond à son amour ; elle ne s'est établie à Bellerive que pour être plus libre de le recevoir.* » Léonce rentra, elles se turent subitement, avec un effroi ridicule : que pouvaient-elles craindre ? Mais M. de Mondoville a un ascendant si marqué sur tout le monde, que les âmes qui ne sont point de sa trempe redoutent sa colère, sans même se faire une idée de l'effet qu'elle peut avoir. Il continua le reste de la soirée à examiner madame du Marset, madame de Tesin et M. d'Orsan ; il réunissait habilement dans son regard l'observation et l'indifférence. M. d'Orsan, qui s'était replacé près de notre partie, offrit d'en être, et s'y établit. Léonce vint deux fois près de la table ; M. d'Orsan ne lui dit rien, et quand le jeu fut fini, il partit : Léonce alors s'en alla.

Je restai, parce que je vis bien que les amies de madame du Marset, qui ne s'étaient point encore retirées, se préparaient à se déchaîner contre vous. Madame de Tesin commença par déclarer que

M. d'Orsan devait se battre avec M. de Mondoville,
puisqu'il avait insulté sa tante ; je pris la parole avec
chaleur, en disant que rien ne me paraissait plus mal
dans une femme que d'exciter les hommes au
duel (60). « Il y a tout à la fois, ajoutai-je, de la
cruauté, du caprice, et peu d'élévation, dans ce désir
de faire naître des dangers qu'on ne partage pas, dans
ce besoin orgueilleux d'être la cause d'un événement
funeste. — C'est bien vrai », s'écria un vieil officier,
dont la bravoure ne pouvait être suspecte, et qu'on
n'avait pas remarqué, parce qu'il s'était endormi
derrière la chaise de madame du Marset ; il se réveilla
comme je parlais, et répétant encore une fois :
« C'est bien vrai », il ajouta : « Si une femme
m'avait obligé à me battre, je le ferais, mais le
lendemain je me raccommoderais avec mon adversaire, et je me brouillerais avec elle. » Madame de
Tesin n'insista pas, et vous pouvez être bien sûre qu'il
ne sera plus question de ce duel, dont la nécessité
n'existait que dans sa tête. Elle se mit alors à vous
blâmer d'une manière générale, mais très perfide ; je
la combattis sur tout ce qu'elle disait ; à la fin,
plusieurs femmes se joignirent à moi, et mon vieil
officier, qui ne vous a vue qu'une fois, sans entendre
rien au sujet de notre conversation, répétait sans
cesse des exclamations sur vos charmes.

Ce que j'ai remarqué cependant, c'est à quel point
on est aigri sur tout ce qui tient aux idées politiques ;
votre liaison avec M. de Lebensei vous fait plus
d'ennemis que votre amour pour Léonce, et c'est à
cause de vos opinions présumées qu'on sera sévère
pour vos sentiments. Je sais bien qu'on n'obtiendra
jamais de vous de renoncer à un de vos amis ; mais
évitez donc au moins tout ce qui peut avoir de l'éclat ;
ne rendez pas même de services lorsqu'ils sont de
nature à être remarqués. Dans un temps de parti, une
jeune femme dont on parle trop souvent, même en

bien, est toujours à la veille de quelques chagrins. D'ailleurs, il n'y a rien qui soit également bon aux yeux de tout le monde ; quand une action généreuse est, pour ainsi dire, forcée par votre situation, que ce soit votre père, votre frère, votre époux que vous secourez, on l'approuve généralement ; mais si la bonté vous entraîne hors de votre cercle naturel, celui que vous servez vous en sait gré pour le moment ; mais tous les autres éprouvent un sentiment durable d'humeur et de jalousie, qui leur inspire tôt ou tard ce qu'il faut dire pour empoisonner ce que vous avez fait.

Enfin, Léonce a été trop peu maître de lui en vous entendant blâmer ; ce n'est pas ainsi que l'on sert utilement ses amis. Venez me voir demain, je vous en prie ; je fermerai ma porte, et nous causerons. Il est encore temps de remédier au mal qu'on a pu dire de vous ; mais il devient absolument nécessaire que vous vous remettiez dans le monde ; cette vie solitaire avec Léonce vous perdra ; on s'occupe de vous comme si vous étiez au milieu de la société, et vous ne vous défendez pas plus que si vous viviez à deux cents lieues de Paris. Ma chère Delphine, laissez-vous donc conduire par votre vieille amie : toute la science de la vie est renfermée dans un ancien proverbe que les bonnes femmes répètent : *Si jeunesse savait, et si vieillesse pouvait ;* un grand mystère est contenu dans ce peu de mots, vous en êtes une preuve ; vous êtes supérieure à tout ce que je connais, mais votre jeunesse est cause que votre esprit même ne gouverne encore ni votre imagination, ni votre caractère : je voudrais vous épargner l'expérience, qui n'est jamais que la leçon de la douleur. Adieu, ma jeune amie, à demain.

DELPHINE

LETTRE XXXIX

Delphine à mademoiselle d'Albémar

Bellerive, ce 6 mai.

Après avoir reçu la lettre de madame d'Artenas que je vous envoie, ma chère Louise, j'attendais l'arrivée de Léonce avec une grande émotion ; je ne pouvais me remettre de l'effroi que m'avait causé le récit de ce qui s'était passé chez madame du Marset. J'étais touchée du vif intérêt que Léonce avait montré pour ma défense ; mais j'éprouvais je ne sais quel sentiment de peine, en réfléchissant à l'importance qu'il avait mise à de misérables ennemis, et je craignais que, tout en les repoussant, il n'eût conservé de ce qu'ils avaient dit contre moi une impression défavorable. Ces idées s'effacèrent dès qu'il entra dans ma chambre ; il était ravi de me revoir, après quinze jours d'absence ; il m'exprima un enthousiasme plein d'illusion sur ma figure qu'il prétendit embellie, et je me rassurai d'abord ; cependant, quand je lui parlai de la soirée de la veille, je vis qu'il en était malheureux, mais par des motifs pleins de générosité pour moi.

« Madame d'Artenas vous a instruite de tout, me dit-il ; ne croit-elle pas que je vous ai fait du tort dans le monde, en parlant de vous avec trop de chaleur ? — Elle espère, répondis-je, qu'on pourra réparer une imprudence qu'il me serait bien doux de vous pardonner, si vous n'aviez exposé que moi. — Hélas ! reprit-il alors, depuis quelque temps j'ai toujours tort, mon cœur est dans une agitation continuelle ; il faut en votre présence lutter contre l'amour qui me consume, et je m'abandonne, quand je ne vous vois pas, à des violences condamnables. Dans tout ce que j'ai fait, il n'y avait de raisonnable que d'appeler une circonstance qui pût me délivrer de la vie. » Il prononça ces mots avec un accent si sombre, que je vis dans l'instant qu'une scène cruelle me menaçait. J'essayai de la détourner en lui parlant de M. de Lebensei, qui était allé le voir ce matin pour le remercier de sa conduite chez madame du Marset : on la lui avait répétée le soir même. « M. de Lebensei, me répéta deux fois Léonce, comme si ce nom augmentait son trouble ; je l'ai vu ; c'est sans doute un homme distingué, mais je ne sais par quel hasard il m'a dit tout ce qui pouvait me faire souffrir davantage. »

J'interrogeai Léonce sur sa conversation avec M. de Lebensei ; il ne me la raconta qu'à demi : il me parut seulement qu'elle avait eu surtout pour objet, de la part de M. de Lebensei, la nécessité de mépriser l'opinion quand elle était injuste. Après avoir appuyé cette manière de voir par ici les raisonnements d'un esprit supérieur, il avait fini par ces paroles remarquables, que Léonce me répéta fidèlement : « Je m'étais un moment flatté, lui a-t-il dit, que la félicité dont vous avez été privé vous serait rendue ; je croyais que l'assemblée constituante établirait en France la loi du divorce, et je pensais avec joie que vous seriez heureux d'en profiter, pour rompre une union formée par le mensonge, et pour lier votre sort à la meilleure et à la plus aimable des femmes. Mais on a renoncé dans ce moment à ce projet, et mon espoir s'est évanoui, du moins pour un temps. » Je voulus interrompre Léonce, et lui exprimer l'éloigne- ment que j'aurais pour une semblable proposition, si elle était possible ; mais à l'instant il me saisit la main avec une action très vive. « Au nom du ciel, ne prononcez pas un mot sur ce que je viens de vous dire ! s'écria-t-il ; vous ne pouvez pas prévoir l'effet d'un mot sur un tel sujet ; laissez-moi. »

Il descendit alors sur la terrasse, et marcha précipitamment dans l'allée qui borde mon ruisseau ; je le suivis lentement : en revenant sur ses pas, il me vit, et se jetant à genoux devant moi : « Non ! s'écria-t-il, il fallait ne pas te quitter ; mais te revoir est une émotion si vive ! il me semble que ta céleste figure a pris de nouveaux charmes qui m'enivrent d'amour et de douleur. Qu'est-il arrivé depuis quinze jours ? que s'est-il passé hier ? que m'a dit M. de Lebensei ? qu'ai-je éprouvé en l'écoutant ? Ah ! Delphine, dit-il en s'appuyant sur ma main, et chancelant en se relevant, je voudrais mourir ; viens, conduis-moi sur le banc vers ces derniers rayons du soleil, que je le regarde encore avec toi. » Et il me pressa sur son cœur avec un transport si touchant, que les anges l'auraient partagé. « Reste-là, dit-il, Delphine ; seulement quand tu restes là je cesse de souffrir. Ah ! dis-le-moi, qu'arrivera-t-il de nous, de notre amour, de la fatalité qui nous sépare, de mon caractère aussi ? car au milieu de la passion la plus violente, peut-être me poursuivrait-il. Que deviendrons-nous ? J'aurais pu te posséder, tu voulais être ma femme ; je pourrais être heureux encore si ton inflexible cœur... Mais non, ce n'est pas là mon sort ; je te verrai calomniée pour le sentiment qui nous lie, et ce sentiment, imparfait dans ton âme, me livrera sans cesse au tourment que j'endure. Qui m'en soulagera ? M. de Lebensei ne m'a-t-il pas rendu mille fois plus malheureux ! Je ne sais ce que j'éprouve, je sens oppressé ; s'il y avait de l'air je souffrirais moins. » Et tournant sa tête du côté du vent, il le respirait avec avidité, comme s'il eût voulu appeler un sentiment de repos et de fraîcheur pour calmer les pensées brûlantes qui le dévoraient.

Je lui pris la main, je m'assis à ses côtés, et pendant quelques instants il me parut plus tranquille. C'était le premier beau soir du printemps ; je revoyais Léonce ; je sentais en moi le plaisir de vivre : il y a dans la jeunesse de ces moments où, sans aucune nouvelle raison d'espoir, au milieu même de beaucoup de peines, on éprouve tout à coup des impressions agréables qui n'ont point d'autre cause qu'un sentiment vif et doux de l'existence. « O Léonce, lui dis-je, ni ce ciel, ni cette nature, ni ma tendresse, ne peuvent rien pour ton bonheur ? — Rien ! me répondit-il, rien ne peut affaiblir la passion que j'ai pour toi ; et cette passion, à présent, me fait mal, toujours mal. Tes yeux qui s'élèvent vers le ciel comme vers ta patrie, tes yeux implorent la force de me résister. Delphine, dans ces étoiles que tu contemples, dans ces mondes peut-être habités, s'il y a des êtres qui s'aiment, ils se réunissent ; les hommes, la société, leurs vertus même ne les séparent point. — Cruel ! m'écriai-je, et ne me suis-je donc pas donnée à toi ? ai-je une idée dont tu ne sois l'objet ? mon cœur bat-il pour un autre nom que le tien ?

— Va, reprit Léonce, puisque ton amour est moins fort que ton devoir, ou ce que tu crois ton devoir, quel est-il cet amour ? peut-il suffire au mien ? » Et il me repoussa loin de lui, mais avec des mains tremblantes et des yeux voilés de pleurs. « Delphine ! ajouta-t-il, ta présence, tes regards, tout ce délire, tout ce charme qui réveille tant de regrets, c'en est trop, adieu. » Et se levant précipitamment, il voulut s'en aller. « Quoi ! lui dis-je en le retenant, tu veux déjà me quitter ? Est-ce ainsi que tu prodigues les heures qui nous restent ? les heures d'une vie de si peu de durée pour tous les hommes, hélas ! peut-être bien plus courte encore pour nous ? — Oui, tu as raison, répondit-il en revenant, j'étais insensé de partir ! je veux rester ! je veux être heureux ! Pourquoi suis-je dans cet état ? Pourquoi, continua-t-il en mettant ma main sur son cœur, pourquoi y a-t-il là tant de douleurs ? Ah ! je ne suis pas fait pour la vie, je me sens comme étouffé dans ses liens ; si je savais les rompre tous, tu serais à moi, je t'entraînerais. M. de Lebensei, M. de Lebensei ! pourquoi m'as-tu fait connaître cet homme ? Il a des idées insensées sur cette terre où règne l'opinion, cette ennemie triomphante et dédaigneuse. Mais ces idées insensées troublent la tête, les sens ; je ne suis plus à moi ; je ne peux plus guider mon sort : si dans un autre monde nous conservons la mémoire de nos sentiments, sans le souvenir cruel des peines qui les ont troublés, si tu peux croire à cette existence, ô mon amie, hâtons-nous de la saisir ensemble ; il faut renverser ces barrières qui sont entre nous, il faut les renverser par la mort, si la vie les consacre ! Parle-moi, Delphine, j'ai besoin du son de ta voix, de cette mélodie si douce ; elle calme un malheureux déchiré par son amour et sa destinée ! viens, ne t'éloigne pas. » En achevant ces mots, il s'appuya sur un arbre, et, passant ses bras autour de moi, il me serra avec une ardeur presque effrayante.

« Ne sens-tu pas, me dit-il, le besoin de confondre nos âmes ? Tant que nous serons deux, ne souffriras-tu pas ? Si mes bras te laissent échapper, n'éprouveras-tu pas quelque douleur qui puisse te donner une faible idée des miennes ? »

Mon émotion était très vive ; je tremblais, je faisais des efforts pour m'éloigner. « Tu pâlis, s'écria-t-il ; je ne sais ce qui se passe dans ton âme ; répond-elle à la mienne ? Delphine, dit-il avec un accent désespéré, faut-il vivre ? faut-il mourir ? » Une terreur profonde me saisit ; je voulais m'éloigner, mais les regards, mais les paroles de Léonce me firent craindre de le livrer à lui-même ; je n'avais plus la force de supporter sa douleur, et cependant j'étais indignée des dangers auxquels m'exposait sa passion coupable. Tout à coup me retraçant ce qui avait commencé le trouble de cette journée, je ne sais quelle pensée m'inspira un moyen cruel, mais sûr, de le faire rougir de son égarement.

« Léonce, lui dis-je alors avec un sentiment qui devait lui en imposer, ce que vous voulez, c'est ma honte ; notre bonheur innocent et pur ne vous suffit plus. Vous m'accusez de ne pas vous aimer, quand mon cœur est mille fois plus dévoué que le vôtre. Répondez-moi solennellement, songez que c'est au nom du ciel et de l'amour que je vous interroge : si, pour nous réunir l'un à l'autre, il fallait, comme M. et madame de Lebensei, nous perdre dans l'opinion, que feriez-vous ? » Léonce frémit, recula, et se tut pendant un moment ; je saisis ce moment, et je lui dis : « Vous m'avez répondu : et vous osiez me demander de vous sacrifier l'estime de moi-même ! — Cruelle ! interrompit Léonce avec une expression de fureur dont rien ne peut donner l'idée, non je n'ai pas répondu ; c'est un piège que vous avez voulu me tendre ; vous joignez la ruse à la dureté, et, comme les tyrans, vous faites d'insidieuses questions aux victimes. » Ce reproche me perça le cœur, et je me repentis de l'avoir mérité. « Léonce, lui dis-je alors avec tendresse, ce n'est ni ton silence, ni ta réponse qui auraient pu rien changer à ma résolution ni à notre sort ; je ne cherche point à trouver dans ton caractère des raisons de résistance. Ah ! sous quelques formes que se montrent tes qualités et tes défauts même, je ne puis voir en toi que des séductions nouvelles ; mais ne devais-je pas te rappeler quel joug la nécessité faisait peser également sur nous deux ? cette nécessité, c'est le devoir, c'est la vertu, c'est tout ce qu'il y a de plus sacré sur la terre. Léonce, écoute-moi : Dieu m'entend, si tu me fais subir une seconde fois d'indignes épreuves, ou je cesserai de vivre, ou je ne te reverrai plus.

— Je ne sais, me répondit Léonce, alors profondément abattu, je ne sais quel est ton dessein, j'ignore ce que le souvenir de ce jour peut t'inspirer ; si tu pars, je jure, et je n'ai pas besoin d'en appeler au ciel pour te convaincre, je jure de n'y pas survivre ; si tu restes, peut-être ne m'est-il plus possible de te rendre heureuse : tu souffriras avec moi, ou je mourrai seul ; réfléchis à ce choix ; adieu. » Et sans ajouter un seul mot, il s'élança vers la grille du parc ; je n'osai point le rappeler, je fis quelques pas seulement pour continuer à le voir : il partit, j'entendis longtemps encore de loin les pas de son cheval ; enfin tout retomba dans le silence, et je restai seule avec moi.

Mes réflexions furent amères ; je vous en prie, ma sœur, n'y ajoutez rien ; si la destinée, si Léonce me condamne au plus affreux sacrifice, n'en hâtez pas l'instant, ne précipitez pas les jours : on en donne pour se préparer à la mort. Je me suis commandé de vous dire ce que j'aurais le plus souhaité de cacher : vous savez comme moi tout ce que peut m'imposer la loi de m'éloigner de Léonce, je n'ai pas voulu repousser l'appui que vous pouvez prêter à mon courage ; mais si Léonce m'épargne ce cruel effort, s'il consentait à recommencer les mois qui viennent de s'écouler... Ah ! ne me dites pas que je ne dois plus m'en flatter.

P. S Madame d'Ervins doit arriver dans peu de jours ; elle aussi se réunira sans doute à vous ; qu'obtiendrez-vous toutes les deux de mon air déchiré ?

DELPHINE

LETTRE XL

M. de Valorbe à madame d'Albémar

Paris, ce 15 mai 1791.

Je suis à Paris, madame, et ne vous y avais point trouvée, je me propose d'aller à votre campagne. Je ne sais pas si vous êtes bien aise de mon arrivée ; il ne tiendrait qu'à moi de croire ces quelques mots de votre belle-sœur, que vous n'avez pas un grand désir de me revoir ; il me semble cependant que j'ai des droits à votre bienveillance : peut-être y a-t-il de la modestie à réclamer ses droits ! Mais je rends justice aux autres et à moi-même ; il faut encore s'estimer très heureux quand la reconnaissance n'est point oubliée.

Vous savez avec quelle sincérité, avec quel dévouement je vous suis attaché depuis que je vous connais : je ne m'attends pas à ce que vous fassiez grand cas de tout cela à Paris, et je serai bien à mon désavantage à côté de tous les gens aimables qui vous entourent ; mais à trente ans on a eu le temps d'apprendre que les succès valent peu de chose, et je me consolerais de n'en point avoir, si votre bonté pour moi n'en était point altérée. Je me sens triste et ennuyé ; vous seule pouvez m'arracher à cette disposition : je ne connais que vous pour qui il vaille la peine de vivre ; tout ce qu'on rencontre d'ailleurs est si inconséquent et si absurde ! Depuis un jour que je suis ici, j'ai déjà parlé à je ne sais combien de gens impolis, distraits, frivoles, et ne s'occupant sérieusement que d'eux-mêmes ; enfin ils sont ainsi, c'est moi qui ai tort d'en être impatienté.

Je ne suis venu que pour vous chercher, je ne reste

que pour vous ; ne vous effrayez pas cependant, je ne vous verrai pas tous les jours. J'ai un voyage à faire chez une de mes tantes, qui durera près d'un mois, et plusieurs autres affaires me prendront du temps : vous voyez que je veux vous rassurer. Toutefois, en m'exprimant ainsi, je souffre, et vous le croyez bien ; ceux qui se condamnent à paraître calmes n'en sont que plus agités au fond du cœur. Agréez, madame, mes respectueux hommages.

LETTRE XLI

Delphine à mademoiselle d'Albémar

Bellerive, ce 18 mai.

Je n'ai plus dans ma vie un seul jour sans douleur ; il me semble que mon devoir se montre à moi sous toutes les formes. Le ciel m'avertit, par les peines que j'éprouve, qu'il est temps de renoncer au dangereux espoir de passer avec Léonce, dans la retraite, une vie heureuse et douce ; il ne se contente plus du plaisir de nos entretiens, il cherche en vain à me cacher l'agitation qui le dévore, tout sert à la trahir ; tantôt il m'accable des reproches les plus injustes, tantôt il se livre à un désespoir que je n'ai plus la puissance de calmer : quelle faiblesse de rester encore, quand je ne fais plus son bonheur !

M. de Valorbe est arrivé hier à Bellerive, comme je recevais une lettre de lui qui me l'annonçait ; je n'avais pu en prévenir Léonce : il était près de sept heures, et je redoutais ce qu'éprouverait mon ami, en voyant un inconnu chez moi, dans le moment même de la journée où j'ai coutume de le voir seul. Je ne

l'avais point instruit à l'avance de la reconnaissance
que je devais à M. de Valorbe, afin de n'être dans le
cas ni de lui cacher ni de lui apprendre ses sentiments
pour moi : la visite de M. de Valorbe m'inquiétait
donc beaucoup ; cependant j'espérais que Léonce ne
serait pas assez injuste pour s'en fâcher. M. de
Valorbe fut d'abord embarrassé en me voyant ;
cependant il cherchait à me le dissimuler ; vous savez
que c'est un homme qui dispute toujours contre lui-
même : il veut passer pour maître de lui, et c'est un
des caractères les plus violents qu'il y ait ; il ne dit pas
deux phrases sans exprimer, de quelque manière, son
mépris pour l'opinion des autres, et, dans le fond de
son cœur, il est très blessé de n'avoir pas dans le
monde la réputation qu'il croit mériter ; il est en
amertume avec les hommes et avec la vie, et voudrait
honorer ce sentiment du nom de mélancolie et
d'indifférence philosophique.

En l'écoutant me répéter que rien n'était digne
d'un vif intérêt, toujours moi exceptée ; que parmi les
hommes qu'il avait connus, il n'en avait pas rencontré deux qui fussent estimables, je réfléchissais sur la
prodigieuse différence de ce caractère avec celui de
Léonce. Tous les deux susceptibles, mais l'un par
amour-propre, et l'autre par fierté ; tous les deux
sensibles aux jugements que l'on peut porter sur eux,
mais l'un par le besoin de la louange, et l'autre par la
crainte du blâme ; l'un pour satisfaire sa vanité,
l'autre pour préserver son honneur de la moindre
atteinte ; tous les deux passionnés, Léonce pour ses
affections, M. de Valorbe pour ses haines ; et ce
dernier, quoique honnête homme au fond du cœur,
capable de tout cependant, si son orgueil, la douleur
habituelle de sa vie, était irrité (61). Il se remettait
par degrés, seul avec moi, de cette timidité souffrante
qui est la véritable cause de son humeur, et il me parlait avec esprit et malignité sur les personnes qu'il

connaissait, lorsque Léonce entra. Il ne vit et ne remarqua que M. de Valorbe, dont la figure a de l'éclat, quoique sa tête couverte de cheveux noirs rabattus sur le front, et son visage trop coloré, lui donnent une expression rude, et que plus on l'observe, plus on a de peine à retrouver la beauté qu'on lui croyait d'abord.

Rencontrer un jeune homme chez moi, me parlant avec intimité, était plus qu'il n'en fallait pour offenser Léonce ; sa physionomie peignit à l'instant ce qu'il éprouvait, d'une manière qui me fit trembler. M. de Valorbe soutint quelques moments encore la conversation ; mais quand il s'aperçut que Léonce affectait de ne pas l'écouter, il se tut, et le regarda fixement. Léonce lui rendit ce regard, mais avec quel air ! Il était appuyé sur la cheminée ; et, considérant de haut M. de Valorbe qui était assis à côté de moi, il ressemblait à l'Apollon du Belvédère lançant la flèche au serpent. M. de Valorbe répondit par un sourire amer à cette expression qu'il ne pouvait égaler, et sans doute il allait parler, si je ne m'étais hâtée de dire à M. de Valorbe, que M. de Mondoville, mon cousin, était venu pour m'entretenir d'une affaire importante. M. de Valorbe réfléchit un moment, et se rappelant sans doute que Matilde de Vernon, ma cousine, avait épousé M. de Mondoville, son visage se radoucit tout à fait.

Il prit congé de moi, et salua Léonce qui resta appuyé, comme il était, sur la cheminée, sans donner un signe de tête ni des yeux qui pût ressembler à une révérence. M. de Valorbe, surpris, voulut recommencer à le saluer pour le forcer à une politesse ou à une explication ; je prévins cette intention en prenant tout de suite le bras de M. de Valorbe, pour l'emmener dans la chambre à côté, comme si j'avais eu quelques mots à lui dire. Cette familiarité amicale de ma part était si nouvelle pour M. de Valorbe, qu'elle lui fit tout oublier. Il me suivit avec beaucoup d'émotion ; j'achevai de détourner ses observations, en lui disant que *mon cousin* était absorbé par une inquiétude très sérieuse dont il venait m'entretenir. Je consentis à revoir M. de Valorbe le lendemain matin, avant l'absence d'un mois qu'il projetait, et je lui laissai prendre ma main deux fois, quoique Léonce pût le voir. J'étais si pressée de faire partir M. de Valorbe, que je ne comptais pour rien l'impression que pouvait faire ma conduite sur M. de Mondoville. Enfin, M. de Valorbe s'en alla, et je rentrai dans la chambre où était Léonce. Non, Louise, vous ne pouvez pas vous faire une idée du dédain et de la fierté de ses premières paroles ; je les supportai, pour me justifier plus tôt, en lui racontant mes rapports avec M. de Valorbe dans la plus exacte vérité, et je finis en insistant particulièrement sur la reconnaissance que je lui devais, pour avoir sauvé la vie de mon bienfaiteur, de M. d'Albémar.

« Il se peut, me répondit Léonce, qu'il ait sauvé la vie de M. d'Albémar ; mais moi, je ne lui dois rien, et nous verrons si je ne le fais pas renoncer aux droits qu'il se croit sur vous, et que vous autorisez. » Je fus blessée de cette réponse, et le souvenir de ce qui s'était passé depuis le retour de Léonce ajoutant encore à cette impression, je lui dis vivement : « Vous flattez-vous de conserver un pouvoir absolu sur ma vie, quand tous mes jours se passent à repousser les plus indignes plaintes ? — Il est vrai, répondit-il avec empressement, que je vous ai rendue témoin de mes souffrances, pardon de l'avoir osé ; mais avez-vous pensé que ce tort vous donnât le droit de me trahir ? Vous êtes-vous crue libre, parce que je suis malheureux ? Votre erreur serait grande, ou du moins votre nouvel amant ne serait pas votre époux avant d'avoir appris quel sang il doit verser pour vous obtenir ! » L'indignation me saisit à ces paroles, et ce mouvement enfin m'inspira ce qui pouvait apaiser Léonce. « Je vous conseille, lui dis-je, de vous livrer à ces soupçons qui nous ont déjà séparés quand nous devions être unis ; ils sont plus justes cette seconde fois que la première, car j'ai mérité de perdre votre estime le jour où, cédant à vos prières, j'ai renoncé à mon départ, et où je suis revenue dans cette retraite me dévouer au coupable et funeste amour que je ressens pour vous. » A ces mots, Léonce perdit tout souvenir de M. de Valorbe ; il n'était plus irrité, mais je n'en espérai pas davantage pour notre bonheur à venir.

Il ne me cacha plus ce que je n'avais que trop deviné ; il m'avoua qu'il ne pouvait plus supporter la vie, tant que notre sort resterait le même ; qu'il était jaloux, parce qu'il ne se croyait aucun droit sur moi ; il me répéta cet odieux reproche avec désespoir. « Je le sais, me dit-il, je peux être mille fois plus malheureux encore qu'à présent ; il y a tant d'abîmes dans la douleur, que son dernier terme est inconnu ; tant que vous ne m'avez pas abandonné, je vis, mais en furieux, en insensé... » J'allais l'interrompre, pour le rappeler à des sentiments plus doux, lorsqu'on vint m'annoncer que le courrier de madame d'Ervins était arrivé, et la précédait de quelques minutes.

Léonce voulut alors me quitter. « Je ne me sens pas en état, me dit-il, de voir madame d'Ervins ; elle est à plaindre, je le sais ; cependant j'ai besoin de me préparer à sa présence : c'est elle, je ne l'en accuse pas, mais enfin, c'est elle... » Il n'acheva point, me serra la main, et partit précipitamment : peu d'instants après son départ, madame d'Ervins arriva.

Hélas ! combien elle est changée ! ses traits sont restés charmants ; mais l'expression de son visage, sa pâleur, son abattement, ne permettent pas de la regarder sans attendrissement. Elle était si fatiguée, que je n'ai pu causer avec elle ce soir. Et pendant qu'elle repose, ma Louise, je vous écris ; je veux aussi confier ma situation à Thérèse, j'espère en ses conseils, en son exemple ; secondez-moi de vos vœux.

LETTRE XLII

Delphine à mademoiselle d'Albémar

Bellerive, ce 21 mai.

Oh ! que d'émotions Thérèse m'a fait éprouver ! je ne sais point ce qu'on veut de moi, ce qu'on peut en obtenir, mon cœur succombe devant l'effort qu'on exige : une lettre de vous est venue se joindre aux exhortations de Thérèse ; ne vous réunissez pas pour m'accabler ; vous ne savez pas ce que vous me demandez ! Dois-je renoncer à Léonce ? le voulez-vous ? ah ! ne le prononcez pas. J'ai pressenti que vous alliez approcher de cette horrible idée dans votre lettre, je tremblais de la lire ; et quand, par délicatesse, vous n'avez point achevé ce que vous aviez commencé, je me suis crue soulagée, comme si vous m'aviez affranchie de mes devoirs en ne me les exprimant pas. Je suis faible, je le sens ; je n'ai point les vertus qui préparent aux grands sacrifices. Mon âme, livrée dès son enfance aux mouvements naturels qui l'avaient toujours bien conduite, n'est point armée pour accomplir des devoirs si cruels : je n'ai point appris à me contraindre. Hélas ! je ne croyais pas en avoir besoin. Que n'ai-je l'exaltation religieuse de Thérèse ! Mais, quand j'implore le ciel, où ma raison et mon cœur placent un Être souverainement bon, il me semble qu'il ne condamne pas ce que j'éprouve ; rien en moi ne m'avertit qu'aimer est un crime ; plus je rêve, plus je prie, et plus mon âme se pénètre de Léonce.

Je vous ai mandé que M. de Serbellane avait quitté l'Italie, pour s'établir en Angleterre, et que désespérant de faire changer Thérèse de résolution, il ne voyait plus personne, et paraissait plongé dans la plus grande mélancolie. Thérèse ne m'a pas prononcé son nom ; une lettre de Londres m'avait appris ces tristes détails, et je n'ai pas osé lui en parler. Qu'elle est noble et sensible, cependant, cette Thérèse qui s'immole à son devoir ! Je la conduis après-demain à son couvent ; que n'ai-je la force de l'y suivre ! C'est ainsi qu'il faudrait se séparer ! Il est moins cruel de descendre dans ce religieux tombeau de toutes les pensées de la terre, que de vivre encore en ne voyant plus ce qu'on aime !

Le lendemain de l'arrivée de Thérèse, je passai la matinée avec elle ; j'entrevis dans ses discours qu'elle se croyait coupable envers moi, et qu'elle en éprouvait les regrets les plus amers ; mais elle craignait de m'en parler, et reculait le moment de l'explication. Léonce vint le soir : au moment où madame d'Ervins entra dans ma chambre, il essaya de dissimuler l'impression qu'il éprouvait ; mais elle n'échappa point aux regards de Thérèse, et j'appris bientôt qu'elle savait tout ce que je croyais lui avoir caché.

« Monsieur, dit-elle à Léonce avec un ton de dignité que je n'avais jamais remarqué dans un caractère timide et presque soumis, je sais que, par le concours des plus funestes circonstances, c'est moi qui ai été la cause de l'erreur fatale qui vous a séparé de madame d'Albémar ; j'ai fait le sacrifice à Dieu de tout mon bonheur dans ce monde ; il ne m'a pas encore donné la force de me consoler des peines que j'ai causées à ma généreuse amie : si je n'avais pas cru que de mon consentement vous étiez instruit de

mon crime, à l'époque même de la mort de M. d'Ervins, je me serais hâtée de m'accuser devant vous ;
mais je n'ai découvert que depuis votre mariage la
méprise cruelle que la délicatesse de madame d'Albémar l'avait engagée à me taire. J'aurais pu, dès que
je le soupçonnai pendant mon séjour ici, et lorsque
j'en eus acquis la certitude à Bordeaux, par les
diverses questions que vous fîtes à ma fille, j'aurais
pu, dis-je, publier la vérité ; mais vous étiez marié :
je ne pouvais rendre à mon amie le bonheur dont je
l'ai privée, et j'avais les plus fortes raisons de
craindre que la famille de mon mari ne m'enlevât ma
fille, et ne se permît, pour me l'ôter, si je m'avouais
coupable, le scandale d'un procès public. J'ai donc
espéré que vous me pardonneriez d'avoir retardé la
justification authentique que je dois à madame
d'Albémar, jusqu'à ce jour, où j'ai fait signer d'une
manière irrévocable à toute la famille de M. d'Ervins
les arrangements qui assurent la fortune d'Isore, et
m'autorisent à la confier à madame d'Albémar. J'ai
abandonné tous mes droits personnels sur les biens
de mon malheureux époux, et j'entre après-demain
dans un couvent : je suis donc libre à présent de
réparer aux yeux du monde le tort que j'ai pu faire à
la réputation de madame d'Albémar ; mais, hélas ! je
le sais, je n'en aurai pas moins perdu sa destinée. Son
cœur inépuisable en sentiments nobles et tendres n'a
pas cessé de m'aimer : vous, monsieur, ajouta-t-elle
en tendant à Léonce, avec une douceur angélique, sa
main tremblante, serez-vous plus inflexible qu'un
Dieu de bonté qui, malgré mes offenses, a reçu mon
repentir ? me pardonnerez-vous ? »

   O ma sœur ! que n'avez-vous pu voir Léonce en ce
moment ! non, vous ne m'auriez plus demandé de le
quitter. L'expression triste, sombre, et presque toujours contenue qu'il avait depuis quelque temps,
disparut entièrement, et son visage s'éclaira, pour

ainsi dire, par le sentiment le plus pur et le plus doux. Il mit un genou en terre pour recevoir la main de madame d'Ervins, et, de la voix la plus émue, il lui dit : « Pouvez-vous douter du pardon que vous daignez demander ? Ce n'est pas vous, c'est moi qui suis le seul coupable ; et cependant je vis, et cependant elle souffre mes plaintes, mes défauts, quelquefois même mes reproches. Aurais-je le droit de vous en adresser ? non, sans doute, et j'en ai moins encore le pouvoir. Votre sort, votre courage, votre vertu, oui, votre vertu, entendez cette louange sans la repousser, me pénètrent de respect et de pitié ; et si j'étais digne de me joindre à vos touchantes prières, je demanderais au ciel pour vous le calme que mon cœur déchiré ne connaît plus, mais qu'au prix de tant de sacrifices vous devez enfin obtenir.

« Ah ! dit Thérèse en relevant Léonce, je vous remercie d'écarter de moi votre haine ; mais ce n'est pas tout encore, il faudra que vous m'écoutiez sur votre sort à tous les deux : avant de vous en parler, je veux voir madame d'Artenas ; je ne connais qu'elle à Paris, c'est une parente de M. d'Ervins, elle est aussi l'amie de madame d'Albémar ; je dois lui faire part de la résolution que j'ai prise. Voulez-vous avoir la bonté, M. de Mondoville, de me conduire demain chez elle ? J'entre, après-demain, dans mon couvent, et huit jours après, le 1er de juin, je prendrai le voile de novice.

« Ciel ! dans huit jours ! m'écriai-je. — C'est un secret, reprit Thérèse : vous savez que par les nouvelles lois on ne reconnaît plus les vœux ; mais le prêtre vénérable qui me conduit a tout arrangé, et si l'on ne permettait plus aux religieuses de vivre en France en communauté, il m'a assuré un asile dans un couvent en Espagne. Je vous demanderai, ma chère Delphine, de me conduire vous-même dans ma retraite avec ma fille ; je l'embrasserai sur le seuil du couvent pour la dernière fois, et, après cet instant, c'est vous qui serez sa mère. »

Sa voix s'altéra en parlant de sa fille ; mais faisant un nouvel effort, elle dit à Léonce : « Demain à midi, n'est-il pas vrai, M. de Mondoville, vous viendrez me chercher pour me mener chez madame d'Artenas ? » Léonce consentit à ce qu'elle désirait par un signe de tête ; il ne pouvait parler, il était trop ému. Ah ! c'est une âme aussi tendre que fière ! ce n'est pas l'amour seul qui le rend sensible, la nature lui a donné toutes les vertus. Thérèse le regardait avec attendrissement, et c'est lui, j'en suis sûre, dont elle aurait imploré la protection, s'il lui était encore resté quelque intérêt dans le monde.

Le lendemain, Léonce et madame d'Ervins revinrent ensemble à quatre heures de chez madame d'Artenas ; je vis, sans en savoir la cause, que Léonce avait été très attendri ; Thérèse, calme en apparence, demanda cependant à se retirer quelques heures dans sa chambre. Léonce, resté seul avec moi, me raconta ce qui venait de se passer ; il ne se doutait point du projet de madame d'Ervins, en la conduisant chez madame d'Artenas, et dans la route elle n'avait rien dit qui pût lui en donner l'idée. Ils arrivèrent ensemble chez madame d'Artenas, et la trouvèrent seule avec sa nièce, madame de R. Après que madame d'Ervins eut annoncé sa résolution à madame d'Artenas, elle lui fit le récit de la conduite que j'avais tenue envers elle, et attribuant à cette conduite un mérite bien supérieur à celui qu'elle peut avoir, elle avoua tout, excepté ce qui eût indiqué mes sentiments pour Léonce. Il m'a dit que de sa vie il n'avait éprouvé, pour aucune femme, autant de respect que pour madame d'Ervins, dans le moment où elle croyait faire un acte d'humilité. Léonce a remarqué que Thérèse avait rougi plusieurs fois en parlant, mais sans jamais hésiter. « Et je voyais réunie en elle, a-t-il ajouté, la plus grande souffrance de la timidité et de la modestie, à la plus ferme volonté. » Elle finit en déclarant à madame d'Artenas, que, loin de demander le secret sur ce qu'elle venait de lui dire, elle désirait qu'elle le publiât, chaque fois que ses relations dans le monde la mettraient à portée de repousser la calomnie dont je pourrais être l'objet.

Elle se recueillit un instant, après avoir achevé ses pénibles aveux, pour chercher s'il ne lui restait point encore quelque devoir à remplir ; personne n'osa rompre le silence ; elle avait trop ému ceux qui l'écoutaient, pour qu'ils fussent en état de lui répondre ; et comme sans doute elle craignait toute conversation sur un pareil sujet, elle se leva pour la prévenir, en faisant une inclination de tête à madame d'Artenas et à sa nièce ; elle sortit, sans leur avoir laissé le temps d'exprimer l'intérêt et l'attendrissement qu'elles éprouvaient. Vous concevez, ma chère Louise, combien cette scène m'a touchée. Admirable Thérèse ! bien plus admirable que si jamais elle n'avait commis de faute ; que de vertus elle a tirées du remords ! combien elle vaut mieux que moi, qui me traîne sans forces sur les dernières limites de la morale, essayant de me persuader que je ne les ai pas franchies (62) !

Cette journée d'émotion n'était pas terminée ; Thérèse n'avait pas encore accompli tout ce que sa religion lui commandait : elle vint rejoindre Léonce et moi, et comme j'allais vers elle pour lui exprimer ma reconnaissance : « Attendez, me dit-elle, car je crains bien d'être forcée de vous déplaire ; mais demain je quitte le monde, et j'ai presque aujourd'hui les droits des mourants ; écoutez-moi donc encore. » Elle s'assit alors, et s'adressant à Léonce et à moi, elle nous dit :

« J'ai détruit votre bonheur ; sans moi vous seriez

502

unis, et la vertu contribuerait autant que l'amour à votre félicité ; ce tort affreux, ce tort que je ne pourrai jamais expier, c'est mon crime qui en a été la cause ; un malheur plus funeste encore, la mort de mon mari, a été la suite immédiate de mon coupable amour. Ce n'est donc pas moi, non, ce n'est pas moi qui pourrais me croire le droit de donner de sévères conseils à des âmes aussi pures que les vôtres ; cependant Dieu peut choisir la voix des pécheurs pour faire entendre des avis salutaires aux cœurs les plus vertueux. Vous vous aimez ; l'un de vous est lié par des chaînes sacrées, et vous vous voyez, et vous passez presque tous vos jours ensemble, vous fiant à la morale qui vous a préservés jusqu'à présent ! Je n'avais point sans doute vos lumières, je n'avais point vos vertus ; mais je formai néanmoins les mêmes résolutions que vous, et le charme de la présence affaiblit par degrés tous les sentiments honnêtes sur lesquels je m'appuyais. Delphine, faudrait-il qu'a-près être tombée, je vous entraînasse dans ma chute ! aurais-je à rendre compte de votre âme à l'Éternel ! Ah ! ce serait moi seule qui mériterais d'être punie, mais vous ne seriez plus cet être incomparable que je retrouverai dans le ciel un jour ; si mon repentir m'y fait recevoir.

« Et vous, Léonce, et vous, continua-t-elle, serez-vous heureux si vous entraînez mon amie ? si vous égarez ce caractère noble et vertueux, que Dieu appellera plus particulièrement à lui quand le mal-heur, ou, ce qui est la même chose, une plus longue durée de la vie lui aura fait sentir la nécessité d'une religion positive ? quand elle guidera ma fille dans le monde, au lieu d'y régner elle-même ?...

— Votre fille ! m'écriai-je, pourquoi l'abandon-nez-vous ? pourquoi m'en remettez-vous le soin ? je n'en suis pas digne.

— Delphine ! généreuse Delphine ! interrompit

Thérèse, me serais-je donc si mal fait comprendre que vous puissiez penser qu'il existe un être au monde que j'estime plus que vous ! Quand vous vous laisseriez entraîner par l'amour, je sais que votre cœur, resté pur, ne puiserait dans ses fautes qu'une connaissance plus cruelle, mais plus certaine de la nécessité de la morale. Les malheurs de mon amie me seraient, hélas ! un garant de plus des soins qu'elle donnerait à l'éducation vertueuse de ma fille. Mais vous, mais vous, Delphine, que deviendrez-vous si vous êtes coupable ? et par quel vain espoir vous flattez-vous de l'éviter, s'il gémit de votre résistance, s'il vous montre sa douleur, s'il vous la cache, et que ses traits altérés le trahissent, s'il est malheureux enfin ? Dites-moi donc, si vous le savez, comment vous ferez pour le supporter ? Écoutez, je suis prête à m'ensevelir pour toujours ; la main de Dieu est déjà sur moi ; j'ai trouvé dans mon âme la force de tout briser, de renoncer à tout ; eh bien, je ne me sentirais pas encore la puissance de voir souffrir ce que j'aime ; et vous vous la croyez cette puissance ! Delphine, insensée, il faut vous séparer de lui pour jamais, ou tomber à ses pieds, soumise à ses désirs. Vous ne pouvez trouver que dans l'exaltation d'un grand sacrifice des forces contre l'amour. Delphine, au nom du ciel... — Arrêtez, s'écria Léonce avec l'accent le plus douloureux ; ce n'est point à Delphine que vous devez vous adresser, elle est libre, et je suis lié pour jamais ; elle voulait s'unir à moi, je l'ai méconnue ; s'il faut déchirer un cœur, choisissez le mien ; je puis partir, je le puis ; la guerre va bientôt s'allumer en France ; j'irai me joindre à ceux dont je dois partager les opinions ; dans ce parti sans puissance, se faire tuer n'est pas difficile. Si vous avez dans votre religion des ressources pour faire supporter à Delphine la mort de Léonce, si vous en avez, j'y consens et je vous le pardonne : mais

pouvez-vous imaginer qu'après avoir passé près
d'elle des jours orageux, et néanmoins pleins de
délices, des jours pendant lesquels je lui ai confié mes
peines les plus secrètes, mes sentiments les plus
intimes, je vivrais privé tout à la fois de ma maîtresse
et de mon amie ! de celle qui devrait être ma femme,
et que je ne reverrais plus ! de celle qui dirige mes
actions, donne un but à mes pensées, et m'est sans
cesse présente ? croyez-moi, sans avoir besoin de
recourir à la résolution du désespoir, mon sang glacé
cesserait de ranimer mon cœur, si je ne vivais plus
pour elle. Et c'est vous, madame, qui pouvez oublier
tout ce que vous-même vous avez inspiré ! tout ce
qu'éprouve encore sans doute celui qui pleure loin de
vous ! — C'en est trop, s'écria Thérèse en pâlissant,
avec un tremblement convulsif qui me causa le plus
mortel effroi ; c'en est trop : quel langage vous me
faites entendre ! me croyez-vous donc assez guérie
pour n'en pas mourir ? ignorez-vous ce qu'il m'en
coûte ? pouvez-vous réveiller ainsi tous mes souvenirs ? Cessez ! cessez ! Delphine, soutenez-moi, éloi-
gnons-nous d'ici. »

Léonce, inconsolable de l'état où il avait jeté
madame d'Ervins, n'osait approcher d'elle ; on l'emporta dans sa chambre, je la suivis, et je fis dire à
Léonce que je ne redescendrais pas. Je ne voulais
pas quitter madame d'Ervins, et je me sentais aussi
dans un trouble qui me rendait impossible de parler à
Léonce. Pourquoi le rendre témoin de mes cruelles
incertitudes ? des remords que madame d'Ervins a
fait naître en moi ? Je veux me déterminer enfin, je le
veux ; mais je ne puis le revoir qu'après avoir pris une
décision. Quelle sera-t-elle, ô mon Dieu ?

Madame d'Ervins passa près d'une heure sans
prononcer une parole, m'écoutant quelquefois, et ne
me répondant que par des pleurs. Je crus que c'était
le moment d'essayer encore de la détourner d'entrer

au couvent : les premiers mots que je prononçai sur ce sujet lui rendirent tout à coup du calme ; elle me demanda doucement de m'éloigner. J'ai appris depuis qu'elle avait passé deux heures en prières, qu'après ces deux heures elle s'était couchée, et qu'elle avait paisiblement dormi jusqu'au matin.

Pour moi, j'ai passé cette nuit sans fermer l'œil : infortunée que je suis ! un esprit éclairé, quand l'âme est passionnée, ne fait que du mal ; je ne puis, comme Thérèse, adopter aveuglément toutes les croyances qui remplissent son imagination, et mon cœur en aurait besoin. J'invoque une terreur, un fanatisme, une folie, un sentiment, quel qu'il soit, assez fort pour lutter contre l'amour. Quelquefois je suis prête à vous conjurer de venir ici ; je voudrais m'en remettre à vous sur mon sort, vous parleriez à Léonce, vous le verriez et vous me jugeriez. Ah ! ma sœur, cette prière serait-elle trop exigeante ? feriez-vous ce sacrifice à celle que vous avez élevée, et qui vous redemanderait d'exercer de nouveau l'empire le plus absolu sur sa volonté ?

LETTRE XLIII

Delphine à mademoiselle d'Albémar

Bellerive, ce 26 mai 1791.

Non, ne venez pas, tout est promis ; je le crois, tout est décidé. Thérèse a trop usé peut-être de l'empire que mon attendrissement lui donnait sur moi ; mais enfin, j'ai cédé à ses larmes, à l'ardeur de ses prières. Son imagination était frappée de l'idée qu'elle aurait à se reprocher la perte de mon âme ; son confesseur, je crois, l'avait encore, la veille, pénétrée de nouveau de cette crainte. Sa douleur, son éloquence, m'ont entièrement bouleversée ; je n'ai pas consenti cependant à m'éloigner de Léonce sans être rassurée sur son désespoir ; je ne le puis, je ne le dois pas : le véritable crime serait d'exposer sa vie ; quel effroi peut l'emporter sur une telle crainte ! le remords même est plus facile à braver.

Thérèse veut que Léonce soit témoin avec moi de la cérémonie qui consacrera le moment où elle doit prendre le voile de novice. Elle compte sur l'impression de cette solennité, et, malgré la résistance qu'il a déjà opposée à ses prières, elle croit qu'au pied de l'autel, ses derniers adieux obtiendront de Léonce qu'il me laisse partir. Elle veut lui répéter alors ce dont elle est convaincue, c'est que son salut à elle-même dépend du mien, et qu'il ne peut sans barbarie se refuser au dernier effort qu'elle veut tenter, pour m'arracher aux malheurs qui me menacent ; elle se croit sûre d'obtenir ainsi le consentement de Léonce. J'ai promis que si elle l'obtenait en effet, je partirais à l'instant même ; c'est dans six jours, et je dois jusque-là cacher à Léonce ce que j'éprouve ; je l'ai juré. Je vous l'avoue, lorsque Thérèse m'a arraché tous les engagements qu'elle a voulu, j'avais un espoir secret que rien ne pourrait décider Léonce à mon départ ; mon opinion à présent n'est plus la même : Thérèse est si touchante ! le moment qu'elle a choisi pour parler à Léonce est si propre à l'émouvoir ! J'y joindrai moi-même mes instances, je le dois, je le ferai ; mais se taire pendant ces six jours, le revoir avec l'idée que bientôt peut-être nous serons séparés ! Thérèse a trop exigé de moi ; sa dévotion, tout à la fois exaltée et romanesque, m'ébranle, m'entraîne, et ne me soutient pas.

Elle m'a répété de mille manières, avec cet accent passionné qu'elle tient de l'amour et qu'elle consacre à la religion, que je ne pouvais pas me refuser à l'espoir qui lui restait encore de me sauver, et d'obtenir l'absolution de ses fautes. Je vous demande bien peu, me disait-elle, je vous demande seulement la permission d'essayer dans un moment solennel, si je puis attendrir votre amant sur le sort auquel il vous livre ; vous ne pouvez pas vous y opposer, sans vous avouer à vous-même que, dût-il accéder à votre départ, vous n'en seriez pas capable ! » Je résistais encore à ce qu'elle désirait, une crainte vague me retenait ; mais lorsque j'étais prête à la quitter, elle s'est précipitée à mes pieds avec sa fille, et m'a représenté avec une telle force ce que j'éprouverais si je me rendais coupable, ce qu'elle avait souffert, parce que, éloignée de moi, une âme courageuse n'était point venue à son secours ; elle a fait naître dans mon cœur une émotion si vive, que j'ai consenti à tout.

Qu'en arrivera-t-il ? une séparation déchirante : je suis comme égarée, on dispose de moi sans que ma volonté me guide, je ne sais ce que je dois craindre ; peut-être de tels efforts augmenteront-ils les dangers mêmes dont on veut me sauver. — Ah ! Léonce, c'est à vous qu'on s'en remet ; est-ce vous qui briserez nos liens !

LETTRE XLIV

Léonce à Delphine

Paris, ce 28 mai.

D'où vient le trouble que j'éprouve ? jamais vous ne m'avez paru plus touchante, plus sensible qu'hier ! J'étais dans l'ivresse auprès de vous, et quand je me suis rappelé notre soirée, je n'ai éprouvé qu'une inquiétude, une tristesse indéfinissable. Je vous ai trouvée vous faisant peindre pour moi ; vous aviez revêtu un costume grec qui vous rendait plus céleste encore ; tous vos charmes se développaient à mes yeux ; je vous ai regardée quelque temps, mais je me sentais dévoré par une passion qui consumait ma vie. Le peintre nous a quittés ; je vous ai serrée dans mes bras, et deux fois vous avez penché votre tête sur mon épaule ; mais je ne vous avais point communiqué l'ardeur que j'éprouvais. Vos yeux se remplissaient de larmes, votre visage était pâle, et votre regard abattu ; si, dans cet état, il eût été possible que votre cœur vous livrât à mon amour, il me semble qu'un sentiment inconnu, mais tout-puissant, m'eût interdit d'accepter le bonheur même.

Je m'éloignais, je me rapprochais de vous, vous gardiez le silence ; cependant vous m'aimiez, et j'éprouvais au-dedans de moi-même une fièvre d'amour, un frisson de douleur tout à fait inexplicable. J'ai voulu vous demander de prendre votre harpe ; vous savez combien vous me calmez en me faisant entendre votre voix unie à cet instrument. « Ah ! m'avez-vous répondu vivement, je ne puis pas supporter la musique, ne m'en demandez pas. — Pourquoi ne pouvez-vous plus la supporter ? Vous m'avez souvent répété ces paroles de Shakespeare : *L'âme qui repousse la musique est pleine de trahison et de perfidie.* Pourquoi la repoussez-vous ? »

J'ai votre parole de ne jamais partir à mon insu, je ne puis la révoquer en doute, vous me l'avez de nouveau répété, quelle est donc la cause de l'état où je vous ai vue ? Ah ! sentiriez-vous quelque atteinte de la douleur qui me tue ? sentiriez-vous qu'il faut mourir, si nous ne nous appartenons pas l'un à l'autre ? Non, vos yeux n'exprimaient ni l'entraînement ni l'abandon. Delphine, ton âme est si pure, si vraie, que rien ne peut la troubler sans que ton ami l'aperçoive ; dis-moi donc quel est le sentiment qui t'occupait hier ?

LETTRE XLV

Léonce à M. Barton

Paris, ce 31 mai.

L'un de vos amis vous a mandé qu'il m'avait trouvé changé, et vous en êtes inquiet ; je vous en prie, rassurez-vous ; je souffre, mais il n'y a point de danger pour ma vie ; j'ai assez souvent la fièvre le soir, ce sont les peines de mon âme qui me la donnent. Depuis quelque temps je crains sans cesse que madame d'Albémar ne s'éloigne de moi, le trouble qu'elle me cause excite dans mon sang une agitation continuelle ; mais ce n'est pas, soyez-en sûr, la maladie qui me tuera. Ne venez point me voir, vous ne pourriez rien sur moi ; jamais on n'a ressenti ce que j'éprouve ! Je sortirai de cet état, il faut qu'il finisse à quelque prix que ce puisse être, il le faut. Attendez mon sort ; je ne veux pas que votre vie paisible s'approche de la mienne, une influence fatale tomberait sur vous.

LETTRE XLVI

Delphine à Léonce

Bellerive, ce 1er juin, à 10 heures du matin.

Madame d'Ervins m'écrit encore ce matin qu'elle désire vivement que vous soyez témoin de la cérémo-

nie de ce soir : venez me chercher à quatre heures
pour me conduire à son couvent ; elle le veut, nous ne
pouvons pas le lui refuser.

LETTRE XLVII

Réponse de Léonce à Delphine

Paris, ce 1ᵉʳ juin, à midi.

Si vous l'exigez, j'irai ; mais essayez de m'en
dispenser, j'ai peur des émotions ; vous ne savez pas,
dans la disposition actuelle de mon âme, combien
elles me font mal ! Je serai chez vous à quatre heures ;
mais, s'il est possible, écrivez à madame d'Ervins que
vous irez seule.

LETTRE XLVIII

Delphine à mademoiselle d'Albémar

Bellerive, ce 2 juin.

Si je ne suis pas encore tout à fait indigne de vous,
ma Louise, je ne sais à quel secours du ciel je le dois.
Méritais-je ce secours, après des moments si coupables ? Non, sans doute, mais il m'a été donné pour
me livrer à la douleur, pour expier par mes regrets,
ce jour où mes sentiments ont profané tout ce qu'il y
a de plus respectable au monde. Je suis bien malade ;
on me croit en danger, on me défend d'écrire ; mais si
je dois mourir, je veux que vous connaissiez les

dernières heures que j'ai passées. Elles ont été terribles! que le souvenir en demeure déposé dans votre sein! Apprenez quels sont les efforts qui peut-être ont précédé la fin de ma vie! Je crains que ma fièvre ne me fasse tomber dans le délire; je n'ai peut-être plus que quelques instants pour recueillir mes pensées, je vous les consacre encore. Aimez-moi! Si je meurs, je puis être pardonnée.

Léonce, à regret, s'était enfin décidé à m'accompagner comme le désirait madame d'Ervins; nous arrivons à la porte du couvent où je l'avais conduite la veille, et près duquel demeurait son confesseur; un homme m'y attendait, pour me remettre une lettre d'elle qui m'apprenait qu'elle serait reçue novice, dans quel lieu, juste ciel! dans l'église même où j'ai vu Léonce se marier! Thérèse me l'avait caché, mais c'était sur ce moyen qu'elle comptait, pour triompher de notre amour. J'hésitai, je l'avoue, si je continuerais ma route; mais la fin de la lettre de Thérèse était tellement pressante, elle me disait avec tant de force qu'elle avait besoin de me revoir encore, que je lui percerais le cœur en la privant dans un tel moment de la présence de sa seule amie, que je n'eus pas le courage de la refuser. Léonce, cette fois, voyant dans quel état d'émotion j'étais, insista pour ne pas m'abandonner seule à cette épreuve douloureuse. J'étais déjà dans un tel trouble que je cessai de vouloir, et je me laissai conduire sans réflexion ni résistance.

Pendant la route qui nous restait encore à faire, nous gardâmes l'un et l'autre le plus profond silence; néanmoins, à l'instant où ma voiture tourna dans le chemin qui conduit à l'église de Sainte-Marie, Léonce reconnaissant les lieux qu'il ne pouvait oublier, dit avec un profond soupir : « C'était ainsi que j'allais avec Matilde; elle était là, s'écria-t-il en montrant ma place : oh! pourquoi suis-je venu! Je

ne puis... » Il semblait vouloir fuir, mais en me
regardant, ma pâleur et mon tremblement le frappèrent sans doute, car, s'arrêtant tout à coup, il ajouta :
« Non, pauvre malheureuse, tu souffres, je ne te
laisserai point souffrir seule, appuie-toi sur ton
ami. » Nous descendîmes de la voiture ; l'église était
fermée pour tout le monde, excepté pour nous : un
vieux prêtre vint à notre rencontre, et se souvenant
mal des deux personnes qu'on l'avait chargé de
recevoir, il me dit en montrant Léonce : « Madame,
monsieur est sans doute votre mari ? » Ah ! Louise,
ce mot si simple réveillait tant de regrets et de
remords, que je restai comme immobile devant la
porte de l'église, n'osant en franchir le seuil. Léonce
prit la parole avec précipitation : « Je suis le parent
de madame », répondit-il ; et m'entraînant après lui,
nous entrâmes. Le prêtre nous fit asseoir sur un banc
peu éloigné de la grille du chœur. Léonce se plaça de
manière qu'il ne pût apercevoir l'autel devant lequel
il s'était marié ; sa respiration était haute et précipitée ; moi, j'avais couvert mes yeux de mon mouchoir,
je ne voyais rien, je pensais à peine, j'éprouvais
seulement une agitation intérieure, une terreur sans
objet fixe, qui troublait entièrement mes réflexions.
L'une des portes qui conduisaient dans l'intérieur du
couvent s'ouvrit ; des religieuses couvertes d'un voile
noir, suivies par l'infortunée Thérèse, vêtue d'une
robe blanche, s'avancent à quelque distance de nous,
dans un profond silence ; Thérèse s'appuyait sur le
bras de son confesseur ; mais ses pas n'étaient point
chancelants, on pouvait même remarquer qu'une
exaltation extraordinaire les rendait trop rapides ;
pendant qu'elle marchait, les prêtres chantaient un
psaume lugubre, qu'accompagnait un orgue assez
doux ; Thérèse quitta les religieuses pour venir vers
moi ; elle me serra la main avec une expression que je
ne pourrai jamais oublier, et tendant une lettre à

513

Léonce, elle lui dit à voix basse : « Quand la barrière éternelle sera refermée sur moi, lisez ce papier, dans cette église même, à la lueur de cette lampe qui brûle à quelques pas de l'autel où vous avez prononcé d'irrévocables serments. Écoutez, pour vous préparer à ce que j'ose vous demander, les chants des religieuses qui vont consacrer mon entrée dans leur asile ; quand ils auront cessé, je n'existerai plus pour le monde ; mais si vous exaucez mes prières, vous me réconcilierez avec Dieu ; je ne serai plus coupable devant lui de votre perte à tous les deux ; et toi, mon amie, me dit-elle, tu vois où l'amour m'a conduite, fuis mon exemple. Adieu. » En achevant ces mots, elle s'approcha de la grille du chœur, tourna la tête encore une fois vers moi, et dans le moment où cette grille allait nous séparer pour toujours, elle me fit un dernier signe, comme sur les confins de la terre et du ciel. Je crus la voir passer de la vie à la mort, et dans l'éloignement, elle m'apparaissait telle qu'une ombre légère, déjà revêtue de l'immortalité.

Léonce était resté immobile, tenant à la main la lettre de Thérèse. « Que contient-elle ? me dit-il avec l'accent le plus sombre ; que voulez-vous de moi ? Seriez-vous d'accord avec elle ? — Je vous en conjure ! interrompis-je, obéissez à la prière de Thérèse, ne lisez point encore ce qu'elle vous écrit ! Donnez un moment à la pitié pour elle ! Je suis là, près de vous, mon ami ; ah ! pleurons encore quelques instants sans amertume ! » Léonce, placé derrière moi, posa sa main sur le pilier qui me servait d'appui ; ma tête tomba sur cette main tremblante, et ce mouvement, je crois, suspendit quelque temps son agitation. La musique continua ; l'impression qu'elle me causait me plongea dans une rêverie extraordinaire, dont je n'ai pu conserver que des souvenirs confus ; bientôt j'entendis les sanglots étouffés de mon malheureux ami, et je m'abandonnai sans contrainte à mes larmes. J'invoquai Dieu pour mourir dans cette situation, elle était pleine de délices ; je n'imposais plus rien à mon âme, elle se livrait à une émotion sans bornes ; il me semblait que j'allais expirer à force de pleurs, et que ma vie s'éteignait dans un excès immodéré d'attendrissement et de pitié. Je ne sais combien de temps dura cette sorte d'extase, mais je n'en fus tirée que par le bruit que firent les rideaux du chœur, lorsqu'on les ferma. La cérémonie terminée, les religieuses et les prêtres s'étant retirés, nous n'entendîmes plus, nous ne vîmes plus personne, et nous nous trouvâmes seuls dans l'église, Léonce et moi.

Léonce, sans quitter ma main, s'approcha de la lumière, et lut la prière solennelle, éloquente et terrible, que Thérèse lui adressait, pour l'engager à sauver mon âme en rompant nos liens et en cessant de nous voir. Je ne pus en saisir que quelques paroles, qu'il répétait en frémissant. A peine l'eut-il finie que, levant sur moi des yeux pleins de douleur et de reproches, il me dit : « Est-ce vous qui avez combiné ces émotions funestes ? est-ce vous qui avez résolu de me quitter ? — Consentez, lui dis-je avec effort, consentez à mon absence. Léonce, je t'en conjure, cède à la voix du ciel que Thérèse t'a fait entendre ! Ne sens-tu pas que les forces de mon âme sont épuisées ? Il faut que je m'éloigne ou que je devienne criminelle ! Un plus long combat n'est pas en ma puissance ! Saisissons cet instant !... — Il est donc vrai, reprit Léonce, il est donc vrai que vous avez formé le dessein de me quitter ! que tant de jours passés ensemble n'ont point laissé de trace dans votre cœur ! Oui ! c'en est fait ! il n'y aura plus sur cette terre une heure de repos pour moi ! Et quand devait-elle commencer, cette séparation ? — A l'heure même ! m'écriai-je ; tout est prêt, l'on m'attend, laissez-moi partir ; que ce lieu soit témoin de ce noble effort ! — Il sera témoin, s'écria-t-il, de ma mort ! je me sens abattu, je n'ai plus l'espérance qui pourrait m'aider à triompher de votre dessein ! Je me suis trompé ! vous n'avez pas d'amour ! vous n'en avez pas ! vous pouvez partir. Eh bien, le sacrifice est fait, vous le pouvez. Adieu. »

Louise, jamais la douleur de Léonce n'avait été si profonde et si touchante ; elle avait changé son caractère. Il n'essayait pas de me retenir ; mais je voyais dans son regard une expression funeste, une résignation sombre qui me glaçait de terreur. J'essayai de lui parler, il ne me répondait plus ; je ne pouvais supporter qu'il eût cessé de croire à ma passion pour lui ; dix fois il en repoussa l'assurance, et semblait craindre les sentiments les plus doux, comme si, décidé à mourir, il avait eu peur de regretter la vie. Enfin, un accent plus tendre le ranima tout à coup, mais pour lui rendre un égarement non moins effrayant que l'accablement dont il sortait. « Eh bien, me dit-il, si tu veux que je croie à ton amour, si tu veux que je vive, il en existe encore un moyen ! Il peut seul expier ce que tu m'as fait souffrir ! il peut seul prévenir les tourments qui m'attendent ! Il faut te lier à l'instant même par un serment que tu nommeras sacrilège, mais sans lequel aucune puissance humaine ne peut me faire consentir à la vie. — Que veux-tu de moi ? lui dis-je épouvantée ; ne sais-tu pas que je t'adore ? n'est-tu pas le souverain de ma vie ? — Qui pourrait compter, me répondit-il avec amertume, qui pourrait compter sur ton âme incertaine, combattue, toujours prête à m'échapper ? Il n'est qu'un lien sur la terre, il n'en est qu'un qui puisse répondre de toi ! Et ce moment de désespoir est le dernier où la passion toujours repoussée, toujours vaincue par chaque nouveau repentir, puisse te demander, puisse obtenir l'engagement de l'amour. Qu'il soit donné dans ces lieux mêmes dont tu invoques sans cesse contre moi les cruels souvenirs ! que l'horreur même de ce séjour consacre ta promesse ou ton refus irrévocable. Viens, suis-moi. » Je sentais qu'il voulait m'entraîner vers l'autel fatal, près de la colonne derrière laquelle j'avais été témoin de son malheureux mariage ; nous en étions encore à quelques pas, et je m'appuyais sur l'un des tombeaux que des regrets pieux ont consacrés dans cette église.

« Restons ici, dis-je à Léonce, reposons-nous près des morts. — Non, me dit-il avec une voix qui retentit encore dans tout mon être, ne résiste point, suis mes pas. » Les forces me manquaient, il passa son bras autour de moi, et entraînée par lui, je me trouvai précisément en face de l'autel où le sacrifice de mon sort avait été accompli. Je regardai Léonce, cherchant à découvrir sa pensée ; ses cheveux étaient défaits ; sa beauté, plus remarquable que dans aucun moment de sa vie, avait pris un caractère surnaturel, et me pénétrait à la fois de crainte et d'amour. « Donne-moi ta main, s'écria-t-il, donne-la-moi ; s'il est vrai que tu m'aimes, tu dois, infortunée, tu dois avoir besoin comme moi de bonheur ; jure sur cet autel, oui, sur cet autel même dont il faut à jamais écarter le fantôme horrible d'un hymen odieux ; jure de ne plus connaître d'autres liens, d'autres devoirs que l'amour ; fais serment d'être à ton amant, ou je brise à tes yeux ma tête sur ces degrés de pierre, qui feront rejaillir mon sang jusqu'à toi. C'en est trop de douleurs, c'en est trop de combats ; c'est dans ce sanctuaire, triste asile des larmes, que j'ose déclarer que je suis las de souffrir ! je veux être heureux, je le veux : la trace de mes chagrins est trop profonde ; rien ne peut faire cesser mes craintes ; je te verrai toujours prête à m'échapper, si des liens chers et sacrés ne me répondent pas de notre union. Le poids que je soulève pour respirer l'air m'oppresse trop péniblement ; il faut que je m'enivre des plaisirs de la vie, ou que la mort m'arrache à ses peines. Si tu me refuses, Delphine, tiens, les lieux sont bien choisis ; sous ces marbres sont des tombeaux, indique la pierre que tu me destines, fais-y graver quelques lignes, et tu seras quitte envers mon sort. Que reste-t-il de tant d'hommes infortunés comme moi ? des inscriptions presque effacées sur lesquelles le hasard porte encore quelquefois nos yeux inattentifs. Delphine, la mort est sous nos pas, repousse ton amant dans l'abîme, ou viens te jeter dans ses bras ; il t'enlèvera loin de ces voûtes funestes, et nous retrouverons ensemble et le ciel et l'amour. »

Ses regards me causaient une terreur inexprimable ; je lui dis : « Léonce, sortons d'ici : je ne partirai pas. Que veux-tu de moi ? sortons d'ici. — Non ! s'écria-t-il en me retenant avec violence, dans une heure tu reprendras sur moi ton funeste empire, je recommencerai cette misérable vie de tourments, de craintes, de regrets ; non, ce jour terminera cette existence insupportable : ton âme doit sentir en cet instant ce qu'elle peut pour moi ; si tu résistes à l'état où je suis, au trouble qu'il te cause, c'en est fait, nos nœuds sont brisés. Fais le serment que j'exige, ou laisse-moi ; reviens seulement demain à la même heure, les prêtres chanteront pour moi les mêmes hymnes que pour ton amie ; tu seras seule au monde. Delphine, pauvre Delphine ! ainsi séparée de tout ce qui te fut cher, ne regretteras-tu donc pas le malheureux insensé qui t'a si tendrement aimée ? » Louise, mon cœur s'égarait. « Cruel ! m'écriai-je, quoi ! c'est dans ce lieu même que tu peux exiger une semblable promesse ! Oses-tu donc profaner tout ce qu'il y a de saint sur la terre ?

— Je veux, reprit Léonce, te lier pour jamais ; je veux affranchir ton âme violemment et sans retour, de tous les scrupules vains qui la retiennent encore.

Delphine, si nous étions au bout du monde, si les volcans avaient englouti la terre qui nous donna naissance, les hommes que nous avons connus, croirais-tu faire un crime en t'unissant à ton amant ? Eh bien, oublie l'univers, il n'est plus, il ne reste que notre amour. Tu ne l'as jamais connu l'amour, fille du ciel ! aucun mortel n'a possédé tes charmes. Quand ton âme sera tout entière livrée à moi, tu m'aimeras d'une affection que tu ne peux encore comprendre ; il naîtra pour nous deux une seule et même vie, dont nos existences séparées n'ont pu te donner l'idée. Dis-moi donc, ne sens-tu pas ce que j'éprouve, un élan du cœur vers la félicité suprême, un délire d'espérance qu'on ne pourrait tromper sans que l'avenir fût flétri pour toujours ? Écoute, Delphine, si tu sors de ces lieux sans que ta volonté soit vaincue, sans que tes desseins soient irrévocablement changés, j'en ai le pressentiment, tout est fini pour moi ; tu auras horreur de ma violence, tu ne te souviendras que d'elle. Delphine, c'en est fait, prononce ; jamais la mort ne fut plus près de moi ! Quand tout mon sang, s'écria-t-il en frappant avec violence sa poitrine, quand tout mon sang sortit de cette blessure, j'avais mille fois plus de chances de vie qu'en cet instant ! » Qui pourrait, juste ciel ! se faire l'idée de l'expression de Léonce alors ! il était tellement hors de lui-même, que je ne doutai pas du plus funeste dessein. J'allais perdre tout sentiment de moi-même, j'allais promettre, dans le sanctuaire des vertus, d'oublier tous mes devoirs ; je me jetai à genoux cependant, par une dernière inspiration secourable, et j'adressai à Dieu la prière qui, sans doute, a été entendue.

« O Dieu ! m'écriai-je, éclairez-moi d'une lumière soudaine ! tous les souvenirs, toutes les réflexions de ma vie ne me servent plus ; il me semble qu'il se passe en moi des transports inouïs qu'aucun devoir n'avait prévus : si tant d'amour est une excuse à vos yeux, si quand de tels sentiments peuvent exister, vous n'exigez pas des forces humaines de les combattre, suspendez cet effroi que j'éprouve encore pour un serment que je crois impie ! éloignez le remords de mon âme, et qu'oubliant tout ce que j'avais respecté, je fasse ma gloire, ma vertu, ma religion du bonheur de ce que j'aime. Mais si c'est un crime que ce serment, demandé avec tant de fureur, ô mon Dieu ! ne me condamnez pas du moins à voir souffrir Léonce ; anéantissez-moi à l'instant, dans ce temple saint tout rempli de votre présence ! Des sentiments d'une égale force s'emparent tour à tour de mon âme, vous pouvez seul faire cesser cette incertitude horrible. O mon Dieu ! la paix du cœur, ou la paix des tombeaux, je l'appelle, je l'invoque... » Je ne sais ce que j'éprouvai alors, mais la violence de mes émotions surpassant mes forces, je crus que j'allais mourir, et frappée de l'idée qu'il y avait quelque chose de surnaturel dans cet effet de ma prière, en perdant connaissance, je pus encore articuler ces mots : « O mon Dieu ! vous m'exaucez. »

Léonce m'a dit depuis, qu'il se persuada, comme moi, que j'étais frappée par un coup du ciel, et qu'en me relevant dans ses bras, il douta quelques instants de ma vie : il me porta jusqu'à ma voiture, et j'arrivai à Bellerive sans avoir repris mes sens. Lorsque j'ouvris les yeux, je trouvai Léonce au pied de mon lit ; je fus longtemps sans me rappeler ce qui s'était passé : comme le jour commençait à paraître, mes souvenirs revinrent par degrés, je frémis de ce qu'ils me retracèrent. Le remords, la honte, une vive impression de terreur me saisit, en me rappelant dans quel lieu l'on m'avait demandé des serments criminels ; je détournai mes regards de Léonce, je le conjurai de me quitter, de retourner chez lui calmer l'inquiétude que son absence devait causer à

Matilde; je vis à son trouble qu'il craignait les résolutions que je pourrais former, je lui jurai de l'attendre ce soir. Oh! je ne puis pas partir, je n'ai plus la force de rien.

Louise, je crois, en effet, que ma prière a été réellement exaucée; ce que j'éprouve ressemble aux approches de la mort. J'ai pu du moins écrire jusqu'à la fin ce récit terrible; vous saurez, quoi qu'il m'arrive, quel combat j'ai soutenu, quelles douleurs... ah! ce seront les dernières. Adieu, Louise; ma main tremble, je sens ma raison troublée; avec mes dernières forces, avec mon dernier accent, je vous dis encore que je vous aime.

LETTRE XLIX

Madame de Lebensei à mademoiselle d'Albémar

Paris, 4 juin 1791.

Je suis bien malheureuse, mademoiselle, d'avoir à vous causer la peine la plus cruelle. Madame d'Albémar est à toute extrémité; on l'a transportée à Paris dans le délire, et ce qu'elle dit dans cet état fait trop voir que les peines de son cœur sont la cause de la maladie dont elle est atteinte. S'il en est encore temps, venez près d'elle. M. de Mondoville est dans un état qui ne diffère guère de celui de Delphine; mon mari seul conserve assez de présence d'esprit pour secourir ces deux infortunés. Madame d'Albémar a déjà prononcé plusieurs fois votre nom. Ah! que n'êtes-vous ici! que ne vous reste-t-il du moins l'espérance que vous y arriverez à temps!

NOTES

Page 21

(1) *Léonce de Mondoville serait Louis de Narbonne. Voir préface. Je donnerai les clefs dans les notes.*

Page 22

(2) *Madame de Vernon serait... Talleyrand qui aurait dit en parlant de Madame de Staël représentée par Delphine : « Elle nous a tous deux déguisés en femmes ». Il est ingénieux d'établir une équivalence entre un homme infirme et une femme. Pourtant, il me semble que Madame de Vernon, même si son comportement, profondément pragmatique, évoque celui d'un homme et s'oppose à celui des autres femmes du livre, représente aussi un certain type de femme.*

Page 33

(3) *Les caractères de Delphine et de Matilde sont bien posés ici : l'une agit selon ses sentiments, l'autre selon les règles. L'une a de l'imagination, l'autre n'en a pas. L'une a de l'esprit, l'autre est dévote. Cette opposition se retrouve à peu près entre Corinne et sa demi-sœur Lucile. Quoiqu'elles aient choisi des voies opposées, dans les deux livres, les deux femmes échouent, montrant sans doute par là qu'il n'y a pas de solution...*

(4) *Rosalie de Constant, qui était devenue infirme à la suite d'un accident, s'est aussitôt reconnue en Mademoiselle d'Albémar. Elle a été très blessée que Madame de Staël confirme cette identité à des tiers. Madame de Staël n'avait pas toujours autant de tact que de cœur.*

DELPHINE

Page 35

(5) *Delphine est orpheline. On verra que Mademoiselle d'Albémar et Madame de Vernon remplacent sa mère. Madame de Staël, qui avait quelques difficultés avec Mme Necker, sa mère, a opéré dans ce livre une dichotomie savante : elle a divisé en deux ce personnage complexe qu'est une mère, d'un côté entièrement dévoué, mais de l'autre, vivant sa propre vie, détournant le père, et devenant ainsi l'image de la duplicité.*

Page 39

(6) *Pourquoi les femmes (à cette époque) sont-elles généralement dissimulées, c'est l'une des questions à quoi répond ce livre.*

Page 40

(7) *Écho de Rousseau, qui dans la dernière partie de L'Émile recommande qu'on élève les filles dans la « gêne ». Madame de Staël offre en Matilde le résultat de cette éducation. Le plus intéressant est que certains lecteurs ont trouvé que Matilde était la seule femme acceptable du livre...*

Page 43

(8) *Ici, comme en plusieurs autres endroits du livre, on reconnaît en Delphine, l'auteur, Madame de Staël. D'un autre côté, l'opposition est marquée tout de suite entre la femme qui parle (Delphine) et la femme qui ne parle pas, Matilde. On retrouvera cette opposition entre Corinne et Lucile.*

Page 47.

(9) *Le destin de la femme disgraciée s'oppose à celui de l'homme infirme — Mr de Belmont — qui, lui, trouvera quelqu'un pour l'aimer. Madame de Staël exprime très bien que Mademoiselle d'Albémar n'ose pas vivre pour elle-même, et on verra ce personnage se diluer au cours du livre pour ne plus être que la confidente de Delphine.*

Page 51

(10) *L'enfant est déjà victime des malheurs de sa mère.*

DELPHINE

Page 65

(11) *Le duc de Mendoce et Léonce de Mondoville s'oppo-sent en apparence (l'un cherche son intérêt, l'autre va généralement contre), mais ils se rejoignent sur ce point : ils obéissent tous deux exclusivement à un code social. L'un obéit au pouvoir, l'autre à l'opinion.*

Page 66

(12) *Madame de Staël se livre souvent à une certaine ironie — dont on trouve un écho dans ses lettres à Narbonne — à l'égard de la vanité française.*

Page 72

(13) *Qu'elle aime ou qu'elle n'aime pas, la malheureuse Delphine se justifiera pendant tout le livre de ce qu'elle fait et de ce qu'elle ne fait pas, exprimant par là le malaise de la femme à l'endroit de sa situation dans la société.*

Page 94.

(14) *Madame de Staël renverse ici les données de l'épigra-phe du livre.*

Page 101

(15) *Les descriptions très nombreuses de la beauté de Delphine (que Madame de Staël rend d'ailleurs à dessein très différente d'elle-même) font parfois sourire, mais aurait-il été seulement imaginable à cette époque que l'héroïne d'un roman d'amour fut laide ? Est-ce tellement différent aujour-d'hui ?*

Page 104

(16) *Voici une autre caricature de Léonce. Il semble qu'il y ait une série de miroirs qui le renvoient légèrement déformé.*

Page 105

(17) *La critique constante de l'éducation des filles n'amène pourtant pas de solution tant que les mœurs ne changent pas, et Delphine, avec tout son esprit n'aura pas un destin préférable à celui de Thérèse.*

Page 119

(18) *Se taire... léger sacrifice dont Madame de Staël (et*

527

DELPHINE

d'ailleurs Delphine) ont toujours été incapables grâce au ciel. Mais ce discours montre à quel point la femme est prête à renoncer à soi.

Page 130

(19) Il est clair que Madame de Mondoville veut garder son fils pour elle et l'empêcher d'épouser une femme qu'il aime. C'est l'une des rares femmes malveillantes dont on ne nous raconte pas la destinée.

(20) L'une des plus belles phrases de Madame de Staël

Page 131

(21) Léonce raconte en toute ingénuité sa conduite dont toutes les lectrices verront aussitôt la cruauté à l'égard des deux femmes.

Page 133

(22) Ici Delphine préfigure tout à fait Corinne.
(23) Cette danse évoque une danse de Madame Récamier ou bien, dit Simone Balayé, de Madame de Krudener.

Page 135

(24) C'est en effet en se dévoilant trop, en montrant trop d'amour à Léonce, que Delphine l'encourage à exiger trop d'elle. C'est l'histoire de Madame de Staël avec ceux qu'elle aime.

Page 138

(25) Le plus curieux, c'est que Madame de Vernon a raison.
(26) C'est cette phrase qui a fait reconnaître Talleyrand en Madame de Vernon.

Page 151

(27) Cette aventure est arrivée à Madame de Staël. Seule Delphine de Custine osa venir lui parler. Voir préface.

Page 154

(28) Quelles que soient les erreurs des femmes qui apparaissent dans ce livre, Madame de Staël en cherche et en explique généralement la cause.

DELPHINE

Page 175

(29) *A chaque fois que Delphine agit par humanité ou par générosité, il en résulte pour elle-même une sorte de sanction. L'auteur veut montrer que la* vraie *morale est inaccessible aux femmes, et pourquoi. On revient, ainsi à l'épigraphe du livre.*

Page 176

(30) *Ici, Delphine entrevoit la vérité : Léonce la désire mais il ne l'aime pas. Il n'aimera d'ailleurs personne au cours du livre.*

Page 179

(31) *Le blanc symbolise la pureté mais aussi le deuil. Quant au voile il est figuratif, il annonce la clôture de* Delphine. *La femme qui se marie porte un voile de mariée, mais celle qui ne se marie pas est virtuellement supprimée, privée d'identité et donc, de visage.*

Page 180

(32) *De même, Corinne assistera comme une ombre aux fiançailles d'Oswald. Madame de Staël a vu ainsi les hommes qu'elle aimait, épouser l'un après l'autre des femmes moins inquiétantes qu'elle-même. Cependant, c'est aussi la position de l'artiste que d'observer du dehors.*

Page 190

(33) *Il s'agit bien ici d'un exposé de l'injustice qui frappe spécialement les femmes.*

Page 191

(34) *Delphine est prête à s'aliéner dans les valeurs de Léonce, mais elle s'y refusera finalement.*

Page 196

(35) *Madame de Staël montre très bien ici qu'on peut être envoûté en amitié comme en amour. Ces sentiments ne sont pas si différents entre eux que la littérature masculine le fait croire en général. Ce qui participe du cœur appartient à un seul monde. Il y a seulement des personnes qui n'y entrent jamais.*

DELPHINE

Page 211

(36) *Madame de Lebensei n'a pas l'air d'être aussi heureuse que son mari...*

Page 214

(37) *Ici encore, l'amitié agit comme une passion.*

Page 216

(38) *On voit que même la beauté peut se retourner contre une femme.*

Page 219

(39) *Monsieur de Lebensei protestant, divorcé, ayant l'apparence d'un Anglais, acquis aux idées nouvelles, serait Benjamin Constant et — a-t-on dit aussi — le marquis de Jaucourt.*

Page 226

(40) *L'éloge du divorce et du mariage d'amour, est certainement démodé, mais il constituait encore une véritable audace en 1802.*

Page 246

(41) *Tragédie de Voltaire créée le 13 septembre 1760 par Mlle Clairon, amie de M. de Staël. C'était l'une des tragédies préférées de l'auteur.*

Page 289

(42) *Si Léonce est hanté par la peur de l'opinion publique, Delphine est maintenant hantée par la peur de l'opinion de Léonce, ce qui revient à peu près au même.*

Page 295

(43) *Le ton de Léonce est constamment celui d'un juge et la malheureuse Delphine ne cesse de se « justifier » sans même penser à contre-attaquer et à lui demander compte de son mariage stupide. Le personnage de Léonce a paru invraisemblable à certains lors de la parution du livre, en raison de sa violence, mais je crois qu'il paraîtra très croyable à beaucoup de lectrices.*

DELPHINE

Page 303

(44) *Cette scène évoque certainement une rupture amoureuse, mais je crois pour ma part qu'il ne s'agit que de l'une
de ces amitiés exaltées dont les femmes ont le secret.
Cependant, l'hypothèse d'une liaison, qui a été soutenue, est
loin d'être absurde.*

Page 318

(45) *Pas une occasion n'est perdue de montrer la différence entre le destin des hommes et celui des femmes et à quel
point cette différence est injuste.*

Page 329

(46) *Comment une femme devient odieuse et combien elle
en est excusable à cause de la vie et de l'éducation qui lui ont
été offertes, voilà ce que Mme de Staël s'acharne à montrer
dans ce livre.*

Page 331

(47) *Le paradoxe même de l'éducation des filles.*

Page 351

(48) *On peut dire que Madame de Vernon mourra
convertie à Delphine... C'est un peu ridicule, mais l'amitié
est sauvée et il faut replacer l'œuvre dans la réthorique de son
temps.*

Page 366

(49) *Tout à coup, cette opinion publique si importante,
cesse d'exister dès que Léonce a un désir qui lui est contraire.
C'est la légèreté et l'inconséquence de Narbonne et de
quelques autres que Madame de Staël paraît vouloir montrer
ici.*

Page 377

(50) *Déjà ! Quelle féministe n'a pas entendu ce discours ?*

Page 383

(51) *Grande stupéfaction qu'une femme se préoccupe du
sort d'une autre femme. En général, dans les romans écrits*

531

par les hommes (voyez par exemple Béatrice de Balzac), *les femmes sont prêtes à s'entre-tuer pour conquérir un homme. Ni Madame de Staël ni George Sand ne sont tombées dans ce piège de l'idéologie masculine.*

Page 389

(52) *Ceci est une idée absolument moderne et contraire au christianisme de cette époque que la souffrance diminue l'être humain.*

Page 390

(53) *C'est ainsi, sans doute, que Madame de Staël avait rêvé d'être aimée, mais hélas...*

Page 408

(54) *L'idée (qui se retrouve dans* Corinne) *que l'homme est jaloux des succès de la femme qu'il aime et veut pour cette raison la séparer du monde est à juste titre une obsession de Madame de Staël. Peut-être essaie-t-elle d'adresser dans ce livre un message à Benjamin Constant qui supportait fort mal de jouer un « rôle secondaire ».*

Page 415

(55) *Madame de Staël remarque avec finesse que ce qui touche le plus chez une femme, aussi remarquable soit-elle, ce sont ses capacités « domestiques ». Narbonne lui aurait dit (lettre à Narbonne n° 127) « Par quel inconcevable enchantement êtes-vous tout à la fois mon Dieu et mon valet de chambre ! »*

Page 419

(56) *C'est l'existence de l'amour qui fait conclure Delphine à l'existence de Dieu, pensée métaphysique qu'il faudrait rapprocher de celle de Flora Tristan.*

Page 435

(57) *Les Belmont représenteraient François Huber et sa femme née Lullin. François Huber, quoique aveugle, avait fait des travaux importants sur les abeilles. Madame de Staël, qui manquait parfois de tact, alla leur lire son roman, ce qui les troubla beaucoup. Voir à ce sujet l'article de*

DELPHINE

Simone Balayé-Rosalie et Charles de Constant, lecteurs de Delphine (Cahiers staëliens 1er et 2e semestre 1979).

On notera par ailleurs que, dans le roman d'Emily Brontë, Jane Eyre, le mariage de l'héroïne avec Rochester ne peut se faire que lorsque celui-ci est devenu à peu près aveugle. Cet affaiblissement de certaines facultés peut-être symboliques — n'a-t-il pas pour effet, au moins dans l'esprit des auteurs, d'équilibrer les forces et de rendre l'homme aussi dépendant que la femme — établissant ainsi une sorte d'égalité qui favorise l'amour ?

Page 463

(58) *Monsieur d'Orsan craint de déplaire à la révolution comme il aurait pu craindre de déplaire au roi... Bien entendu, ses amis arrangeront cela...*

Page 466

(59) *Ceci est l'expérience même de Madame de Staël qui a sauvé beaucoup de personnes pendant la révolution et n'en a pas toujours eu la reconnaissance désirable.*

Page 482

(60) *Il est clair que Madame de Staël est hostile au duel. Elle s'est pourtant vue accuser d'y être favorable dans ce livre.*

Page 493

(61) *Tout en affirmant que ces deux personnages sont différents, Madame de Staël montre comme ils sont semblables, en particulier vis-à-vis de la femme qu'ils aiment.*

Page 502

(62) *Thérèse d'Ervins réussit à rentrer dans l'ordre grâce à la religion, mais cela même sera refusé à Delphine parce qu'elle est « différente des autres femmes ».*

TABLE DES MATIÈRES

*Achevé d'imprimer en octobre 1982
sur les presses de l'imprimerie Bussière
à Saint-Amand-Montrond (Cher)*

Dépôt légal : octobre 1982.
N° d'impression : 1217.

Imprimé en France.